Kate Morton | Der verborgene Garten

Kate Morton im Gespräch

Was hat Sie zu Ihrem Roman »Der verborgene Garten« inspiriert?
Es begann mit meiner eigenen Familie: Als meine Großmutter 21 Jahre alt war, erfuhr sie von ihrem Vater, sie sei nicht seine biologische Tochter. Das hat meine Oma so mitgenommen, dass sie nie jemandem davon erzählte. Erst als sie schon sehr alt war, vertraute sie sich ihren drei Töchtern an. Als ich davon erfuhr, war ich sehr gerührt und wusste, dass ich eines Tages eine ähnliche Geschichte erfinden würde.

Wie sind Sie auf Ihren Schauplatz gekommen?
Bei den Recherchen bin ich zufällig auf die »Lost Gardens of Heligan« in Cornwall gestoßen. Fasziniert begann ich nachzuforschen: Es war ein wunderschönes Anwesen, das irgendwann vergessen wurde, nachdem sämtliche Gärtner im Ersten Weltkrieg umkamen und die Eigentümer den Besitz aufgeben mussten. Als man es viele Jahrzehnte später wiederentdeckte, waren die Gärten vollkommen zugewachsen. Und ich wusste, ich wollte beides in meinem Buch: Cornwall und einen verborgenen Garten!

Was hat Sie außerdem beim Schreiben beeinflusst?
Ich liebe die Klassiker der Brontë-Schwestern wie *Jane Eyre* oder *Sturmhöhe.* So wie in ihren Büchern wollte ich eine geheimnisvolle Atmosphäre schaffen mit alten Gebäuden, verrückten Tanten, herumschleichenden Dienstboten und jeder Menge mysteriösem Getuschel. Und natürlich *Der geheime Garten* von Frances Hodgson Burnett – eines meiner absoluten Lieblingsbücher als kleines Mädchen.

Kate Morton

Der verborgene Garten

Roman

Aus dem Englischen von Charlotte Breuer
und Norbert Möllemann

Die Originalausgabe erschien 2008 unter dem Titel
The Forgotten Garden bei Pan, an imprint of Pan Macmillan Ltd., London

Mix
Produktgruppe aus vorbildlich bewirtschafteten Wäldern und anderen kontrollierten Herkünften

Zert -Nr SGS-COC-001940
www.fsc.org

Verlagsgruppe Random House FSC-DEU-0100
Das für dieses Buch verwendete
FSC-zertifizierte Papier *Holmen Book Cream*
liefert Holmen Paper, Hallstavik, Schweden.

5. Auflage
Taschenbucherstausgabe 05/2010

Redaktion | Angelika Lieke
Herstellung | Helga Schörnig
Umschlagmotiv | © Diego Uchitel/Stone/Getty Images
Umschlaggestaltung | Hauptmann & Kompanie Werbeagentur,
Zürich, Teresa Mutzenbach
Satz | Leingärtner, Nabburg
Druck und Bindung | GGP Media GmbH, Pößneck

Printed in Germany 2010
978-3-453-35476-0

www.diana-verlag.de

Für Oliver und Louis –
die mir kostbarer sind als alles im Märchenland gesponnene Gold

»Aber warum soll ich drei Locken von der Feenkönigin mitbringen?«, fragte der junge Prinz das alte Weiblein. »Warum gerade drei? Warum nicht zwei oder vier?«
Das alte Weiblein beugte sich vor, ohne seine Spinnarbeit zu unterbrechen. »Es gibt keine andere Zahl, mein Kind. Drei ist die Zahl der Zeit, denn sprechen wir nicht von der Vergangenheit, der Gegenwart und der Zukunft? Drei ist die Zahl der Familie, denn sprechen wir nicht von Mutter, Vater und Kind? Drei ist die Zahl der Feen, denn suchen wir sie nicht zwischen Eichen, Eschen und Dornen?«
Der junge Prinz nickte, denn die weise Alte sprach die Wahrheit. »Und deswegen brauche ich drei Locken, um meinen magischen Zopf zu flechten.«

Aus Der magische Zopf *von Eliza Makepeace*

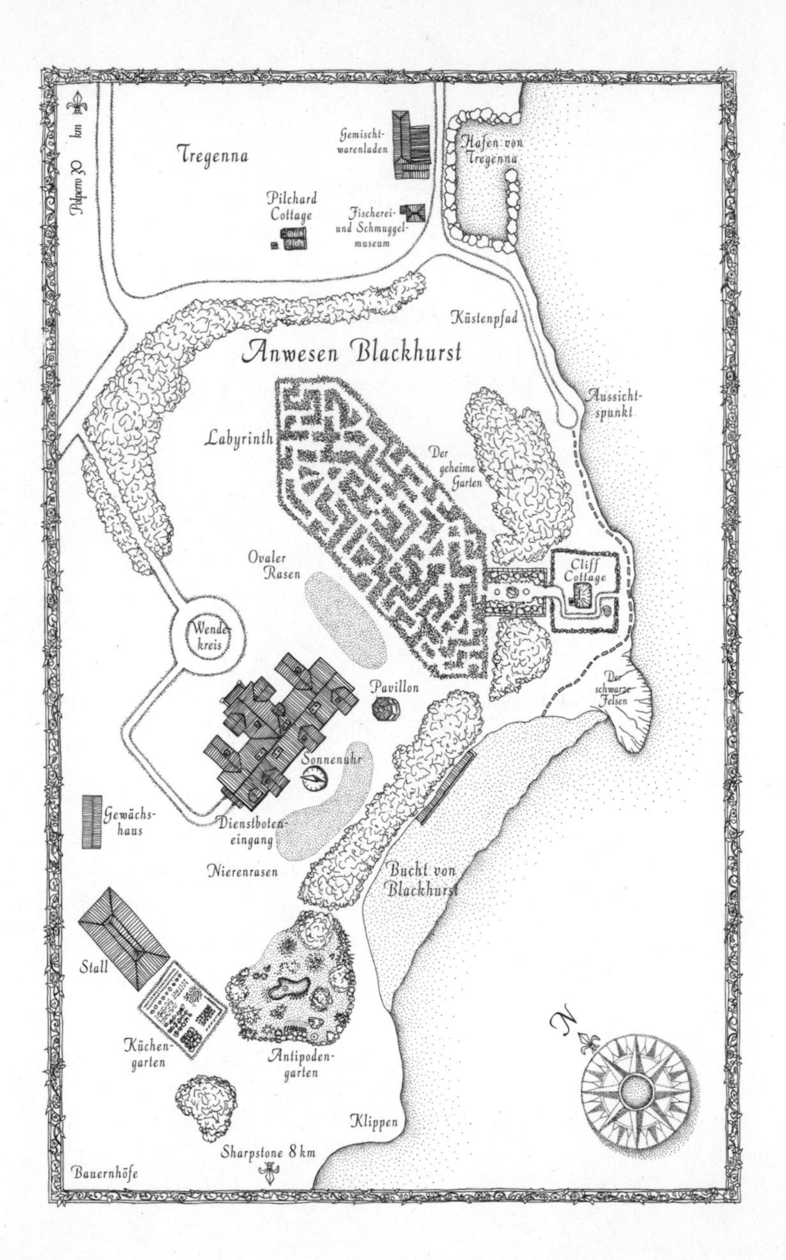
Polperro 30 km
Tregenna
Gemischt-
warenladen
Hafen von
Tregenna
Pilchard
Cottage
Fischerei-
und Schmuggel-
museum
Küstenpfad
Anwesen Blackhurst
Aussicht-
spunkt
Labyrinth
Der
geheime
Garten
Ovaler
Rasen
Cliff
Cottage
Wende-
kreis
Pavillon
Der
schwarze
Felsen
Sonnenuhr
Gewächs-
haus
Dienstboten-
eingang
Nierenrasen
Bucht von
Blackhurst
Stall
Küchen-
garten
Antipoden-
garten
N
Klippen
Sharpstone 8 km
Bauernhöfe

Teil eins

I *London* *England, 1913*

Es war dunkel in der Ecke, aber das kleine Mädchen tat, was man ihm befohlen hatte, und blieb in seinem Versteck hocken. Die Dame hatte gesagt, sie müssten noch warten, es sei noch gefährlich, und sie müssten sich so still verhalten wie Mäuse in der Speisekammer. Es war ein Spiel, das wusste das kleine Mädchen. Wie Verstecken oder Rundball oder Schweinchen in der Mitte.

Das kleine Mädchen kauerte hinter den Holzfässern und lauschte. Machte sich ein Bild, wie sein Papa es ihm beigebracht hatte. Männer, wahrscheinlich Matrosen, riefen sich Dinge zu. Raue, laute Stimmen, die nach Meer und Salz klangen. Worte, die das kleine Mädchen nicht verstand, die ihm jedoch keine Angst machten. In der Ferne das anschwellende Geräusch von Schiffssirenen, Trillerpfeifen, ins Wasser klatschenden Rudern und von hoch oben das Kreischen von Möwen, die die Flügel ausbreiteten, um das wärmende Licht der Abendsonne aufzufangen.

Die Dame würde zurückkommen, das hatte sie versprochen, und das kleine Mädchen hoffte, dass es nicht mehr lange dauern würde. Es wartete schon lange, so lange, dass die Sonne bereits über den ganzen Himmel gewandert war und jetzt so tief stand, dass sie die Knie unter seinem neuen Kleid wärmte. Das kleine Mädchen spitzte die Ohren, wartete darauf zu hören, wie die Röcke der Dame über die hölzernen Planken des Decks raschelten, lauschte auf das Klappern ihrer Absätze, die immer hierhin und dorthin eilten, ganz anders als die seiner Mama. Auf die beiläufige, unbesorgte Weise, die innig geliebten Kindern eigen ist, fragte sich das kleine Mädchen, wo seine Mama sein mochte. Wann sie kommen würde. Und es machte sich Gedanken über die Dame. Es wusste, wer die Dame war, es hatte Großmama von ihr sprechen hören. Sie wurde die Autorin genannt und wohnte in dem kleinen Haus am hinteren Ende des Anwesens, hinter dem Labyrinth. Das sollte das kleine Mädchen eigentlich gar nicht wissen. Man hatte ihm verboten, in der Nähe des Labyrinths aus Dornensträuchern zu spielen. Mama und Großmama hatten ihm eingeschärft, es sei gefährlich auf der Klippe. Aber manchmal, wenn niemand hinsah, tat das kleine Mädchen gern verbotene Dinge.

Unzählige Staubpartikel tanzten in einem Streifen Sonnenlicht, der zwischen zwei Fässern hindurchfiel. Das kleine Mädchen lächelte, und die Autorin, die Klippe, das Labyrinth und seine Mama, all das war mit einem Mal vergessen. Es streckte einen Finger aus, versuchte, ein Staubkorn zu erwischen. Lachte darüber, wie nah die Körnchen dem Finger kamen, bevor sie davonschwebten.

Die Geräusche in der Umgebung änderten sich. Das kleine Mädchen hörte Fußgetrappel, aufgeregtes Stimmengewirr. Es beugte sich in den Lichtschleier vor und legte die Wange an das kühle Holz des Fasses. Spähte mit einem Auge auf das Deck.

Beine und Schuhe und Rocksäume. Bunte Luftschlangen, die im Wind flatterten. Gewitzte Möwen, die das Deck nach Krumen absuchten.

Das riesige Schiff schlingerte, und tief aus seinem Bauch ertönte ein lang gezogenes Stöhnen. Die Deckplanken vibrierten, dass das kleine Mädchen es bis in die Fingerspitzen spürte. Ein kurzer Augenblick der Ungewissheit, das Mädchen hielt den Atem an, stützte sich mit den Handflächen am Boden ab, dann hob und senkte sich das Schiff und entfernte sich langsam vom Kai. Die Schiffssirene heulte auf, großer Jubel und »Bon Voyage!«-Rufe erklangen, und sie waren unterwegs. Nach Amerika, zu einem Ort namens New York, wo Papa geboren war. Das kleine Mädchen hatte hin und wieder gehört, wie die Erwachsenen davon geflüstert hatten, wie Mama gesagt hatte, sie sollten so bald wie möglich aufbrechen, sie könnten nicht länger warten. Wahrscheinlich waren Mama und Papa schon vorausgefahren, dachte das Mädchen. Das machten sie manchmal. Gingen fort und ließen es in der Obhut von Großmama und Großpapa zurück.

Wieder musste das kleine Mädchen lachen. Das Schiff glitt durch die Wellen wie ein riesiger Wal, wie Moby Dick in der Geschichte, die Papa ihm so oft vorgelesen hatte. Mama mochte es nicht, wenn er solche Geschichten vorlas. Mama fand, sie würden ihrer Tochter nur Angst machen und ihr Flausen in den Kopf setzen. Papa gab Mama immer einen Kuss auf die Stirn, wenn sie solche Bedenken äußerte, sagte ihr, sie habe recht und er werde in Zukunft besser achtgeben. Aber das hinderte ihn nicht daran, dem Mädchen weiterhin Geschichten von dem großen Wal zu erzählen. Und er las ihm aus dem Märchenbuch vor, das das kleine Mädchen so sehr liebte, Märchen von blinden alten Weiblein und Waisenkindern und von langen Reisen über das Meer. Und er achtete immer darauf, dass es ihr Geheimnis blieb und Mama nichts davon erfuhr.

Das Mädchen verstand, dass sie Geheimnisse vor Mama haben mussten. Mama ging es nicht gut, sie war schon kränklich gewesen, bevor das Mädchen geboren wurde. Großmama ermahnte es stets, brav zu sein, denn, so betonte sie immer wieder, wenn Mama sich aufregte, könne etwas Schlimmes passieren, und dann sei es seine Schuld. Das Mädchen hatte seine Mutter lieb, und da es sie nicht traurig machen wollte und auch nicht wollte, dass ihr etwas zustieß, wahrte es seine Geheimnisse. Es erzählte nichts von den Märchen, verschwieg, dass es manchmal in der Nähe des Labyrinths spielte und dass Papa es hin und wieder zu einem Besuch bei der Autorin in dem kleinen Haus am Ende des Anwesens mitnahm.

»Aha!« Eine Stimme ertönte ganz in der Nähe. »Hab ich dich gefunden!« Das Fass wurde zur Seite geschoben, und das kleine Mädchen blinzelte in die Sonne, bis der Besitzer der Stimme sich ins Licht stellte. Es war ein großer Junge von acht oder neun Jahren. »Du bist nicht Sally«, sagte er.

Das Mädchen schüttelte den Kopf.

»Wer bist du?«

Das kleine Mädchen zögerte. Es durfte niemandem seinen Namen nennen. Das war ein Spiel, das die Dame erfunden hatte.

»Nun?«

»Das ist ein Geheimnis.«

Er zog die Nase kraus, sodass seine Sommersprossen dichter zusammenrückten. »Wieso?«

Das kleine Mädchen zuckte mit den Schultern. Es durfte die Dame nicht erwähnen, das hatte Papa ihr oft genug eingeschärft.

»Wo ist Sally dann?« Der Junge verlor die Geduld. Er schaute nach rechts und links. »Sie ist in diese Richtung gelaufen, da bin ich mir ganz sicher.«

Aus einer anderen Ecke des Decks erscholl lautes Gelächter, dann hörte man jemanden davonlaufen. Die Miene des Jungen hellte sich auf. »Schnell!«, sagte er und rannte los. »Sonst entwischt sie uns noch.«

Das Mädchen lugte hinter dem Fass hervor und sah zu, wie der Junge durch die Menge flitzte und hinter weißen Röcken herjagte.

Dem Mädchen juckte es in den Füßen, sich an dem Spiel zu beteiligen.

Aber die Dame hatte gesagt, es solle warten.

Der Junge war schon ziemlich weit weg. Gerade schob er sich an einem beleibten Mann mit gezwirbeltem Schnurrbart vorbei, der so verdattert die Brauen zusammenzog, dass sein Gesicht aussah wie eine zerdrückte Tomate.

Vielleicht gehörte das alles zum selben Spiel. Die Dame erinnerte das Mädchen viel mehr an ein Kind als die anderen Erwachsenen, die es kannte. Vielleicht spielte die Dame ja auch mit.

Langsam kam das Mädchen hinter dem Fass hervor und stand auf. Sein linker Fuß war eingeschlafen, es fühlte sich an wie tausend Nadelstiche. Während es darauf wartete, dass es den Fuß wieder bewegen konnte, sah es den Jungen um eine Ecke verschwinden.

Dann, ohne weiter darüber nachzudenken, lief das Mädchen hinter ihm her. Das Herz hüpfte ihm vor Freude, als es über die Holzplanken rannte.

2 *Brisbane* *Australien, 1930*

Am Ende einigten sie sich darauf, Nells Geburtstagsparty in der Aula der Fakultät für Kunst zu feiern. Hamish hatte vorgeschlagen, die Party im neuen Veteranenklub auf der Given Terrace abzuhalten, doch Nell hatte sich der Meinung ihrer Mutter angeschlossen und erklärt, es sei Unsinn, so viel Geld auszugeben, vor allem in so schwierigen Zeiten. Hamish hatte schließlich nachgegeben, jedoch darauf bestanden, dass sie sich aus Sydney die spezielle Spitze kommen ließ, von der er wusste, dass sie sie so gern für ihr Kleid haben wollte. Lil hatte ihm kurz vor ihrem Tod diesen Floh ins Ohr gesetzt. Sie hatte sich zu ihm herübergebeugt, seine Hand genommen und ihm in der Zeitung die Anzeige von dem Geschäft in der Pitt Street gezeigt. Wie edel die Spitze sei, hatte sie gegurrt, wie sehr Nellie sie sich wünschte. Die Spitze sei vielleicht ein bisschen extravagant, aber man könne sie auch noch für ein Hochzeitskleid verwenden, wenn es so weit sei. Als Lil ihn angelächelte hatte, war sie ihm wieder vorgekommen wie sechzehn, und er war dahingeschmolzen.

Damals arbeiteten Lil und Nell schon seit Wochen an dem Kleid. Nach Feierabend im Zeitungsladen und nach dem Nachmittagstee, wenn die jüngeren Mädchen sich träge auf der Veranda kabbelten und so viele Mücken in der schwülen Luft herumschwirrten, dass das Summen einen ganz verrückt machte, nahm Nell ihren Stickkorb und setzte sich zu ihrer Mutter ans Krankenbett. Manchmal hörte Hamish sie über etwas lachen, was sich im Zeitungsladen zugetragen hatte: ein Streit zwischen Max Fitzsimmons mit irgendeinem Kunden oder Mrs Blackwells genüssliche Klagen über ihre neueste Krankheit. Er blieb an der Tür stehen, stopfte seine Pfeife und lauschte, als Nell mit gedämpfter Stimme aufgeregt von etwas erzählte, das Danny gesagt hatte. Mal ging es um das Haus, das er ihr bauen würde, wenn sie erst einmal verheiratet waren, mal um ein Auto, auf das er ein Auge geworfen hatte und das er nach Meinung seines Vaters zu einem Spottpreis würde erwerben können, oder um den neuesten Mixer aus dem Kaufhaus McWhirters.

Hamish mochte Danny – einen besseren Mann konnte er sich für Nell nicht wünschen –, und das war gut so, denn seit sie sich kennengelernt hatten, waren Nell und Danny unzertrennlich. Seit zwei Jahren gingen sie nun schon miteinander. Die beiden zusammen zu erleben, erinnerte Hamish immer an seine erste Zeit mit Lil. Sie waren glücklich und zufrieden und immer füreinander da gewesen. Nur selten war in all den Jahren ein böses Wort zwischen ihnen gefallen. Ja, sie führten eine gute Ehe. Anfangs, ehe die Kinder geboren wurden, hatte es ein paar Zerreißproben gegeben, aber auf die eine oder andere Weise hatten sie alle Klippen umschifft.

Wenn seine Pfeife gestopft war und er keinen Vorwand mehr hatte, an der Tür stehen zu bleiben, ging Hamish weiter und suchte sich einen stillen Platz am hinteren Ende der Veranda, eine schattige Stelle, wo er seinen Frieden hatte oder zumindest so viel Frieden, wie man finden konnte in einem Haus voller zänkischer Töchter, eine reizbarer als die andere. Nur er allein und seine Fliegenklatsche auf der Fensterbank für den Fall, dass die Mücken allzu lästig wurden. Und dann hing er seinen Gedanken nach, die unweigerlich zu dem Geheimnis wanderten, das er jetzt schon all die Jahre über hütete. Der Zeitpunkt würde bald kommen, das spürte er. Der Druck, dem er so lange standgehalten hatte, wurde stärker. Hatte sie nicht ein Recht darauf, die Wahrheit zu erfahren? Sie war fast einundzwanzig, eine erwachsene Frau, verlobt und drauf und dran, ihr eigenes Leben zu führen – hieß das nicht, dass es so weit war? Was Lil dazu sagen würde, wusste er, und deswegen erwähnte er ihr gegenüber nichts von seinem Vorhaben. Auf keinen Fall wollte er, dass sie sich Sorgen machte und ihre letzten Tage mit dem Versuch zubrachte, es ihm auszureden, wie sie es in der Vergangenheit schon so oft getan hatte.

Manchmal, wenn er sich erneut fragte, wie er es anstellen sollte, welche Worte er für sein Geständnis wählen würde, ertappte er sich dabei, wie er sich insgeheim wünschte, es würde eine seiner anderen Töchter treffen. Und dann verfluchte er sich dafür, dass er eine Tochter den anderen vorzog, auch wenn er es sich nach außen hin nicht anmerken ließ.

Aber Nellie war schon immer etwas Besonderes gewesen, so völlig anders als die anderen. Energischer, fantasievoller. Sie kam viel mehr nach Lil, dachte er immer wieder, auch wenn das natürlich Unsinn war.

Sie hatten die Dachsparren mit Girlanden geschmückt – weiße, die zu ihrem Kleid passten, und rote, die zu ihrem Haar passten. Die alte, aus Holz errichtete Halle mochte vielleicht nicht so elegant sein wie die neuen Backsteingebäude in der Stadt, aber sie machte durchaus etwas her. Im hinteren Bereich, in der Nähe der Bühne, hatten Nells vier jüngere Schwestern einen Gabentisch aufgestellt, auf dem sich bereits eine ganze Reihe Päckchen stapelten. Einige Frauen aus der Kirchengemeinde hatten gemeinsam das Abendessen bereitet, und Ethel Mortimer entlockte dem Klavier romantische Tanzweisen aus der Kriegszeit.

Anfangs standen die jungen Männer und Frauen verlegen in Grüppchen am Rand des Saals herum, aber als die Musik lebhafter wurde und die etwas kontaktfreudigeren Frauen in Stimmung kamen, begaben sie sich paarweise auf die Tanzfläche. Nells kleine Schwestern schauten dem Treiben sehnsüchtig zu, bis sie abkommandiert wurden, um das Essen auf Tabletts aus der Küche zu holen und auf dem Tisch anzurichten.

Als die Zeit für die Reden gekommen war, hatten alle bereits glühende Wangen, und die Schuhe trugen die ersten Spuren vom Tanzen. Marcie McDonald, die Frau des Pfarrers, schlug mit der Gabel an ihr Glas, und alle Augen richteten sich auf Hamish, der neben dem Gabentisch stand und ein kleines Blatt Papier auseinanderfaltete, das er aus seiner Brusttasche gezogen hatte. Er räusperte sich und fuhr sich mit der Hand über das ordentlich gekämmte Haar. Öffentliche Reden zu halten, war nie seine Stärke gewesen. Er war eher zurückhaltend, behielt seine Ansichten lieber für sich und überließ das Reden gern den wortgewaltigeren unter seinen Geschlechtsgenossen. Aber seine Tochter wurde nur einmal volljährig, und es war seine Pflicht, zu diesem Ereignis ein paar Worte zu sagen. Er war schon immer ein Verfechter der Pflichterfüllung gewesen, einer, der sich an die Regeln hielt. Meistens jedenfalls.

Er lächelte und hob eine Hand, als einer seiner Kameraden vom Hafen ihn laut aufforderte, endlich das Wort zu ergreifen, dann legte er den kleinen Zettel in seine Handfläche und holte tief Luft. Einen nach dem anderen ging er die Stichpunkte durch, die er sich mit schwarzer Tinte auf dem Zettel notiert hatte: Wie stolz er und seine Frau auf Nell waren, dass ihre Geburt ein Segen für sie gewesen war, die Antwort auf all ihre Gebete, wie sehr sie Danny mochten und wie beglückt Lil gewesen war, als sie kurz vor ihrem Tod von der Verlobung der beiden erfahren hatte. Als er seine kürzlich verstorbene Frau erwähnte, brannten Hamishs Augen, und er musste seine Rede kurz unterbrechen. Er blinzelte mehrmals, um die Worte auf seinem Zettel lesen zu können, dann schaute er die Gäste an. Es sei an der Zeit, sagte er trocken, noch einen Mann in der Familie zu haben, damit er nicht länger auf verlorenem Posten stehe. Alle lachten, und seine Töchter verdrehten theatralisch die Augen, wussten sie doch, wie sehr er seine Mädchen liebte. Hamish ließ den Blick über die Gesichter seiner Freunde und seiner Töchter wandern und schaute schließlich Nell an, die lächelnd zuhörte, während Danny ihr etwas ins Ohr flüsterte. Noch einmal atmete Hamish tief ein, und als sein Gesicht sich kurz verdüsterte, rechneten seine Zuhörer damit, dass er eine wichtige Ankündigung machen würde. Doch dann hellte seine Miene sich wieder auf, Hamish steckte den Zettel zurück in seine Brusttasche und wünschte allen guten Appetit.

Die Damen in der Küche traten in Aktion und servierten den Gästen Tee und Sandwiches, doch während alle anderen an den Tischen Platz nahmen, blieb Hamish noch eine Weile stehen, ließ sich von seinen Freunden mit einem »Gut gemacht, Kumpel!« auf die Schulter klopfen und von einer der Damen eine Tasse Tee in die Hand drücken. Die Rede war gut angekommen, und doch konnte Hamish sich nicht entspannen. Sein Herz schlug zu schnell, und er schwitzte, obwohl es nicht heiß war.

Natürlich kannte er den Grund. Noch hatte er nicht alle Pflichten erfüllt, die sich ihm an diesem Abend stellten. Als er sah, wie Nell allein durch die Seitentür auf die kleine Treppe trat, verstand er das als seine Chance. Er räusperte sich, stellte seine Teetasse zwischen zwei Päckchen auf dem Gabentisch ab und trat aus dem mit behaglichem Stimmengemurmel erfüllten Saal in die kühle Nachtluft hinaus.

Nell stand neben dem silbrig grünen Stamm eines einzelnen

Eukalyptusbaums. Früher, dachte Hamish, war der ganze Hügel dicht bewachsen gewesen mit Eukalyptusbäumen, ebenso wie die Täler zu beiden Seiten. All diese geisterhaften Baumstämme mussten in einer Vollmondnacht ein beeindruckender Anblick gewesen sein.

Seine Gedanken waren nur ein Ablenkungsmanöver. Immer noch versuchte er, sich vor der Verantwortung zu drücken. Er war drauf und dran, wieder einen Rückzieher zu machen.

Zwei schwarze Fledermäuse flogen lautlos durch den Nachthimmel, als Hamish die wackeligen Holzstufen hinunterstieg und durch das taunasse Gras ging. Sie musste ihn gehört oder vielleicht gespürt haben, denn sie drehte sich um und lächelte ihm entgegen.

Sie habe gerade an ihre Mutter gedacht, sagte sie, als er neben sie trat, und sich gefragt, von welchem Stern sie wohl auf sie herabschaute.

Hamish hätte weinen können, als sie das sagte. Musste sie ausgerechnet jetzt Lil ins Spiel bringen, verdammt. Ihn daran erinnern, dass sie zuschaute und ihm übel nahm, was er vorhatte. Vielleicht hatte sie ja sogar recht. Vielleicht musste es nicht sein. Sie könnten einfach so weiterleben wie bisher. Lils Stimme klang in seinen Ohren, zählte all die alten Argumente auf.

Nein. Er musste die Sache in die Hand nehmen und er hatte seine Entscheidung getroffen. Schließlich war er es gewesen, der das alles angefangen hatte. Es mochte nicht seine Absicht gewesen sein, aber er hatte den Schritt getan, der sie auf diesen Weg geführt hatte, und nun lag es an ihm, die Dinge richtigzustellen. Geheimnisse kamen immer irgendwann ans Tageslicht, und es war besser, sie erfuhr die Wahrheit von ihm.

Er nahm Nells Hände, hauchte auf jede einen Kuss. Drückte ihre zarten Finger fest mit seinen von harter Arbeit schwieligen Händen.

Seine Tochter. Seine Älteste.

Sie lächelte ihn an. Sie wirkte so strahlend in ihrem duftigen, spitzenbesetzten Kleid.

Auch er lächelte.

Dann führte er sie zu einem umgestürzten Gummibaum, und sie setzten sich nebeneinander auf den glatten, weißen Stamm. Er beugte sich zu ihr und flüsterte ihr das Geheimnis ins Ohr, das er und ihre Mutter siebzehn Jahre lang gehütet hatten. Wartete auf das Zeichen, dass sie verstand, auf eine wenn auch noch so winzige Veränderung in ihrem Gesichtsausdruck, als sie begriff, was er ihr da offenbarte. Sah zu, wie der Boden sich unter ihr auftat und der Abgrund die Person, die sie bis dahin gewesen war, verschluckte.

3 *Brisbane* *Australien, 2005*

Cassandra hatte das Krankenhaus seit Tagen nicht mehr verlassen, obwohl der Arzt ihr kaum Hoffnungen machte, dass ihre Großmutter noch einmal zu klarem Bewusstsein kommen würde. Das sei sehr unwahrscheinlich, hatte er ihr erklärte, bei ihrem Alter und angesichts der Menge an Morphium in ihrem Körper.

Die Nachtschwester kam, woraus Cassandra schloss, dass es inzwischen Abend war. Wie spät genau, wusste sie nicht. Hier im Krankenhaus war das schwer zu sagen: Die Beleuchtung war ständig eingeschaltet, ununterbrochen lief irgendwo ein Fernseher, den man hören, aber nicht sehen konnte, Medikamentenwagen wurden zu jeder Tages- und Nachtzeit durch die Korridore geschoben. Es hatte etwas Ironisches, dass ein Ort, an dem so vieles von Routine abhing, völlig außerhalb des normalen Zeitrhythmus funktionierte.

Dennoch wartete Cassandra. Wachte an Nells Bett und tröstete sie, während Nell in einem Meer aus Erinnerungen versank und zum Luftholen aus immer weiter zurückliegenden Zeiten auftauchte. Sie konnte den Gedanken nicht ertragen, dass ihre Großmutter entgegen aller Wahrscheinlichkeit ihren Weg aus der Tiefe zurück in die Gegenwart finden könnte, nur um festzustellen, dass sie allein am äußersten Rand des Lebens trieb.

Die Schwester tauschte den leeren Infusionsbeutel gegen einen vollen aus, drehte einen Knopf an einem Gerät hinter dem Bett und machte sich daran, das Bettzeug zu richten und Nell ordentlich zuzudecken.

»Sie hat noch gar nichts zu trinken bekommen«, sagte Cassandra. Ihre eigene Stimme klang fremd in ihren Ohren. »Den ganzen Tag noch nicht.«

Die Schwester blickte auf, überrascht, dass sie angesprochen wurde. Über ihre Brille hinweg schaute sie Cassandra an, die, eine zerknitterte blau-grüne Krankenhausdecke auf den Knien, auf einem Sessel saß. »Gott, haben Sie mich erschreckt«, sagte sie. »Sie sind schon den ganzen Tag hier, nicht wahr? Ist wahrscheinlich auch gut so, es wird nämlich nicht mehr lange dauern.«

Cassandra ging nicht auf die Anspielung ein. »Sollten wir ihr nicht etwas zu trinken geben? Sie hat doch bestimmt Durst.«

Die Schwester schlug die Laken um und steckte sie unter Nells dünnen Armen fest. »Machen Sie sich keine Sorgen. Diese Infusion sorgt dafür, dass sie genug Flüssigkeit bekommt.« Sie überprüfte etwas auf Nells Krankenblatt und sagte ohne aufzublicken: »Am Ende des Korridors steht ein Automat, da können Sie sich einen Tee zubereiten, wenn Sie wollen.«

Als die Schwester gegangen war, sah Cassandra, dass Nell die Augen geöffnet hatte und sie anstarrte.

»Wer bist du?«

»Ich bin Cassandra.«

Verwirrung. »Kenne ich dich?«

Obwohl der Arzt sie darauf vorbereitet hatte, schmerzte es sie, dass ihre Großmutter sie nicht erkannte. »Ja, Nell.«

Nell schaute sie mit ihren grauen, wässrigen Augen an. Sie blinzelte verunsichert. »Ich kann mich nicht erinnern …«

»Schsch … Ist schon gut.«

»Wer bin ich?«

»Du heißt Nell Andrews«, sagte Cassandra sanft und nahm ihre Hand. »Du bist fünfundneunzig Jahre alt, und du wohnst in einem alten Haus in Paddington.«

Nells Lippen zitterten – sie konzentrierte sich, versuchte, den Sinn der Worte zu begreifen.

Cassandra zog ein Kleenex aus einer Schachtel auf dem Nachttisch und wischte Nell vorsichtig einen Speichelfaden vom Kinn. »Du hast einen Stand auf dem Antiquitätenmarkt auf der Latrobe Terrace«, fuhr sie leise fort. »Wir beide teilen uns den Stand und verkaufen dort alte Sachen.«

»Ich kenne dich«, sagte Nell schwach. »Du bist Lesleys Tochter.«

Cassandra blinzelte verblüfft. Sie sprachen fast nie von ihrer Mutter. In all den Jahren, als sie bei ihrer Großmutter aufgewachsen war, und in den zehn Jahren, seit sie zurückgekehrt und in die kleine Wohnung im Untergeschoss von Nells Haus gezogen war, hatten sie sie kaum jemals erwähnt. Es war eine unausgesprochene Abmachung zwischen ihnen, nicht an eine Vergangenheit zu rühren, die sie beide aus unterschiedlichen Gründen lieber vergessen wollten.

Nell zuckte zusammen. Ängstlich musterte sie Cassandras Gesicht. »Wo ist der Junge? Hoffentlich nicht hier. Ist er hier? Ich will nicht, dass er meine Sachen anfasst. Er macht nur alles kaputt.«

Cassandra wurde schwindlig.

»Meine Sachen sind wertvoll. Pass auf, dass er sie nicht anfasst.«

»Nein … Nein«, stotterte Cassandra. »Ich passe schon auf. Keine Sorge, Nell. Er ist nicht hier.«

Später, als ihre Großmutter wieder in die dunklen Gewässer des Schlafs eingetaucht war, dachte Cassandra über die grausame Fähigkeit des Gehirns nach, Schnipsel aus der Vergangenheit in Erinnerung zu bringen. Warum meldeten sich an ihrem Lebensende Stimmen von Menschen im Kopf ihrer Großmutter, die längst nicht mehr da waren? War das immer so? Suchten diejenigen, die die Überfahrt auf dem lautlosen Schiff des Todes antraten, alle den Kai nach den Gesichtern derer ab, die ihnen vorausgereist waren?

Cassandra musste eingeschlafen sein, denn als sie die Augen aufschlug, hatte sich die Stimmung im Krankenhaus wieder geändert. Sie waren noch tiefer in den Tunnel der Nacht eingedrungen. Das Licht im Korridor war gedämpft, und von überall her waren die Geräusche des Schlafs zu vernehmen. Sie saß in sich zusammengesunken in ihrem Sessel, ihr Hals war steif, und ein Fuß war ganz kalt, weil die dünne Decke verrutscht war. Es musste sehr spät sein, und sie war hundemüde. Was hatte sie bloß geweckt?

Nell. Ihr Atem ging laut. Sie war wieder wach. Cassandra stand auf und setzte sich auf die Bettkante. Im gedämpften Licht wirkten Nells Augen glasig, bleich und trüb wie Wasser, in dem man einen Farbpinsel ausgewaschen hat. Ihre Stimme, ein dünner Faden nur, drohte jeden Augenblick zu zerreißen. Zuerst konnte Cassandra sie gar nicht hören und dachte, dass sich nur ihre Lippen um Worte herumbewegten, die sie vor langer Zeit ausgesprochen hatte. Dann wurde ihr klar, dass Nell mit ihr redete.

»Die Dame hat mir gesagt, ich soll warten …«

Cassandra streichelte Nells warme Stirn und strich ihr ein paar Strähnen aus dem Gesicht, die einst geglänzt hatten wie aus Silberfäden gesponnen. Die rätselhafte Dame schon wieder. »Sie wird dir bestimmt nicht böse sein«, sagte Cassandra. »Die Dame wird es dir nicht übel nehmen, wenn du gehst.«

Nell presste die zitternden Lippen aufeinander. »Ich darf mich nicht von der Stelle rühren. Sie hat gesagt, ich soll warten, hier auf dem Schiff.« Ihre Stimme war nur noch ein Flüstern. »Die Dame … die Autorin … Erzähl niemandem davon.«

»Schsch«, sagte Cassandra sanft. »Ich werde niemandem davon erzählen, Nell, auch nicht der Dame. Du darfst ruhig gehen.«

»Sie hat gesagt, sie würde mich abholen, aber ich bin weggegangen. Ich bin nicht geblieben, wo ich sollte.«

Der Atem ihrer Großmutter ging jetzt sehr schwer, sie geriet in Panik.

»Bitte mach dir keine Sorgen, Nell, bitte. Es ist alles in Ordnung. Ich verspreche es dir.« Nells Kopf fiel zur Seite. »Ich kann nicht gehen … Ich sollte nicht … Die Dame …«

Cassandra drückte auf den Notrufknopf, aber über dem Bett ging kein Licht an. Sie zögerte, lauschte auf herbeieilende Schritte auf dem Korridor. Nells Lider flatterten, sie dämmerte weg.

»Ich hole eine Schwester …«

»Nein!« Blind tastete Nell nach Cassandra und versuchte, sie festzuhalten. »Lass mich nicht allein.« Sie weinte lautlos, Tränen schimmerten auf ihrer bleichen Haut.

Cassandra biss sich auf die Lippe. »Es ist alles in Ordnung, Grandma. Ich hole nur Hilfe. Ich bin gleich wieder da. Versprochen.«

4 *Brisbane* *Australien, 2005*

Das Haus schien zu spüren, dass seine Besitzerin fort war, und auch wenn es nicht unbedingt um sie trauerte, so hüllte es sich zumindest in trotziges Schweigen. Nell hatte nie viel für Gäste und Partys übrig gehabt (selbst die Küchenmäuse hatten mehr Lärm gemacht als ihre Enkelin), und das Haus war an ein stilles Leben gewöhnt, ohne Gezänk, ohne Aufregung, ohne Lärm. Und so war es ein Schock, als die Leute ohne Vorwarnung eintrafen, in Haus und Garten herumwuselten, Tee verschütteten und Krümel verteilten. An den Hügel hinter dem riesigen Antiquitätenmarkt geduckt, ertrug das Haus die Beleidigung mit stoischer Würde.

Natürlich hatten die Tanten das alles organisiert. Cassandra hätte gern auf den ganzen Rummel verzichtet und sich im Stillen von ihrer Großmutter verabschiedet, aber davon hatten die Tanten nichts hören wollen. Selbstverständlich würden sie Nell eine Totenfeier ausrichten, verkündeten sie. Die Angehörigen würden ihr ebenso die letzte Ehre erweisen wollen wie ihre Freunde. Außerdem gehörte sich das nun mal so.

Einer solch treuherzigen Gewissheit hatte Cassandra nichts entgegenzusetzen. Früher hätte sie sich mit den Tanten angelegt, heute nicht mehr. Die Tanten waren eine nicht aufzuhaltende Sturmtruppe und sie besaßen eine Energie, die ihr hohes Alter Lügen strafte (selbst Tante Hettie, die jüngste, war schon fünfundsiebzig). Cassandra hatte also ihre Bedenken heruntergeschluckt, dem Impuls widerstanden, darauf hinzuweisen, dass Nell überhaupt keine Freunde gehabt hatte, und sich an die Aufgaben gemacht, die man ihr zugeteilt hatte: Teetassen, Teller und Kuchengabeln auf den Tischen zu verteilen und ein bisschen aufzuräumen, damit die Verwandten Platz zum Sitzen hatten, während die Tanten geschäftig um sie herumschwirrten.

Eigentlich waren sie gar nicht Cassandras Tanten. Sie waren Nells jüngere Schwestern, die Tanten von Cassandras Mutter. Aber Lesley hatte nie viel mit ihnen anfangen können, woraufhin die Tanten Cassandra an ihrer Stelle unter ihre Fittiche genommen hatten.

Cassandra hatte irgendwie damit gerechnet, dass ihre Mutter zur Beerdigung kommen, dass sie in die Feierlichkeiten im Krematorium platzen würde, eine Frau, die dreißig Jahre jünger wirkte, als sie tatsächlich war, und immer bewundernde Blicke auf sich zog. Schön und jung und stets beneidenswert unbekümmert.

Aber sie war nicht gekommen. Wahrscheinlich würde sie eine Beileidskarte schicken, dachte Cassandra, mit einem unpassenden Bild vorn drauf. In einer auffälligen, schnörkeligen Handschrift und mit Herzchen und Küsschen am Rand, Verbundenheitsbeteuerungen von der Sorte, die man gedankenlos austeilt.

Cassandra tauchte die Hände ins Spülwasser und bewegte das Geschirr noch ein bisschen hin und her.

»Also, ich finde, es ist großartig gelaufen«, sagte Phyllis, die Älteste nach Nell und bei Weitem die Dominanteste. »Nell hätte es gefallen.«

Cassandra wandte sich ab.

»Na ja«, sagte Phyllis und hielt kurz inne beim Abtrocknen. »Jedenfalls nachdem sie sich darüber ausgelassen hätte, dass sie eigentlich keine Trauerfeier haben wollte.« Dann fuhr sie in einem mütterlichen Tonfall fort: »Und du? Wie kommst du mit alldem zurecht?«

»Ganz gut.«

»Du siehst mager aus. Isst du auch ordentlich?«

»Dreimal täglich.«

»Du könntest ein paar Pfund mehr auf den Rippen gebrauchen. Morgen Abend kommst du zum Tee, ich lade die ganze Familie ein und mache meine Hackfleischpastete.«

Cassandra widersprach nicht.

Phyllis schaute sich argwöhnisch in der alten Küche um und betrachtete die schief hängende Dunstabzugshaube. »Du fürchtest dich nicht, allein hier im Haus?«

»Nein, eigentlich …«

»Aber du bist einsam«, fiel Phyllis ihr ins Wort und zog übertrieben mitfühlend die Nase kraus. »Natürlich. Das ist ganz normal. Schließlich habt ihr beide euch gut verstanden, du und Nell, nicht wahr?« Ohne eine Antwort abzuwarten, legte sie Cassandra eine sommersprossige Hand auf den Unterarm und sagte aufmunternd: »Du wirst bald darüber hinwegkommen, und ich sage dir auch, warum. Es ist immer traurig, wenn man einen geliebten Menschen verliert, aber wenn derjenige schon sehr alt war, ist es nicht so schlimm. Das ist der Lauf der Dinge. Viel schlimmer ist es, wenn ein junger Mensch …« Sie unterbrach sich mitten im Satz, die Schultern angespannt, das Gesicht gerötet.

»Ja«, sagte Cassandra hastig, »das ist viel schlimmer.« Sie nahm die Hände aus dem Spülwasser und schaute durch das Fenster in den Garten. Schaum lief ihr über die Finger, über den goldenen Ehering, den sie immer noch trug. »Ich sollte rausgehen und ein bisschen Unkraut jäten. Wenn ich nicht aufpasse, wuchert die Kapuzinerkresse noch über den ganzen Weg.«

Dankbar stürzte sich Phyllis auf das neue Thema. »Ich werde Trevor herschicken, der kann dir helfen.« Ihre knorrigen Finger verstärkten den Druck auf Cassandras Arm. »Nächsten Samstag, einverstanden?«

In diesem Augenblick schlurfte Tante Dot mit einem Tablett voller benutzter Teetassen aus dem Wohnzimmer herüber. Scheppernd stellte sie das Tablett auf der Bank ab und fasste sich mit ihrer fleischigen Hand an die Stirn.

»Geschafft«, sagte sie, während sie Cassandra und Phyllis durch ihre dicken Brillengläser anschaute. »Das waren die letzten.« Sie watschelte an die Anrichte und lugte in einen runden Tortenbehälter aus Kunststoff. »Von so viel Arbeit kriegt man ordentlich Hunger.«

»Himmel, Dot«, sagte Phyllis, froh, ihre Verlegenheit in einen Tadel ummünzen zu können, »du hast doch gerade erst gegessen.«

»Das war vor einer Stunde.«

»Bei deinen Gallenproblemen! Ich dachte, du würdest auf dein Gewicht achten.«

»Mach ich auch«, erwiderte Dot, richtete sich auf und legte die Hände um ihre umfangreiche Taille. »Seit Weihnachten hab ich drei Kilo abgenommen.« Während sie den Tortenbehälter wieder verschloss, bemerkte sie Phyllis' zweifelnden Blick. »*Ehrlich.*«

Cassandra unterdrückte ein Lächeln und fuhr fort, die Tassen zu spülen. Phyllis war kein bisschen schlanker als Dot, die Tanten waren alle kugelrund. Das hatten sie von ihrer Mutter geerbt, und die hatte es von ihrer Mutter. Nell, die auf ihren hageren irischen Vater kam, war diesem Familienfluch als Einzige entgangen. Sie waren immer ein lustiger Anblick gewesen: die große, dünne Nell und ihre pummeligen Schwestern.

Phyllis und Dot kabbelten sich immer noch, und wenn es Cassandra nicht gelang, sie abzulenken, das wusste sie aus Erfahrung, dann würde der Streit eskalieren, bis eine der beiden ein Geschirrtuch auf den Boden warf und empört aus der Küche stürmte. Sie hatte das schon oft genug miterlebt, und doch verblüffte es sie immer wieder, wie bestimmte Worte, bestimmte Anspielungen oder ein Blickkontakt, der eine Winzigkeit zu lange dauerte, einen Jahre zurückliegenden Streit wieder aufflammen lassen konnte. Als Einzelkind fand Cassandra die ausgetretenen Pfade der Geschwisterkommunikation zugleich faszinierend und erschreckend. Zum Glück waren die anderen Tanten bereits von ihren Familien abtransportiert worden und konnten nicht auch noch ihren Senf dazugeben.

Cassandra räusperte sich. »Ich wollte euch die ganze Zeit schon etwas fragen.« Sie hatte schon fast ihre Aufmerksamkeit gewonnen und hob ein wenig die Stimme. »Es hat was mit Nell zu tun. Mit etwas, das sie im Krankenhaus gesagt hat.«

Phyllis und Dot wandten sich ihr zu, die Wangen gerötet. Die Erwähnung ihrer Schwester schien sie zu beruhigen. Es erinnerte sie daran, warum sie hier waren und Teetassen abtrockneten. »Etwas mit Nell?«

Cassandra nickte. »Kurz vor ihrem Tod hat sie von einer Frau gesprochen. Die Dame hat sie sie genannt, die Autorin. Es war, als wähnte sie sich auf einer Art Schiff.«

Phyllis kniff die Lippen zusammen. »Ach, da war sie schon nicht mehr ganz richtig im Kopf, sie wusste nicht, was sie sagt. Wahrscheinlich handelt es sich um eine Figur aus irgendeiner Fernsehshow. Gab es da nicht mal so eine Serie mit einem Schiff, die sie sich immer angesehen hat?«

»Ach Phyll«, sagte Dot kopfschüttelnd.

»Ich bin mir ziemlich sicher, dass sie öfter davon gesprochen hat …«

»Ich bitte dich, Phyll«, fiel Dot ihr ins Wort. »Nell ist nicht mehr da. Das kannst du dir alles sparen.«

Phyllis verschränkte die Arme vor der Brust und schnaubte verunsichert.

»Wir sollten es ihr sagen«, drängte Dot sanft. »Es kann nicht schaden. Jetzt nicht mehr.«

»Was solltet ihr mir sagen?« Cassandra schaute die Tanten nacheinander an. Ihre Frage war eine Präventivmaßnahme gewesen, um einen größeren Streit zu verhindern, nie hätte sie erwartet, damit so eine Heimlichtuerei aufzudecken. Die Tanten waren so aufeinander fixiert, dass sie Cassandras Anwesenheit offenbar ganz vergessen hatten. »Was solltet ihr mir sagen?«

Dot, den Blick immer noch auf Phyllis geheftet, hob die Brauen. »Besser, sie erfährt es von uns, als dass sie es auf andere Weise herausfindet.«

Phyllis nickte kaum merklich und lächelte grimmig. Ihr gemeinsames Wissen machte sie erneut zu Verbündeten.

»Komm, am besten setzen wir uns hin«, sagte Phyllis schließlich. »Dotty, Liebes, würdest du Wasser aufsetzen und uns einen Tee aufgießen?«

Cassandra folgte ihrer Tante ins Wohnzimmer und nahm auf Nells Sofa Platz. Phyllis machte es sich mit ihrem breiten Gesäß am anderen Ende bequem und begann, an einem losen Faden zu spielen. »Ich weiß gar nicht, wo ich anfangen soll. Es ist schon so lange her, dass ich das letzte Mal über all das nachgedacht habe.«

Cassandra war verblüfft. Was bedeutete *all das*?

»Was ich dir erzählen werde, ist das große Geheimnis unserer Familie. Jede Familie hat ein Geheimnis, keine Frage, aber manche haben halt ein besonders großes.« Stirnrunzelnd blickte sie in Richtung Küche. »Herrgott noch mal, wo bleibt Dot denn so lange?«

»Worum geht es überhaupt, Phyll?«

Sie seufzte. »Ich hatte mir geschworen, niemals jemandem davon zu erzählen. Die ganze Sache hat unsere Familie so entzweit, dass es leichter wäre, einfach so zu tun, als wäre es nie geschehen. Ich jedenfalls wünschte mir inständig, Dad hätte es für sich behalten. Aber der arme Kerl hat geglaubt, er würde das Richtige tun.«

»Was hat er denn getan?«

Phyllis tat, als hätte sie die Frage nicht gehört. Das war ihre Geschichte, und sie würde sie auf ihre Weise erzählen und sich dafür so viel Zeit lassen, wie sie brauchte. »Wir waren eine glückliche Familie. Wir besaßen nicht viel, aber wir waren zufrieden. Ma und Pa und wir Mädchen. Nellie war die Älteste, wie du weißt, dann kam eine Lücke von zehn Jahren, wegen des Kriegs, und dann kamen wir anderen.« Sie lächelte. »Du würdest es nicht glauben, aber damals war Nellie das Herz und die Seele der Familie. Wir haben sie alle bewundert, für uns Kinder war sie wie eine Mutter, vor allem, als Ma krank wurde. Nell hat sich immer so liebevoll um sie gekümmert.«

Cassandra konnte sich vorstellen, dass Nell ihre todkranke Mutter gepflegt hatte, aber dass ihre kratzbürstige Großmutter das Herz und die Seele der Familie gewesen sein sollte? »Und was ist dann passiert?«

»Lange Zeit hat niemand von uns etwas geahnt. Nell wollte es so. Alles war plötzlich anders in der Familie, und niemand wusste, warum. Unsere große Schwester hatte sich in einen anderen Menschen verwandelt, es war, als hätte sie aufgehört, uns zu lieben. Nicht über Nacht, so dramatisch war es nicht. Sie hat sich einfach immer mehr zurückgezogen und von uns anderen abgesondert. Es war uns ein Rätsel, und es hat so wehgetan, aber Pa war nicht bereit, sich dazu zu äußern, sosehr wir ihn auch bedrängten.

Es war mein Mann, Gott hab ihn selig, der uns schließlich die Augen geöffnet hat. Nicht absichtlich, wohlgemerkt, er hatte sich nicht vorgenommen, Nells Geheimnis zu lüften. Er hat sich bloß für Ahnenforschung interessiert, das ist alles. Nachdem Trevor auf die Welt gekommen war, wollte er einen Familienstammbaum erstellen. Das war 1947, im selben Jahr, als deine Mutter geboren wurde.« Sie unterbrach sich und schaute Cassandra durchdringend an, wie um zu sehen, ob ihre Nichte bereits ahnte, was auf sie zukam. Aber das war nicht der Fall.

»Eines Tages kam er in die Küche – ich weiß es noch, als wäre es gestern gewesen – und sagte, er könnte im Geburtenregister nichts über Nellies Geburt finden. ›Natürlich nicht‹, sage ich, ›Nellie wurde ja auch in Maryborough geboren, und später sind meine Eltern dann mit ihr nach Brisbane gezogen.‹ Doug nickte und meinte, das hätte er auch angenommen, aber er hatte das Amt in Maryborough angeschrieben und um die Unterlagen gebeten, und zur Antwort erhalten, es wäre kein entsprechender Eintrag vorhanden.« Phyllis warf Cassandra einen vielsagenden Blick zu. »Das bedeutet, dass es Nell gar nicht gab. Jedenfalls nicht offiziell.«

Cassandra blickte auf, als Dot aus der Küche kam und ihr eine Tasse Tee reichte. »Das verstehe ich nicht.«

»Natürlich nicht, Liebes«, sagte Dot, während sie sich in einem Sessel neben Phyllis niederließ. »Und lange Zeit haben wir es auch nicht verstanden.« Sie schüttelte den Kopf und seufzte. »Bis wir mit June gesprochen haben. Das war auf Trevors Hochzeit, nicht wahr, Phyllis?«

Phyllis nickte. »1975. Ich war sauer auf Nell. Pa war erst kürzlich gestorben, und mein ältester Sohn heiratete, immerhin Nellies Neffe, und sie fand es nicht mal nötig, zur Hochzeit zu erscheinen. Hat es vorgezogen, in Urlaub zu fahren. Deswegen hab ich mit June geredet. Ich schäme mich nicht zuzugeben, dass ich ganz schön über Nell hergezogen bin.«

Cassandra war verwirrt. Es war ihr noch nie gelungen, einen Überblick über das weitläufige Netz aus Freunden und Verwandten zu gewinnen, über das die Tanten verfügten. »Wer ist June?«

»Eine unserer Cousinen«, sagte Dot. »Mütterlicherseits. Die hast du doch bestimmt mal kennengelernt, oder? Sie war ungefähr ein Jahr älter als Nell, und die beiden waren als Mädchen unzertrennlich.«

»Sie müssen sich wirklich sehr nahegestanden haben«, bemerkte Phyllis. »June war die Einzige, der Nell sich anvertraut hat, als es passiert ist.«

»Als was passiert ist?«, fragte Cassandra.

Dot beugte sich vor. »Pa hat Nell gesagt …«

»Pa hat Nell etwas gesagt, das er nie hätte aussprechen dürfen«, fiel Phyllis ihr hastig ins Wort. »Aber er hielt es für das Richtige, der Arme. Und dann hat er es sein Leben lang bereut, denn von da an war es nie wieder wie früher zwischen den beiden.«

»Dabei war Nell immer sein Lieblingskind gewesen.«

»Er hat uns alle geliebt«, fauchte Phyllis.

»Ach Phyll«, sagte Dot und verdrehte die Augen. »Selbst jetzt kannst du es nicht zugeben. Nell war sein Liebling, Punkt, aus. Im Nachhinein betrachtet eigentlich ziemlich paradox.«

Als Phyll nichts entgegnete, fuhr Dot – froh, das Ruder übernehmen zu können – mit der Geschichte fort. »Es war an ihrem einundzwanzigsten Geburtstag«, sagte sie. »Nach der großen Party …«

»Es war nicht hinterher«, unterbrach sie Phyllis, »sondern während der Party.« Sie wandte sich wieder an Cassandra. »Wahrscheinlich dachte er, es wäre genau der richtige Moment, um es ihr zu sagen, wo sie am Anfang eines neuen Lebens stand und alles. Sie war verlobt, weißt du. Aber nicht mit deinem Großvater, sondern mit einem anderen jungen Mann.«

»Wirklich?« Cassandra war überrascht. »Davon hat sie nie was erwähnt.«

Phyllis nickte bedächtig. »Das war ihre große Liebe, wenn du mich fragst. Ein Bursche von hier, nicht wie Al.«

Den Namen des Letzteren sprach Phyllis mit einer Spur Verachtung aus. Dass die Tanten Nells amerikanischen Mann nicht gemocht hatten, war kein Geheimnis. Es war nichts Persönliches, eher eine grundsätzliche Abneigung gegen die amerikanischen GIs, die während des Zweiten Weltkriegs mit viel Geld, feschen Uniformen und einem charmanten Akzent in Brisbane eingetroffen waren, nur um sich kurz darauf mit einem Gutteil der örtlichen jungen Frauen aus dem Staub zu machen. »Und was ist passiert? Warum hat sie ihn nicht geheiratet?«

»Ein paar Wochen nach der Party hat sie die Verlobung aufgelöst«, sagte Phyllis. »Gott, war das schrecklich. Wir mochten Danny alle so gern, und ihm hat es das Herz gebrochen, dem armen Kerl. Irgendwann hat er dann eine andere geheiratet, kurz vor dem Zweiten Weltkrieg. Aber das hat ihm auch kein Glück gebracht, er ist im Krieg gegen die Japaner gefallen.«

»Wollte euer Vater nicht, dass sie den Mann heiratete?«, fragte Cassandra. »War es das, was er ihr an dem Abend gesagt hat? Dass sie Danny nicht heiraten sollte?«

»Wohl kaum«, schnaubte Dot. »Pa hielt große Stücke auf

Danny, da konnte keiner von unseren Ehemännern später mithalten.«

»Aber warum hat sie die Verlobung dann aufgelöst?«

»Das hat sie nicht gesagt, nicht mal Danny hat sie eine Erklärung gegeben. Wir haben uns alle den Kopf zerbrochen«, antwortete Phyllis. »Wir wussten nur, dass Nell weder mit Pa noch mit Danny reden wollte.«

»Mehr wussten wir nicht, bis Phyll mit June gesprochen hat«, sagte Dot.

»Fast fünfundvierzig Jahre später.«

»Und was hat June gesagt?«, wollte Cassandra wissen. »Was ist damals auf der Party passiert?«

Phyllis trank einen großen Schluck Tee und sah Cassandra mit hochgezogenen Brauen an. »Pa hat Nell eröffnet, dass sie keine leibliche Tochter von ihm und Ma war.«

»Sie haben sie adoptiert?«

Die Tanten tauschten einen kurzen Blick aus. »Nicht direkt«, bemerkte Phyllis.

»Eher gefunden«, sagte Dot.

»Mitgenommen.«

»Und behalten.«

Cassandra runzelte die Stirn. »Wo haben sie sie denn gefunden?«

»Am Kai von Maryborough«, sagte Dot. »Da, wo die großen Schiffe aus Europa anlegten. Inzwischen fahren die Schiffe natürlich die größeren Häfen an, und heutzutage reisen die meisten Leute ja sowieso per Flugzeug …«

»Pa hat sie gefunden«, fiel Phyllis ihr ins Wort. »Sie war noch ganz klein. Das war kurz vor dem Ersten Weltkrieg. Die Leute haben Europa scharenweise verlassen, und wir haben sie mit offenen Armen hier in Australien aufgenommen. Alle zwei Tage kam so ein großes Schiff im Hafen an. Pa war damals Hafenmeister, und seine Aufgabe bestand darin, die Papiere der Leute zu überprüfen und sich zu vergewissern, dass sie am richtigen Ort angekommen waren. Manche von denen konnten fast kein Englisch.

Soweit ich weiß, hat es dann eines Tages ein ziemliches Theater gegeben. Ein Schiff aus England legte im Hafen an, das eine schreckliche Reise hinter sich hatte. Unterwegs war eine Typhusepidemie ausgebrochen, einige Passagiere hatten einen Hitzschlag erlitten, was weiß ich, und bei der Überprüfung im Hafen gab es plötzlich überzählige Gepäckstücke und Personen, die nicht auf der Passagierliste standen. Es war alles ein Riesendurcheinander. Pa hat natürlich alles geregelt – er hatte ein Händchen dafür, Ordnung zu schaffen –, aber dann ist er länger als gewöhnlich im Büro geblieben, um dem Nachtwächter zu berichten, was vorgefallen war, und ihm zu erklären, warum diese Gepäckstücke im Büro rumstanden. Und während er auf den Nachtwächter wartete, hat er gesehen, dass noch immer jemand am Kai war. Ein kleines Mädchen von höchstens vier Jahren, das auf einem Kinderkoffer saß.«

»Und meilenweit keine Menschenseele«, fügte Dot kopfschüttelnd hinzu. »Sie war ganz allein.«

»Pa hat versucht, aus ihr rauszubekommen, wer sie war, aber sie wollte es ihm nicht sagen. Sie hat immer nur gesagt, sie weiß es nicht, sie kann sich nicht erinnern. Am Koffer war kein Namensschild befestigt, und auch in dem Koffer hat Pa nichts gefunden, was ihm hätte weiterhelfen können. Es war spät, es wurde schon dunkel, und ein Unwetter zog auf. Pa sagte sich, dass die Kleine Hunger haben musste, und am Ende wusste er sich nicht anders zu helfen, als sie mit nach Hause zu nehmen. Was hätte er auch sonst tun sollen? Er konnte sie ja schlecht die ganze Nacht im Regen am Kai sitzen lassen, oder?«

Cassandra schüttelte den Kopf und versuchte, das erschöpfte, einsame kleine Mädchen aus Phyllis' Geschichte mit der Nell in Übereinstimmung zu bringen, die sie gekannt hatte.

»So wie June es dargestellt hat, ist Pa am nächsten Tag zur Arbeit gegangen in der Erwartung, dort verzweifelte Angehörige, die Polizei und sonst jemanden vorzufinden, der Nachforschungen anstellte …«

»Aber es war niemand da«, sagte Dot. »Ein Tag nach dem anderen verging, ohne dass sich jemand nach dem Kind erkundigte.«

»Es war, als hätte sie keine Spur hinterlassen. Natürlich haben sie versucht, in Erfahrung zu bringen, wer sie war, aber bei den vielen Menschen, die Tag für Tag am Hafen eintrafen … Da waren so viele Papiere auszufüllen, dass ganz leicht etwas übersehen werden konnte.«

»Oder jemand.«

Phyllis seufzte. »Also haben sie sie behalten.«

»Was blieb ihnen denn auch anderes übrig?«

»Und sie haben sie glauben lassen, sie wäre ihre Tochter.«

»Und unsere Schwester.«

»Bis zu ihrem einundzwanzigsten Geburtstag«, sagte Phyllis. »Da hat Pa sich entschlossen, ihr die Wahrheit zu sagen. Dass sie ein Findelkind war und es nichts als einen Koffer gab, anhand dessen man sie womöglich hätte identifizieren können.«

Schweigend versuchte Cassandra, das alles zu verdauen. Sie legte eine Hand um ihre warme Teetasse. »Sie muss sich schrecklich verlassen gefühlt haben.«

»Ja, bestimmt«, pflichtete Dot ihr bei. »Die ganze Reise über allein. Monatelang auf diesem großen Schiff, nur um auf einem menschenleeren Kai zurückgelassen zu werden.«

»Und die ganze Zeit danach.«

»Was meinst du damit?«, fragte Dot stirnrunzelnd.

Cassandra presste die Lippen zusammen. Ja, was meinte sie eigentlich damit? Dann fiel es ihr wie Schuppen von den Augen. Nells Einsamkeit. Als hätte sie in diesem Augenblick eine wichtige Eigenschaft von Nell erblickt, die sie noch nie zuvor gesehen hatte. Plötzlich verstand sie eine Seite an Nell, die ihr sehr vertraut war. Ihre Verschlossenheit, ihre Selbstständigkeit, ihre

Kratzbürstigkeit. »Sie muss sich vollkommen allein gefühlt haben, als ihr mit einem Mal klar wurde, dass sie nicht die war, für die sie sich immer gehalten hatte.«

»Ja«, sagte Phyllis überrascht. »Ich muss gestehen, dass ich das anfangs gar nicht begriffen habe. Als June mir die ganze Geschichte erzählt hat, konnte ich nicht nachvollziehen, warum sich deswegen alles geändert hat. Ich konnte beim besten Willen nicht verstehen, warum Nell sich die Geschichte so zu Herzen genommen hat. Ma und Pa haben sie geliebt, und wir jüngeren Mädchen haben unsere große Schwester bewundert; eine bessere Familie hätte sie sich nicht wünschen können.« Sie stützte sich auf die Stuhllehne, führte die Hand zum Kopf und rieb sich die Schläfe. »Aber mit der Zeit ist mir bewusst geworden – so was dauert manchmal, nicht wahr? –, dass die Dinge, die wir als selbstverständlich hinnehmen, oft sehr wichtig sind. Du weißt schon: Familie, Blutsbande, die Vergangenheit ... Das sind die Dinge, die uns zu dem machen, was wir sind, und das alles hat Pa Nell weggenommen. Er hat es nicht gewollt, aber dennoch hat er es getan.«

»Aber für Nell muss es doch eine Erleichterung gewesen sein, als ihr es endlich erfahren habt«, entgegnete Cassandra. »Das muss es doch für sie einfacher gemacht haben.«

Phyllis und Dot sahen einander an.

»Du hast es ihr doch gesagt?«

Phyllis runzelte die Stirn. »Ein paarmal war ich drauf und dran, aber dann hab ich nie die richtigen Worte gefunden, ich konnte es Nell einfach nicht antun. Sie hatte es so lange vor uns allen geheim gehalten, hatte ihr ganzes Leben um ihr Geheimnis herum aufgebaut, alles darangesetzt, es zu hüten. Es kam mir ... ich weiß nicht ... beinahe grausam vor, diese Mauern einzureißen. Als würde ich ihr zum zweiten Mal den Boden unter den Füßen wegziehen.« Sie schüttelte den Kopf. »Andererseits ist das vielleicht auch alles Geschwätz. Nell konnte ganz schön heftig werden, wenn sie wollte. Wahrscheinlich hat mir letztendlich der Mut gefehlt.«

»Das hat nichts mit Mut zu tun«, widersprach Dot bestimmt. »Wir waren uns alle einig, dass es besser so war, Phyll. Nell hat es so gewollt.«

»Ja, du hast recht«, sagte Phyllis. »Trotzdem fragt man sich natürlich. Es war ja nicht so, dass es keine Gelegenheit gegeben hätte. Der Tag zum Beispiel, als Doug ihr den Koffer gebracht hat.«

»Kurz bevor Pa gestorben ist«, erklärte Dot Cassandra. »Da hat er Phyllis' Mann gebeten, Nell den Koffer zu bringen. Natürlich ohne ein Wort darüber zu verlieren, was es damit auf sich hatte, wohlgemerkt. Was Geheimnisse anging, war Pa genauso schlimm wie Nell. Er hatte den Koffer die ganzen Jahre über in einem Versteck aufbewahrt, weißt du. Mitsamt Inhalt, genauso, wie er war, als er Nell vor all den Jahren gefunden hatte. Er hatte ihn irgendwo verstaut, wo ihn höchstens die Ratten und Schaben finden würden.«

»Komisch«, sagte Phyllis. »Als ich damals den Koffer gesehen habe, musste ich sofort an die Geschichte denken, die June mir erzählt hatte. Das konnte nur der Koffer sein, mit dem Pa Nell vor einer Ewigkeit am Kai gefunden hatte. Aber die ganzen Jahre, die er auf Pas Speicher gestanden hatte, hab ich nie einen Gedanken daran verschwendet. Ich habe ihn nie mit Nell und ihrer Herkunft in Verbindung gebracht und mich höchstens mal gefragt, was Ma und Pa mit so einem merkwürdigen Koffer wollten. Der war ganz klein, ein Kinderkoffer eben. Aus weißem Leder, mit glänzenden, silbernen Schnallen …«

Phyllis fuhr fort, den Koffer zu beschreiben, doch Cassandra hörte gar nicht mehr zu, denn sie wusste genau, wie der Koffer aussah.

Und vor allen Dingen wusste sie, was er enthielt.

5 *Brisbane* *Australien, 1976*

Als ihre Mutter das Fenster herunterkurbelte und dem Mann an der Tankstelle zurief: »Volltanken, bitte!«, wusste Cassandra, wohin die Fahrt ging. Der Mann sagte etwas, und ihre Mutter lachte kokett. Er zwinkerte Cassandra zu, dann betrachtete er die langen, braunen Beine ihrer Mutter, die in den abgeschnittenen Jeansshorts besonders gut zur Geltung kamen. Cassandra, die es gewöhnt war, dass Männer ihre Mutter anstarrten, kümmerte sich nicht darum, sondern schaute aus dem Beifahrerfenster und dachte an ihre Großmutter Nell. Denn zu ihr würden sie fahren. Nur wenn sie die einstündige Fahrt über den Southeast Freeway nach Brisbane antraten, tankte ihre Mutter für mehr als fünf Dollar.

Cassandra hatte gewaltigen Respekt vor Nell. Sie war ihr erst fünfmal begegnet (soweit sie sich erinnern konnte), aber Nell war eine Frau, die man nicht so leicht vergaß. Erstens war sie der älteste Mensch, dem Cassandra je begegnet war. Zweitens lächelte sie nicht wie andere Leute es taten, wodurch sie sehr streng und einschüchternd wirkte. Lesley sprach kaum über Nell, aber einmal, als Cassandra schon im Bett lag und ihre Mutter sich mit dem Mann stritt, mit dem sie vor Len zusammen gewesen war, hatte sie gehört, wie Lesley Nell als alte Hexe bezeichnete. Zwar hatte Cassandra damals schon nicht mehr an Märchenwesen geglaubt, aber das Bild war hängen geblieben.

Nell war wirklich wie eine Hexe. Das silbergraue Haar, das sie zu einem Nackenknoten zusammengesteckt trug, die Katzen, die überall auf den Möbeln hockten, das schmale Holzhaus mit der abblätternden gelben Farbe und dem überwucherten Garten auf dem Hügel in Paddington. Und die Art, wie sie einen anstarren konnte, als wollte sie einen mit einem Fluch belegen.

Sie brausten mit offenen Fenstern die Logan Road entlang, während Lesley den neuesten ABBA-Hit mitsang, der zu der Zeit dauernd im Radio lief. Sie überquerten den Brisbane River, ließen die Innenstadt hinter sich und fuhren durch Paddington mit seinen typischen, in die Hänge gebauten Queenslander-Häusern und bogen von der Latrobe Terrace ab in eine Straße, die steil hügelabwärts führte. Auf halber Höhe lag Nells Haus.

Lesley fuhr an den Bordstein, brachte den Wagen ruckartig zum Stehen und schaltete den Motor ab. Cassandra spürte, wie die heiße Sonne durch die Windschutzscheibe auf ihre Beine brannte, wie ihre nackten, verschwitzten Schenkel an dem warmen Vinylsitz klebten. Erst als ihre Mutter ausstieg, sprang sie aus dem Wagen und schaute unwillkürlich an dem hohen schmalen Haus hoch.

Ein mit Rissen durchzogener Betonweg führte um das Haus herum. Am Ende einer steilen Treppe gab es eine Haustür, aber vor Jahren schon hatte jemand die Treppe überbaut, sodass sie von der Straße aus nicht zu sehen war, und seitdem wurde sie so gut wie nicht mehr benutzt, sagte Lesley, und fügte hinzu, das sei Nell ganz recht, denn so komme niemand auf die Idee, unerwartet hereinzuschneien in der Annahme, sein Besuch sei willkommen. Die Dachrinne war alt und schief und in der Mitte so durchgerostet, dass ein großes Loch entstanden war, durch das bei heftigem Regen wahrscheinlich Sturzbäche prasselten. Aber heute sah es nicht nach Regen aus, dachte Cassandra, als eine warme Brise das Windspiel klimpern ließ.

»Gott, Brisbane ist ein stinkendes Loch«, bemerkte Lesley, während sie kopfschüttelnd über ihre große Sonnenbrille hinweglugte. »Gott sei Dank bin ich hier rausgekommen.«

Vom Ende des Wegs her ertönte ein Geräusch, und plötzlich stand eine schlanke, karamellfarbene Katze an der Hausecke, die die Besucher feindselig beäugte. Ein Tor quietschte, dann waren Schritte zu hören. Eine große Gestalt mit silbernem Haar tauchte hinter der Katze auf. Cassandra holte tief Luft. Nell. Es war, als würde sie einer Ausgeburt ihrer Fantasie gegenüberstehen.

Alle drei musterten sie einander, ohne ein Wort zu sagen. Cassandra hatte das seltsame Gefühl, einem Ritual unter Erwachsenen beizuwohnen, das sie nicht durchschaute. Während sie sich fragte, warum sie da herumstanden und wer den nächsten Schritt machen würde, brach Nell das Schweigen. »Ich dachte, wir hätten ausgemacht, dass du in Zukunft anrufst, bevor du herkommst.«

»Wir freuen uns auch, dich zu sehen, Mum.«

»Ich bin gerade dabei, meine Sachen für die Auktion zu sortieren. Alles steht voll mit Kisten und Kartons, und es ist nirgendwo Platz zum Sitzen.«

»Macht überhaupt nichts.« Lesley wedelte mit der Hand in Cassandras Richtung. »Deine Enkelin hat Durst, es ist verdammt heiß hier draußen.«

Cassandra trat von einem Fuß auf den anderen, den Blick auf den Boden geheftet. Irgendetwas war komisch am Verhalten ihrer Mutter, sie strahlte eine Nervosität aus, die Cassandra nicht gewöhnt war und die sie nicht deuten konnte. Sie hörte ihre Großmutter langsam ausatmen.

»Also gut«, sagte Nell. »Dann kommt mal rein.«

Nell hatte mit ihrer Beschreibung des Durcheinanders nicht übertrieben. Auf dem Fußboden türmten sich Berge von zerknülltem Zeitungspapier, auf dem Tisch, der wie eine Insel aus dem Papiermeer ragte, waren zahllose Teller, Tassen und Gläser aufgereiht. Nippes, dachte Cassandra und freute sich insgeheim darüber, dass sie sich an das seltsame Wort erinnerte.

»Ich setze Teewasser auf«, verkündete Lesley und verschwand in der Küche.

Nell und Cassandra blieben allein zurück, und die alte Frau musterte ihre Enkelin auf ihre gewohnt unheimliche Art.

»Du bist groß geworden«, sagte sie schließlich. »Aber du bist immer noch zu dünn.«

Cassandra nickte. Die Kinder in der Schule sagten ihr das auch immer.

»Ich war früher auch so dünn wie du«, sagte Nell. »Weißt du, wie mein Vater mich immer genannt hat?«

Cassandra zuckte die Achseln.

»Spinnebein.« Nell nahm ein paar Tassen vom Haken an einem altmodischen Geschirrschrank. »Trinkst du Tee oder Kaffee?«

Cassandra schüttelte entgeistert den Kopf. Sie war zwar im Mai zehn geworden, aber sie war immer noch ein kleines Mädchen und nicht daran gewöhnt, dass Erwachsene ihr Erwachsenengetränke anboten.

»Ich habe weder Saft noch Limo«, erklärte Nell, »noch sonst irgendwelche neumodischen Getränke.«

Cassandra fand ihre Sprache wieder. »Ich trinke gern Milch.«

Nell blinzelte. »Die steht im Kühlschrank, ich habe immer welche für die Katzen im Haus. Die Flasche ist wahrscheinlich glitschig, lass sie nicht auf den Boden fallen.«

Nachdem der Tee eingeschenkt war, schickte Lesley ihre Tochter nach draußen. Es sei ein sonniger Tag, da sollten Kinder nicht in der Stube hocken, sagte sie. Grandma Nell fügte hinzu, sie könne unten spielen, ermahnte sie jedoch, nichts anzurühren und auf keinen Fall das Souterrain zu betreten.

Seit Tagen herrschte eine für die südliche Hemisphäre typische trockene Hitzewelle, bei der man das Gefühl hat, die Tage gehen ohne Unterbrechung ineinander über. Ventilatoren bewegen lediglich die heiße Luft ein bisschen, Zikaden verbreiten einen ohrenbetäubenden Lärm, allein das Atmen ist schon anstrengend, und man möchte am liebsten nur auf dem Rücken liegen und warten, bis der Januar und der Februar vorübergehen, die

Märzgewitter endlich einsetzen und die ersten Aprilstürme aufkommen.

Aber das wusste Cassandra nicht. Sie war ein Kind und besaß die kindliche Unempfindlichkeit gegen extreme Klimaschwankungen. Es würde noch zehn Jahre dauern, bis die unerträgliche, erstickende Hitze des australischen Sommers ihr zu schaffen machte.

Sie ließ die Fliegengittertür hinter sich zuschlagen und ging in den Garten. Jasminblüten, die von den Sträuchern gefallen waren, lagen überall schwarz und vertrocknet auf dem Weg. Cassandra zertrat sie mit den Füßen und genoss es, wie sich schwarze Schmierflecken auf dem hellen Beton bildeten.

Sie setzte sich auf die schmiedeeiserne Gartenbank, ganz oben am Ende des kleinen Grundstücks, und fragte sich, wie lange sie sich wohl allein in dem seltsamen Garten ihrer geheimnisvollen Großmutter beschäftigen sollte. Sie betrachtete das Haus. Worüber mochten ihre Mutter und Großmutter sich gerade unterhalten, und warum waren sie ausgerechnet heute zu Besuch gekommen? Egal, wie oft sie die Fragen im Kopf hin und her wendete, von wie vielen Seiten aus sie sie auch betrachtete, sie fand einfach keine Antwort darauf.

Nach einer Weile konnte sie der Anziehungskraft des Gartens nicht länger widerstehen. Sie vergaß ihre Fragen und begann unter den wachsamen Augen einer schwarzen Katze, prall gefüllte Samenkapseln von Fleißigen Lieschen zu ernten. Als sie eine ordentliche Menge beisammen hatte, kletterte sie, die Kapseln in der Hand, auf den niedrigsten Ast des Mangobaums, der neben der Bank stand, und begann, sie eine nach der anderen aufzubrechen. Es gefiel ihr, die kühlen, feuchten Samenkörner auf der Haut zu spüren, und sie amüsierte sich über die Katze, die jedes Mal, wenn eine leere Kapsel zwischen ihren Pfoten landete, glaubte, eine Heuschrecke vor sich zu haben, und diese zu fangen versuchte.

Nachdem alle Kapseln verbraucht waren, wischte Cassandra sich die Hände an den Shorts ab und ließ den Blick schweifen. Auf der anderen Seite des Maschendrahtzauns stand ein großes, weißes Gebäude. Es war das Kino von Paddington, aber Cassandra wusste, dass es geschlossen war. Irgendwo in der Nähe betrieb ihre Großmutter einen Secondhandladen. Bei einem ihrer unangekündigten Besuche in Brisbane war Cassandra schon einmal da gewesen. Lesley hatte sie dort abgeliefert, weil sie irgendjemanden treffen wollte, und Nell ließ sie zum Zeitvertreib ein silbernes Teeservice polieren. Es hatte Cassandra großen Spaß gemacht, den Geruch des Silberputzmittels einzuatmen und zuzusehen, wie das Tuch sich schwarz färbte und das Silber zu glänzen begann. Nell hatte ihr sogar erklärt, was die Stempel bedeuteten, ein Löwe bedeutete Sterling, ein Leopardenkopf stand für London, und ein Buchstabe gab das Herstellungsjahr an. Es war wie ein geheimer Code. Als sie wieder zu Hause waren, hatte Cassandra überall nach etwas aus Silber gesucht, das sie für Lesley polieren könnte, aber nichts gefunden. Erst jetzt fiel ihr wieder ein, wie viel Freude ihr diese Tätigkeit bereitet hatte.

Als die Sonne hoch am Himmel stand, die Mangoblätter in der Hitze schlaff zu werden begannen und den Elstern ihr Gekrächze im Hals stecken blieb, ging Cassandra zurück zum Haus. Mum und Nell saßen immer noch drinnen – sie konnte ihre Gestalten undeutlich durch das Fliegengitter erkennen –, und so folgte sie dem Weg weiter um das Haus herum. In der seitlichen Wand befand sich eine große, hölzerne Schiebetür auf Rollen, und als Cassandra am Griff zog, öffnete sich ein kühler, großer Raum unter dem Haus.

Die Dunkelheit bildete einen derart krassen Kontrast zu dem grellen Sonnenlicht, dass es schien, als würde sie die Schwelle zu einer anderen Welt überschreiten. Mit vor Aufregung klopfendem Herzen trat Cassandra ein und schaute sich um. Der Raum war groß, aber Nell hatte keine Mühe gescheut, ihn zu füllen. An drei Wänden waren Kartons und Kisten unterschiedlicher Größe vom Boden bis zur Decke gestapelt, und an der vierten Wand lehnten lauter Fenster und Türen, deren Scheiben teilweise zerbrochen waren. Die einzige freie Stelle befand sich vor einer Tür in der hinteren Wand, die in das Zimmer führte, das Nell »das Souterrain« nannte. Als Cassandra hineinspähte, sah sie, dass es etwa die Größe eines Schlafzimmers hatte. An zwei Wänden lehnten behelfsmäßige Regale voller alter Bücher, an der hinteren Wand stand ein Klappbett mit einem rot-weißen Quilt als Überwurf. Durch ein kleines Fenster fiel etwas Licht in das Zimmer, aber jemand hatte ein paar Bretter davorgenagelt. Wahrscheinlich zum Schutz gegen Einbrecher, dachte Cassandra. Andererseits konnte sie sich nicht vorstellen, was ein Einbrecher in so einem Zimmer suchen könnte.

Am liebsten hätte Cassandra sich auf das Bett gelegt, den kühlen Quilt auf der Haut gespürt, aber Nell hatte sich deutlich ausgedrückt – sie dürfe unten spielen, aber auf keinen Fall das Souterrain betreten –, und Cassandra war ein gehorsames Mädchen. Anstatt in das Zimmer zu gehen und sich auf dem Bett auszustrecken, machte sie kehrt und ging zu der Stelle, wo vor langer Zeit einmal ein Kind ein Himmel-und-Hölle-Spiel auf den Betonboden gemalt hatte. Sie sah sich nach einem passenden Stein um, legte mehrere nach eingehender Prüfung wieder beiseite und entschied sich schließlich für einen, der ziemlich glatt war und keine unregelmäßigen Ecken hatte, die ihn aus der Bahn bringen würden.

Cassandra warf den Stein – er landete perfekt in der Mitte des ersten Rechtecks – und begann zu hüpfen. Sie war bei Nummer sieben angekommen, als die Stimme ihrer Großmutter scharf wie eine Glasscherbe durch die Decke zu ihr nach unten drang. »Was bist du nur für eine Mutter?«

»Keine schlechtere, als du eine gewesen bist.«

Cassandra blieb mitten in einem Rechteck auf einem Bein stehen und lauschte. Es war Stille eingekehrt, zumindest, soweit Cassandra das beurteilen konnte. Wahrscheinlich hatten sie nur die Stimmen gesenkt, weil ihnen eingefallen war, dass die Nachbarn zu beiden Seiten nur wenige Meter weit entfernt wohnten. Wenn Len und Lesley sich stritten, wies Len Cassandras Mutter jedes Mal darauf hin, dass Fremde nicht unbedingt von ihren Problemen erfahren mussten. Dass Cassandra jedes Wort mitbekam, schien die beiden dagegen nicht zu stören.

Cassandra begann zu wackeln, verlor das Gleichgewicht und setzte den zweiten Fuß ab. Aber nur für eine Sekunde, dann hob sie ihn gleich wieder. Selbst Tracy Waters, die unter den Fünftklässlern in dem Ruf stand, die strengste Himmel-und-Hölle-Schiedsrichterin zu sein, hätte das durchgehen lassen und ihr erlaubt weiterzuspielen, aber Cassandra war die Lust vergangen. Der Tonfall ihrer Mutter hatte sie beunruhigt und machte ihr Bauchweh.

Sie stieß ihren Stein mit dem Fuß fort und gab das Spiel auf.

Um wieder nach draußen zu gehen, war es zu heiß. Am allerliebsten würde sie ein Buch lesen, in den Zauberwald entfliehen, auf den Traumbaum klettern oder mit den Fünf Freunden eine Schmugglerhöhle erforschen. Sie dachte an ihr Buch, das sie am Morgen neben dem Kopfkissen hatte liegen lassen. Dumm von dir, es nicht mitzunehmen, hörte sie im Geist Lens Stimme sagen, wie immer, wenn sie etwas Törichtes getan hatte.

Dann fielen ihr die alten Bücher in Nells Souterrain ein. Nell hätte doch bestimmt nichts dagegen, wenn sie sich eins aus dem Regal nahm und darin las. Sie würde sehr vorsichtig sein und nichts in Unordnung bringen.

Im Souterrain roch es muffig nach altem Staub. Cassandra ließ ihren Blick über die roten, grünen und gelben Buchrücken wandern auf der Suche nach einem Titel, der ihre Neugier weckte. Auf dem dritten Regalbrett, in einem Streifen Sonnenlicht, lag eine getigerte Katze auf der schmalen Kante vor den Büchern.

Cassandra hatte sie vorher gar nicht gesehen und fragte sich, wie sie hereingekommen war, ohne dass sie es bemerkt hatte. Die Katze, die offenbar spürte, dass sie kritisch betrachtet wurde, stützte sich auf ihre Vorderpfoten und schenkte Cassandra einen majestätischen Blick. Dann sprang sie mit einem eleganten Satz auf den Boden und verschwand unter dem Bett.

Cassandra hätte gern gewusst, wie es war, sich so mühelos und geschmeidig bewegen zu können, so spurlos zu verschwinden. Sie blinzelte. Ganz so spurlos war das vielleicht doch nicht geschehen. Wo die Katze unter dem Quilt hindurchgeschlüpft war, lugte jetzt etwas hervor. Es war klein und weiß. Und rechteckig.

Cassandra kniete sich hin, hob den Quilt an und schaute unter das Bett. Es war ein kleiner, alter Koffer. Der Deckel war nicht richtig geschlossen, sodass man ein bisschen von dem Inhalt sehen konnte. Papiere, weißer Stoff, eine blaue Schleife.

Ganz plötzlich überkam sie der unwiderstehliche Drang zu erfahren, was sich in dem Koffer verbarg. Mit pochendem Herzen zog sie ihn unter dem Bett hervor, klappte ihn auf und betrachtete die Dinge, die sich darin befanden. Eine silberne Haarbürste, alt und bestimmt wertvoll, mit einem kleinen, unterhalb der Borsten eingestanzten Leopardenkopf, dem Zeichen für London. Ein weißes Kleid, klein und wunderschön, ein altmodisches Kleid, wie Cassandra noch nie eins gesehen, geschweige denn getragen hatte – die Mädchen in der Schule würden sie auslachen, wenn sie in so einem Aufzug erschiene. Ein Bündel Papiere, von einem blassblauen Band zusammengehalten. Vorsichtig zog Cassandra die Schleife auf und schob die Enden des Bands auseinander, um die Sachen näher in Augenschein zu nehmen.

Ein Bild, eine Zeichnung in Schwarz-Weiß. Die schönste Frau, die Cassandra je gesehen hatte, stand unter einem Gartentor. Nein, es war kein Gartentor, sondern der Anfang eines Laubengangs. Ein Labyrinth, schoss es Cassandra durch den Kopf, ein merkwürdiges Wort, das ihr ganz plötzlich in den Sinn gekommen war.

Lauter feine schwarze Linien, die sich wie auf magische Weise zu einem Bild zusammenfügten. Was es wohl für ein Gefühl sein mochte, solch eine Zeichnung herzustellen, dachte Cassandra. Das Gesicht kam ihr irgendwie bekannt vor, auch wenn sie sich zunächst nicht erklären konnte, wie das möglich war. Dann wusste sie es mit einem Mal – die Frau sah aus wie eine Figur aus einem Märchenbuch, wie aus einem alten Märchen, in dem ein Bettlermädchen sich in eine Prinzessin verwandelt, als der schöne Prinz unter ihren hässlichen Kleidern ihr reines Herz erkennt.

Sie legte die Zeichnung neben sich auf den Boden und nahm sich den Rest des Bündels vor. Es bestand aus einer Reihe von Briefen in Umschlägen und einem Notizheft, dessen Seiten jemand mit einer großen, geschwungenen Handschrift gefüllt hatte. Soweit Cassandra das beurteilen konnte, war alles in einer fremden Sprache geschrieben. Ganz hinten in dem Heft steckten mehrere aus Zeitschriften herausgerissene Seiten und ein altes Foto von einem Mann und einer Frau und einem kleinen Mädchen mit langen Zöpfen. Cassandra kannte sie alle nicht.

Unter dem Heft lag das Märchenbuch. Der Einband war aus grünem Karton mit goldener Schrift: *Zauberhafte Märchen für Mädchen und Jungen* von Eliza Makepeace. Cassandra flüsterte den Namen der Autorin vor sich hin, spürte die geheimnisvollen Laute an ihren Lippen. Ehrfürchtig schlug sie das Buch auf. Auf der ersten Seite befand sich eine weitere Zeichnung von derselben Frau, auch wenn sie auf diesem Bild anders aussah, weniger lebendig, irgendwie altmodischer. Als Cassandra das erste Märchen aufschlug, stoben lauter Silberfischchen zwischen den Seiten hervor, die mit der Zeit vergilbt und an den Rändern leicht ausgefranst waren. Das Papier fühlte sich staubig an, und als Cassandra am Eselsohr einer Seite rieb, schien es unter ihren Fingern beinahe zu zerfallen.

Sie konnte nicht widerstehen. Sie legte sich auf die Pritsche, rollte sich ein und begann zu lesen. Das Souterrain war der perfekte Ort zum Lesen, kühl, still und abgeschieden. Cassandra versteckte sich immer zum Lesen, auch wenn sie nicht hätte erklären können, warum. Irgendwie wurde sie den Verdacht nicht los, dass Lesen faul sein bedeutete, dass es bestimmt sündhaft war, sich einer Sache hinzugeben, die sie so sehr genoss.

Und sie gab sich mit Leib und Seele hin. Sie ließ sich in das Kaninchenloch fallen und in ein Märchen entführen, las von einer Prinzessin, die zusammen mit einem blinden alten Weiblein in einem Häuschen im finsteren Wald lebte. Sie war eine mutige Prinzessin, viel mutiger, als Cassandra jemals sein würde, eine Prinzessin, die auf der Suche nach einem kostbaren Gegenstand durch Länder reiste und Meere überquerte.

Sie war auf der vorletzten Seite angelangt, als Schritte über ihr sie aufschrecken ließen.

Sie kamen.

Hastig setzte Cassandra sich auf und schwang die Beine aus dem Bett. Sie wollte das Märchen so gern zu Ende lesen, erfahren, was am Ende mit der Prinzessin passierte, ob es ihr gelingen würde, dem blinden Weiblein sein Augenlicht zurückzugeben, und ob sie fortan glücklich und zufrieden leben würde. Aber daraus wurde jetzt leider nichts. Sie glättete die Briefe, legte alles zurück in den kleinen Koffer und schob ihn unters Bett. Beseitigte alle Spuren ihres Ungehorsams.

Leise schlüpfte sie aus dem Souterrain, nahm einen Stein in die Hand und ging wieder zu dem Himmel-und-Hölle-Spiel.

Als Mum und Nell in der Schiebetür erschienen, sah es so aus, als wäre Cassandra den ganzen Nachmittag über in ihr Spiel vertieft gewesen und gar nicht erst auf den Gedanken gekommen, das Souterrain zu betreten.

»Komm her, Kleines«, sagte Lesley.

Cassandra klopfte den Staub von ihren Shorts und ging zu

ihrer Mutter, die ihr zu ihrer Verwunderung einen Arm um die Schultern legte.

»Hast du Spaß gehabt?«

»Ja«, antwortete Cassandra vorsichtig. Waren sie ihr etwa auf die Schliche gekommen?

Aber ihre Mutter war kein bisschen sauer. Im Gegenteil, sie schien regelrecht in Hochstimmung zu sein. Sie schaute Nell an. »Hab ich's dir nicht gesagt? Sie kann sich wunderbar allein beschäftigen.«

Als Nell nichts darauf erwiderte, fuhr Cassandras Mutter fort: »Du wirst eine Weile bei Grandma Nell bleiben, Cassie. Das wird bestimmt abenteuerlich werden.«

Cassandra war überrascht. Anscheinend hatte ihre Mutter etwas Wichtiges in Brisbane zu erledigen. »Bekomme ich denn hier auch ein Mittagessen?«

Lesley lachte laut auf. »Na, das wollen wir doch hoffen, jeden Tag! Bis ich dich holen komme.«

Plötzlich wurde Cassandra sich der scharfen Kanten an dem Stein bewusst, den sie in der Hand hielt, spürte, wie die Spitzen sich in ihre Fingerkuppen bohrten. Sie schaute erst ihre Mutter, dann ihre Großmutter an. War das ein Spiel? Scherzte ihre Mutter? Sie wartete darauf, dass Lesley in lautes Gelächter ausbrechen würde.

Doch die schaute Cassandra nur mit ihren großen blauen Augen an.

Cassandra wusste nicht, was sie sagen sollte. »Ich hab meinen Schlafanzug nicht dabei«, brachte sie schließlich heraus.

Endlich lächelte ihre Mutter, strahlte sie erleichtert an, und Cassandra spürte, dass es keinen Zweck hatte zu protestieren. »Mach dir darüber keine Gedanken, Dummerchen. Ich hab deine Sachen in einer Tasche im Auto. Du hast doch nicht etwa geglaubt, ich würde dich ohne deine Sachen hierlassen, oder?«

Die ganze Zeit über hatte Nell stumm und steif danebengestanden und Lesley beobachtet. Cassandra entdeckte Missbilligung in ihrem Blick. Wahrscheinlich wollte ihre Großmutter nicht, dass sie bei ihr blieb. Kleine Mädchen waren einem dauernd im Weg, wie Len immer wieder betonte.

»Hier, Kleines«, sagte Lesley und warf Cassandra ihre Reisetasche hin. »Da ist eine Überraschung für dich drin. Ein neues Kleid. Len hat mir geholfen, es auszusuchen.«

Sie richtete sich auf und sagte zu Nell: »Nur eine oder zwei Wochen, ich versprech's dir. Bis Len und ich uns wieder zusammengerauft haben.« Lesley zauste Cassandras Haare. »Deine Grandma Nell freut sich darauf, dich bei sich zu haben. Das werden richtig tolle Sommerferien in der großen Stadt. Da wirst du deinen Freundinnen eine Menge zu erzählen haben, wenn die Schule wieder anfängt.«

Cassandras Großmutter lächelte, aber es war kein glückliches Lächeln. Cassandra glaubte zu wissen, wie einem zumute war, wenn man so lächelte. Sie selbst tat es jedes Mal, wenn ihre Mutter ihr versprach, ihr einen Herzenswunsch zu erfüllen, und Cassandra im selben Augenblick wusste, dass es nie dazu kommen würde.

Lesley hauchte ihr einen Kuss auf die Wange, drückte ihr die Hand, und dann war sie plötzlich verschwunden, ehe Cassandra dazu kam, sie zu umarmen, ihr eine gute Fahrt zu wünschen oder sie zu fragen, wann genau sie sie wieder abholen würde.

Später bereitete Nell das Abendessen – fette Schweinswürste, Kartoffelpüree und matschige Erbsen aus der Dose –, das sie in dem schmalen Zimmer neben der Küche zu sich nahmen. Nell hatte keine Fliegengitter an den Fenstern so wie Lesley in ihrem Haus in Burleigh Beach, dafür lag auf der Fensterbank immer eine Fliegenklatsche aus Plastik griffbereit. Wenn eine Fliege oder eine Mücke sich in ihre Nähe wagte, schlug Nell augenblicklich zu.

Ihre Angriffe waren so schnell, so routiniert, dass die Katze, die auf ihrem Schoß schlief, nicht einmal zusammenzuckte.

Der klobige Standventilator auf dem Kühlschrank bewegte die schwere, feuchte Luft hin und her, während sie aßen; so höflich wie möglich beantwortete Cassandra die Fragen ihrer Großmutter, und irgendwann war das qualvolle Abendessen beendet. Cassandra half beim Geschirrspülen, dann führte Nell sie ins Badezimmer und ließ lauwarmes Wasser in die Wanne laufen.

»Das Einzige, was noch schlimmer ist als ein kaltes Bad im Winter«, bemerkte Nell trocken, »ist ein heißes Bad im Sommer.« Sie zog ein braunes Handtuch aus dem Schrank und legte es auf den Toilettenspülkasten. »Du kannst das Wasser abstellen, wenn es diese Linie hier erreicht.« Sie zeigte auf einen feinen Riss in der grünen Porzellanwanne, richtete sich auf und strich ihr Kleid glatt. »Kommst du allein zurecht?«

Cassandra nickte und lächelte die ganze Zeit und hörte erst damit auf, als ihre Großmutter die Badezimmertür schloss. Sie hoffte bloß, dass sie die richtige Antwort gegeben hatte; Erwachsene konnten manchmal ganz schön kompliziert sein. Meistens mochten sie es nicht, wenn Kinder ihren Gefühlen Ausdruck verliehen, zumindest nicht, wenn es sich um schlechte Gefühle handelte. Len ermahnte Cassandra immer wieder, dass brave Kinder gefälligst lächeln und ihre finsteren Gedanken für sich behalten sollten. Aber Nell war anders. Cassandra konnte sich selbst nicht recht erklären, woher sie das wusste, aber sie spürte, dass bei Nell andere Regeln galten. Trotzdem war es besser, erst einmal auf Nummer sicher zu gehen.

Deswegen hatte sie die Zahnbürste nicht erwähnt, oder besser das Fehlen einer Zahnbürste. Solche Dinge vergaß Lesley jedes Mal, wenn sie für eine Weile verreisten, aber Cassandra wusste, dass eine oder zwei Wochen ohne Zahnbürste sie nicht umbringen würden. Sie nahm ihre Haare und band sie oben auf dem Kopf mit einem Gummiband zusammen. Zu Hause setzte sie zum Baden die Duschhaube ihrer Mutter auf, aber sie wusste nicht, ob Nell so etwas besaß, und wollte auch nicht fragen. Sie stieg in die Wanne, setzte sich in das lauwarme Wasser, umschlang die Knie mit den Armen und schloss die Augen. Saß da und lauschte auf das Plätschern des Wassers am Wannenrand, das Summen der Glühbirne und einer Mücke irgendwo über ihr.

Eine ganze Weile blieb sie so sitzen und kletterte schließlich widerwillig aus der Wanne, weil sie sich sagte, dass Nell bestimmt kommen und nach ihr sehen würde, wenn sie noch länger im Bad blieb. Sie trocknete sich ab, hängte das Handtuch sorgfältig über die Vorhangstange und zog ihren Schlafanzug an.

Sie fand Nell im Wintergarten, wo sie gerade dabei war, das Schlafsofa zu beziehen.

»Eigentlich ist es nicht zum Schlafen geeignet«, sagte Nell, während sie das Kopfkissen aufschüttelte. »Die Matratze ist nicht besonders bequem, und die Federung ist ziemlich hart, aber du bist ja ein Fliegengewicht, für dich wird es reichen.«

Cassandra nickte ernst. »Es ist ja nicht für lange, nur für eine oder zwei Wochen. Bis Mum und Len sich wieder zusammengerauft haben.«

Nell lächelte grimmig. Es war ein Gesichtsausdruck, den sie offensichtlich selten aufsetzte, denn die Muskeln um ihren Mund herum schienen sich zu sträuben. Sie sah sich im Wintergarten um, dann schaute sie Cassandra an. »Brauchst du sonst noch irgendwas? Ein Glas Wasser? Eine Lampe?«

Cassandra schüttelte den Kopf. Sie überlegte, ob Nell womöglich eine zusätzliche Zahnbürste besaß, brachte es jedoch nicht fertig, danach zu fragen.

»Also dann, ab in die Falle«, sagte Nell und hielt die Bettdecke hoch.

Nachdem Cassandra gehorsam ins Bett geschlüpft war, deckte Nell sie zu. Die Laken waren überraschend weich, angenehm verschlissen, und verströmten einen fremden, aber sauberen Duft.

Nell zögerte. »Na dann. Gute Nacht.«

»Gute Nacht.«

Im nächsten Augenblick ging das Licht aus, und Cassandra war allein.

Seltsame Geräusche wurden durch die Dunkelheit verstärkt. Der Verkehr auf einer fernen Straße, ein Fernseher in einem der Nachbarhäuser, Nells Schritte auf dem Holzboden im Nebenzimmer und das Windspiel draußen vor dem Fenster. Anfangs war es nur ein sanftes Klimpern, aber während Cassandra dort im Dunkeln lag, sich fragte, wo ihre Mum sein mochte, warum sie sie hier in diesem seltsamen Haus zurückgelassen hatte, und sich dabei die ganze Zeit mit der Zunge über ihre pelzigen Zähne fuhr, wurde der Wind stärker. Das Windspiel klimperte immer lauter, und Cassandra stieg der Geruch nach Eukalyptus und Teer in die Nase. Ein Gewitter braute sich zusammen.

Cassandra rollte sich unter ihrer Decke ein. Sie mochte keine Gewitter, da wusste man nie, was auf einen zukam. Hoffentlich zog es einfach vorbei. Sie traf eine Abmachung mit sich selbst: Wenn sie bis zehn zählen konnte, ehe das nächste Auto über den nahe gelegenen Hügel brummte, würde alles gut gehen. Dann würde das Gewitter vorüberziehen, und ihre Mum würde sie in einer Woche wieder abholen.

Eins. Zwei. Drei. … Sie schummelte nicht, sondern zählte in einem gleichmäßigen Rhythmus. … Vier. Fünf. … Alles ruhig bisher. Die Hälfte war geschafft. … Sechs. Sieben. … Sie lauschte angestrengt, aber es war immer noch kein Auto zu hören. Fast in Sicherheit. … Acht –

Plötzlich setzte sie sich auf. Die Reisetasche hatte ein paar kleine Innentaschen. Wahrscheinlich hatte ihre Mum die Zahnbürste gar nicht vergessen, sondern sie bloß in eine der Innentaschen gesteckt.

Cassandra schlüpfte aus dem Bett. Im selben Augenblick schlug eine heftige Bö das Windspiel gegen die Fensterscheibe. Auf nackten Füßen schlich sie über den Holzboden, der sich überraschend kühl anfühlte, als ein Luftzug durch die Ritzen zwischen den Dielen pfiff.

Am Himmel über dem Haus grollte es bedrohlich, dann wurde es plötzlich ganz hell. Es fühlte sich gefährlich an und erinnerte Cassandra an das Gewitter in dem Märchen, das sie am Nachmittag gelesen hatte, an den Sturm, der der kleinen Prinzessin zu der Hütte des alten Weibleins gefolgt war.

Cassandra kniete sich auf den Boden und durchsuchte die Seitentaschen eine nach der anderen in der Hoffnung, die Zahnbürste zu ertasten.

Dicke, fette Regentropfen begannen auf das Wellblechdach zu prasseln, anfangs nur vereinzelt, doch dann wurden es so viele, dass ein ohrenbetäubendes Rauschen alle anderen Geräusche übertönte.

Wo sie schon einmal dabei war, konnte es nicht schaden, alle Fächer der Tasche gründlich zu durchsuchen. Eine Zahnbürste war immerhin ein ziemlich kleiner Gegenstand, vielleicht steckte sie so tief unter den anderen Sachen, dass sie sie beim ersten Mal übersehen hatte. Sie schob ihre Hände tief in die Tasche hinein und nahm schließlich, um ganz sicherzugehen, alle Sachen heraus. Die Zahnbürste war nicht da.

Cassandra hielt sich die Ohren zu, als ein weiterer Donnerschlag das Haus erschütterte. Dann stand sie auf, umschlang sich mit den Armen, spürte flüchtig, wie dünn und klein sie war, eilte zurück zum Bett und kroch unter die Decke.

Regen trommelte aufs Dach, lief in Strömen an den Fenstern entlang und sprudelte aus den schiefen Dachrinnen, die solchen Wassermassen nicht gewachsen waren.

Cassandra lag reglos unter ihrer Decke, die Arme immer noch um den Körper geschlungen. Trotz der warmen, schwülen Luft hatte sie eine Gänsehaut. Eigentlich sollte sie schlafen, denn wenn sie nicht schlief, würde sie am nächsten Morgen völlig übermüdet sein, und niemand hatte Lust, sich mit schlecht gelaunten kleinen Mädchen abzugeben.

Aber sosehr sie sich auch bemühte, sie fand keinen Schlaf. Sie zählte Schäfchen, sang in Gedanken Lieder von gelben U-Booten und Orangen und Zitronen und Gärten auf dem Meeresgrund, erzählte sich Märchen. Aber die Nacht schien kein Ende zu nehmen.

Der Regen prasselte, es blitzte und donnerte, und Cassandra begann zu weinen. Lange zurückgehaltene Tränen durften unter dem dunklen Regenschleier endlich vergossen werden.

Wie viel Zeit war vergangen, bis sie die dunkle Gestalt in der Tür wahrnahm? Eine Minute? Zehn?

Cassandra unterdrückte ein Schluchzen, bis ihr der Hals brannte.

Ein Flüstern, Nells Stimme. »Ich wollte nur nachsehen, ob das Fenster zu ist.«

Im Dunkeln hielt Cassandra den Atem an und wischte sich die Augen mit einem Zipfel des Lakens.

Nell stand jetzt dicht am Bett, Cassandra spürte die seltsame Spannung, die entsteht, wenn ein Mensch ganz in der Nähe ist.

»Was ist denn?«

Cassandras Kehle war so zugeschnürt, dass sie kein Wort herausbrachte.

»Ist es das Gewitter? Hast du Angst?«

Cassandra schüttelte den Kopf.

Nell setzte sich steif auf die Bettkante und zog den Gürtel ihres Morgenmantels fester. Als ein Blitz das Zimmer erhellte, sah Cassandra das Gesicht ihrer Großmutter, erkannte darin die leicht nach unten geneigten Augenwinkel ihrer Mutter.

Endlich brach der Schluchzer sich Bahn. »Meine Zahnbürste«, sagte Cassandra unter Tränen. »Ich hab meine Zahnbürste nicht dabei.«

Nell schaute sie einen Moment lang verblüfft an, dann nahm sie sie in die Arme. Zuerst zuckte Cassandra zusammen, überrascht von der unerwarteten Geste, doch dann überließ sie sich ihren Gefühlen. Sie ließ sich gegen Nells weichen, nach Lavendel duftenden Körper sinken und weinte heiße Tränen in Nells Nachthemd.

»Ist ja gut«, flüsterte Nell, während sie Cassandras Kopf streichelte. »Mach dir keine Sorgen. Morgen kaufen wir dir eine neue.« Sie schaute zum Fenster, betrachtete eine Weile den Regen, der an der Scheibe herunterlief, dann legte sie ihre Wange auf Cassandras Haar. »Du bist eine Kämpfernatur, hörst du? Es wird dir nichts geschehen. Alles wird gut.«

Und obwohl Cassandra sich nicht vorstellen konnte, dass jemals wieder alles gut werden würde, fühlte sie sich von Nells Worten ein wenig getröstet. Etwas in der Stimme ihrer Großmutter sagte ihr, dass sie nicht allein war, dass Nell sie verstand. Dass sie wusste, wie furchtbar Angst einflößend es war, eine Gewitternacht allein an einem fremden Ort zu verbringen.

6 *Maryborough* *Australien, 1913*

Obwohl er erst ziemlich spät vom Hafen nach Hause kam, war die Suppe noch warm. So war Lil, die Gute, sie würde nie auf die Idee kommen, ihrem Mann eine kalte Suppe vorzusetzen. Hamish löffelte den Teller aus, lehnte sich zurück und rieb sich den Nacken. Von Ferne war dumpfes Donnergrollen zu hören, das sich langsam der Stadt näherte. Ein unsichtbarer Luftzug ließ das Lampenlicht flackern und lockte die Schatten aus ihren Verstecken. Sein müder Blick folgte ihnen über den Tisch, die Wände entlang, über die Eingangstür hinauf. Sah, wie sie auf dem glänzenden, weißen Köfferchen tanzten.

Dass ein Koffer verloren ging, hatte er schon Gott weiß wie oft erlebt. Aber ein kleines Mädchen? Wie, zum Teufel, konnte es dazu kommen, dass ein Kind mutterseelenallein auf seinem Kai saß? Noch dazu ein so niedliches kleines Ding, soweit er das beurteilen konnte. Hübsch anzusehen mit rotblonden Locken wie gesponnenes Gold und großen, blauen Augen. Die Kleine hatte eine Art, einen anzusehen, dass man das Gefühl hatte, sie hörte einem zu und verstand alles, was man sagte, und auch das, was man nicht sagte.

Die Tür zur Veranda ging auf, und Lils vertraute Gestalt erschien. Sie zog die Tür sanft hinter sich zu und ging den Flur hinunter. Schob sich eine lästige Strähne hinters Ohr, dieselbe widerspenstige Locke, die ihr in die Stirn fiel, seit er sie kannte. »Sie schläft jetzt«, sagte Lil, als sie die Küche betrat. »Sie fürchtet sich vor dem Donner, aber dann ist sie doch nicht gegen den Schlaf angekommen. Das arme kleine Würmchen war völlig erschöpft.«

Hamish trat an die Spüle und tauchte seinen Suppenteller in lauwarmes Wasser.

»Kein Wunder, ich bin selbst hundemüde.«

»Man sieht's. Überlass mir den Abwasch.«

»Ist schon gut, Liebes. Geh nur schon ins Bett, ich komme gleich.«

Aber Lil rührte sich nicht vom Fleck. Er spürte sie hinter sich, sein Instinkt als Ehemann verriet ihm, dass sie ihm noch etwas zu sagen hatte. Ihre noch unausgesprochenen Worte hingen zwischen ihnen, und Hamishs Nacken spannte sich an. Die Welle früherer Gespräche rollte an und drohte wieder über ihnen zusammenzuschlagen. Schließlich sagte Lil leise: »Du brauchst mich nicht mit Glacéhandschuhen anzufassen, Haim.«

Er atmete aus. »Das weiß ich.«

»Ich komme schon drüber weg. Ich hab's schon einmal überwunden.«

»Natürlich.«

»Das Letzte, was ich brauchen kann, ist ein Mann, der mich behandelt wie eine Invalidin.«

»Das ist nicht meine Absicht, Lil.« Er drehte sich zu ihr um. Sie stand auf der anderen Seite des Tischs, die Hände auf einer Stuhllehne abgestützt. Mit ihrer Haltung wollte sie ihm zu verstehen geben, dass es ihr gut ging, dass alles war »wie immer«, aber dafür kannte Hamish sie zu gut. Er konnte ihre verkrampften Schultern deuten, den steifen Hals, ihren angespannten Mund. Er wusste, dass sie litt. Und er wusste auch, dass er nichts dagegen tun konnte. Manche Dinge kann man nicht erzwingen, wie Dr. Huntley immer wieder betonte. Aber das machte es für Lil nicht leichter, und für ihn ebenso wenig.

Sie war zu ihm gekommen und stieß ihn spielerisch mit der Hüfte. Er roch den traurig-lieblichen Duft ihrer Haut. »Geh nur schon, leg dich ins Bett«, sagte sie. »Ich komme gleich nach.« Ihre tapfer zur Schau getragene Heiterkeit ließ ihm das Blut in den Adern gefrieren, doch er tat, wie ihm geheißen.

Wie versprochen, kam sie kurz nach ihm ins Schlafzimmer. Er schaute ihr zu, wie sie sich von den Spuren des Tages reinigte und sich das Nachthemd über den Kopf zog. Obwohl sie ihm den Rücken zuwandte, sah er, wie sanft sie das Kleidungsstück über ihre Brüste und über ihren immer noch gewölbten Bauch gleiten ließ.

In dem Augenblick drehte sie sich um und merkte, dass er sie anschaute. Statt Verletzlichkeit drückte ihr Gesicht sofort Abwehr aus. »Was ist?«

»Nichts.« Er betrachtete seine Hände, die Schwielen und die Hornhaut, die die jahrelange Arbeit im Hafen ihm beschert hatte. »Ich habe nur über die Kleine da draußen nachgedacht«, sagte er. »Mich gefragt, wer sie wohl sein mag. Dir hat sie wohl auch nicht gesagt, wie sie heißt, oder?«

»Sie sagt, sie weiß es nicht. Ich frage sie immer wieder, aber sie schaut mich nur mit ernsten Augen an und antwortet, sie kann sich nicht erinnern.«

»Könnte es sein, dass sie uns etwas vormacht? Manche von diesen blinden Passagieren halten einen ganz schön zum Narren.«

»Haim«, schalt Lil. »Sie ist kein blinder Passagier, sie ist doch fast noch ein Baby.«

»Ja, ist schon gut, Liebes. War nur eine Frage.« Er schüttelte den Kopf. »Es fällt mir nur so schwer zu glauben, dass sie so einfach ihren Namen vergessen haben soll.«

»Davon hab ich schon mal gehört, man nennt es Amnesie. Ruth Halfpennys Vater hatte das auch, nachdem er von der Deichsel gefallen war. Durch so etwas wird es ausgelöst, Stürze und Ähnliches.«

»Du meinst, sie ist vielleicht gestürzt?«

»Ich konnte keine blauen Flecken an ihr entdecken, aber möglich wäre es doch, oder?«

»Na ja«, sagte Haim, als ein Blitz das Zimmer erhellte. »Ich werde mich morgen darum kümmern.« Er drehte sich auf den Rücken und starrte an die Decke. »Zu irgendjemandem muss sie doch gehören«, murmelte er.

»Ja.« Lil löschte das Licht und hüllte sie beide in Dunkelheit. »Irgendjemand macht sich bestimmt fürchterliche Sorgen um sie.« Wie jeden Abend rollte sie sich auf die Seite, wandte Hamish den Rücken zu und schloss ihn von ihrem Kummer aus. Ihre Stimme wurde durch das Laken gedämpft: »Aber ich sage dir, wer auch immer sie vermisst, hat sie nicht verdient. Was für eine verdammte Achtlosigkeit. Wie kann ein Mensch bloß ein Kind verlieren?«

Vom Fenster aus schaute Lil zu, wie die beiden kleinen Mädchen im Garten unter der Wäscheleine hin und her liefen und ausgelassen lachten, wenn die kühlen Laken ihre Gesichter streiften. Sie sangen eins von Nells Liedern. Die Lieder, und sie kannte so viele, waren ihrem Gedächtnis nicht entfallen.

Nell. So nannten sie sie inzwischen, nach Lils Mutter Eleanor. Irgendwie mussten sie sie ja schließlich anreden. Die seltsame Kleine konnte ihnen immer noch nicht ihren Namen sagen. Jedes Mal, wenn Lil sie danach gefragt hatte, hatte sie sie nur mit großen Augen angeschaut und behauptet, sie könne sich nicht erinnern.

Nach ein paar Wochen hatte Lil aufgehört zu fragen. Im Grunde genommen war es ihr sogar ganz recht, den Namen der Kleinen nicht zu kennen. Sie wollte sich Nell mit keinem anderen Namen vorstellen als mit dem, den sie ihr gegeben hatten. Nell. Er passte wirklich gut zu ihr, das sagten alle. Beinahe, als hätte sie ihn schon seit ihrer Geburt.

Sie hatten ihr Bestes getan, um in Erfahrung zu bringen, wer sie war und wohin sie gehörte. Mehr konnte wirklich niemand von ihnen verlangen. Zwar hatte Lil sich anfangs immer wieder gesagt, sie würden sich nur vorübergehend um Nell kümmern, sie nur so lange unter ihren Schutz nehmen, bis jemand sie abholte, aber mit jedem Tag, der verging, gelangte Lil mehr und mehr zu der Überzeugung, dass niemand kommen würde.

Inzwischen hatten sie sich an den Alltag zu dritt gewöhnt. Morgens frühstückten sie gemeinsam, dann ging Hamish zur Arbeit, während Lil und Nell sich an die Hausarbeit machten. Lil stellte fest, dass es ihr gefiel, sie um sich herum zu haben, dass es ihr Freude bereitete, Nell Dinge zu zeigen, ihr zu erklären, wie sie funktionierten und warum. Nell fragte ihr Löcher in den Bauch, wollte wissen, warum die Sonne nachts verschwand, warum die Flammen des Feuers nicht aus dem Kamin sprangen, warum es dem Fluss nicht langweilig wurde, immer in dieselbe Richtung zu fließen, und Lil genoss es, ihr all die Fragen zu beantworten und Nells kleines Gesicht zu beobachten, wenn sie etwas begriff. Zum ersten Mal in ihrem Leben kam Lil sich nützlich vor, zum ersten Mal fühlte sie sich gebraucht und heil. Auch mit Hamish verstand sie sich wieder besser. Die Spannungen, die sich in den vergangenen Jahren zwischen ihnen aufgebaut hatten, lösten sich allmählich. Sie hatten aufgehört, so verdammt höflich miteinander umzugehen und sich fast an ihren sorgfältig gewählten Worten zu verschlucken wie zwei Fremde, die man zusammen eingesperrt hat. Sie lachten sogar wieder, entspannt und ungezwungen, so wie früher.

Und Nell hatte sich an das Leben mit Haim und Lil gewöhnt wie ein Entenküken an den Teich, an dem es aus dem Ei geschlüpft ist. Die Kinder in der Nachbarschaft hatten schnell herausgefunden, dass jemand Neues in ihrer Mitte aufgetaucht war, und Nell geriet völlig aus dem Häuschen bei der Aussicht, mit anderen Kindern spielen zu können. Die kleine Beth Reeves von nebenan kam neuerdings fast jeden Tag irgendwann über den Zaun. Lil liebte es, die beiden kleinen Mädchen draußen spielen zu hören. Sie hatte so lange darauf gewartet, sich so darauf gefreut, dass eines Tages im Garten Kinderstimmen erklingen würden.

Und Nell war ein ausgesprochen einfallsreiches Kind. Immer wieder bekam Lil mit, wie sie lange, komplizierte Geschichten erfand. In Nells Fantasie verwandelte sich der große Garten in einen Zauberwald mit Dornengestrüpp und Labyrinthen und mit einem Haus am Rand einer Klippe. Die Orte, die Nell beschrieb, entsprachen denen aus dem Märchenbuch, das sie in Nells weißem Koffer gefunden hatten. Lil und Hamish wechselten sich ab, Nell abends daraus vorzulesen. Anfangs waren die Märchen Lil viel zu Angst einflößend erschienen, aber Haim hatte sie vom Gegenteil überzeugen können. Und Nell schien sich kein bisschen von den Geschichten erschrecken zu lassen.

Vom Küchenfenster aus beobachtete Lil, wie die beiden Mädchen mal wieder eine Szene aus einem der Märchen nachspielten. Beth hörte mit großen Augen zu, während Nell in ihrem weißen Kleid herumflitzte, die roten Zöpfe golden im Sonnenlicht, und sie durch ein imaginäres Labyrinth führte.

Beth würde Nell fehlen, wenn sie nach Brisbane zogen, aber sie würde bestimmt bald neue Freunde finden. So waren Kinder nun mal. Und der Umzug war unumgänglich. Lange konnten Lil und Haim den Leuten nicht mehr erzählen, Nell sei eine Nichte aus dem Norden. Früher oder später würden die Nachbarn anfangen zu fragen, warum Nell nicht wieder nach Hause fuhr. Wie lange sie noch bei ihnen bleiben würde. Nein, für Lil stand fest, dass es sein musste. Sie würden zu dritt einen Neuanfang machen, irgendwo, wo sie niemand kannte. In einer großen Stadt, wo die Leute keine Fragen stellten.

7 *Brisbane* *Australien, 2005*

Es war ein Vormittag im Frühling, und Nell war seit über einer Woche tot. Ein frischer Wind wehte durch die Sträucher und wirbelte die Blätter herum, sodass ihre blassen Unterseiten sich der Sonne zuwandten wie Kinder, die unverhofft ins Rampenlicht geraten und hin- und hergerissen sind zwischen Nervosität und Wichtigtuerei.

Cassandras Tee war längst kalt geworden. Nachdem sie einen Schluck getrunken hatte, hatte sie die Tasse auf dem Betonsims abgestellt und dann vergessen. Eine Ameisenkompanie, deren Marschroute durch das Hindernis blockiert wurde, war nun gezwungen, einen Umweg über den Tassenrand und durch den Henkel auf die andere Seite zu nehmen.

Aber Cassandra bemerkte die Ameisen gar nicht. Sie saß auf einem klapprigen Stuhl im Garten neben der alten Waschküche und betrachtete die Rückwand des Hauses. Sie musste unbedingt gestrichen werden. Kaum zu glauben, dass seit dem letzten Mal schon fünf Jahre vergangen waren. Fachleute empfahlen bei einem Holzhaus alle sieben Jahre einen neuen Anstrich, aber Nell hatte sich nie an solche Konventionen gehalten. In all den Jahren, die Cassandra bei ihrer Großmutter gewohnt hatte, war das Haus nicht ein einziges Mal komplett angestrichen worden. Nells lapidarer Kommentar dazu hatte stets gelautet, sie sei nicht gewillt, Geld auszugeben, um den Nachbarn zu einer schönen Aussicht zu verhelfen. Wenn den Leuten der Anblick ihres Hauses nicht gefiele, könnten sie gern woanders hingucken.

Bei der Rückwand allerdings war das etwas anderes, denn das war, wie Nell immer gesagt hatte, die einzige Wand, die sie sich häufig selbst ansahen. Während also an den Seitenwänden und der Front die Farbe unter der gnadenlosen australischen Sonne abblätterte, war die Rückwand eine Augenweide. Alle fünf Jahre wurden Farbmuster beschafft, und dann wurde ausgiebig und leidenschaftlich über die Vorzüge eines neuen Farbtons debattiert. Während der Zeit, die Cassandra in dem Haus verbracht hatte, war die Rückwand mal türkis, mal fliederfarben, mal zinnoberrot und mal mintgrün gewesen. Einmal hatte sogar ein – wenn auch unautorisiertes – Wandgemälde die rückwärtige Fassade geziert.

Damals war Cassandra neunzehn gewesen und hatte das Leben genossen. Sie war mitten im zweiten Jahr ihres Kunststudiums, ihr Zimmer hatte sich immer mehr in ein Atelier verwandelt, sodass sie schließlich über ihre Staffelei klettern musste, um ins Bett zu gelangen, und sie träumte davon, nach Melbourne zu ziehen, um Kunstgeschichte zu studieren.

Nell war nicht besonders begeistert von ihren Plänen. »Du kannst auch an der Uni in Queensland Kunstgeschichte studieren«, sagte sie jedes Mal, wenn Cassandra das Thema ansprach. »Dazu brauchst du nicht extra in den Süden zu ziehen.«

»Aber ich kann doch nicht ewig zu Hause wohnen bleiben, Nell.«

»Wer hat denn von ewig geredet? Lass dir einfach noch ein bisschen Zeit und lerne erst mal, auf eigenen Füßen zu stehen.«

Cassandra zeigte auf ihre Füße, die in Doc Martens steckten: »Kann ich schon.«

Nell lachte nicht. »Melbourne ist ein teures Pflaster, und ich kann es mir nicht leisten, dir dort die Miete zu bezahlen.«

»Also, ich kellnere nicht zum Spaß im Paddo Tav, weißt du.«

»Pah, bei dem, was du da verdienst, musst du noch zehn Jahre sparen, bis du nach Melbourne gehen kannst.«

»Ja, da hast du recht.«

Nell hob die Brauen angesichts dieser unerwarteten Kapitulation.

»Allein krieg ich nie genug Geld zusammen.« Cassandra nagte an ihrer Unterlippe. »Wenn ich nur jemanden wüsste, der bereit wäre, mir einen Kredit zu geben, jemanden, der mich genug liebt, um mich bei der Verwirklichung meiner Träume zu unterstützen ...«

Nell hob die Kiste mit dem Porzellan auf, die sie mit auf die Auktion nehmen wollte. »Ich lasse mich von dir nicht in die Ecke drängen, meine Liebe.«

Cassandra witterte einen feinen Riss in der Schutzmauer. »Wir reden also später noch mal darüber?«

Nell verdrehte die Augen. »Ich fürchte, ja. Und dann noch mal und noch mal.« Sie seufzte, um klarzustellen, dass das Thema vorerst beendet war. »Hast du alles, was du brauchst, um die Rückwand zu streichen?«

»Du kannst ja nachsehen.«

»Vergiss nicht, den neuen Pinsel zu benutzen. Ich habe keine

Lust, die nächsten fünf Jahre Pinselhaare an der Hauswand kleben zu sehen.«

»Ja, Nell. Und ich werde auch darauf achten, den Pinsel vor dem Anstreichen in die Farbe zu tauchen.«

»Sei nicht so frech.«

Als Nell am Nachmittag vom Antiquitätenmarkt zurückkam, ging sie ums Haus herum, blieb vor der Rückwand stehen und warf einen kritischen Blick auf die frische Farbe.

Cassandra trat von ihrem Werk zurück und hielt sich die Hand vor den Mund, um nicht laut loszuprusten. Und wartete.

Das Zinnoberrot war beeindruckend, aber was Nell entgeistert anstarrte, war ein Detail in Tiefschwarz, das Cassandra in einer Ecke eingefügt hatte. Die Ähnlichkeit war verblüffend: Nell in ihrem Lieblingssessel, in der Hand eine Tasse dampfenden Tee.

»Tja, offenbar bist du doch in der Ecke gelandet, Nell. Das war nicht geplant, es ist einfach so über mich gekommen.«

Nell schüttelte den Kopf mit einem Gesichtsausdruck, den Cassandra nicht deuten konnte.

»Gleich daneben werde ich noch ein Bild von mir hinzufügen, um dich daran zu erinnern, dass wir zusammengehören, auch wenn ich irgendwann in Melbourne wohne.«

Dann hatten Nells Lippen kaum merklich gezittert. Sie hatte erneut den Kopf geschüttelt, die Kiste abgestellt, die sie von ihrem Stand mitgebracht hatte, und einen tiefen Seufzer ausgestoßen. »Du bist wirklich ein freches Mädchen«, hatte sie gesagt. Und dann hatte sie unwillkürlich gelächelt und Cassandras Gesicht in beide Hände genommen. »Aber du bist *mein* freches Mädchen, und ich würde dich kein bisschen anders haben wollen.«

Ein Geräusch, und die Vergangenheit löste sich auf wie Rauch, verscheucht durch die hellere, lautere Gegenwart. Cassandra blinzelte und fuhr sich über die Augen. Hoch über ihr dröhnte ein Flugzeug, ein weißer Punkt in einem Meer von hellem Blau. Unmöglich, sich vorzustellen, dass Menschen darin saßen, die miteinander schwatzten und lachten und aßen, und dass einige von ihnen herunterschauten, während Cassandra nach oben schaute.

Noch ein Geräusch, diesmal viel näher. Schlurfende Schritte.

»Hallo, Cassandra.« Eine vertraute Gestalt kam um die Hausecke, blieb einen Augenblick stehen, um Atem zu holen. Ben war früher einmal ein hochgewachsener Mann gewesen, aber die Zeit verwandelte die Menschen in Gestalten, die sich selbst fremd waren, und Ben sah mittlerweile aus wie ein Gartenzwerg. Sein Haar war weiß, sein Bart drahtig, und seine Ohren leuchteten rot.

Cassandra lächelte, froh, ihn zu sehen. Nell hatte kaum Freunde gehabt und nie einen Hehl aus ihrer Abneigung gegen die meisten Menschen gemacht und gegen ihren neurotischen Drang, sich Verbündete zu suchen. Aber Ben und Nell waren sich sehr ähnlich gewesen. Auch er war Antiquitätenhändler und hatte einen Stand auf dem Antiquitätenmarkt. Nachdem seine Frau gestorben war, die Kanzlei, in der er als Anwalt arbeitete, ihm den Ruhestand nahegelegt hatte und seine Sammlung an alten Möbeln ihm kaum noch Platz in seinem eigenen Haus übrig ließ, hatte er kurzerhand sein Hobby zum Beruf gemacht.

Während Cassandras Kindheit und Jugend war er für sie eine Art Vaterfigur gewesen, hatte ihr kluge Ratschläge gegeben, die sie sich teils dankbar angehört und teils verschmäht hatte, aber seit sie wieder bei Nell wohnte, war er auch ihr Freund geworden.

Ben zog einen verschossenen Liegestuhl hinter der Waschwanne aus Beton hervor und klappte ihn vorsichtig neben Cassandra auf. Als junger Mann hatte er im Zweiten Weltkrieg eine Knieverletzung davongetragen, die ihm immer noch zu schaffen machte, besonders, wenn das Wetter umschlug.

Er zwinkerte ihr über seine runde Brille hinweg zu. »Du machst es richtig. Das ist ein schönes Fleckchen hier, gemütlich und geschützt.«

»Es war Nells Platz.« Ihre eigene Stimme klang merkwürdig in ihren Ohren, und sie fragte sich, wann sie zuletzt mit jemandem gesprochen hatte. Das war bei dem Abendessen bei Phyllis vor einer Woche gewesen, fiel ihr ein.

»Klar. Deine Großmutter hat sich immer den besten Platz ausgesucht.«

Cassandra lächelte. »Möchtest du eine Tasse Tee?«

»Gern.«

Sie ging durch die Hintertür in die Küche und setzte den Wasserkessel auf. Das Wasser war noch warm von vorhin, als sie sich einen Tee aufgegossen hatte.

»Wie geht's dir denn so?«

Sie zuckte die Achseln. »Ganz gut.« Sie ging wieder nach draußen und setzte sich auf die Betonstufe neben seinem Liegestuhl.

Ben lächelte, sodass sein Schnurrbart den Kinnbart berührte. »Hat deine Mutter sich gemeldet?«

»Sie hat eine Karte geschickt.«

»Na dann …«

»Sie schreibt, sie wäre gern gekommen, aber sie und Len hätten viel zu tun. Caleb und Marie –«

»Natürlich. Teenager können einen ganz schön auf Trab halten.«

»Die sind doch keine Teenager mehr. Marie ist gerade einundzwanzig geworden.«

Ben pfiff durch die Zähne. »Wie schnell die Zeit vergeht.«

Der Wasserkessel zischte.

Cassandra ging in die Küche, hängte den Teebeutel in die Tasse, goss Wasser darüber und sah zu, wie es sich braun färbte. Eine Ironie des Schicksals, dass Lesley sich beim zweiten Anlauf zu einer so fürsorglichen Mutter entwickelt hatte. Was einmal mehr bewies, dass es bei vielen Dingen im Leben einfach nur auf den richtigen Zeitpunkt ankam.

Sie gab einen Schuss Milch in den Tee, überlegte kurz, ob sie überhaupt noch gut war, fragte sich, wann sie sie gekauft hatte. Wahrscheinlich vor Nells Tod. Das Haltbarkeitsdatum lautete

14. September. War es bereits überschritten? Sie war sich nicht sicher. Jedenfalls roch die Milch noch nicht sauer. Sie nahm die Tasse mit nach draußen und reichte sie Ben. »Tut mir leid … Die Milch …«

Er trank einen Schluck. »Der beste Tee, den ich heute getrunken habe.«

Er schaute sie an, als sie sich setzte, schien etwas sagen zu wollen, überlegte es sich anders. Dann räusperte er sich. »Cass, ich bin heute nicht nur zu Besuch hier, sondern auch in einer offiziellen Angelegenheit.«

Dass dem Tod offizielle Angelegenheiten folgten, wunderte Cassandra nicht, und dennoch fühlte sie sich unangenehm überrascht, und ihr wurde leicht schwindlig.

»Nell hat mich vor Jahren gebeten, ihr Testament aufzusetzen. Du weißt ja, wie sie war, sie wollte ihre persönlichen Angelegenheiten keinem Fremden anvertrauen.«

Cassandra nickte. Typisch Nell.

Ben zog einen weißen Umschlag aus der Innentasche seines Blazers. Er sah alt aus und war an den Ecken vergilbt.

»Es ist schon eine ganze Weile her, dass sie ihr Testament gemacht hat.« Blinzelnd betrachtete er den Umschlag. »Genauer gesagt, es war 1981.« Er schwieg, als wartete er auf einen Kommentar. Als sie nichts sagte, fuhr er fort: »Im Großen und Ganzen ziemlich eindeutig abgefasst.« Er nahm den Inhalt aus dem Umschlag, ohne einen Blick darauf zu werfen, beugte sich vor und stützte sich mit den Armen auf den Knien ab, Nells Testament in der rechten Hand. »Deine Großmutter hat dir alles vermacht, Cass.«

Cassandra war nicht überrascht. Gerührt vielleicht und ganz plötzlich und seltsamerweise einsam, aber nicht überrascht. Wem sonst hätte Nell etwas vererben sollen? Sicherlich nicht Lesley. Cassandra hegte schon lange keinen Groll mehr auf ihre Mutter, Nell dagegen hatte ihr nie verziehen. Ein Kind im Stich zu lassen, hatte sie einmal zu Tante Phyllis gesagt, als sie glaubte, Cassandra sei außer Hörweite, sei gefühlskalt und gedankenlos und absolut unverzeihlich.

»Das Haus natürlich, etwas Geld auf dem Sparkonto und die Antiquitäten.« Ben zögerte und musterte Cassandra, als versuchte er einzuschätzen, ob sie das, was noch auf sie zukommen sollte, verkraften würde. »Und noch etwas.« Er warf einen Blick auf die Papiere in seiner Hand. »Nachdem deine Großmutter letztes Jahr ihre Diagnose erfahren hatte, hat sie mich eines Morgens zum Tee eingeladen.«

Cassandra erinnerte sich daran. Als sie an dem Morgen mit dem Frühstück ins Zimmer gekommen war, hatte Nell ihr erklärt, sie erwarte Ben zu Besuch und wolle mit ihm unter vier Augen sprechen. Und dann, obwohl sie schon seit Jahren keine aktive Rolle mehr an dem Stand spielte, hatte sie Cassandra gebeten, im Antiquitätenmarkt ein paar Bücher für sie zu katalogisieren.

»An dem Tag hat sie mir etwas gegeben«, sagte Ben. »Einen versiegelten Umschlag. Sie hat mich gebeten, ihn zu ihrem Testament zu legen und erst zu öffnen, wenn … wenn sie …« Er schluckte den Kloß in seinem Hals herunter. »Na, du weißt schon.«

Cassandra nickte und erschauerte leicht, als eine kühle Brise ihre Arme streifte.

Ben wedelte mit den Papieren, sagte jedoch nichts.

»Worum geht's denn?«, fragte Cassandra, während sich ein vertrauter Knoten in ihrer Magengegend bemerkbar machte. »Du kannst es mir ruhig sagen, ich verkrafte das schon.«

Überrascht blickte er auf und brach zu ihrer Verblüffung in lautes Lachen aus. »Keine Sorge, Cass, es ist nichts Schlimmes. Eigentlich im Gegenteil.« Er überlegte. »Eher ein Rätsel als eine Katastrophe.«

Cassandra atmete hörbar aus. Dass er jetzt auch noch anfing, von Rätseln zu sprechen, trug nicht gerade zu ihrer Entspannung bei.

»Ich habe getan, worum sie mich gebeten hat, und den Umschlag weggelegt. Erst gestern habe ich ihn geöffnet – und bin fast in Ohnmacht gefallen.« Er lächelte und hob eine buschige Braue. »Zum Vorschein kam die Besitzurkunde für ein weiteres Haus.«

»Wessen Haus?«

»Nells.«

»Nell hat kein zweites Haus.«

»Offenbar doch. Und jetzt gehört es dir.«

Cassandra mochte keine Überraschungen, sie kamen ihr allzu plötzlich. Während sie früher noch Unerwartetes hatte über sich ergehen lassen, löste mittlerweile schon die bloße Andeutung auf der Stelle Panik in ihr aus, eine körperliche Reaktion auf unerwartete Veränderungen. Sie hob ein vertrocknetes Blatt auf, das neben ihrem Fuß lag, und faltete es nachdenklich wieder und wieder zur Hälfte.

In all den Jahren, die sie zusammengelebt hatten, als Cassandra aufgewachsen war, und auch später, nachdem sie zurückgekehrt war, hatte Nell nie ein anderes Haus erwähnt. Warum nicht? Warum hätte sie so etwas geheim halten sollen? Und warum hätte sie sich ein zweites Haus kaufen sollen? Als Geldanlage? In den Cafés an der Latrobe Terrace hatte Cassandra schon häufig Leute über steigende Immobilienpreise, Kapitalanlagen und dergleichen diskutieren hören, aber Nell? Nell hatte sich immer nur über die städtischen Yuppies lustig gemacht, die ein Vermögen bezahlten für die kleinen hölzernen Arbeiterhäuser in Paddington.

Außerdem hatte Nell schon vor Jahren das Rentenalter erreicht. Wenn dieses andere Haus eine Investition gewesen war, warum hatte sie es dann nicht verkauft und von dem Geld gelebt? Mit Antiquitäten zu handeln, mochte ganz interessant sein, aber lukrativ war es schon lange nicht mehr. Nell und Cassandra hatten gerade genug verdient, um ihren Lebensunterhalt zu bestreiten, aber mehr nicht. Es hatte Zeiten gegeben, da wäre ein Investitionsobjekt wirklich ein Segen gewesen, aber Nell hatte nie ein Wort darüber verloren.

»Dieses Haus«, sagte Cassandra schließlich, während sie ihre Hände aneinanderrieb, um die Blattkrümel zu entfernen, »wo befindet es sich? Hier in der Nähe?«

Ben schüttelte den Kopf und lächelte gedankenverloren. »Das ist das Rätselhafteste an der ganzen Sache, Cass«, sagte er und stieß einen tiefen Seufzer aus. »Das Haus steht in England.«

»In England?«

»Großbritannien, Europa, am anderen Ende der Welt.«

»Ich weiß, wo England liegt.«

»Genauer gesagt in Cornwall, in einem Dorf namens Tregenna. Ich habe nur die Besitzurkunde, aber es ist eingetragen als ›Cliff Cottage‹. Nach der Adresse zu urteilen, nehme ich an, dass es ursprünglich zu einem größeren Anwesen gehört hat. Ich kann mich erkundigen, wenn du möchtest.«

»Aber warum sollte sie ...? Wie ist es möglich ...?« Cassandra atmete aus. »Wann hat sie es gekauft?«

»Die Urkunde trägt das Datum 26. Oktober 1975.«

Cassandra verschränkte die Arme vor der Brust. »Sie ist doch nie in England gewesen.«

Diesmal war Ben überrascht. »Doch. Sie war Mitte der Siebzigerjahre in England. Hat sie denn nie davon erzählt?«

Cassandra schüttelte langsam den Kopf.

»Ich kann mich noch gut daran erinnern. Damals kannte ich sie noch nicht lange, das war ungefähr ein halbes Jahr, bevor du aufgetaucht bist, als sie noch den kleinen Laden in der Nähe der Stafford Street hatte. Über die Jahre habe ich immer mal wieder etwas bei ihr gekauft, und wir haben uns damals mehr oder weniger angefreundet. Sie war gut zwei Monate weg. Das weiß ich noch, weil ich vor ihrer Abreise einen Schreibtisch aus Zedernholz angezahlt hatte, ein Geschenk für meine Frau – jedenfalls hatte ich vor, ihn ihr zu schenken, auch wenn es nie dazu gekommen ist. Aber jedes Mal, wenn ich den Schreibtisch abholen wollte, war der Laden geschlossen.

Ich brauche dir wohl nicht zu sagen, dass mich das ziemlich genervt hat. Es war Janices fünfzigster Geburtstag, und der Schreibtisch war das perfekte Geschenk. Als ich ihn angezahlt habe, hat Nell kein Wort davon erwähnt, dass sie eine Reise geplant hatte. Im Gegenteil, sie hat mir genau die Zahlungsmodalitäten erklärt, darauf bestanden, dass ich meine wöchentlichen Raten pünktlich zahlen und den Schreibtisch nach einem Monat abholen sollte. Sie meinte, sie betreibe keine Lagerhalle und sie bräuchte den Platz für neue Ware.«

Cassandra lächelte, das passte zu Nell.

»Und weil sie so darauf bestanden hat, habe ich mich sehr gewundert, als der Laden dann die ganze Zeit geschlossen war. Erst hab ich mich ziemlich aufgeregt, aber irgendwann hab ich angefangen, mir Sorgen zu machen. Ich war drauf und dran, die Polizei einzuschalten.« Er machte eine wegwerfende Geste. »Aber das brauchte ich dann doch nicht. Als ich zum vierten oder fünften Mal zu dem Laden ging, bin ich der Nachbarin über den Weg gelaufen, die sich um Nells Post gekümmert hat. Die hat mir dann erzählt, dass Nell sich in England aufhielt, aber als ich wissen wollte, warum sie so plötzlich abgereist war und wann sie zurückkommen würde, hat sie ziemlich ungehalten reagiert und mir erklärt, sie würde nur tun, worum Nell sie gebeten hatte, und mehr könne sie mir nicht sagen. Also bin ich immer wieder zu dem Laden gegangen, der Geburtstag meiner Frau war längst vorbei, und irgendwann war Nell wieder da.«

»Und auf dieser Reise hat sie ein Haus gekauft.«

»Offenbar.«

Cassandra zog ihre Strickjacke enger um sich. Das ergab alles keinen Sinn. Warum hätte Nell aus heiterem Himmel eine solche Reise antreten, ein Haus kaufen und dann nie wieder nach England zurückkehren sollen? »Und sie hat dir gegenüber nie ein Wort davon erwähnt?«

Ben hob die Brauen. »Wir reden von Nell. Die hat sich selten jemandem anvertraut.«

»Aber ihr beide habt euch immerhin ziemlich nahegestanden. Sie hat doch bestimmt irgendwann darüber gesprochen.« Ben schüttelte den Kopf, doch Cassandra ließ nicht locker: »Aber als sie zurückkam, als du endlich deinen Schreibtisch abholen konntest, hast du sie da nicht gefragt, warum sie so plötzlich verschwunden ist?«

»Klar hab ich sie gefragt, jahrelang bin ich immer wieder darauf zurückgekommen. Ich wusste, dass es etwas Wichtiges gewesen sein musste, denn als sie zurückkam, hatte sie sich verändert.«

»Inwiefern?«

»Sie war irgendwie abwesend, geheimnistuerisch. Und ich bin mir sicher, dass ich das nicht nur im Nachhinein so sehe. Ein paar Monate später wäre ich beinahe dahintergekommen, was los war. Ich war gerade zu Besuch in ihrem Laden, als sie einen Brief mit Poststempel aus Truro erhielt. Ich hatte zufällig den Briefträger vor der Tür getroffen, da hab ich ihr den Brief mit reingenommen. Sie hat sich bemüht, sich ganz lässig zu geben, aber mittlerweile kannte ich sie ein bisschen besser und ich habe genau gespürt, dass sie völlig aus dem Häuschen war wegen des Briefs. Sie konnte es gar nicht erwarten, mich unter irgendeinem Vorwand loszuwerden.«

»Was für ein Brief war das denn? Von wem kam er?«

»Ich muss gestehen, dass die Neugier mich übermannt hat. Den Brief selbst hab ich nicht gelesen, aber bei einer anderen Gelegenheit, als der Umschlag auf ihrem Schreibtisch lag, hab ich ihn umgedreht, um zu sehen, woher er kam. Ich hab mir den Absender gemerkt und später einen ehemaligen Kollegen in England gebeten, ein paar Nachforschungen für mich anzustellen. Der Absender war ein Ermittler.«

»Du meinst, so etwas wie ein Privatdetektiv?«

Ben nickte.

»So was gibt es wirklich?«

»Sicher.«

»Aber was kann Nell von einem englischen Detektiv gewollt haben?«

Ben zuckte die Achseln. »Keine Ahnung. Ich nehme an, es gab ein Geheimnis, dem sie auf den Grund gehen wollte. Eine Zeit lang hab ich versucht, mithilfe von Anspielungen etwas aus ihr herauszulocken, aber es war zwecklos. Irgendwann hab ich's dann aufgegeben und mir gesagt, jeder hat das Recht auf ein Geheimnis, und Nell würde mir schon davon erzählen, wenn sie es für angebracht hielte. Eigentlich hatte ich auch ein schlechtes Gewissen wegen meiner Schnüffelei.« Er schüttelte den Kopf. »Ich muss zugeben, ich würde es zu gern wissen, es hat mich einfach so lange beschäftigt, und das hier ...« Er wedelte mit der Besitzurkunde. »Das setzt dem Ganzen die Krone auf. Selbst jetzt schafft deine Großmutter es noch, mich völlig zu verblüffen.«

Cassandra nickte abwesend. Sie war mit den Gedanken woanders, versuchte, Zusammenhänge herzustellen. Dass Ben die gan ze Zeit von Rätseln redete, seine Vermutung, dass Nell wahrscheinlich versucht hatte, eins zu lösen, hatte sie ins Grübeln gebracht. All die Geheimnisse, die seit dem Tod ihrer Großmutter aufgetaucht waren, begannen, sich zu einem Bild zusammenzufügen: Nells rätselhafte Herkunft, ihre Ankunft als Kind allein in einem Überseehafen, der Koffer, die mysteriöse Reise nach England, dieses geheimnisvolle Haus ...

»Na ja.« Ben schüttete den Rest seines Tees in einen Topf mit Nells roten Geranien. »Ich muss mich auf die Socken machen. In einer Viertelstunde kommt ein Kunde, der sich eine Anrichte aus Mahagoni ansehen will, und ich wäre froh, diesen alten Ladenhüter endlich loszuwerden. Soll ich irgendwas für dich erledigen, wenn ich schon mal im Antiquitätenzentrum bin?«

Cassandra schüttelte den Kopf. »Ich fahre am Montag selbst rüber.«

»Das hat alles keine Eile, Cass. Ich hab dir ja neulich schon gesagt, dass es mir nichts ausmacht, mich um deinen Stand zu kümmern, solange es nötig ist. Falls irgendwas an Geld reingekommen ist, bringe ich es dir heute Nachmittag vorbei, sobald ich Feierabend mache.«

»Danke Ben«, sagte sie. »Für alles.«

Er nickte, stand auf, klappte den Liegestuhl zusammen und stellte ihn zurück an seinen Platz. Die Besitzurkunde schob er unter die Teetasse und wandte sich zum Gehen. An der Hausecke blieb er noch einmal stehen und drehte sich um. »Pass gut auf dich auf, hörst du? Damit du nicht fortgepustet wirst, wenn der Wind noch heftiger wird.«

Er wirkte ehrlich besorgt, und Cassandra fiel es schwer, seinem Blick standzuhalten. In seinen Augen war allzu deutlich zu erkennen, was er dachte, und sie konnte es kaum ertragen, zu sehen, wie er sich daran erinnerte, wie sie früher einmal gewesen war.

»Cass?«

»Ich passe schon auf mich auf.« Sie winkte ihm zum Abschied zu und lauschte dem sich langsam entfernenden Motorengeräusch. Seine Anteilnahme, so lieb sie gemeint sein mochte, schien immer irgendwie einen Vorwurf zu beinhalten. Die Enttäuschung darüber, dass sie unfähig – oder nicht willens – gewesen war, wieder ganz die Alte zu werden. Ihm schien gar nicht in den Sinn zu kommen, dass es ihre Entscheidung gewesen war, so zu bleiben. Dass das, was er als Reserviertheit und Einsamkeit auffasste, für Cassandra Selbsterhaltung bedeutete, dass sie sich sicherer fühlte, wenn sie weniger zu verlieren hatte.

Sie scharrte mit der Schuhspitze auf dem Betonweg und schob die traurigen alten Gedanken beiseite. Dann nahm sie die Besitzurkunde noch einmal in die Hand. Zum ersten Mal fiel ihr der kleine Notizzettel auf, der an die vordere obere Ecke geheftet war. Etwas in Nells zittriger Handschrift stand darauf, fast unleserlich. Cassandra hielt sich den Zettel dichter vor die Augen, dann wieder ein Stück weiter weg, und entzifferte ganz langsam die einzelnen Wörter. *Für Cassandra,* stand da. *Sie wird verstehen, warum.*

8 *Brisbane* *Australien, 1975*

Nell überprüfte noch einmal kurz ihre Papiere – Pass, Flugticket, Reiseschecks – dann, nachdem sie den Reißverschluss ihrer Reisetasche zugezogen hatte, tadelte sie sich selbst innerlich. Also wirklich, das war allmählich lächerlich, wie sie sich aufführte. Jeden Tag verreisten Leute, das war allgemein bekannt. Sie ließen sich in gigantische Konservendosen pferchen, an ihren Sitzen festschnallen und in den Himmel katapultieren. Nell holte tief Luft. Es würde alles gut gehen. Schließlich war sie eine Kämpfernatur.

Noch einmal machte sie einen Rundgang durchs Haus, kontrollierte alle Fenster, vergewisserte sich, dass sie in der Küche das Gas abgestellt, die Tür des abgetauten Kühlschranks geöffnet und alle Stecker herausgezogen hatte. Dann endlich trug sie ihre beiden Koffer zur Hintertür hinaus und verriegelte das Haus. Natürlich wusste sie genau, warum sie nervös war, und sie fürchtete nicht nur, dass sie irgendetwas vergessen hatte oder das Flugzeug vom Himmel fallen könnte. Sie war nervös, weil sie nach Hause fuhr. Nach all den Jahren, an ihrem Lebensabend, fuhr sie endlich nach Hause.

Am Ende war alles so plötzlich gekommen. Hamish, ihr Vater,

war erst seit zwei Wochen tot, und schon war sie dabei, die Tür zu ihrer Vergangenheit aufzustoßen. Er musste gewusst haben, dass sie es tun würde. Als er Phyllis den Koffer gezeigt und sie gebeten hatte, ihn nach seinem Tod Nell zu übergeben, musste er es geahnt haben.

Während sie am Straßenrand auf das Taxi wartete, schaute sie an ihrem hellgelben Haus hinauf. Aus diesem Winkel betrachtet, wirkte es so hoch, anders als alle anderen Häuser, die sie bisher gesehen hatte, mit seiner merkwürdigen kleinen Treppe, die irgendjemand Jahre zuvor überbaut hatte, den pink, blau und weiß gestreiften Markisen und den beiden Dachgauben. Viel zu schmal, viel zu klein, um als elegant bezeichnet zu werden, aber Nell liebte dieses hässliche Entlein mit seinen zusammengemixten Stilelementen, die keinerlei klare Linie erkennen ließen, dieses Opfer der Zeit und der verschiedenen Besitzer, von denen jeder versucht hatte, der Fassade seinen individuellen Stempel aufzudrücken.

Nell hatte es 1961 gekauft, als sie nach Als Tod mit Lesley aus Amerika zurückgekehrt war. Damals war das Haus ziemlich heruntergekommen gewesen, aber seine Lage am Hang von Paddington, hinter dem alten Kino, hatte ihr gefallen, und sie hatte sich hier sofort zu Hause gefühlt. Und das Haus hatte ihr Vertrauen belohnt und sie sogar mit einer Einnahmequelle ausgestattet. In einem dunklen Kellerraum war sie auf all die alten Möbel gestoßen und hatte einen ausziehbaren Tisch mit gedrechselten Beinen entdeckt, der ihr Interesse geweckt hatte. Der Tisch war in einem ziemlich schlechten Zustand gewesen, aber Nell hatte sich ohne lange nachzudenken Schleifpapier und Schellack besorgt und ihn wieder zum Leben erweckt.

Hamish hatte ihr seinerzeit beigebracht, alte Möbel wieder aufzuarbeiten. Nachdem er aus dem Krieg zurückgekehrt war und die kleinen Schwestern nach und nach geboren wurden, hatte Nell angefangen, die Wochenenden mit ihm zu verbringen. Sie war seine Helferin geworden, hatte gelernt, eine Schwalbenschwanzverbindung von einer einfachen Zapfenverbindung, Schellack von Firnis zu unterscheiden, hatte ihre Freude daran gehabt, Dinge auseinanderzunehmen und wieder zusammenzusetzen. Allerdings war das alles schon so lange her, dass sie es ganz vergessen hatte, und erst beim Anblick des alten Tischs war ihr wieder eingefallen, dass sie diese Art von Schönheitschirurgie beherrschte. Sie hätte weinen können, als sie den Schellack in die gedrechselten Beine einmassierte, die vertrauten Düfte einatmete, doch sie war keine Frau, der schnell die Tränen kamen.

Erst als ihr Blick auf eine halb verwelkte Gardenie neben ihrem Koffer fiel, wurde ihr plötzlich bewusst, dass sie überhaupt niemanden gebeten hatte, in ihrer Abwesenheit den Garten zu wässern. Das Nachbarmädchen hatte sich bereit erklärt, die Katzen zu füttern, und sie hatte eine Bekannte beauftragt, die Post im Laden abzuholen, aber an die Blumen hatte sie gar nicht gedacht. Dass sie ihren Garten vergessen konnte, der ihr ganzer Stolz war, zeigte einmal mehr, dass sie ihre Gedanken nicht beisammen hatte. Sie würde vom Flughafen oder womöglich vom anderen Ende der Welt aus eine ihrer Schwestern anrufen müssen. Das würde ihnen einen Schock versetzen und ihnen etwas geben, worüber sie tuscheln konnten. Aber nichts anderes erwarteten sie ja von ihrer großen Schwester Nell.

Kaum zu glauben, dass sie sich früher einmal so nahegestanden hatten. Das Geständnis ihres Vaters hatte sie um vieles gebracht, aber der Verlust ihrer Schwestern hatte die tiefste Wunde in ihr hinterlassen. Nell war schon elf gewesen, als die Erste zur Welt kam, aber gleich vom ersten Moment an hatte sie eine tiefe Verbundenheit empfunden. Ohne dass ihre Mutter es aussprechen musste, hatte Nell gewusst, dass es ihre Pflicht sein würde, auf ihre kleinen Schwestern aufzupassen. Der Lohn für ihre Aufopferung war die hingebungsvolle Liebe gewesen, die sie ihr entgegenbrachten. Wenn sie sich wehgetan hatten, waren sie zu ihr gekommen, um sich trösten zu lassen; wenn sie aus einem Albtraum aufgewacht waren, hatten sie bei Nell Schutz gesucht und sich zu ihr unter die Bettdecke gekuschelt.

Aber Pas Geheimnis hatte alles verändert. Sie konnte ihre kleinen Schwestern nicht mehr anschauen, ohne sich ihrer eigenen Fremdheit bewusst zu werden, und doch brachte sie es nicht fertig, ihnen die Wahrheit zu sagen. Hätte sie das getan, hätte sie damit etwas zerstört, an das sie vorbehaltlos glaubten. Lieber wollte Nell in Kauf nehmen, dass ihre Schwestern sie für verschroben hielten, als sie wissen zu lassen, dass sie eine Fremde war.

Ein schwarz-weißes Taxi bog in die Straße ein. Nell hob einen Arm und winkte es zu sich heran. Während der Fahrer ihr Gepäck im Kofferraum verstaute, machte sie es sich auf dem Rücksitz bequem.

»Wo soll's denn hingehen?«, fragte der Mann, als er die Tür zuschlug.

»Zum Flughafen.«

Er nickte, und kurz darauf fuhren sie durch die gewundenen Straßen von Paddington.

An ihrem einundzwanzigsten Geburtstag hatte ihr Vater ihr das Geständnis ins Ohr geflüstert, das sie ihrer Identität beraubt hatte.

»Aber wer bin ich?«, hatte sie gefragt.

»Du bist du. Dieselbe wie immer. Du bist Nell, meine Nellie.«

Sie hatte gespürt, wie sehr er sich wünschte, dass es so wäre, aber sie hatte gewusst, dass es unmöglich war. Die Wirklichkeit hatte sich um ein paar Grad verschoben und sie von allen anderen abgesondert. Die Person, für die sie sich immer gehalten hatte, existierte gar nicht. Es gab keine Nell Andrews.

»Wer bin ich wirklich?«, hatte sie ihn Tage später gefragt. »Sag's mir, Pa.«

Er hatte den Kopf geschüttelt und war ihrem Blick ausgewichen, hatte erschöpft gewirkt und plötzlich um viele Jahre gealtert. »Ich weiß es nicht, Nellie. Deine Mum und ich haben es nie herausgefunden. Und es ist uns auch nie wichtig gewesen.«

Sie hatte versucht, es auch nicht so wichtig zu nehmen, aber es war ihr nicht gelungen. Alles hatte sich geändert, und sie konnte ihrem Vater nicht mehr in die Augen sehen. Nicht dass sie ihn nicht mehr geliebt hätte, aber die Unbeschwertheit war verschwunden. Die Zuneigung zu ihm, die sie immer als selbstverständlich empfunden und nie infrage gestellt hatte, hatte plötzlich eine Stimme bekommen, die jedes Mal, wenn sie ihn anschaute, flüsterte: »Du bist gar nicht seine Tochter.« Egal, wie oft er es ihr auch beteuerte, sie konnte einfach nicht glauben, dass er sie genauso liebte wie ihre Schwestern.

»Aber natürlich tue ich das«, hatte er geantwortet, als sie ihn danach gefragt hatte, und die Verblüffung in seinen Augen hatte verraten, wie sehr ihn die Frage verletzte. Er nahm sein Taschentuch und wischte sich über den Mund. »Dich habe ich als Erste kennengelernt, dich liebe ich schon viel länger als die anderen.«

Aber es war nicht genug. Sie war eine lebende Lüge, und das wollte sie nicht länger sein.

Im Laufe der darauffolgenden Monate hatte ihr in einundzwanzig Jahren entstandenes Leben sich systematisch aufgelöst. Sie hatte ihre Stelle in Mr Fitzsimmons' Zeitungsladen aufgegeben und angefangen, als Platzanweiserin im neuen Plaza-Kino zu arbeiten. Sie hatte ihre Kleider in zwei kleine Koffer gepackt und war zu der Freundin einer Freundin gezogen. Und sie hatte ihre Verlobung mit Danny gelöst. Sie hatte sich nicht sofort von ihm getrennt, dazu hatte ihr der Mut gefehlt, sondern die Beziehung über mehrere Monate hinweg immer mehr abkühlen lassen, war ihm weitgehend aus dem Weg gegangen und hatte sich, wenn sie sich doch getroffen hatten, abweisend verhalten. Ihre Feigheit hatte ihren Selbsthass noch verstärkt und sie in dem Verdacht bestätigt, dass ihr alles, was passierte, recht geschah und sie nichts Besseres verdient hatte.

Sie hatte lange gebraucht, um die Trennung von Danny zu überwinden, sein wettergegerbtes Gesicht zu vergessen, seine ehrlichen Augen, sein unbeschwertes Lachen. Natürlich hatte er wissen wollen, warum, aber sie hatte es nicht über sich gebracht, es ihm zu erzählen. Es gab einfach keine Worte, mit denen sie ihm hätte erklären können, dass die Frau, die er liebte, die er zu heiraten gehofft hatte, nicht mehr existierte. Wie konnte sie von ihm erwarten, dass er sie weiterhin wertschätzte, dass er sie immer noch lieben würde, wenn er erfuhr, dass sie ein unerwünschtes Kind war? Dass ihre eigene Familie sie ausgesetzt hatte?

Das Taxi bog in die Albion Street ein und fuhr nach Osten in Richtung Flughafen. »Wo soll's denn hingehen?«, fragte der Fahrer und schaute sie im Rückspiegel an.

»Nach London.«

»Haben Sie dort Verwandte?«

Nell schaute aus dem schmuddeligen Fenster. »Ja«, sagte sie. Hoffentlich.

Nicht einmal Lesley hatte sie von ihrer geplanten Reise erzählt. Sie hatte es in Erwägung gezogen, sich vorgestellt, wie sie den Telefonhörer aufnehmen und die Nummer ihrer Tochter wählen würde – die neueste in einer Liste, die sie an den Rand ihres Adressbuchs gekritzelt hatte –, aber dann hatte sie die Idee immer wieder verworfen. Wahrscheinlich würde sie sowieso längst wieder zurück sein, ehe Lesley auffiel, dass sie überhaupt verreist war.

Nell brauchte sich nicht den Kopf darüber zu zerbrechen, was sie bei Lesley falsch gemacht hatte, sie wusste es nur allzu gut. Sie waren von Anfang an nicht miteinander zurechtgekommen. Die Geburt war ein Schock gewesen, die gewaltsame Ankunft eines strampelnden, schreienden Energiebündels. Nacht für Nacht hatte Nell in dem Krankenhaus in Amerika wach gelegen und darauf gewartet, dass sie endlich die innige Zuneigung zu ihrem Kind empfinden würde, von der die Leute immer redeten, die Gewissheit, dass sie unwiderruflich und unzertrennlich mit dieser kleinen Person verbunden sein würde, die in ihr gewachsen war. Aber das Gefühl wollte sich einfach nicht einstellen. Egal, wie sehr sie sich bemühte, egal, wie sehr sie es herbeisehnte, Nell fühlte sich getrennt von der kleinen Wildkatze, die an ihren Brüsten saugte und riss und kratzte und immer mehr haben wollte, als Nell zu geben vermochte.

Al dagegen war völlig hingerissen gewesen. Ihm schien gar nicht aufzufallen, dass das Baby eine furchtbare Nervensäge war. Im Gegensatz zu den meisten Männern seiner Generation riss er sich geradezu darum, seine Tochter herumzutragen, sie in den Armen zu wiegen und mit ihr auf den breiten Straßen von Chicago spazieren zu gehen. Manchmal schaute Nell ihm mit einem höflichen Lächeln zu, wie er sein kleines Mädchen liebestrunken anhimmelte, und wenn er sich ihr dann mit verklärtem Blick zuwandte, spiegelte sich ihre eigene Leere in seinen Augen.

Lesley war als Wildfang auf die Welt gekommen, aber nach Als Tod im Jahr 1961 war es mit ihrer Zuversicht vorbei. Als Nell ihr die Nachricht überbrachte, sah sie, wie sich ein Schleier der Leere über Lesleys Augen legte. Im Lauf der folgenden Monate hatte sich Lesley, die Nell von Anfang an ein Rätsel gewesen war, immer tiefer in ihren Kokon aus jugendlichem Trotz zurückgezogen und ihre Überzeugung kultiviert, dass sie ihre Mutter verachtete und nichts mehr mit ihr zu tun haben wollte.

Das war natürlich verständlich, wenn nicht sogar akzeptabel – schließlich war sie vierzehn, ein sehr sensibles Alter, und ihr Vater war ihr Ein und Alles gewesen. Die Rückkehr nach Australien hatte auch nicht zur Verbesserung der Situation beigetragen, wie Nell im Nachhinein klar geworden war. Aber Nell war keine Frau, die wegen rückblickend gewonnener Erkenntnisse in Schuldgefühlen versank. Sie hatte getan, was ihr damals als das Beste erschienen war: Sie war keine Amerikanerin, Als Mutter war einige Jahre zuvor gestorben, und im Grunde genommen waren sie völlig allein. Fremde in einem fremden Land.

Als Lesley mit siebzehn von zu Hause weggegangen und quer durch Australien nach Sydney getrampt war, hatte Nell sie erleichtert ziehen lassen. Wenn Lesley erst einmal aus dem Haus war, hatte sie sich gesagt, würde sie vielleicht endlich den schwarzen Schatten loswerden, der ihr seit siebzehn Jahren im Nacken saß und ihr einflüsterte, natürlich sei sie eine Rabenmutter, sie brauche sich nicht zu wundern, dass ihre Tochter sie nicht ausstehen könne, das sei nun mal ihre Natur, Kinder habe sie sowieso nicht verdient. Haim und Lil mochten sie noch so liebevoll großgezogen haben, Nell stammte aus einer Linie schlechter Mütter, die mir nichts dir nichts ihre Kinder im Stich ließen.

Und am Ende war alles gar nicht so schlimm gekommen. Inzwischen, zwölf Jahre später, wohnte Lesley mit ihrem neuesten Kerl und ihrer kleinen Tochter Cassandra ganz in der Nähe an der Gold Coast. Nell hatte ihre Enkeltochter bisher nur ein paarmal gesehen. Der Himmel wusste, wer ihr Vater war, und Nell hütete sich nachzufragen. Auf jeden Fall musste er einigermaßen Grips im Kopf gehabt haben, denn Cassandra hatte nicht viel von der Zügellosigkeit ihrer Mutter geerbt. Eher das Gegenteil war der Fall. Cassandra war ein Kind, dessen Seele vorzeitig gealtert zu sein schien, still, geduldig, nachdenklich, und sie hielt zu Lesley – ein wunderbares Kind, das Nell an eine der Nymphen von Waterhouse erinnerte. Die Kleine besaß eine tiefe Ernsthaftigkeit, traurige blaue Augen, deren äußere Winkel ein wenig nach unten gezogen waren, und einen hübschen Mund, der ausgesprochen schön sein könnte, wenn sie nur einmal unbefangen lachen würde.

Das schwarz-weiße Taxi hielt vor dem Flughafen Qantas, und nachdem Nell den Fahrer bezahlt hatte, schob sie alle Gedanken an Lesley und Cassandra beiseite.

Sie hatte sich oft genug in ihrem Leben von Reue überwältigen lassen und war in Unwahrheiten und Ungewissheiten ertrunken. Jetzt war es an der Zeit, Antworten zu finden und in Erfahrung zu bringen, wer sie wirklich war. Sie stieg aus dem Taxi und schaute zu einem Flugzeug auf, das gerade über den Airport hinwegdröhnte.

»Guten Flug«, sagte der Taxifahrer, als er Nells Koffer auf einen Trolley stellte.

»Ja, danke.«

Es würde ein guter Flug werden, davon war sie überzeugt. Endlich waren die Antworten greifbar nahe. Nachdem sie ein Leben lang als Schatten existiert hatte, würde sie nun ein Mensch aus Fleisch und Blut werden.

Der kleine weiße Koffer war der Schlüssel gewesen, oder vielmehr dessen Inhalt. Das Märchenbuch, das 1913 in London herausgegeben worden war, das Bild von der Frau auf dem Deckblatt. Nell hatte sie sofort erkannt. Ein uralter Teil ihres Gehirns hatte die Namen ausgespuckt, noch ehe ihr Verstand sich hatte einschalten können, Namen, von denen sie geglaubt hatte, dass sie zu einem Spiel aus ihrer Kindheit gehörten. Die Dame. Die Autorin. Und sie wusste auch, dass es die Dame tatsächlich gegeben hatte: Eliza Makepeace.

Ihr erster Gedanke war natürlich gewesen, dass diese Eliza Makepeace ihre Mutter war. Sie war in die Bibliothek gegangen, um nachzuforschen, und hatte mit geballten Fäusten dagesessen und gewartet, hatte gehofft, dass die Bibliothekarin ihr verkünden würde, dass Eliza Makepeace ein Kind verloren und bis an ihr Lebensende nach ihrer vermissten Tochter gesucht hatte. Aber das wäre eine allzu einfache Erklärung gewesen. Die Bibliothekarin hatte ziemlich wenig über Eliza herausgefunden, aber immerhin so viel, dass die Schriftstellerin kinderlos gewesen war.

Auch die Passagierlisten hatten nicht viel ergeben. Nell hatte jedes Schiff überprüft, das im Jahr 1913 von London nach Maryborough gefahren war, aber auf keiner Liste war der Name Eliza

Makepeace aufgetaucht. Immerhin bestand die Möglichkeit, dass es sich bei dem Namen Eliza Makepeace um ein Pseudonym handelte und dass die Autorin eine Schiffspassage unter ihrem richtigen oder einem erfundenen Namen gebucht hatte, aber Hamish hatte Nell nicht gesagt, auf welchem Schiff sie nach Australien gekommen war, und ohne diese Information ließ sich die Liste der Möglichkeiten nicht eingrenzen.

Nell ließ sich dennoch nicht beirren. Eliza Makepeace hatte irgendeine wichtige Rolle in ihrer Vergangenheit gespielt. Sie konnte sich an Eliza *erinnern*, wenn auch nur verschwommen. Es waren alte, tief vergrabene Erinnerungen, aber sie waren da. Sie war auf einem Schiff gewesen. Hatte gewartet. Sich versteckt. Gespielt. Nach und nach fielen ihr noch weitere Einzelheiten ein. Es war, als hätte die Erinnerung an die Autorin eine Art Deckel gelüftet. Stück für Stück tauchten immer mehr Erinnerungsfetzen auf: ein Labyrinth, eine alte, Furcht einflößende Frau, eine lange Reise übers Meer. Über Eliza würde sie sich selbst finden, da war Nell sich ganz sicher, und um Eliza zu finden, musste sie nach London.

Gott sei Dank besaß sie genug Geld, um sich den Flug leisten zu können. Eigentlich müsste sie ihrem Vater dafür danken, denn der hatte mehr damit zu tun als Gott. In dem weißen Koffer hatte Nell außer dem Märchenbuch, der Haarbürste und dem Kleidchen einen Brief von Hamish gefunden, der zusammen mit einem Foto und einem Scheck in einem Umschlag steckte. Es war kein Vermögen – Hamish war kein wohlhabender Mann gewesen –, aber doch eine recht stattliche Summe. In seinem Brief hatte Haim geschrieben, er wolle ihr etwas Geld zukommen lassen, ohne dass die anderen Mädchen davon erfuhren. Er hatte alle seine Töchter stets finanziell unterstützt, Nell jedoch hatte sein Geld immer abgelehnt. Wenn er es ihr auf diese Weise gab, so meinte er, konnte sie nicht Nein sagen.

Dann hatte er seine Hoffnung ausgedrückt, dass sie ihm eines

Tages würde vergeben können, auch wenn er sich selbst nie verziehen habe. Vielleicht sei es ihr ein Trost, zu erfahren, dass er sein Leben lang unter Schuldgefühlen gelitten hatte. Er habe sich immer und immer wieder gewünscht, er hätte ihr nie die Wahrheit gesagt. Wenn er ein mutigerer Mann gewesen wäre, hätte er sich gewünscht, sie nie bei sich aufgenommen zu haben, aber das hieße, sich zu wünschen, sie wäre nie Teil seines Lebens gewesen, und da lebe er lieber mit seiner Schuld.

Das Foto hatte sie schon einmal gesehen, wenn auch nur kurz. Es war ein Schwarz-Weiß-Foto – oder eher braun-weiß –, aufgenommen vor dem Ersten Weltkrieg. Eine Aufnahme von Hamish, Lil und Nell, bevor sie eine Großfamilie geworden waren und die Schwestern das Haus mit ihrem Lachen und ihrem mädchenhaften Gekreische erfüllt hatten. Es war eine von diesen Atelieraufnahmen, auf denen die Personen aussehen, als hätten sie sich gerade fürchterlich erschrocken, als hätte man sie aus dem richtigen Leben herausgerupft, auf Miniaturformat verkleinert und in ein mit seltsamen Requisiten gefülltes Puppenhaus gesetzt. Als sie es aus dem Koffer nahm, meinte sie sich sogar daran zu erinnern, wie es aufgenommen worden war. Sie hatte nicht viele Erinnerungen an ihre Kindheit, aber sie wusste noch genau, dass sie sich in diesem Atelier spontan unwohl gefühlt hatte und wie sehr ihr der Gestank der Chemikalien zuwider gewesen war. Dann hatte sie das Foto weggelegt und den Brief ihres Vaters noch einmal gelesen.

Egal, wie oft sie ihn las, sie wunderte sich jedes Mal wieder über Hamishs Wortwahl: seine »Schuld«. Wahrscheinlich meinte er damit, dass er Schuld auf sich geladen hatte, als er sie mit seinem Geständnis aus der Bahn geworfen hatte, und dennoch kam ihr das Wort merkwürdig vor. Bedauern vielleicht, oder Reue, aber Schuld? Es kam ihr so unpassend vor. Denn auch wenn Nell sich noch so oft gewünscht hatte, das alles wäre nie geschehen, und obwohl es ihr unmöglich gewesen war, ein Leben weiterzuführen, das eine Lüge war, hatte sie ihre Eltern nie für schuldig gehalten. Schließlich hatten sie nur getan, was sie für das Beste gehalten hatten und was das Beste *gewesen war.* Sie hatten ihr ein Zuhause und Liebe gegeben. Dass ihr Vater sich für schuldig hielt und fürchtete, dass sie ebenso dachte, beunruhigte sie zutiefst. Doch jetzt war es zu spät, um ihn danach zu fragen.

9 *Maryborough* *Australien, 1914*

Nell war seit vier Monaten bei ihnen, als der Brief im Hafenbüro eintraf. Ein Mann in London suchte nach einem vierjährigen Mädchen. Haarfarbe: rot. Augen: blau. Henry Mansell – der Name stand im Briefkopf – schrieb, er habe Grund zu der Annahme, dass das seit fast sieben Monaten vermisste Kind auf ein Schiff geraten war, möglicherweise auf einen Dampfer mit Ziel Australien. Er suche das Mädchen im Auftrag von dessen Angehörigen.

Hamish stand an seinem Schreibtisch und hatte das Gefühl, als würden seine Beine unter ihm nachgeben. Der Augenblick, den er die ganze Zeit gefürchtet hatte – aber mit dem er gleichzeitig fest gerechnet hatte –, war gekommen. Denn im Gegensatz zu dem, was Lil glaubte, gingen Kinder, vor allem solche wie Nell, nicht einfach verloren, ohne dass jemand Alarm schlug. Er setzte sich in seinen Sessel, konzentrierte sich auf seine Atmung und warf kurz einen Blick aus dem Fenster. Plötzlich kam er sich irgendwie verdächtig vor, als würde ein unsichtbarer Feind ihn beobachten.

Er fuhr sich mit einer Hand übers Gesicht und massierte sich den Nacken. Was, zum Teufel, sollte er bloß tun? Es war nur eine Frage der Zeit, bis seine Kollegen zur Arbeit kommen und den

Brief vorfinden würden. Zwar war er der Einzige, der Nell allein am Hafen hatte sitzen sehen, aber das würde ihnen nicht lange nützen. Es würde sich schon bald in der Stadt herumsprechen – alles sprach sich herum –, und früher oder später würde irgendwer zwei und zwei zusammenzählen. Irgendwann würde jemandem auffallen, dass das kleine Mädchen, das bei Hamish und Lil in der Queen Street wohnte und so eine ungewöhnliche Art zu sprechen hatte, verdammt viel Ähnlichkeit mit dem vermissten Kind hatte.

Nein, er konnte nicht zulassen, dass jemand den Brief zu Gesicht bekam. Hamish bemerkte, dass seine Hand ein wenig zitterte. Er faltete den Brief säuberlich einmal, dann noch einmal und steckte ihn in seine Jackentasche. Damit war das Problem fürs Erste gelöst.

Er setzte sich. So, jetzt fühlte er sich schon wieder besser. Er brauchte nur ein bisschen Zeit, um nachzudenken und sich zu überlegen, wie er Lil beibringen würde, dass es an der Zeit war, Nell zurückzugeben. Sicher, der Umzug nach Brisbane war längst geplant. Lil hatte ihrem Vermieter bereits angekündigt, dass sie ausziehen würden, sie hatte angefangen, ihre Habseligkeiten zu packen und in der Stadt herumerzählt, dass Haim in Brisbane eine gute Stelle angeboten worden war und sie dumm sein müssten, diese Chance nicht wahrzunehmen.

Aber Pläne konnten natürlich geändert werden, sie mussten manchmal geändert werden. Denn jetzt wussten sie schließlich, dass jemand nach Nell suchte, und das änderte alles, oder nicht?

Er wusste genau, was Lil zu dem Brief sagen würde: Diese Leute hatten Nell nicht verdient, dieser Mann, Henry Mansell, der sie jetzt auf einmal als vermisst angab. Sie würde Haim anflehen, ihm ins Gewissen reden, dass sie Nell unmöglich jemandem ausliefern könnten, der so verantwortungslos war. Aber Hamish würde ihr entgegenhalten, dass sie beide das nicht zu entscheiden hatten, dass Nell nicht ihr Kind war und nie gewesen war, dass sie zu einer anderen Familie gehörte. In Wirklichkeit hieß sie ja nicht einmal Nell, und sie hatte ein Recht auf ihren eigenen Namen.

Als Hamish am Nachmittag die Treppe zur Haustür hochstieg, blieb er einen Augenblick stehen, um sich zu sammeln. Er atmete den beißenden Rauch ein, der aus dem Kamin kam, ein angenehmer Geruch, denn er kam von dem Feuer, das sein Heim wärmte. Eine unsichtbare Kraft schien ihn daran zu hindern, weiterzugehen. Er hatte das vage Gefühl, vor einer Schwelle zu stehen, deren Überschreiten alles ändern würde.

Er holte tief Luft und öffnete die Tür. Seine beiden Mädchen drehten sich um und schauten ihn an. Sie saßen am Feuer, Nell auf Lils Schoß. Ihr langes, rotes Haar war nass, und Lil war gerade dabei, es auszukämmen.

»Pa!«, rief Nell aufgeregt, die Wangen von der Wärme gerötet.

Lil lächelte ihn über den Kopf der Kleinen hinweg an. Dieses Lächeln war schon immer sein Untergang gewesen. Von dem Tag an, als er sie zum ersten Mal gesehen hatte, wie sie vor dem Bootsschuppen ihres Vaters die Taue aufrollte. Wie lange war es her, dass er dieses Lächeln zuletzt gesehen hatte? Das war vor den Babys gewesen, da war er sich sicher. Vor ihren Babys, die einfach nicht geboren werden wollten.

Hamish erwiderte Lils Lächeln, stellte seine Aktentasche ab, langte in seine Jacke, in die der Brief unaufhaltsam ein Loch brannte, befühlte das glatte Papier. Dann trat er an den Herd, auf dem ein großer Topf mit Fischsuppe vor sich hin dampfte. »Mm, riecht das gut.« Verdammter Frosch in seinem Hals.

»Das Rezept ist von meiner Mutter«, sagte Lil, während sie geduldig Nells Haare entwirrte. »Du wirst mir doch nicht etwa krank?«

»Hä?«

»Am besten, ich mache dir gleich ein Glas heiße Zitrone mit Honig.«

»Ach, das ist nur ein Kratzen im Hals«, sagte Haim. »Mach dir keine Umstände.«

»Aber das sind doch keine Umstände. Nicht, wenn ich's für dich tue.« Wieder lächelte sie ihn an, während sie Nell die Schulter tätschelte. »So, mein Kleines, Mama muss jetzt aufstehen und Wasser aufsetzen. Du bleibst schön hier sitzen, bis deine Haare trocken sind. Wir wollen doch nicht, dass du dich auch noch erkältest wie dein Pa«, ermahnte sie Nell und schaute Hamish dabei so stolz und glücklich an, dass es ihm beinahe das Herz brach und er sich abwenden musste.

Während des Abendessens lag der Brief schwer in seiner Tasche und sorgte dafür, dass er nicht vergessen wurde. Wie ein Magnet zog er Hamishs Hand immer wieder an. Haim konnte kein einziges Mal sein Messer ablegen, ohne dass seine Hand wieder nach dem Brief langte und über das glatte Papier strich, das Todesurteil für ihr Glück. Der Brief von einem Mann, der Nells Familie kannte. Oder es zumindest behauptete …

Plötzlich richtete Hamish sich auf. Wunderte sich über die Naivität, mit der er die Behauptungen dieses Fremden sofort akzeptiert hatte. Er rief sich den Inhalt des Briefs in Erinnerung, ging in Gedanken die Zeilen durch, um nach einem Anhaltspunkt zu suchen. Dann atmete er erleichtert auf. Der Brief enthielt nicht den geringsten Beweis dafür, dass der Absender die Wahrheit sagte. Es gab weiß Gott genug Leute auf der Welt, die alle möglichen komplizierten Betrügereien ausheckten. In manchen Ländern wurden kleine Mädchen verkauft, das wusste Hamish, überall waren Sklavenhändler auf der Suche nach kleinen Mädchen, die sie verkaufen konnten …

Aber das war lächerlich. Noch während er sich verzweifelt an derartige Möglichkeiten klammerte, wusste er, wie abwegig sie waren.

»Haim?«

Hastig blickte er auf. Lil musterte ihn auf merkwürdige Weise.

»Du hast geträumt.« Kopfschüttelnd legte sie ihm eine warme Hand auf die Stirn. »Hoffentlich bekommst du kein Fieber.«

»Nein, es geht mir gut«, erwiderte er ungehaltener als beabsichtigt. »Es geht mir wirklich gut, Liebes.«

Sie nickte, presste die Lippen zusammen. »Ich sagte gerade, ich bringe mal eben die junge Dame ins Bett. Sie hat einen langen Tag gehabt und ist hundemüde.«

Wie aufs Stichwort gähnte Nellie ausgiebig.

»Gute Nacht, Pa«, sagte sie zufrieden, als sie zu Ende gegähnt hatte. Ehe er sich's versah, war sie auf seinem Schoß, schmiegte sich an ihn und schlang ihm die Arme um den Hals. Nie war er sich seiner rauen Haut und der Stoppeln auf seinen Wangen so bewusst gewesen. Er drückte Nell, die sich unter seinen Händen so zart anfühlte wie ein kleines Vögelchen, an sich und schloss die Augen.

»Gute Nacht, Nellie, mein Schatz«, flüsterte er in ihr Haar.

Er schaute den beiden nach, als sie im Nebenzimmer verschwanden. Seine Familie.

Auch wenn er es sich nicht erklären konnte, verlieh dieses Kind, ihre kleine Nell mit den langen, roten Zöpfen, ihrer Ehe Stabilität. Sie waren jetzt eine richtige Familie, ein unzertrennlicher Dreierbund, und nicht mehr nur zwei einsame Seelen, die sich entschlossen hatten, ihr Schicksal zu teilen.

Und er war drauf und dran, das alles zu zerstören …

Ein Geräusch aus dem Flur riss Hamish aus seinen Gedanken, und er blickte auf. Lil stand im Türrahmen und beobachtete ihn. Das Kaminfeuer zauberte einen roten Schimmer auf ihr Haar und ein Glühen tief in ihre Augen, schwarze Monde unter langen Wimpern. Eine Gefühlsregung umspielte ihre Mundwinkel, und auf ihren Lippen erschien ein Lächeln voller Empfindungen, die zu stark waren, um sie mit Worten auszudrücken.

Zögernd erwiderte Haim ihr Lächeln, während seine Finger noch einmal in seine Jackentasche fuhren und den Brief befühlten. Sein Mund öffnete sich leicht, und die Worte, die er nicht aussprechen, aber auch nicht richtig zurückhalten konnte, kribbelten ihm auf den Lippen.

Dann war Lil bei ihm. Ihre Finger auf seinem Handgelenk sandten heiße Wellen bis in seinen Hals, ihre warme Hand lag auf seiner Wange. »Komm ins Bett.«

Ach, konnte es zärtlichere Worte geben als diese? In ihrer Stimme lag eine süße Verheißung, und damit stand sein Entschluss plötzlich fest – einfach so.

Er schob seine Hand in ihre, hielt sie fest und folgte ihr in Richtung Schlafzimmer.

Im Vorbeigehen warf er das glatte Blatt Papier in den Kamin und beobachtete aus dem Augenwinkel heraus, wie es knisternd Feuer fing und der kurze Anflug von schlechtem Gewissen mit verbrannte. Aber Hamish blieb nicht stehen, er ging einfach weiter, ohne einen Blick zurückzuwerfen.

10 *Brisbane* *Australien, 2005*

Lange bevor es einen Antiquitätenmarkt beherbergte, war das Gebäude ein Kino gewesen. Das Plaza-Kino, ein gewagtes Experiment in den Dreißigerjahren. Von außen unscheinbar, ein weißer Klotz, den man in den Hang von Paddington gesetzt hatte. Das Innere jedoch war etwas ganz anderes. Die gewölbte, mitternachtsblaue Decke mit den aufgeklebten Wolken war ursprünglich mit einer indirekten Beleuchtung versehen gewesen, um den Eindruck von Mondlicht zu erwecken, während überall winzige Lämpchen wie Sterne funkelten. Jahrzehntelang war das

Kino ein Riesenerfolg gewesen, damals, als noch Trams durch die Straßen rumpelten und in den Tälern chinesische Gärten blühten. Es hatte Flammen und Fluten überlebt, aber dann, in den Sechzigerjahren, war es still und unbemerkt dem Fernsehen zum Opfer gefallen.

Der Stand von Nell und Cassandra befand sich vorn links, direkt unterhalb des Bühnenportals. Es war ein Gewirr aus Regalen, vollgestellt mit Nippes aller Art, einzelnen Geschirrteilen, Gläsern, alten Büchern und einer erklecklichen Sammlung von Memorabilien. Vor langer Zeit hatten andere Händler im Markt den Stand scherzhaft als Aladins Höhle bezeichnet, und irgendwann war der Name geblieben. Mittlerweile hing ein Holzschild über dem Stand, auf dem in goldenen Lettern der Name *Aladins Höhle* prangte.

Cassandra, die auf einem dreibeinigen Hocker inmitten des Labyrinths aus Regalen kauerte, hatte Mühe, sich zu konzentrieren. Es war das erste Mal seit Nells Tod, dass sie sich in die Markthalle begeben hatte, und es war ein komisches Gefühl, zwischen all den Schätzen zu sitzen, die sie gemeinsam zusammengetragen hatten. Seltsam, dass all das Zeug noch da war, obwohl Nell nicht mehr lebte. Irgendwie illoyal. Löffel, die Nell poliert hatte, Preisschilder mit Nells unleserlichem Gekritzel, Bücher ohne Ende. Jeder Antiquitätenhändler hatte seine Schwäche, und Nells Schwäche waren die Bücher gewesen. Ihre besondere Liebe hatte denen gegolten, die um die Jahrhundertwende geschrieben worden waren. Bücher aus der spätviktorianischen Zeit mit opulent gedruckten Texten und kunstvollen Illustrationen in Schwarz-Weiß. Noch besser war es, wenn ein Buch eine persönliche Widmung enthielt, eine Spur seiner Vergangenheit, einen Hinweis darauf, durch wessen Hände es gegangen war, bis es den Weg zu ihr gefunden hatte.

»Morgen.«

Als Cassandra aufblickte, stand Ben vor ihr, der ihr einen Becher Kaffee hinhielt.

»Machst du Inventur?«, fragte er.

Sie schob sich ein paar Strähnen aus den Augen und nahm den Becher entgegen. »Ich räume nur ein bisschen auf.«

Ben nahm einen Schluck von seinem Kaffee und musterte sie über den Becher hinweg. »Ich hab was für dich«, sagte er, langte unter seine Strickweste und zog ein zusammengefaltetes Blatt Papier aus der Brusttasche seines Hemds.

Cassandra stellte ihren Becher ab, faltete das Blatt auseinander und glättete die Knicke. In der Mitte des weißen DIN-A4-Bogens befand sich die Kopie eines unscharfen Schwarz-Weiß-Fotos von einem Haus. Soweit sie es erkennen konnte, handelte es sich um ein kleines Fachwerkhaus mit dunklen Flecken – wilder Wein vielleicht? – an den Wänden. Das Dach war mit Schindeln gedeckt, und hinter dem Giebel erhob sich ein gemauerter Schornstein, aus dem zwei Kaminrohre ragten, eines davon kaputt.

Natürlich brauchte sie nicht zu fragen, um welches Haus es sich handelte, sie wusste es sofort.

»Ich hab mal ein bisschen nachgeforscht«, sagte Ben. »Ich konnte es einfach nicht lassen. Meine Tochter in London hat das Foto gefunden und es mir gemailt.«

So sah also Nells großes Geheimnis aus. Das Haus, das sie aus einer Laune heraus gekauft und all die Jahre über geheim gehalten hatte. Seltsam, wie das Foto auf sie wirkte. Cassandra hatte die Besitzurkunde das ganze Wochenende über auf dem Küchentisch liegen lassen, hatte sie jedes Mal betrachtet, wenn sie daran vorbeigegangen war, hatte kaum noch an etwas anderes denken können, aber jetzt, wo sie das Foto vor sich hatte, erschien es ihr zum ersten Mal als etwas Reales. Alles stand plötzlich ganz deutlich vor ihr: Nell, die gestorben war, ohne wirklich zu wissen, wer sie war, die in England ein Haus gekauft und es Cassandra vererbt hatte, weil sie glaubte, ihre Enkelin würde verstehen, warum.

»Ruby hat schon immer ein Talent dafür gehabt, Dinge rauszufinden, deswegen hab ich sie gebeten, sich mal nach den ehemaligen Besitzern zu erkundigen. Ich dachte mir, wenn wir erst mal wissen, von wem deine Großmutter das Haus gekauft hat, könnte uns das helfen zu verstehen, was sie dazu bewogen hat.« Ben zog ein kleines Spiralheft aus seiner Brusttasche und rückte seine Brille zurecht. »Sagen dir die Namen Daniel und Julia Bennett etwas?«

Cassandra, die noch immer das Foto betrachtete, schüttelte den Kopf.

»Ruby sagt, Nell hat das Haus von Mr und Mrs Bennett übernommen, die es 1971 gekauft hatten, und zwar zusammen mit dem Herrenhaus, das sie in ein Hotel umgewandelt haben. Es heißt Hotel Blackhurst.« Er schaute Cassandra erwartungsvoll an.

Erneut schüttelte sie den Kopf.

»Bist du sicher?«

»Nie gehört.«

»Tja«, sagte Ben und ließ die Schultern hängen. »Na dann.« Er klappte das Heft zu und stützte sich auf ein Regal. »Ich fürchte, das ist alles, was meine Schnüffelei ergeben hat.« Er kratzte sich den Bart. »Typisch Nell, so ein Riesengeheimnis zu hinterlassen. Das ist doch einfach verrückt, oder? Ein geheimes Haus in England.« Er winkte einem anderen Händler zu und fuhr leise fort: »Sieh mal, da geht Clarence. Betty sagt, er ist stinksauer, weil ich letzte Woche einem Kunden einen Rabatt auf eins von seinen Akkordeons gegeben hab.« Er grinste. »Geschäftssinn ist nicht jedem gegeben.«

Cassandra lächelte. »Danke für das Bild, und richte auch deiner Tochter meinen Dank aus.«

»Du kannst dich selbst bei ihr bedanken, wenn du am anderen Ufer des großen Teichs bist.« Er schüttelte seinen Kaffeebecher und spähte in die Trinköffnung, um nachzusehen, ob er leer war. »Wann hast du vor zu fliegen?«

Cassandras Augen weiteten sich. »Du meinst, nach England?«

»Na ja, ein Foto ist gut und schön, aber die Hütte mit eigenen Augen zu sehen, ist doch was ganz anderes, oder nicht?«

»Findest du, ich sollte nach England reisen?«

»Warum nicht? Wir leben schließlich im einundzwanzigsten Jahrhundert, du könntest in einer Woche wieder zurück sein, und dann hättest du eine bessere Vorstellung davon, was du mit dem Haus anfangen willst.«

Obwohl die Besitzurkunde auf ihrem Tisch lag, hatte sie die ganze Zeit nur über die theoretische Möglichkeit nachgegrübelt, dass Nell ein Haus besaß, und war gar nicht auf die Idee gekommen, sich das Ganze einmal praktisch vorzustellen: dass in England ein Haus stand und auf sie wartete. Sie lugte durch ihren Pony und grinste Ben an. »Meinst du, ich sollte es verkaufen?«

»Schwere Entscheidung, solange du noch nicht einmal einen Fuß hineingesetzt hast.« Ben warf seinen leeren Kaffeebecher in die fast volle Mülltonne neben dem Schreibtisch aus Zedernholz. »Kann doch nicht schaden, mal einen Blick drauf zu werfen, oder? Offenbar hat es Nell viel bedeutet, wenn sie es so lange behalten hat.«

Cassandra überlegte. Einfach so aus heiterem Himmel nach England fliegen, ganz allein? »Aber der Stand …«

»Pah! Die Leute hier vom Markt werden sich schon um deine Verkäufe kümmern, und ich bin ja auch noch da.« Er zeigte auf die vollen Regale. »Du hast genug Ware, um die nächsten zehn Jahre zu überleben.« Dann fügte er etwas sanfter hinzu: »Was spricht denn gegen so eine Reise, Cass? Es würde dir nicht schaden, mal ein bisschen rauszukommen. Ruby hat eine kleine Wohnung in Kensington und arbeitet im Victoria and Albert Museum. Sie wird sich um dich kümmern und dir ein bisschen die Stadt zeigen.«

Sich um sie kümmern: Dauernd erboten sich irgendwelche

Leute, sich um sie zu kümmern. Vor einer Ewigkeit war Cassandra selbst einmal eine verantwortungsvolle Erwachsene gewesen, die sich um andere gekümmert hatte.

»Außerdem: Was hast du schon zu verlieren?«

Nichts, sie hatte nichts und niemanden zu verlieren. Plötzlich war Cassandra das Thema leid. Sie rang sich ein mattes Lächeln ab und sagte: »Ich überleg's mir.«

»So gefällst du mir schon besser.« Ben klopfte ihr auf die Schulter und wandte sich zum Gehen. Dann drehte er sich noch einmal um. »Beinahe hätte ich's vergessen. Ich hab doch noch was Interessantes rausgefunden. Hat zwar nicht direkt was mit Nell und ihrem Haus zu tun, trotzdem ist es ein merkwürdiger Zufall bei deiner Geschichte und all den Zeichnungen, die du früher angefertigt hast.«

Es verschlug Cassandra regelrecht den Atem, wie Ben ihr Leben und ihre Leidenschaften so eindeutig der Vergangenheit zuordnete, und es gelang ihr nur mit Mühe, ihr Lächeln beizubehalten.

»Das Anwesen, auf dem Nells Haus steht, gehörte früher der Familie Mountrachet.«

Der Name sagte Cassandra nichts, und sie schüttelte den Kopf.

Ben hob eine Braue. »Die Tochter, Rose, hat einen gewissen Nathaniel Walker geheiratet.«

Cassandra runzelte die Stirn. »Maler ... War das nicht ein Amerikaner?«

»Ganz genau. Hat hauptsächlich Porträts gemalt, du kennst das ja. Lady Soundso und ihre sechs Lieblingspudel. Ruby sagt, 1910, kurz vor dessen Tod, hat er sogar König Edward porträtiert. Das war der Höhepunkt von Walkers Karriere, würde ich sagen, aber Ruby war nicht besonders von ihm beeindruckt. Sie meinte, Porträts waren eigentlich nicht seine Stärke, sie seien ziemlich leblos.«

»Es ist schon eine Weile her, seit ich ...«

»Sie findet seine Zeichnungen wesentlich besser, aber das ist wieder mal typisch Ruby, die ist schon immer gern gegen den Strom der allgemeinen Meinung geschwommen.«

»Zeichnungen?«

»Illustrationen für Bücher und Zeitschriften. Alle in Schwarz-Weiß.«

Cassandra zuckte zusammen. »Die Sammlung mit den ländlichen Szenen.«

Ben schüttelte den Kopf und hob die Schultern.

»Ach, Ben, die Zeichnungen waren – sind großartig. So unglaublich detailliert.« Es war so lange her, dass sie sich mit Kunstgeschichte beschäftigt hatte, und sie wunderte sich darüber, wie präsent ihr all diese Dinge mit einem Mal wieder waren. Seltsam, wie etwas, das einmal einen so großen Raum in ihrem Leben eingenommen hatte, dass sie geglaubt hatte, nicht ohne es leben zu können – Jahre des Studiums, ein geliebter Beruf –, völlig aus ihrem Alltag hatte verschwinden können.

»Nathaniel Walker wurde kurz in einem Seminar über Aubrey Beardsley und seine Zeitgenossen behandelt, an dem ich mal teilgenommen habe«, sagte sie. »Soweit ich mich erinnere, war er ziemlich umstritten, aber ich weiß nicht mehr genau, warum.«

»Das hat Ruby auch gesagt, du wirst dich gut mit ihr verstehen. Als ich seinen Namen erwähnte, war sie plötzlich ganz aufgeregt. Sie meinte, sie hätte ein paar von seinen Illustrationen in ihrer neuen Ausstellung im Museum, offenbar sind die sehr selten.«

»Er hat nicht viele gemacht«, sagte Cassandra, die sich auf einmal wieder erinnerte. »Ich nehme an, er hatte zu viel mit den Porträts zu tun, die Illustrationen waren eher ein Hobby. Aber die, die er angefertigt hat, wurden sehr geschätzt.« Sie richtete sich auf. »Ich glaube, wir haben sogar eins von seinen Bildern hier«, sagte sie. »In einem von Nells Büchern.« Sie stieg auf einen umgedrehten Milchkasten und fuhr mit dem Zeigefinger an den Buchrücken auf einem Regal entlang. An einem weinroten Buch mit verblasster Goldprägung hielt sie an.

Immer noch auf dem Milchkasten stehend, nahm sie das Buch aus dem Regal, schlug es auf und blätterte vorsichtig die ersten Seiten um. »Hier ist es.« Ohne den Blick von dem Buch abzuwenden, stieg sie von der Kiste. »*Die Klage des Fuchses.*«

Ben trat neben sie und rückte seine Brille zurecht. »Sehr aufwendig, nicht wahr? Nicht gerade mein Geschmack, aber es ist zweifellos Kunst. Ich kann verstehen, was du daran bewundernswert findest.«

»Es ist wunderschön und irgendwie traurig.«

Ben beugte sich tiefer über das Buch. »Traurig?«

»Voller Melancholie und Sehnsucht. Besser kann ich es nicht erklären, es ist etwas im Gesicht des Fuchses, es hat so etwas Entrücktes.« Sie schüttelte den Kopf. »Ich kann's nicht erklären.«

Ben drückte ihren Arm, murmelte etwas davon, dass er ihr zum Mittagessen ein Sandwich mitbringen würde, dann war er verschwunden und auf dem Weg zu seinem Stand, oder eher zu dem Kunden an seinem Stand, der gerade einen Waterford-Kronleuchter zum Klimpern brachte.

Cassandra betrachtete die Zeichnung und fragte sich, wieso sie sich so sicher war, dass das Gesicht des Fuchses Trauer ausdrückte. Natürlich lag es an der ausgefeilten Technik des Künstlers, an seiner Fähigkeit, durch die präzise Anordnung feiner, schwarzer Linien so komplexe Gefühlsregungen zum Ausdruck zu bringen …

Sie schürzte die Lippen. Die Zeichnung erinnerte sie an den Tag, an dem sie Nells Märchenbuch entdeckt hatte, während ihre Mutter eine Etage über ihr sich darauf vorbereitete, sie allein zurückzulassen. Im Rückblick war Cassandra klar, dass ihre Liebe zur Kunst von diesem Buch ausgelöst worden war. Sie hatte es aufgeschlagen und war in die Welt der wundervollen, Furcht einflößenden, zauberhaften Bilder versunken. Damals hatte sie sich gefragt, wie es sein mochte, den engen Grenzen der Worte zu entkommen und sich mithilfe einer so frei fließenden Sprache ausdrücken zu können.

Und später, als sie älter war, hatte sie es eine Zeit lang erfahren: den alchemistischen Sog des Bleistifts, das glückselige Gefühl, wenn die Zeit jede Bedeutung verlor, während sie über ihren Zeichenblock gebeugt saß. Ihre Liebe zur Kunst hatte dazu geführt, dass sie zum Studium nach Melbourne gezogen war, hatte dazu geführt, dass sie Nicholas geheiratet hatte, und zu allem anderen, was danach gekommen war. Merkwürdig der Gedanke, dass ihr ganzes Leben anders verlaufen wäre, wenn sie den Koffer nie zu Gesicht bekommen hätte, wenn sie nicht den unwiderstehlichen Drang verspürt hätte, ihn zu öffnen und seinen Inhalt in Augenschein zu nehmen …

Cassandra hielt abrupt inne. Warum war sie nicht eher darauf gekommen? Plötzlich wusste sie genau, was sie zu tun hatte, wo sie suchen musste. Mit einem Mal war ihr sonnenklar, wo sie die nötigen Hinweise finden würde, die ihr Aufschluss über Nells geheimnisvolle Herkunft geben konnten.

Womöglich hatte Nell den Koffer längst weggeworfen, schoss es Cassandra durch den Kopf, doch dann verwarf sie den Gedanken entschieden. Erstens war ihre Großmutter eine Antiquitätenhändlerin gewesen, eine leidenschaftliche Sammlerin, ein menschlicher Laubenvogel. Etwas, das alt und wertvoll war, einfach wegzuwerfen, hätte überhaupt nicht zu ihr gepasst.

Zweitens, und das war viel wichtiger: Wenn es stimmte, was die Tanten erzählt hatten, dann stellte der Koffer weit mehr als nur eine Antiquität dar – er war ein Anker, Nells einzige Verbindung zu ihrer Vergangenheit. Cassandra kannte die Bedeutung eines Ankers, sie wusste nur zu gut, was mit einem Menschen passierte, wenn diese Verbindung zur Vergangenheit gekappt wurde. Sie selbst hatte schon zweimal ihren Anker verloren. Das erste Mal als Zehnjährige, als Lesley sie im Stich gelassen hatte, und das zweite Mal als junge Frau (war das wirklich erst zehn Jahre her?), als ihr Leben sich im Bruchteil einer Sekunde von Grund auf geändert hatte und sie erneut auf einem Meer ohne Horizont ausgesetzt worden war.

Als sie später noch einmal auf jene Ereignisse zurückblickte, wurde ihr bewusst, dass es der Koffer gewesen war, der den Weg zu ihr gefunden hatte, genau wie beim ersten Mal. Dass er auf sie gewartet hatte und sich bemerkbar gemacht hätte, egal, ob sie nach ihm gesucht hätte oder nicht.

Nachdem sie fast die ganze Nacht damit zugebracht hatte, Nells vollgestopfte Zimmer zu durchsuchen, und sich trotz ihrer besten Absichten immer wieder von dem einen oder anderen Gegenstand hatte ablenken lassen, war sie unglaublich erschöpft. Und zwar nicht nur körperlich, sondern auch psychisch. Das Wochenende hatte seinen Tribut gefordert. Wie in einem Märchen kam die Müdigkeit ganz plötzlich über sie, wie eine magische Sehnsucht, sich dem Schlaf hinzugeben.

Anstatt nach unten in ihr Zimmer zu gehen, schlüpfte sie vollständig angezogen unter Nells Bettdecke und ließ ihren Kopf auf das weiche Kopfkissen sinken. Der Geruch war atemberaubend vertraut – Lavendelpuder, Silberpolitur und Palmoliv-Waschmittel –, und es fühlte sich fast so an, als würde sie ihren Kopf an Nells Brust drücken.

Sie schlief wie ein Stein, tief und traumlos. Und als sie am nächsten Morgen aufwachte, war ihr, als hätte sie viel länger als eine Nacht geschlafen.

Helles Sonnenlicht fiel durch den Spalt zwischen den Vorhängen ins Zimmer – wie das Licht eines Leuchtturms –, und sie beobachtete vom Bett aus, wie die Staubkörnchen in dem Lichtstrahl tanzten. Sie hätte eine Hand ausstrecken und ein paar davon mit den Fingerspitzen einfangen können, doch sie tat es nicht. Stattdessen folgte ihr Blick dem Lichtstrahl bis zu dem Punkt, an dem er endete, einem Punkt hoch oben auf dem Kleiderschrank, dessen Türen sich über Nacht einen Spaltbreit geöffnet hatten. Dort oben auf dem obersten Fachboden, unter lauter mit alten Kleidungsstücken vollgestopften Plastiktüten für das Rote Kreuz, lag ein alter, weißer Koffer.

II *Indischer Ozean* *vierhundert Meilen jenseits des Kaps der Guten Hoffnung, 1913*

Die Reise nach Amerika war sehr, sehr weit. Papa hatte oft von dem Land gesprochen und davon, dass es noch weiter weg war als Arabien und dass man hundert Tage und Nächte brauchte, um dorthin zu gelangen. Vor wie vielen Tagen sie aufgebrochen waren, wusste das kleine Mädchen nicht, aber sie befanden sich schon ziemlich lange auf dem Schiff. So lange, dass das Mädchen sich inzwischen sogar an das nie endende Schaukeln gewöhnt hatte. Seefest werden nannte man das. Solche Sachen standen in dem Buch mit den Geschichten von Moby Dick.

An Moby Dick zu denken, machte das kleine Mädchen sehr traurig. Dann musste es nämlich an Papa denken, an die Geschichten über den riesigen Wal, die er jeden Abend vorgelesen hatte, an die Bilder in seinem Arbeitszimmer, Bilder von dunklen Meeren und großen Schiffen, die er gezeichnet hatte. Solche Bilder hießen Illustrationen, ein langes Wort, das dem kleinen Mädchen gefiel, und eines Tage würden sie vielleicht in einem Buch abgedruckt werden, einem richtigen Buch, das andere Kinder lesen würden. Denn Papa fertigte Zeichnungen für Kinderbücher an. Einmal zumindest hatte er das getan. Außerdem malte er Bilder von Leuten, aber die gefielen dem kleinen Mädchen nicht, es mochte die Augen nicht, die einen dauernd beobachteten, wenn man sich im Zimmer aufhielt.

Das Kinn des kleinen Mädchens begann zu zittern, wie manchmal, wenn es an Mama und Papa dachte, und es biss sich auf die Lippe. Anfangs hatte es ganz viel geweint, hatte gar nicht mehr aufhören können, weil seine Eltern ihm so fehlten. Aber inzwischen weinte das Mädchen kaum noch, schon gar nicht vor anderen Kindern. Am Ende dachten sie noch, es wäre zu klein, um mit ihnen zu spielen, und was sollte dann werden? Außerdem würden Mama und Papa bald wieder bei ihm sein. Bestimmt würden sie schon sehnsüchtig warten, wenn das Schiff in Amerika eintraf. Ob die Autorin auch dort sein würde?

Das kleine Mädchen runzelte die Stirn. In der ganzen Zeit, die es gebraucht hatte, um seefest zu werden, war die Autorin nicht zurückgekommen. Das verwirrte das Mädchen, denn die Autorin hatte ihm sehr strenge Anweisungen gegeben, wie es sich verhalten sollte, und ihm erklärt, dass sie unter allen Umständen zusammenbleiben mussten, egal, was passierte. Vielleicht versteckte sie sich ja. Vielleicht gehörte das alles zu einem Spiel.

Das kleine Mädchen war sich nicht sicher. Es war nur dankbar, dass es an dem ersten Morgen auf dem Schiff Will und Sally kennengelernt hatte, sonst hätte es gar nicht gewusst, wo es schlafen oder etwas zu essen bekommen konnte. Will und Sally und deren Geschwister – es waren so viele, dass das kleine Mädchen aufgehört hatte zu zählen – kannten sich aus, wussten, wo man etwas zu essen herbekam. Sie hatten dem Mädchen verschiedene Stellen auf dem Schiff gezeigt, wo es immer eine Extraportion Pökelfleisch gab. (Das Zeug schmeckte nicht besonders, aber der Junge hatte nur gelacht und gesagt, es sei vielleicht nicht das, was das Mädchen gewöhnt war, aber für ein Hundeleben reiche es allemal.) Sie waren alle freundlich, meistens jedenfalls. Nur einmal waren sie böse geworden, und das war, als das Mädchen sich standhaft geweigert hatte, ihnen seinen Namen zu nennen. Aber das kleine Mädchen kannte sich mit Spielen aus, wusste, dass man sich an die Regeln halten musste, und die Autorin hatte ihr erklärt, dass das die allerwichtigste Regel war.

Will und seine Familie hatten mehrere Kojen auf einem der unteren Decks, wo sie zusammen mit vielen anderen Männern, Frauen und Kindern untergebracht waren, so viele, wie das Mädchen noch nie auf einmal gesehen hatte. Die Kinder hatten ihre Mutter bei sich, aber sie nannten sie nur »Ma«, und sie war ganz anders als die Mama des kleinen Mädchens, sie hatte überhaupt kein hübsches Gesicht und auch nicht so schönes dunkles Haar wie Mama, das Poppy ihr jeden Morgen zu einer kunstvollen Frisur hochsteckte. »Ma« war eher wie die Frauen, die das kleine Mädchen manchmal von der Kutsche aus gesehen hatte, wenn sie durch das Dorf gefahren waren, Frauen in zerrissenen Röcken und verschlissenen Schuhen und mit Händen, die aussahen wie die alten Handschuhe, die Davies bei der Gartenarbeit trug.

Als Will das kleine Mädchen zum ersten Mal mit aufs Unterdeck genommen hatte, hatte Ma auf einer der unteren Kojen gesessen und ein Baby gestillt, während ein anderes schreiend neben ihr gelegen hatte.

»Wer ist das denn?«, fragte Ma.

»Sie will mir ihren Namen nicht sagen. Sie sagt, sie wartet auf jemand, der gesagt hat, sie soll sich verstecken.«

»Verstecken, wieso?« Die Frau winkte das kleine Mädchen zu sich. »Wovor versteckst du dich denn, Kleine?«

Aber das Mädchen schüttelte nur stumm den Kopf.

»Wo ist ihre Familie?«

»Ich glaub, sie hat keine, hab jedenfalls niemanden gesehen. Sie hockte in ihrem Versteck, als ich sie gefunden hab.«

»Stimmt das, Kind? Bist du allein?«

Das kleine Mädchen dachte über die Frage nach und kam zu

dem Schluss, dass es besser war, mit Ja zu antworten, als etwas über die Autorin zu erzählen. Es nickte.

»Ach, sieh mal einer an. So ein kleines Ding mutterseelenallein auf einer Reise übers Meer.« Ma schüttelte den Kopf und tätschelte das schreiende Baby. »Ist das da dein Koffer? Gib ihn mir mal, damit ich einen Blick hineinwerfen kann.«

Das kleine Mädchen sah zu, wie Ma die Schlösser des Koffers öffnete und den Deckel anhob. Wie sie das Märchenbuch und das zweite neue Kleid zur Seite schob und darunter der Umschlag zum Vorschein kam. Die Autorin hatte den Umschlag an jenem Vormittag in den Koffer gesteckt, aber das Mädchen wusste nicht, was er enthielt. Ma brach das Siegel, öffnete ihn und nahm ein kleines Bündel Papier heraus.

Wills Augen weiteten sich. »Geldscheine.« Er warf dem kleinen Mädchen einen kurzen Blick zu. »Was sollen wir denn jetzt mit ihr machen, Ma? Sollen wir dem Steward Bescheid sagen?«

Ma schob die Geldscheine zurück in den Umschlag, faltete ihn zusammen und steckte ihn in ihren Ausschnitt. »Es hat nicht viel Sinn, irgendwem hier auf dem Schiff Bescheid zu sagen«, antwortete sie schließlich. »Das ist jedenfalls meine Meinung. Sie bleibt einfach bei uns, bis wir am anderen Ende der Welt ankommen. Dann werden wir ja sehen, wer dort auf sie wartet und ob diese Leute sich uns gegenüber dankbar dafür erweisen, dass wir uns um sie gekümmert haben.« Sie lächelte, und zwischen ihren Zähnen zeigten sich dunkle Lücken.

Das kleine Mädchen hatte nicht viel mit Ma zu tun, und darüber war es froh. Ma war viel zu sehr mit den Babys beschäftigt, von denen immer eins vorn an ihr dranzuhängen schien. Sie wurden gesäugt, das behauptete zumindest Will, aber so etwas hatte das kleine Mädchen noch nie gehört. Zumindest nicht im Zusammenhang mit Menschen. Auf den Bauernhöfen, die zu dem Anwesen gehörten, hatte es hin und wieder Tierbabys gesehen, die gesäugt wurden. Diese beiden Menschenbabys, dachte das kleine Mädchen, waren wie zwei kleine Ferkel, die den ganzen Tag nichts anderes taten als trinken und quieken. Und während die Babys ihre Mutter auf Trab hielten, sorgten die anderen Kinder für sich selbst. Das waren sie gewöhnt, erklärte Will dem Mädchen, denn zu Hause hatten sie es auch nicht anders gekannt. Sie stammten aus einem Ort namens Little Bolton, und wenn sie nicht gerade ein Baby zu versorgen hatte, arbeitete ihre Mutter den ganzen Tag in einer Baumwollfabrik. Deswegen hustete sie so viel. Das kleine Mädchen verstand: Seine Mutter war auch kränklich, nur dass sie nicht so viel hustete wie Ma.

Abends hockte das kleine Mädchen zusammen mit den anderen Kindern in einer Ecke, wo sie der Musik lauschten, die vom oberen Deck kam, und dem Geräusch von vielen Füßen, die über den glänzenden Boden glitten. Auch jetzt saßen sie in einer dunklen Ecke und spitzten die Ohren. Anfangs hatte das kleine Mädchen immer nach oben gehen und zusehen wollen, was dort vor sich ging, aber die anderen Kinder hatten es nur ausgelacht und ihm erklärt, dass ihresgleichen auf den oberen Decks unerwünscht war und dass sie nicht näher an das Deck der feinen Pinkel herankommen würden als bis zu der Stelle am Fuß der Treppe.

Das kleine Mädchen hatte nichts dazu gesagt. Solche Regeln waren ihm noch nie untergekommen. Zu Hause durfte es – mit einer einzigen Ausnahme – überall hingehen, wo es wollte. Der einzige Ort, der dem Mädchen verboten war, war das Gartenhaus am Ende des Labyrinths, oben auf der Klippe. Das Haus, in dem die Autorin wohnte. Aber auf dem Schiff war alles anders, und es fiel dem Mädchen schwer zu verstehen, was der Junge meinte. Ihresgleichen? Kinder? Vielleicht war es ja nur Erwachsenen gestattet, die oberen Decks zu betreten.

Nicht dass es jetzt gerade große Lust gehabt hätte, nach oben zu gehen. Das kleine Mädchen war hundemüde, und das schon seit Tagen. So müde, dass seine Beine sich anfühlten wie Baumstämme, und die Stufen doppelt so hoch erschienen, wie sie in Wirklichkeit waren. Außerdem war ihm schwindlig und es schwitzte, und sein Atem fühlte sich heiß an, wenn er die Lippen streifte.

»Kommt«, sagte Will, der genug von der Musik hatte. »Gehen wir rauf und halten Ausschau nach Land.«

Im nächsten Augenblick waren alle Kinder auf den Beinen. Das kleine Mädchen richtete sich mühsam auf und versuchte, das Gleichgewicht zu halten. Will und Sally und die anderen lachten und schnatterten durcheinander. Das kleine Mädchen versuchte zu verstehen, was die Kinder sagten, aber ihm zitterten die Beine, und etwas in seinen Ohren dröhnte und rauschte.

Auf einmal war Wills Gesicht ganz nah, und seine Stimme klang sehr laut. »Was ist los? Geht's dir nicht gut?«

Das Mädchen öffnete den Mund, um etwas zu antworten, doch da gaben die Beine unter ihm nach, und es fiel zu Boden. Das Letzte, was es sah, ehe sein Kopf auf der hölzernen Stufe aufschlug, war der helle Vollmond, der oben am Himmel leuchtete.

Das kleine Mädchen öffnete die Augen. Ein Mann stand über ihm. Er sah sehr ernst aus, und seine grauen Augen betrachteten das Mädchen kritisch. Sein Gesichtsausdruck änderte sich auch nicht, als er näher kam, ein kleines, flaches Stäbchen aus seiner Hemdtasche zog und sagte: »Mund auf.«

Ehe das Mädchen wusste, wie ihm geschah, drückte der Mann ihm mit dem Stäbchen die Zunge nach unten und schaute ihm in den Mund.

»Ja«, sagte er. »Gut.« Er zog das Stäbchen wieder heraus und richtet sich auf. »Tief Luft holen.«

Das Mädchen gehorchte, und er nickte. »Es geht ihr gut«, sagte er. Er gab dem jüngeren Mann, dem mit dem strohblonden Haar, der so nett zu dem kleinen Mädchen gewesen war, ein Zeichen. »Sie lebt. Schaffen Sie sie um Himmels willen aus der Krankenstation raus, ehe sich das ändert.«

»Aber Sir«, sagte der andere Mann aufgeregt. »Das ist die Kleine, die sich den Kopf aufgeschlagen hat, als sie ohnmächtig geworden ist. Sollte sie sich nicht lieber noch ein bisschen ausruhen …«

»Wir haben nicht genug Betten, ausruhen kann sie sich in ihrer Kabine.«

»Aber Sir, ich weiß eigentlich gar nicht, zu wem sie gehört …«

Der Arzt verdrehte die Augen. »Dann fragen Sie sie, Mann.«

Der Mann mit den strohblonden Haaren senkte die Stimme. »Sir. Das ist die Kleine, von der ich Ihnen erzählt habe. Sie scheint ihr Gedächtnis verloren zu haben, wahrscheinlich ist es bei dem Sturz passiert.«

Der Arzt schaute das kleine Mädchen an. »Na, wie heißt du?«

Das kleine Mädchen dachte über die Frage nach. Es hörte die Worte, verstand, was der Mann wollte, aber wusste nicht, was es antworten sollte.

»Nun?«, drängte der Mann.

Das kleine Mädchen schüttelte den Kopf. »Ich weiß es nicht.«

Der Arzt seufzte frustriert. »Für so etwas habe ich weder Zeit noch ausreichend Betten. Ihr Fieber ist vorbei. So wie sie riecht, kommt sie aus dem Zwischendeck.«

»Aye, Sir.«

»Also, dann wird ja wohl da unten jemand sein, der sie vermisst.«

»Aye, Sir, draußen steht der Junge, der sie hergebracht hat. Er ist gerade eben gekommen, um nach ihr zu sehen. Ein Bruder wahrscheinlich.«

Der Arzt streckte den Kopf aus der Tür, um sich den Jungen anzusehen. »Und wo sind die Eltern?«

»Der Junge sagt, sein Vater ist in Australien, Sir.«

»Und die Mutter?«

Der andere Mann räusperte sich und beugte sich näher zu dem Arzt.

»Die dient irgendwo am Kap der Guten Hoffnung den Fischen als Futter, Sir. Sie ist vor drei Tagen gestorben, als wir aus dem Hafen ausgelaufen sind.«

»Fieber?«

»Aye.«

Der Arzt legte die Stirn in Falten und seufzte. »Also, dann holen Sie ihn rein.«

Ein spindeldürrer Junge mit Augen so schwarz wie Kohlen wurde hereingeführt. »Gehört dieses Mädchen zu dir?«, fragte der Arzt.

»Ja, Sir«, antwortete der Junge. »Das heißt, sie …«

»Das reicht, ich habe keine Zeit, mir ihre Lebensgeschichte anzuhören. Ihr Fieber ist abgeklungen, und die Beule an ihrem Kopf ist auch verheilt. Sie redet im Moment noch nicht besonders viel, aber sie wird sich schon bald wieder erholen. Wahrscheinlich versucht sie nur, die Aufmerksamkeit auf sich zu lenken, wenn man bedenkt, was mit eurer Mutter passiert ist. Das kommt vor, besonders bei Kindern.«

»Aber, Sir …«

»Schluss jetzt.«

»Ja, Sir.«

»Nimm sie mit.« Dann wandte er sich an den Steward. »Geben Sie das Bett jemand anderem.«

Das kleine Mädchen saß an der Reling und schaute aufs Wasser. Blaue Wellenkämme mit weißer Gischt, die von den Windböen zerzaust wurden. Das Meer war rauer als gewöhnlich, und das Mädchen wiegte sich im Rhythmus des schlingernden Schiffs. Es fühlte sich irgendwie unwohl, nicht mehr richtig krank, aber dennoch seltsam. Als hätte sich sein Kopf mit einem feinen, weißen Nebel gefüllt, der nicht mehr fortgehen wollte.

Es fühlte sich so, seit es auf der Krankenstation aufgewacht war, seit der merkwürdige Mann es untersucht und dann mit dem Jungen fortgeschickt hatte. Der Junge hatte das Mädchen mit nach unten genommen, in einen dunklen Raum voller Kojen und Matratzen und mehr Menschen, als es je auf einem Haufen gesehen hatte.

»Hier«, sagte jemand hinter dem Mädchen, und es drehte sich um. Es war der Junge. »Nicht, dass du deinen Koffer am Ende noch vergisst.«

»Mein Koffer?« Das kleine Mädchen betrachtete das weiße Gepäckstück, das er ihr hinhielt.

»Klar!«, antwortete der Junge mit einem verblüfften Blick. »Du spinnst ja tatsächlich, und ich dachte schon, du hättest nur wegen dem Arzt so getan. Sag bloß, du erinnerst dich nicht mal an deinen eigenen Koffer? Den hast du während der ganzen Reise unter Einsatz deines Lebens gehütet und uns fast die Augen ausgekratzt, wenn wir ihn auch nur angesehen haben. Und das alles bloß, damit deine tolle Autorin sich nicht aufregt.«

Das seltsame Wort knisterte zwischen ihnen, und das kleine Mädchen hatte ein Gefühl, als würde seine Haut kribbeln. »Autorin?«

Aber der Junge beachtete es gar nicht mehr. »Land!«, schrie er und stürzte an die Reling. »Da ist Land. Siehst du es?«

Das kleine Mädchen trat neben ihn, den weißen Koffer in der Hand. Argwöhnisch betrachtete es die sommersprossige Nase des Jungen, dann schaute es in die Richtung, in die er zeigte. Am Horizont entdeckte es einen Streifen Land mit Bäumen, die aus der Ferne hellgrün schimmerten.

»Das ist Australien«, sagte der Junge mit leuchtenden Augen. »Da wartet mein Pa auf uns.«

Australien, dachte das kleine Mädchen. Noch ein Wort, das es nicht kannte.

»Hier werden wir ein neues Leben anfangen, mit einem eigenen Haus und allem Drum und Dran, sogar einem Stück Land. Das schreibt mein Pa immer in seinen Briefen. Er sagt, wir werden das Land bearbeiten und unser Leben selbst in die Hand nehmen. Und das werden wir ganz bestimmt, auch wenn Ma nicht mehr bei uns ist.« Den letzten Satz hatte er ziemlich leise gesagt und dann schwieg er eine Weile. Schließlich schaute er das kleine Mädchen an und zeigte mit einer Kopfbewegung in Richtung Küste. »Wartet dein Pa auch dort auf dich?«

Das kleine Mädchen dachte über diese Frage nach. »Mein Pa?«

Der Junge verdrehte die Augen. »Dein Vater«, sagte er. »Der Mann, der zu deiner Ma gehört. Du weißt schon, dein Pa.«

»Mein Pa«, wiederholte das kleine Mädchen, aber der Junge hörte gar nicht mehr zu. Er hatte eine seiner Schwestern entdeckt, rannte auf sie zu und rief immer wieder: »Land in Sicht!«

Das kleine Mädchen nickte. »Mein Pa«, sagte sie unsicher. »Mein Pa ist auch da.«

Überall auf dem Schiff ertönten inzwischen laute Rufe: »Land in Sicht!«, und während sich immer mehr Menschen an der Reling versammelten, nahm das kleine Mädchen den weißen Koffer und ging zu einer Stelle hinter einem Stapel von Fässern, von der es sich aus unerklärlichen Gründen magisch angezogen fühlte. Es setzte sich auf den Boden und öffnete den Koffer in der Hoffnung, etwas Essbares darin zu finden. Er enthielt jedoch nichts, womit das Mädchen seinen Hunger stillen konnte, und so nahm es sich stattdessen das Märchenbuch vor, das ganz obenauf lag.

Während das Schiff sich der Küste näherte und aus winzigen Punkten in der Ferne Möwen wurden, schlug das kleine Mädchen das Buch auf und betrachtete die wunderschönen Schwarz-Weiß-Zeichnungen von einer Frau und einem Reh, die nebeneinander auf einer Lichtung in einem dornigen Wald standen. Und irgendwie, obwohl es noch nicht lesen konnte, wusste das kleine Mädchen, dass es das Märchen kannte, das zu diesem Bild gehörte. Es handelte von einer Prinzessin, die eine weite Reise über das Meer unternahm, um einen kostbaren, verborgenen Gegenstand zu finden, der jemandem gehörte, den sie liebte.

12 *Über dem Indischen Ozean* 2005

Cassandra lehnte sich gegen die kalte, raue Plastikwand der Flugzeugkabine und schaute durch das Fenster hinunter auf den riesigen blauen Ozean, der den Erdball bedeckte, so weit das Auge reichte. Derselbe Ozean, den die kleine Nell vor all den Jahren mit einem Dampfer überquert hatte.

Es war das erste Mal, dass Cassandra nach Übersee reiste. Zwar war sie schon einmal in Neuseeland gewesen und hatte vor ihrer Hochzeit Nicks Familie in Tasmanien besucht, aber weiter war sie nie gekommen. Nick und sie hatten darüber gesprochen, hatten davon geträumt, ein paar Jahre in England zu verbringen. Nick würde für das britische Fernsehen Filmmusik schreiben, und für eine Kunsthistorikerin gab es garantiert jede Menge Arbeit in Europa. Doch dann war nie etwas aus ihren Plänen geworden, und Cassandra hatte den Traum schon vor langer Zeit zusammen mit allen anderen Träumen begraben.

Und jetzt saß sie ganz allein in einem Flugzeug nach Europa. Seit dem Gespräch mit Ben auf dem Antiquitätenmarkt, seit er ihr das Foto von dem Haus gegeben und sie später den Koffer gefunden hatte, war sie gedanklich mit fast nichts anderem mehr beschäftigt gewesen. Das Geheimnis schien sich an sie zu klammern, und sosehr sie sich bemühte, es gelang ihr nicht, es abzuschütteln. Aber in Wahrheit wollte sie es auch gar nicht loswerden, denn sie genoss es, sich intensiv in eine Sache zu vertiefen. Es gefiel ihr, sich über Nell Gedanken zu machen, über die andere Nell, das kleine Mädchen, das sie nie gekannt hatte.

Eigentlich hatte sie, nachdem sie den Koffer gefunden hatte, gar nicht vorgehabt, gleich nach England zu fliegen. Es war ihr viel vernünftiger erschienen abzuwarten, wie sie das Ganze in vielleicht einem Monat sehen würde. Sie konnte doch nicht einfach aus einer Laune heraus nach Cornwall düsen. Aber dann hatte sie diesen Traum gehabt, denselben, der sie schon seit einem Jahrzehnt in unregelmäßigen Abständen immer wieder heimsuchte. Sie stand mitten auf einem Feld, und ringsherum war nichts am Horizont zu sehen. Der Traum hatte nichts Bedrohliches, es war nur diese Unendlichkeit. Ganz normale Vegetation, nichts, was die Fantasie anregte, bleiches, dünnes Gras, das so hoch stand, dass es ihre Fingerspitzen berührte, und eine leichte, anhaltende Brise, die dafür sorgte, dass die Grashalme raschelten.

Anfangs, vor Jahren, als der Traum noch neu gewesen war, hatte sie gewusst, dass sie nach jemandem suchte, den sie auch finden würde, wenn sie nur in die richtige Richtung ginge. Aber egal, wie oft sie diese Szene träumte, es schien ihr nie zu gelingen. Ein wogender Hügel sah aus wie der andere, sie wandte sich im falschen Moment ab oder wachte plötzlich auf.

Mit der Zeit hatte der Traum sich verändert. Ganz langsam, fast unmerklich, sodass es ihr nicht gleich aufgefallen war. Die Szenerie war nach wie vor dieselbe, alles sah genauso aus wie immer. Geändert hatte sich das Gefühl des Traums. Die Gewissheit, dass sie finden würde, was sie suchte, löste sich ganz allmählich auf, bis sie eines Tages wusste, dass es einfach nichts zu finden gab, dass niemand auf sie wartete. Egal, wie weit sie marschierte, egal, wie unermüdlich sie suchte oder wie sehr sie sich danach sehnte, die Person zu finden – sie war und blieb allein …

Als sie am nächsten Morgen aufgewacht war, hatte das Gefühl der Verlassenheit noch eine Weile angehalten, aber Cassandra war daran gewöhnt und machte sich ganz normal an ihr Tagwerk. Nichts deutete darauf hin, dass der Tag anders als sonst verlaufen würde, bis sie zum nahe gelegenen Einkaufszentrum gegangen war, um Brot fürs Mittagessen zu kaufen, und vor dem Fenster eines Reisebüros stehen blieb. Merkwürdig, der Laden war ihr bisher nie aufgefallen. Ohne recht zu wissen, warum, öffnete sie die Tür, und ehe sie wusste, wie ihr geschah, stand sie auf dem grünen Teppich einer Phalanx von Mitarbeitern gegenüber, die alle darauf warteten, sie zu beraten.

Später erinnerte sich Cassandra daran, dass sie sich darüber gewundert hatte. Anscheinend war sie doch eine richtige Person, ein Mensch aus Fleisch und Blut, der die Umlaufbahnen anderer Menschen kreuzte. Auch wenn sie selbst so häufig das Gefühl hatte, nur ein halbes Leben zu leben, wie auf Sparflamme.

Wieder zu Hause hielt sie einen Moment inne, um die Ereignisse des Vormittags noch einmal Revue passieren zu lassen und sich zu erinnern, in welchem Augenblick genau ihre Entscheidung gefallen war. Wie es hatte passieren können, dass sie losgegangen war, um Brot zu kaufen, und mit einem Flugticket in der Tasche zurückgekehrt war. Und dann war sie in Nells Zimmer gegangen, hatte den Koffer aus seinem Versteck geholt und den gesamten Inhalt herausgenommen. Das Märchenbuch, die Zeichnung, auf deren Rückseite der Name *Eliza Makepeace* stand, das linierte Schulheft, gefüllt mit Nells Handschrift.

Sie machte sich einen Milchkaffee, setzte sich damit auf Nells Bett und gab sich redlich Mühe, die fürchterliche Handschrift ihrer Großmutter zu entziffern und alles auf ein sauberes Blatt Papier zu übertragen. Cassandra war ziemlich gut darin, handschriftliche Dokumente aus vergangenen Jahrhunderten zu enträtseln – das gehörte dazu, wenn man mit Antiquitäten handelte –, aber alte Handschriften waren eine Sache, die wiesen in der Regel ein sich stets wiederholendes Muster auf, Nells Handschrift hingegen war einfach unleserlich, die Buchstaben wie mit Absicht schlampig hingekritzelt. Hinzu kam, dass das Heft offenbar irgendwann einmal nass geworden war. Einige Seiten klebten zusammen, schrumpelige Flecken waren von Schimmel überzogen, und wenn man sich nicht genügend Zeit nahm, riskierte man, die Seiten zu zerreißen und so ihren Inhalt auf ewig zu zerstören.

Sie kam reichlich langsam voran, aber Cassandra brauchte nicht lange, um zu begreifen, dass Nell versucht hatte, das Geheimnis ihrer Identität zu lüften.

April 1975. Heute haben sie mir den weißen Koffer gebracht. Ich habe ihn sofort erkannt, als ich ihn gesehen habe.

Ich habe mir nichts anmerken lassen. Doug und Phyllis kennen die Wahrheit nicht, und sie sollten nicht sehen, dass ich zitterte. Sie sollten denken, dass es sich um einen alten Koffer von Dad handelte, den er mir hinterlassen wollte. Nachdem sie gegangen waren, habe ich eine ganze Weile dagesessen und den Koffer angestarrt und verzweifelt versucht, mich zu erinnern, wer ich bin und woher ich komme. Natürlich war es zwecklos, also habe ich den Koffer irgendwann aufgemacht.

Obenauf lag ein Brief von Dad, in dem er mich um Verzeihung bittet, und darunter ein Kinderkleid – meins, nehme ich an –, eine silberne Haarbürste und ein Märchenbuch. Ich habe es sofort wiedererkannt und es aufgeschlagen, und da habe ich sie gesehen, die Autorin. Das Wort war ganz plötzlich wieder da. Sie ist der Schlüssel zu meiner Vergangenheit, da bin ich mir ganz sicher. Wenn ich sie finde, dann werde ich auch mich selbst finden. Denn genau das habe ich vor. In diesem Heft werde ich meine Fortschritte aufzeichnen, und wenn das Heft voll ist, werde ich meinen Namen kennen und wissen, warum ich ihn verloren habe.

Vorsichtig, mit angehaltenem Atem, blätterte Cassandra die schimmeligen Seiten um. Hatte Nell ihr Vorhaben in die Tat umgesetzt? Hatte sie herausgefunden, wer sie war? War das der Grund, warum sie das Haus gekauft hatte? Der letzte Eintrag stammte vom November 1975, als Nell gerade nach Brisbane zurückgekehrt war:

Ich fahre zurück, sobald ich hier alles geregelt habe. Es wird mir schwerfallen, mein Haus in Brisbane und meinen Laden zurückzulassen, aber was ist das schon im Vergleich zu der Aussicht, endlich die Wahrheit zu erfahren? Und ich bin so nah dran. Ich weiß es. Jetzt, wo mir das Haus gehört, weiß ich, dass die endgültigen Antworten folgen werden. Es ist meine Vergangenheit, mein Ich, und ich habe es fast gefunden.

Nell hatte vorgehabt, Australien zu verlassen? Und warum hatte sie es dann doch nicht getan? Was war passiert? Warum hatte sie danach nichts mehr in das Heft geschrieben?

Als sie das Datum noch einmal betrachtete, November 1975, lief Cassandra ein Schauer über den Rücken. Das war zwei Monate, bevor Lesley sie, Cassandra, bei Nell abgeliefert hatte. Aus den angekündigten vierzehn Tagen war eine Ewigkeit geworden.

Cassandra legte das Notizheft weg, als ihr dämmerte, was geschehen war. Nell hatte ohne zu zögern die Verantwortung übernommen und ihr, Cassandra, ein Heim und eine Familie gegeben. Nell hatte ihr die Mutter ersetzt. Und nicht ein einziges Mal hatte sie auch nur andeutungsweise etwas von den Plänen erwähnt, die Cassandras Ankunft zunichte gemacht hatte.

Cassandra wandte sich vom Fenster ab, holte das Märchenbuch aus ihrer Reisetasche und schlug es auf. Eigentlich wusste sie gar nicht so recht, warum es ihr so wichtig gewesen war, das Buch mit auf die Reise zu nehmen. Wahrscheinlich, weil sie sich dadurch mit Nell verbunden fühlte, dachte sie, denn es handelte sich um das Buch aus dem weißen Koffer, eins der wenigen Dinge, die das kleine Mädchen übers Meer nach Australien begleitet hatten, es stellte die Verbindung zu Nells Vergangenheit dar. Aber es hatte auch etwas mit dem Buch selbst zu tun. Es übte noch immer dieselbe Anziehungskraft auf Cassandra aus wie damals, als sie es in Nells Keller entdeckt hatte. Der Titel, die Illustrationen, selbst der Name der Autorin. *Eliza Makepeace.* Als Cassandra den Namen vor sich hin flüsterte, bekam sie eine Gänsehaut.

Hoch oben, über dem endlosen Indischen Ozean, begann Cassandra, das erste Märchen zu lesen. Es hieß *Die Augen des alten Weibleins* und erinnerte Cassandra an jenen heißen Sommernachmittag.

Die Augen des alten Weibleins

Von Eliza Makepeace

In einem Land jenseits des glitzernden Meers lebte einmal eine Prinzessin, die nicht wusste, dass sie eine Prinzessin war, denn als sie ein kleines Kind war, war ihr Königreich überfallen und geplündert und die königliche Familie ermordet worden. Der Zufall hatte es gewollt, dass die kleine Prinzessin an jenem Tag außerhalb der Schlossmauern spielte und von dem Gemetzel nichts mitbekam. Und als die Dunkelheit sich über die Erde legte und die Prinzessin ihre Spielsachen einsammelte und nach Hause ging, fand sie, wo zuvor das Schloss gestanden hatte, nur noch Ruinen vor. Ganz allein wanderte die kleine Prinzessin umher, bis sie am Rand eines finsteren Waldes an ein Häuschen kam. Als sie an die Tür klopfte, öffnete der Himmel, zornig über die Verwüstung, die er beobachtet hatte, seine Schleusen und spie peitschenden Regen auf die Erde.

In dem Häuschen lebte ein blindes altes Weiblein, das Mitleid mit der Prinzessin hatte und beschloss, sie bei sich aufzunehmen und wie ihre eigene Tochter großzuziehen. Im Haus des alten Weibleins gab es viel Arbeit zu verrichten, doch die Prinzessin ließ nie eine Klage hören, war sie doch eine wahre Prinzessin mit einem reinen Herzen. Glücklich sind die, die fleißig arbeiten, denn ihnen bleibt keine Zeit, sich mit Kummer zu belasten. Und so wuchs die Prinzessin im Haus des alten Weibleins glücklich und zufrieden auf. Sie liebte den Wechsel der Jahreszeiten und fand Erfüllung im Säen und Ernten. Von Jahr zu Jahr wurde sie schöner, doch das wusste sie nicht, denn das blinde Weiblein besaß weder einen Spiegel noch kannte es Eitelkeit, und so lernte die Prinzessin weder das eine noch das andere kennen.

Eines Tages, als die Prinzessin sechzehn Jahre alt war, saß sie mit dem alten Weiblein in der Küche beim Abendessen. »Was ist mit deinen Augen passiert, liebes altes Weiblein?«, fragte die Prinzessin, die sich darüber schon lange wunderte.

Das alte Weiblein wandte sich der Prinzessin zu. Wo seine Augen hätten sein sollen, war nur runzlige Haut zu sehen. »Mir wurde das Augenlicht genommen.«

»Von wem?«

»Vor vielen Jahren, als ich ein junges Mädchen war, liebte mein Vater mich so sehr, dass er mir die Augen herausnahm, damit ich den Tod und die Zerstörung auf der Welt nicht zu sehen brauchte.«

»Aber liebes Weiblein, so kannst du auch keine Schönheit sehen«, sagte die Prinzessin und dachte daran, welche Freude ihr der Anblick des blühenden Gartens bereitete.

»Ja, da hast du recht«, stimmte das alte Weiblein zu. »Und ich würde dich so gern heranwachsen sehen, meine Schöne.«

»Könnten wir uns nicht auf die Suche nach deinen Augen machen?«

Das alte Weiblein lächelte traurig. »Meine Augen sollten mir an meinem sechzigsten Geburtstag von einem Boten zurückgebracht werden, aber in der vorgesehenen Nacht bist du, meine Schöne, hier eingetroffen und hast einen schrecklichen Sturm mitgebracht, sodass ich den Boten nicht empfangen konnte.«

»Können wir ihn nicht suchen gehen?«

Das alte Weiblein schüttelte den Kopf. »Der Bote konnte leider nicht warten, und so wurden meine Augen in einen tiefen Brunnen im Land der verloren gegangenen Dinge geworfen.«

»Könnten wir nicht dorthin reisen?«

»Nein«, antwortete das Weiblein. »Denn der Weg ist weit und gepflastert mit Gefahr und Entbehrungen.«

Die Zeit verging, die Jahreszeiten zogen vorüber, und das alte Weiblein wurde immer schwächer und blasser. Eines Tages, als die Prinzessin unterwegs war, um Äpfel für den Winter zu sammeln, sah sie plötzlich das alte Weiblein weinend in der Astgabel des Apfelbaums sitzen. Die Prinzessin blieb verblüfft stehen, denn sie hatte das Weiblein noch nie eine einzige Träne vergießen sehen. Dann hörte sie, dass das Weiblein mit einem weißen Vogel sprach. »Meine Augen, meine Augen«, sagte es. »Mein Ende naht, ohne dass mir mein Augenlicht wiedergegeben wurde. Sag mir, weiser Vogel, wie soll ich meinen Weg in der nächsten Welt finden, wenn ich mich selbst nicht sehen kann?«

Still eilte die Prinzessin zurück ins Haus, denn sie wusste, was sie zu tun hatte. Das alte Weiblein hatte auf ihr Augenlicht verzichtet, um ihr Schutz zu gewähren, und für diese Großzügigkeit musste sie sich erkenntlich zeigen. Die Prinzessin war noch nie jenseits des Waldrands gewesen, doch sie zögerte keinen Augenblick. Ihre Liebe zu dem alten Weiblein war so groß, dass alle Sandkörner des Meers nicht ausgereicht hätten, um sie aufzuwiegen.

Beim ersten Morgengrauen stieg die Prinzessin aus dem Bett, machte sich auf durch den dunklen Wald und hielt erst inne, als sie die Küste erreichte. Dort stach sie in See und fuhr über den weiten Ozean ins Land der verloren gegangenen Dinge.

Die Reise war lang und beschwerlich, und die Prinzessin war verwirrt, denn der Wald im Land der verloren gegangenen Dinge sah ganz anders aus als alles, was sie kannte. Die Bäume waren krumm und bizarr, die Tiere schauerlich, und selbst das Vogelzwitschern ließ die Prinzessin zusammenfahren. Ihre Angst wurde immer größer, und sie lief schneller und immer schneller, bis sie schließlich mit pochendem Herzen stehen blieb. Die Prinzessin hatte sich verirrt und wusste nicht, wohin sie sich wenden sollte. Sie war der Verzweiflung nahe, doch plötzlich erschien der weiße Vogel. »Das alte Weiblein hat mich geschickt«, sprach der Vogel, »damit ich dich sicher zu dem Brunnen der verloren gegangenen Dinge führe, wo du deinem Schicksal begegnen wirst.«

Erleichtert folgte die Prinzessin dem Vogel. Ihr knurrte der Magen, denn in diesem seltsamen Land hatte sie nichts zu essen finden können. Unterwegs traf sie auf eine alte Frau, die auf einem umgestürzten Baumstamm saß. »Wie geht es dir, du Schöne?«, fragte die Alte.

»Ich bin so hungrig«, antwortete die Prinzessin, »aber ich weiß nicht, wo ich etwas zu essen finden soll.«

Die alte Frau deutete in den Wald, und da sah die Prinzessin, dass an den Ästen der Bäume lauter Beeren und Nüsse hingen.

»Vielen Dank, du gütige Frau«, sagte die Prinzessin.

»Ich habe nichts getan«, entgegnete die Alte. »Ich habe dir nur die Augen geöffnet, damit du Dinge siehst, von denen du wusstest, dass sie da sind.«

Gesättigt folgte die Prinzessin weiter dem weißen Vogel, doch plötzlich schlug das Wetter um, und ein kalter Wind kam auf.

Wieder traf die Prinzessin auf eine alte Frau, die auf einem umgestürzten Baumstamm saß. »Wie geht es dir, meine Schöne?«

»Mir ist so kalt, aber ich weiß nicht, wo ich warme Kleider finden soll.«

Die Alte deutete in den Wald, und plötzlich entdeckte die Prinzessin lauter wilde Rosenranken voller weicher, samtiger Blüten. Sie bedeckte sich mit den Rosen, und schon wurde ihr warm.

»Vielen Dank, du gütige Frau«, sagte sie.

»Ich habe nichts getan«, entgegnete die Alte. »Ich habe dir nur die Augen geöffnet, damit du Dinge siehst, von denen du wusstest, dass sie da sind.«

Gesättigt und gegen die Kälte geschützt, folgte die Prinzessin weiter dem weißen Vogel durch den Wald, doch bald taten ihr vom vielen Wandern die Füße weh.

Da traf die Prinzessin wieder auf eine alte Frau, die auf einem umgestürzten Baumstamm saß. »Wie geht es dir, meine Schöne?«

»Ich bin so müde, aber ich weiß nicht, wo ich nach einer Kutsche suchen soll.«

Die Alte deutete in den Wald, und da entdeckte die Prinzessin ein glänzend braunes Reh mit einem goldenen Halsband. Das Reh blinzelte die Prinzessin mit seinen dunklen, nachdenklichen Augen an, und weil die Prinzessin ein gutes Herz hatte, streckte sie die Hand nach ihm aus. Da kam das Reh zu ihr und senkte den Kopf, damit sie auf seinen Rücken steigen konnte.

»Vielen Dank, du gütige Frau«, sprach die Prinzessin.

»Ich habe nichts getan«, entgegnete die Alte. »Ich habe dir nur die Augen geöffnet, damit du Dinge siehst, von denen du wusstest, dass sie da sind.«

Die Prinzessin und das Reh folgten dem Vogel und wanderten immer tiefer in den Wald hinein, und nach einigen Tagen lernte die Prinzessin die Sprache des Rehs zu verstehen. In ihren nächtlichen Gesprächen erfuhr sie, dass das Reh vor einem heimtückischen Jäger auf der Flucht war, dem eine böse Hexe aufgetragen hatte, es zu töten. Die Prinzessin aber war dem Reh so dankbar für seine Freundlichkeit, dass sie sich vornahm, es vor seinen Peinigern zu beschützen.

Gute Vorsätze jedoch ebnen den Weg ins Verderben, und als die Prinzessin am nächsten Morgen erwachte, lag das Reh nicht wie gewöhnlich am Lagerfeuer. Im Baum über ihrem Lager zwitscherte der weiße Vogel aufgeregt, und die Prinzessin sprang auf, um ihm zu folgen. Als sie sich einem dichten Dornengestrüpp näherte, hörte sie das Reh leise weinen. Sie eilte zu ihm und sah, dass ein Pfeil in seiner Flanke steckte.

»Die Hexe hat mich gefunden«, sprach das Reh. »Als ich gerade dabei war, Nüsse für den Reiseproviant zu sammeln, hat sie ihren Jägern befohlen, auf mich zu schießen. Ich bin gerannt, so schnell ich konnte, aber weiter als bis zu dieser Stelle bin ich nicht gekommen.«

Die Prinzessin kniete sich neben das Reh, und beim Anblick von dessen Schmerzen begann sie zu weinen, und ihre in aufrichtiger Trauer vergossenen Tränen heilten die Wunden des Rehs.

Während der darauffolgenden Tage pflegte die Prinzessin das Reh, und als es wieder bei Kräften war, setzten sie ihre Wanderung durch den unermesslich tiefen Wald fort. Als sie endlich den Waldrand erreichten und ins Freie traten, lag vor ihnen die Küste und dahinter das glitzernde Meer. »Nicht weit von hier im Norden«, sprach der Vogel, »steht der Brunnen der verloren gegangenen Dinge.«

Der Tag neigte sich dem Ende zu, und es wurde allmählich dunkel, aber die Kieselsteine am Strand glitzerten silbern im Mondlicht und leuchteten ihnen den Weg. Sie gingen in Richtung Norden, bis sie auf einem zerfurchten schwarzen Felsbrocken den Brunnen der verloren gegangenen Dinge erblickten. Der weiße Vogel, der seine Pflicht erfüllt hatte, verabschiedete sich von ihnen und flog davon.

Als die Prinzessin und das Reh bei dem Brunnen ankamen, tätschelte die Prinzessin ihrem edelmütigen Gefährten den Hals. »Du kannst nicht mit mir in den Brunnen hinuntersteigen, mein liebes Reh«, sagte sie, »denn das muss ich allein tun.« Dann nahm sie all ihren Mut zusammen, sprang in den Brunnen und fiel tief hinab bis auf den Grund.

Bald darauf erwachte die Prinzessin aus einem unruhigen Schlaf und wanderte über ein Feld, auf dem die Sonne das Gras schimmern und die Bäume singen ließ.

Plötzlich erschien ihr eine schöne Fee mit langem, lockigem Haar so fein wie Gold. Als die Fee ihr ein strahlendes Lächeln schenkte, empfand die Prinzessin tiefen Frieden.

»Du hast eine weite Reise zurückgelegt, müde Wanderin«, sprach die Fee.

»Ich bin gekommen, um einer lieben Freundin ihre Augen wiederzubringen. Hast du die Augäpfel gesehen, die ich meine, schöne Fee?«

Wortlos öffnete die Fee ihre Hand, und darin lagen zwei Augen, die schönen Augen eines jungen Mädchens, das nichts Böses auf der Welt gesehen hatte.

»Du kannst sie mitnehmen«, sprach die Fee, »aber dein altes Weiblein kann sie nicht mehr gebrauchen.«

Ehe die Prinzessin fragen konnte, was die Fee damit meinte, schlug sie die Augen auf und entdeckte, dass sie oben am Brunnenrand neben ihrem lieben Reh lag. In ihren Händen hielt sie ein kleines Päckchen, in dem sich die Augen des alten Weibleins befanden.

Drei Monate dauerte die Wanderung durch das Land der verloren gegangenen Dinge und die Fahrt über das tiefe, blaue Meer bis in das Heimatland der Prinzessin. Als die Prinzessin und das Reh sich dem Häuschen des alten Weibleins näherten, das am Rand des dunklen, vertrauten Waldes stand, hielt ein Jäger sie an und bestätigte die Weissagung der Fee. Während die Prinzessin durch das Land der verloren gegangenen Dinge gewandert war, war das alte Weiblein friedlich entschlafen und in die nächste Welt hinübergegangen.

Als sie diese Nachricht hörte, begann die Prinzessin zu weinen, denn ihre lange Reise war vergeblich gewesen. Doch das Reh, das nicht nur gut, sondern auch weise war, bat sie, mit dem Weinen aufzuhören. »Es ist nicht wichtig, denn sie brauchte ihre Augen nicht, um zu wissen, wer sie war. Durch deine Liebe hat sie es erfahren.«

Vor Dankbarkeit über die Güte des Rehs streichelte die Prinzessin ihm den Hals. In dem Augenblick verwandelte sich das Reh in einen schönen jungen Prinzen, sein goldenes Halsband wurde zu einer Krone, und er erzählte der Prinzessin, dass eine böse Hexe ihn verzaubert und dazu verdammt hatte, als Reh zu leben, bis eine schöne Jungfrau ihn so sehr lieben würde, dass sie über sein Schicksal weinte.

Der Prinz und die Prinzessin heirateten und lebten glücklich und zufrieden in dem Häuschen des alten Weibleins, dessen Augen in einem Glas auf dem Kaminsims über ihr Glück wachten.

13 *London* *England, 1975*

Er war die Karikatur eines Mannes. Zerbrechlich und feingliedrig, mit einem Buckel und vornübergekrümmt. Unter den mit Fettflecken übersäten beigefarbenen Hosenbeinen zeichneten sich knochige Knie ab, aus seinen viel zu großen Schuhen ragten spitze Knöchel, und aus dem ansonsten glatten Schädel sprossen Büschel feiner weißer Haare. Er sah aus wie die Figur aus einer Kindergeschichte. Wie aus einem Märchen.

Nell trat vom Fenster zurück und überprüfte noch einmal die Adresse in ihrem Notizbuch. Dort stand sie, von ihr eigenhändig in ihrer unleserlichen Handschrift eingetragen: *Mr Snelgroves Antiquariat, Cecil Court, in einer Nebenstraße der Shaftesbury Avenue – Londons führender Experte in Bezug auf Märchenschreiber und alte Bücher allgemein. Vielleicht weiß er etwas über Eliza?*

Die Bibliothekarinnen hatten ihr am Tag zuvor seinen Namen

und die Adresse gegeben. Sie konnten zwar nicht mit Informationen über Eliza Makepeace aufwarten, die Nell nicht bereits selbst herausgefunden hatte, aber sie nannten ihr jemanden, der ihr eventuell bei ihrer Suche würde weiterhelfen können, nämlich besagter Mr Snelgrove. Er sei nicht gerade der umgänglichste Zeitgenosse, so viel stehe fest, aber er wisse mehr über alte Bücher als sonst jemand in London. Er sei steinalt, hatte eine der jüngeren Bibliothekarinnen gescherzt, und wahrscheinlich habe er das Märchenbuch sofort gelesen, nachdem es damals gerade frisch aus der Druckpresse gekommen war.

Als eine kühle Brise über Nells unbedeckten Hals strich, zog sie sich ihre Strickjacke enger um die Schultern. Entschlossen atmete sie tief ein und drückte die Eingangstür auf.

Eine Messingglocke bimmelte an der Tür, woraufhin der alte Mann sich zu ihr umdrehte. Das Licht fiel auf dicke Brillengläser, die wie zwei runde Spiegel aufleuchteten, und auf unfassbar riesige Ohren, aus denen weiße Haarbüschel sprossen.

Er neigte den Kopf, und Nells erster Eindruck war, dass er sich verbeugte – ein Überbleibsel von Galanterie aus vergangenen Zeiten vermutlich. Als jedoch über den Rändern seiner Brillengläser blasse glasige Augen erschienen, wurde ihr klar, dass er einfach nur versuchte, sie besser zu sehen.

»Mr Snelgrove?«

»Ja«, erwiderte er im Tonfall eines reizbaren Schulleiters. »Der bin ich. Treten Sie ein, Sie lassen nur die schlechte Luft rein.«

Nell machte einen Schritt vorwärts und merkte, wie sich die Tür hinter ihr schloss, gefolgt von einem Luftzug, der für einen kurzen Moment die warme, abgestandene Luft bewegte.

»Name«, sagte der Mann.

»Andrews. Nell Andrews.«

Er kniff die hinter den Gläsern riesig wirkenden Augen halb zu. »Name«, wiederholte er und betonte seine Worte bedächtig, »des Buchs, nach dem Sie suchen.«

»Oh, natürlich.« Nell warf einen Blick in ihr Notizbuch. »Obwohl ich eigentlich nicht nach einem Buch suche.«

Erneut blinzelte Mr Snelgrove ganz langsam, eine Parodie der Geduld.

Er war ihrer schon jetzt überdrüssig, stellte Nell fest. Das kam für sie völlig unerwartet, war sie es doch normalerweise, die die Rolle der fürchterlich Gelangweilten spielte. Vor lauter Verblüffung begann sie verlegen zu stammeln: »D-das heißt«, sie holte Luft, um ihr schwindendes Selbstvertrauen wiederzugewinnen, »ich besitze das fragliche Buch bereits.«

Mr Snelgrove schnaubte kurz und vernehmlich, sodass sich seine riesigen Nüstern zusammenzogen.

»Demnach gehe ich davon aus, Madam, dass Sie, da Sie das fragliche Buch bereits besitzen, meine untertänigsten Dienste nicht weiter benötigen.« Ein Nicken. »Guten Tag.«

Damit schlurfte er davon und wandte seine Aufmerksamkeit wieder dem vollgestopften Bücherregal neben der Treppe zu.

Sie war entlassen. Nell öffnete den Mund, machte ihn dann wieder zu.

Drehte sich um und wollte gehen. Blieb stehen.

Nein. Sie hatte eine weite Reise auf sich genommen, um ein Rätsel zu entwirren, ihr Rätsel, und dieser Mann war ihre beste Chance, ein wenig Licht auf Eliza Makepeace zu werfen und auf die Frage, warum sie Nell im Jahr 1913 nach Australien begleitet hatte.

Nell richtete sich zu voller Größe auf, schritt über den Dielenboden zu Mr Snelgrove und blieb neben ihm stehen. Sie räusperte sich vernehmlich und wartete ab.

Er ließ nicht erkennen, ob er sie bemerkt hatte, und ordnete weiter seine Bücher ins Regal. »Sie sind noch da.« Eine Feststellung.

»Ja«, erwiderte Nell mit Nachdruck. »Ich habe einen langen Weg zurückgelegt, um Ihnen etwas zu zeigen, und ich habe nicht vor wegzugehen, ehe ich das getan habe.«

»Ich fürchte, Madam«, sagte er seufzend, »dass Sie Ihre Zeit vergeudet haben, ebenso, wie Sie jetzt meine vergeuden. Ich verkaufe nichts auf Kommission.«

Ärger schnürte ihr die Kehle zu. »Ich will mein Buch auch gar nicht verkaufen. Ich möchte Sie lediglich bitten, einen Blick darauf zu werfen, damit ich die Meinung eines Fachmanns erfahre.« Ihre Wangen glühten, ein ungewohntes Gefühl. Sie errötete nicht so leicht, im Gegenteil, sie war immer in der Lage gewesen, sich vor solch unerwünschten, verräterischen Gefühlssignalen zu schützen.

Mr Snelgrove wandte sich um und bedachte sie mit einem kühlen, missmutigen Blick. Irgendeine Gefühlsregung (welche, hätte sie nicht sagen können) ließ seinen Mundwinkel zucken, dann deutete er mit einer kaum wahrnehmbaren Geste zu dem kleinen Büro hinter seiner Ladentheke.

Ohne zu zögern ging Nell durch die Tür. Diese Art von winzigem Entgegenkommen konnte einem viel zu leicht die Entschlusskraft rauben. Eine Träne der Erleichterung schickte sich an, ihre Verteidigungslinien zu durchbrechen, und Nell kramte in ihrer Handtasche in der Hoffnung, noch ein altes Papiertaschentuch zu finden, mit dem sie den Verräter in seine Schranken weisen konnte. Was, zum Teufel, war mit ihr los? Sie war nicht gefühlsduselig, nein, sie war in der Lage, sich zu beherrschen. Zumindest war es bisher immer so gewesen. Bis vor Kurzem, bis Doug ihr diesen Koffer gebracht und sie darin das Buch mit den Geschichten und dem Bild auf dem Deckblatt gefunden hatte. Bis sie angefangen hatte, sich wieder an Dinge und Menschen zu erinnern, wie zum Beispiel an die Autorin; an Fragmente ihrer Vergangenheit, erspäht durch kleine Löcher in der Hülle ihres Gedächtnisses.

Mr Snelgrove schloss die Glastür hinter sich und schlurfte über einen Perserteppich, dessen Farben stumpf waren von altem Schmutz. Er bahnte sich den Weg durch ein Labyrinth aus Bücherstapeln und ließ sich in einen Ledersessel auf der anderen Seite des Schreibtischs fallen. Klaubte eine Zigarette aus einem zerknautschten Päckchen und zündete sie an.

»Nun …«, das Wort kam zusammen mit einer Rauchwolke aus seinem Mund, »dann lassen Sie mich mal einen Blick auf Ihr Buch werfen.«

Nell hatte das Buch in ein Geschirrtuch gewickelt, bevor sie in Brisbane aufgebrochen war.

Eine vernünftige Idee – schließlich war das Buch alt und wertvoll und musste geschützt werden –, doch hier, in dem Dämmerlicht von Mr Snelgroves Fundgrube, war ihr die hausfrauliche Verpackung auf einmal peinlich. Nachdem sie die Schnur entfernt und das rot-weiß karierte Tuch aufgeschlagen hatte, musste sie sich zusammenreißen, um es nicht tief unten in ihrer Handtasche verschwinden zu lassen. Dann drückte sie das Buch über den Tisch hinweg in Mr Snelgroves ausgestreckte Hand.

Schweigen breitete sich aus, nur unterbrochen vom Ticken einer verborgenen Wanduhr. Nell wartete ängstlich gespannt, während er langsam die Seiten umblätterte.

Er schwieg noch immer.

Vielleicht erwartete er ja weitere Erklärungen. »Was ich mir erhofft habe …«

»Ruhe.« Eine bleiche Hand hob sich auf der anderen Seite des Tischs. Die Zigarette, die zwischen seinen Fingern klemmte, drohte, ihre Aschenspitze zu verlieren.

Nell blieben die Worte im Hals stecken. Zweifellos war er der ungehobeltste Mann, mit dem sie sich je hatte abgeben müssen, und angesichts des Charakters einiger ihrer Geschäftspartner unter den Antiquitätenhändlern hieß das schon einiges. Nichtsdestotrotz stellte er ihre beste Chance dar, an die Informationen zu gelangen, die sie brauchte. Ihr blieb nicht viel anderes übrig als dazusitzen, wie abgestraft abzuwarten und zuzusehen, wie der weiße Körper der Zigarette sich in einen langen Aschezylinder verwandelte.

Schließlich löste sich die Asche von der Zigarette und rieselte auf den Boden, wo sie sich zu den anderen staubigen Leichen gesellte, die einen ähnlich stillen Tod gestorben waren. Nell, die alles andere als eine pingelige Hausfrau war, erschauerte.

Mr Snelgrove zog noch ein letztes Mal gierig an seiner Zigarette und drückte die Kippe dann im überquellenden Aschenbecher aus. Nachdem eine Ewigkeit vergangen zu sein schien, sagte er, begleitet von einem rasselnden Husten: »Wo haben Sie das her?«

Bildete sie sich das neugierige Beben in seiner Stimme nur ein? »Es wurde mir geschenkt.«

»Von wem?«

Was sollte sie darauf antworten? »Von der Autorin persönlich, nehme ich an. Ich kann mich nicht genau erinnern, es wurde mir geschenkt, als ich noch ein kleines Kind war.«

Er schaute sie durchdringend an. Seine Lippen spannten sich an und zitterten ein wenig. »Ich habe natürlich davon gehört, aber ich muss gestehen, dass ich bisher noch nie ein Exemplar zu Gesicht bekommen habe.«

Inzwischen lag das Buch zugeklappt auf dem Tisch, und Mr Snelgrove fuhr sanft mit der Hand über den Einband. Er schloss die Augen und seufzte wohlig wie ein Wüstenwanderer, dem endlich Wasser gereicht wird.

Verblüfft über diese plötzliche Veränderung in seinem Verhalten räusperte Nell sich und suchte nach Worten. »Es ist also sehr selten?«

»Oh ja«, erwiderte Mr Snelgrove sanft und öffnete die Augen. »Außergewöhnlich selten sogar. Es gibt überhaupt nur eine Ausgabe. Und die Illustrationen sind von Nathaniel Walker. Das ist wahrscheinlich das einzige Buch, das er je illustriert hat.« Er schlug das Buch noch einmal auf und betrachtete das

Deckblatt. »Es handelt sich in der Tat um ein sehr seltenes Exemplar.«

»Und was ist mit der Autorin? Wissen Sie etwas über Eliza Makepeace?« Nell hielt den Atem an, als er seine alte Schrumpelnase rümpfte. Sie schöpfte Hoffnung. »Über sie scheint kaum etwas bekannt zu sein. Ich konnte nur spärliche Einzelheiten über sie in Erfahrung bringen.«

Mit einem sehnsüchtigen Blick auf das Buch erhob sich Mr Snelgrove ächzend und ging zu einem kleinen hölzernen Aktenschrank. Als er eine der flachen Schubladen öffnete, sah Nell, dass sie bis obenhin mit rechteckigen Kärtchen gefüllt war, die er vor sich hin murmelnd durchblätterte, bis er schließlich eins hervorzog.

»Da haben wir's ja!« Seine Lippen bewegten sich, während er die Karte studierte. »Eliza Makepeace ... Kurzgeschichten in verschiedenen Zeitschriften erschienen ... Nur eine veröffentlichte Sammlung«, er tippte mit dem Finger auf Nells Buch, »die uns hier vorliegt ... Nur wenig über sie bekannt ... bis auf ... Ah, ja.«

Nell richtete sich kerzengerade auf. »Was denn? Was haben Sie gefunden?«

»Ein Buch, in dem Ihre Eliza erwähnt wird. Es enthält eine kurze Biografie, wenn ich mich recht erinnere.« Er schlurfte zu einem Bücherregal, das vom Fußboden bis zur Decke reichte. »Relativ neu, vielleicht neun Jahre alt. Nach meinen Notizen sollte es hier irgendwo stehen.« Er glitt mit einem Finger über das vierte Regal, zögerte, suchte weiter, hielt inne. »Hier.« Brummend zog er ein Buch hervor und pustete den Staub von dem Einband. Dann drehte er es um und betrachtete blinzelnd den Buchrücken. »*Märchen und Geschichten der Jahrhundertwende* von Doktor Rodger MacWilliams.« Er befeuchtete einen Finger, schlug das Inhaltsverzeichnis auf und ging die einzelnen Kapitel durch. »Na bitte: Eliza Makepeace, Seite siebenundvierzig.«

Er schob Nell das offene Buch hin.

Ihr Herz raste, und das Blut pulsierte unter ihrer Haut. Ihr wurde fürchterlich heiß. Nervös suchte sie die Seite siebenundvierzig und entdeckte Elizas Namen in der Überschrift.

Endlich, endlich konnte sie einen Fortschritt verzeichnen, eine Biografie, die versprach, der Person Gestalt zu verleihen, mit der sie in irgendeiner Verbindung stand. »Danke«, sagte sie mit vor Aufregung krächzender Stimme. »Danke.«

Mr Snelgrove nickte, peinlich berührt von ihrer Dankbarkeit. Er neigte den Kopf in Richtung des Märchenbuchs. »Gehe ich recht in der Annahme, dass Sie kein neues Zuhause für dieses Buch suchen?«

Nell lächelte zaghaft und schüttelte den Kopf. »Ich fürchte, davon kann ich mich nicht trennen. Es ist ein Familienerbstück.«

Die Glocke bimmelte. Ein junger Mann stand vor der gläsernen Bürotür und betrachtete unsicher die vollgestopften Regale. Mr Snelgrove nickte knapp. »Nun gut, sollten Sie Ihre Meinung ändern, wissen Sie ja, wo Sie mich finden.« Über seine Brille hinweg schaute er zu dem neuen Kunden hinüber und schnaubte: »Warum müssen die Leute nur immer die Tür offen lassen?« Er schlurfte zurück in den Laden. »*Märchen und Geschichten* kostet drei Pfund«, sagte er, als er an Nells Stuhl vorbeiging. »Sie können es sich gern eine Weile bequem machen und noch darin schmökern, aber vergessen Sie nicht, wenn Sie gehen, die drei Pfund auf den Tresen zu legen.«

Nell nickte, und nachdem sich die Tür hinter Mr Snelgrove geschlossen hatte, begann sie mit klopfendem Herzen zu lesen.

Eliza Makepeace, Schriftstellerin aus dem ersten Jahrzehnt des zwanzigsten Jahrhunderts, ist vor allem bekannt für ihre Märchen, die in den Jahren 1907–1913 regelmäßig in verschiedenen Zeitschriften erschienen. Im Allgemeinen werden ihr fünfunddreißig Ge-

schichten zugeschrieben; allerdings sind die Quellen unzuverlässig, und so wird die tatsächliche Anzahl ihrer Werke wohl immer im Dunkeln bleiben. Eine mit Illustrationen versehene Sammlung von Eliza Makepeaces Märchen wurde Ostern 1913 vom Londoner Verlag Hobbins & Co. veröffentlicht. Der Band verkaufte sich gut und erhielt hervorragende Kritiken. Die Times beschrieb die Geschichten als »ein ungewöhnliches Vergnügen, das beim Rezensenten erhebende und manchmal auch beängstigende Gefühle aus der Kindheit wachrief«. Besonders hervorgehoben wurden die Illustrationen von Nathaniel Walker, die vermutlich zu seinen besten Arbeiten gehören. Sie stellen eine Abweichung von seinen Ölporträts dar, für die er in erster Linie bekannt ist.

Elizas Geschichte begann mit dem 1. September 1888, als sie in London das Licht der Welt erblickte. Aus der Geburtsurkunde geht hervor, dass Eliza als Zwilling geboren wurde. Ihre ersten Lebensjahre verbrachte sie in einer Mietskaserne in der Battersea Bridge Road 35. Elizas Stammbaum ist weit komplexer, als ihre bescheidene Herkunft vermuten lässt. Ihre Mutter Georgiana war die Tochter einer Aristokratenfamilie, die das Blackhurst Manor in Cornwall bewohnte. Georgiana Mountrachet provozierte einen Skandal, als sie im Alter von siebzehn Jahren mit einem jungen Mann aus bescheidenen Verhältnissen durchbrannte.

Elizas Vater Jonathan Makepeace wurde 1866 in London als Sohn eines mittellosen Straßenhändlers und dessen Frau geboren. Er war das fünfte von neun Kindern und wuchs im Elendsviertel hinter den Londoner Docks auf. Obwohl er im Jahr 1888 noch vor Elizas Geburt starb, scheinen Elizas veröffentlichte Geschichten Ereignisse umzudeuten, die der junge Jonathan Makepeace vermutlich während seiner Kindheit am Fluss erlebt hat. In »Der Fluch des Flusses« zum Beispiel beruht die Beschreibung der toten Männer an den Galgen höchstwahrscheinlich auf Szenen, deren Zeuge Jonathan Makepeace als Junge in der Nähe der Execution Docks wurde. Wir müssen davon ausgehen, dass Eliza diese Geschichten von ihrer Mutter Georgiana *erfahren hat – möglicherweise in ausgeschmückter Form – und sie in ihrem Gedächtnis bewahrt hat, bis sie begann, ihre eigenen Märchen zu schreiben.*

Wie der Sohn eines armen Straßenhändlers die adelige Georgiana Mountrachet kennenlernen und sich in sie verlieben konnte, bleibt ein Rätsel. Entsprechend ihrer heimlichen Flucht hat Georgiana keinerlei Hinweise auf die Ereignisse hinterlassen, die zu ihrem Verschwinden führten. Jegliche Versuche, die Wahrheit aufzudecken, wurden zusätzlich erschwert durch die angestrengten Bemühungen ihrer Familie, den Skandal zu vertuschen. In den Zeitungen wurde nur wenig berichtet, und man muss an anderer Stelle suchen, in zeitgenössischen Briefen und Tagebüchern, um Hinweise auf den Klatsch in jener Zeit zu finden, der mit Sicherheit mit lüsternen Anzüglichkeiten gespickt war. Als Beruf wird auf Jonathans Todesurkunde »Matrose« angegeben, allerdings bleibt die Art seines Beschäftigungsverhältnisses im Dunkeln. Der Verfasser dieser Zeilen kann nur spekulieren, dass Jonathan Makepeaces Leben auf den Meeren ihn vielleicht für eine kurze Zeitspanne auch an die Felsenküste Cornwalls geführt hat. Und dass vielleicht der Zufall Lord Mountrachets Tochter, im ganzen County berühmt als rothaarige Schönheit, in der Bucht des elterlichen Anwesens hat auf den jungen Jonathan Makepeace treffen lassen.

Unter welchen Umständen sie sich auch kennengelernt haben mögen, es kann kein Zweifel daran bestehen, dass sie einander geliebt haben. Leider waren dem jungen Paar keine Jahre des Glücks beschieden. Jonathans plötzlicher und letztlich unerklärlicher Tod weniger als zehn Monate nach ihrem Durchbrennen muss Georgiana Mountrachet einen verheerenden Schlag versetzt haben, denn sie war allein in London, unverheiratet, hochschwanger, ohne Familie und völlig mittellos. Georgiana ließ sich jedoch nicht aus der Bahn werfen. Sie hatte die strengen Regeln ihrer sozialen Schicht hinter sich gelassen, legte nach der Geburt ihrer Kinder den Namen Mountrachet ab und nahm eine Arbeitsstelle als Schreibkraft bei der Anwaltskanzlei HJ Blackwater and Associates in Lincoln's Inn, Holborn, an.

Es gibt Hinweise darauf, dass Georgianas hervorragende Schreibkünste eine Fähigkeit waren, die sie schon während ihrer Jugend ausreichend hatte zum Ausdruck bringen können. Die Familienbücher der Mountrachet, im Jahr 1950 der British Library vermacht, enthalten eine Anzahl von Theater-Programmheften, die in sorgsam ausgeführter Handschrift geschrieben und dazu mit hervorragenden Illustrationen versehen sind. In jedem Heft hat die »Künstlerin« in einer Ecke mit winzigen Buchstaben ihren Namen hinterlassen. Laientheater waren natürlich zu jener Zeit in vielen Adelshäusern gang und gäbe, die Programmhefte für jene in Blackhurst in den 1880er-Jahren jedoch zeichnen sich dadurch aus, dass sie mit größerer Regelmäßigkeit erschienen und mit mehr Ernsthaftigkeit gestaltet waren als sonst vielleicht üblich.

Wenig ist bekannt über Elizas Kindheit in London, abgesehen von dem Haus, in dem sie geboren wurde und in dem sie ihre frühe Kindheit verbracht hat. Man kann allerdings davon ausgehen, dass ihr Leben vom Diktat der Armut und von den Schwierigkeiten zu überleben bestimmt wurde. Höchstwahrscheinlich litt Georgiana schon seit Mitte der 1890er-Jahre an Tuberkulose, an der sie schließlich sterben sollte. Falls ihr Krankheitszustand den in den letzten Jahren des neunzehnten Jahrhunderts üblichen Verlauf genommen hatte, werden Kurzatmigkeit und allgemeine Schwäche die Ausübung einer regelmäßigen Arbeit verhindert haben. Die Lohnabrechnungen von HJ Blackwater jedenfalls bestätigen diese Annahme.

Es existieren keine offiziellen Belege dafür, dass Georgiana wegen ihrer Krankheit einen Arzt aufgesucht hat, allerdings war zur damaligen Zeit die Angst vor ärztlicher Behandlung weit verbreitet. Um 1880 wurde Tuberkulose zu einer meldepflichtigen Krankheit erklärt, und Ärzte wurden gesetzlich dazu verpflichtet, Krankheitsfälle den staatlichen Behörden mitzuteilen. Aus Furcht jedoch, in ein Sanatorium geschickt zu werden (das meist einem Gefängnis gleichkam), schreckten die Armen davor zurück, medizinische Hilfe in Anspruch zu nehmen. Die Krankheit ihrer Mutter muss erhebliche Auswirkungen auf Eliza gehabt haben, sowohl in praktischer als auch in kreativer Hinsicht. Mit ziemlicher Sicherheit wurde von der Tochter verlangt, dass sie ihren Beitrag zu den Haushaltskosten leistete. Im viktorianischen London waren Mädchen nahezu in allen untergeordneten Stellungen beschäftigt – als Hausmädchen, Straßenhändlerinnen oder Apfelsinenverkäuferinnen, die ihre Waren in Theatern feilboten –, und Elizas Darstellung von Mangeln und Waschbottichen in einigen ihrer Märchen legt die Vermutung nahe, dass sie sehr vertraut war mit der Arbeit als Wäscherin. Die vampirähnlichen Wesen in Die Feenjagd *könnten ebenfalls die Vorstellung aus dem frühen neunzehnten Jahrhundert widerspiegeln, nach der Tuberkulosekranke Vampire waren: Lichtempfindlichkeit, geschwollene gerötete Augen, sehr bleiche Haut und der typische blutige Husten waren Symptome, die diesen Glauben nährten.*

Ob Georgiana, als sich ihr Gesundheitszustand nach Jonathans Tod verschlechterte, je einen Versuch unternommen hat, wieder Kontakt zu ihrer Familie aufzunehmen, ist nicht bekannt. Dem Verfasser dieser Zeilen erscheint dies jedoch unwahrscheinlich. Ein Brief von Linus Mountrachet an einen Geschäftspartner vom Dezember 1900 lässt darauf schließen, dass er erst kurz zuvor von seiner kleinen Londoner Nichte Eliza erfahren hatte und von dem Gedanken schockiert war, dass sie mehr als ein Jahrzehnt lang unter solch erbärmlichen Umständen hatte leben müssen. Womöglich hatte Georgiana befürchtet, die Familie Mountrachet würde ihr niemals verzeihen, dass sie seinerzeit mit ihrem Geliebten durchgebrannt war. Der Brief ihres Bruders jedoch lässt eine solche Befürchtung als völlig unbegründet erscheinen:

Mir vorzustellen, dass meine geliebte Schwester in all den Jahren, in denen ich den halben Erdball nach ihr abgesucht habe, ganz in meiner Nähe gewesen ist! Und dass sie unter solchen Entbehrungen gelebt hat! Sie sehen, dass ich Ihnen die Wahrheit über ihr Naturell gesagt habe. Wie wenig es ihr offenbar bedeutet hat, dass wir sie von Herzen liebten und uns nur danach sehnten, dass sie sicher wieder nach Hause zurückkehrte …

Auch wenn Georgiana nie zurückkehrte, war es Eliza bestimmt, in den Schoß der Familie ihrer Mutter aufgenommen zu werden. Georgiana Mountrachet starb Ende 1900, als Eliza zwölf Jahre alt war. Der Totenschein gibt als Todesursache Tuberkulose und ihr Alter mit dreißig Jahren an. Nach dem Tod ihrer Mutter wurde Eliza an die Küste von Cornwall zur Familie ihrer Mutter gebracht. Es ist nicht bekannt, wie diese Familienzusammenführung zustande kam, man kann jedoch mit ziemlicher Sicherheit davon ausgehen, dass trotz der unglücklichen Umstände, die dieser vorausgegangen waren, der Ortswechsel für die junge Eliza ein Glücksfall war. Die Umsiedlung nach Blackhurst Manor mit seinen ausgedehnten Ländereien und Gartenanlagen bot ihr nach den Gefahren, denen sie auf den Londoner Straßen ausgesetzt war, Freiheit und Sicherheit. In ihren Märchen wurde das Meer zum Motiv der Erneuerung und Erlösung.

Eliza hat erwiesenermaßen bis zu ihrem vierundzwanzigsten Lebensjahr bei der Familie ihres Onkels mütterlicherseits gelebt. Wo sie sich danach aufgehalten hat, bleibt jedoch nach wie vor weitgehend ein Rätsel. Es existieren mehrere Theorien über ihr Leben nach 1913, von denen allerdings noch keine bewiesen werden konnte. Einige Historiker vermuten, dass sie dem Scharlachfieber zum Opfer fiel, das 1913 in Cornwall wütete. Andere, verblüfft über die rätselhafte Veröffentlichung ihres letzten Märchens, Der Flug des Kuckucks *in der Zeitschrift* Literary Lives *im Jahr 1936, spekulieren, dass sie ihr Leben mit Reisen verbrachte, stets auf der Suche nach Abenteuern, die sie in ihren Märchen verarbeitete. Diese verlockende Theorie bedarf noch ernsthafter wissenschaftlicher Untersuchung. Solange nichts bewiesen ist, bleibt das Schicksal von Eliza Makepeace bis hin zu ihrem unbekannten Todesdatum eines der Rätsel in der Literaturwelt.*

Es existiert eine Kohlezeichnung von Eliza Makepeace von der Hand des bekannten edwardianischen Porträtkünstlers Nathaniel

Walker. Die Zeichnung wurde nach seinem Tod zwischen seinen unvollendeten Arbeiten entdeckt und hängt heute unter dem Titel Die Autorin *in der Walker Collection der Tate Gallery in London. Auch wenn Eliza Makepeace nur eine einzige Märchensammlung veröffentlicht hat, sind ihre Arbeiten reich an metaphorischem und soziologischem Gehalt und würden sich sehr gut für literaturwissenschaftliche Studien eignen. Während frühere Geschichten wie* Der goldene Käfig *stark von der europäischen Märchentradition beeinflusst sind, tragen spätere Geschichten wie* Die Augen des alten Weibleins *eher individuelle, man könnte sogar sagen autobiografische Züge. Wie viele andere Schriftstellerinnen der ersten Dekade des zwanzigsten Jahrhunderts fiel Eliza Makepeace jedoch den kulturellen Umbrüchen zum Opfer, die die gewaltigen Weltereignisse Anfang des Jahrhunderts nach sich zogen (der Erste Weltkrieg und die Suffragettenbewegung, um nur zwei zu nennen), und die Leserschaft verlor das Interesse an ihr. Viele ihrer Geschichten sind während des Zweiten Weltkriegs für die Wissenschaft verloren gegangen, als die British Library kompletter Sammlungen eher unbedeutender Zeitschriften beraubt wurde. Aus diesem Grund sind Eliza und ihre Märchen heutzutage relativ unbekannt. Ihre Arbeiten – ebenso wie die Schriftstellerin selbst – sind dem Lauf der Zeit zum Opfer gefallen und für uns, wie so viele andere Geister des letzten Jahrhunderts, für immer verloren.*

14 *London* *England, 1900*

Hoch oben über Mr und Mrs Swindells Pfandleihe in dem schmalen Haus an der Themse lag ein winziges Zimmer. Kaum mehr als ein Wandschrank. Es war dunkel und feucht und roch modrig (kein Wunder bei dem maroden Abwasserrohr und der mangelnden Lüftung), hatte fleckige Außenwände, die im Sommer aufplatzten und im Winter die Feuchtigkeit hereinließen, und einen Kamin, dessen Schornstein schon so lange verstopft war, dass es beinahe eine Unverschämtheit schien anzunehmen, es müsste anders sein. Doch trotz der Armseligkeit war der Raum oben im Haus der Swindells das einzige Zuhause, das Eliza Makepeace und ihr Zwillingsbruder Sammy je kennengelernt hatten, und es bot ihnen wenigstens ein bisschen Sicherheit und Geborgenheit, die sie in ihrem Leben ansonsten hatten entbehren müssen. Sie waren in dem Herbst auf die Welt gekommen, als in London die Angst umging, und je älter Eliza wurde, desto überzeugter war sie davon, dass diese Erfahrung mehr als jede andere sie zu dem machte, was sie war. Der Ripper war der erste Feind in einem Leben, in dem es von Widersachern nur so wimmeln sollte.

Was Eliza an ihrem Dachzimmer am besten gefiel – eigentlich das Einzige, abgesehen von der Tatsache, dass es ihr Unterschlupf bot –, war der Spalt zwischen zwei Mauersteinen über dem alten Holzregal. Sie war ewig dankbar dafür, dass die Schludrigkeit des alten Swindell und der Zahn der Zeit einen ordentlichen Zwischenraum in der Mörtelfuge hatten entstehen lassen. Wenn Eliza sich bäuchlings auf das Regal drückte, den Kopf drehte und, das Gesicht gegen die Mauersteine gepresst, durch den Spalt spähte, konnte sie bis zur nahe gelegenen Flussbiegung sehen. Von ihrem geheimen Aussichtspunkt aus beobachtete sie das geschäftige Auf und Ab des täglichen Lebens da draußen. So konnte sie zwei Fliegen mit einer Klappe schlagen: Sie sah, ohne selbst gesehen zu werden. Denn obwohl ihre Neugier keine Grenzen kannte, setzte sie sich ungern fremden Blicken aus. Die Erfahrung hatte sie gelehrt, dass es gefährlich war, bemerkt zu werden, und man bereits wegen allzu neugieriger Blicke schon für einen Dieb gehalten werden konnte. Elizas Lieblingsbeschäftigung bestand darin, Bilder in ihrem Kopf aufzubewahren, um sie nach Belieben hervorzuholen und mit Stimmen und Farben auszustatten. Sie in böse Geschichten einzuweben, in Flüge der Fantasie, die diejenigen, die unwissentlich Elizas Inspiration angestachelt hatten, in Angst und Schrecken versetzt hätten.

Und es gab so viele Menschen, bei denen sie sich bedienen konnte. Das Leben an Elizas Flussbiegung stand nie still. Die Themse war Londons Lebensader, die mit den Gezeiten anschwoll und wieder zurückging, segensreich und grausam zugleich, in die Stadt hinein und wieder aus ihr heraus. Eliza gefiel es, wenn die Kohlefrachter bei Flut hereinkamen und die Fährleute die Menschen hin- und herruderten, wenn die Fracht aus den Kohlegruben gebracht wurde. Aber erst bei Ebbe erwachte der Fluss wirklich zum Leben. Wenn der Wasserpegel so tief sank, dass Mr Hackman und sein Sohn damit beginnen konnten, Leichen aus dem Fluss zu ziehen, deren Taschen geleert werden mussten; wenn die *Mudlarks*, die Schlammwühler, Position bezogen, um den Schlick nach Seilen, Knochen und Kupfernägeln zu durchwühlen, nach allem, was sich irgendwie verscherbeln ließ. Mr Swindell verfügte über ein eigenes Team von *Mudlarks* und ein eigenes Revier, ein Stückchen Flussufer mit Faulschlamm, das er so gut bewachte, als beherbergte es die Kronjuwelen. Wer es wagte, die Grenze zu seinem Revier zu überschreiten, musste damit rechnen, dass bei der nächsten Ebbe seine aufgeweichten Hosentaschen von Mr Hackman gefilzt wurden.

Mr Swindell wollte unbedingt, dass Sammy sich seinem Trupp *Mudlarks* anschloss.

Er behauptete, es sei die Pflicht des Jungen, die Wohltätigkeit seines Mietsherrn nach Kräften zu vergelten. Denn auch wenn es Sammy und Eliza gelang, genug zusammenzukratzen, um die Miete zu bezahlen, ließ Mr Swindell sie nie vergessen, dass ihre Freiheit nur auf seiner Bereitschaft beruhte, die kürzlich eingetretene Veränderung ihrer Lebensumstände nicht den Behörden zu melden. »Diese Wohltäterinnen, die hier rumschnüffeln, würden sich freuen zu erfahren, dass zwei Waisenkinder wie ihr sich ganz allein in der großen, weiten Welt durchschlagen müssen«, drohte er ihnen ein ums andere Mal. »Von Rechts wegen hätte ich euch melden müssen, als eure Mutter ihren letzten Atemzug getan hat.«

»Ja, Mr Swindell«, sagte Eliza dann. »Danke, Mr Swindell. wirklich sehr freundlich von Ihnen, Mr Swindell.«

»Dass ihr mir das nicht vergesst«, knurrte er. »Bloß weil ich und meine Frau so gute Seelen sind, seid ihr überhaupt noch hier.« Seine Nase bebte, und pure Verschlagenheit sprach aus seinen verengten Pupillen. »Und wenn dieser pfiffige Bengel sich in meinem Schlammrevier einfinden würde, könnte mich das davon überzeugen, dass es sich lohnt, euch noch länger zu behalten. Eine bessere Spürnase ist mir noch nie untergekommen.«

Er hatte recht. Sammy besaß ein Talent für das Aufspüren von Schätzen. Das war schon immer so gewesen, und man hätte meinen können, dass hübsche Dinge sich ihm absichtlich in den Weg legten. Mrs Swindell behauptete zwar, das sei das Glück des Dummen, und mit Schwachköpfen und Verrückten meine es der Herrgott eben besonders gut, aber Eliza wusste, dass das nicht stimmte. Sammy war kein Schwachkopf, er sah einfach mehr als die meisten anderen, weil er keine Zeit mit Reden verschwendete. Kein Wort. Nicht ein einziges Mal in seinen zwölf Lebensjahren. Er brauchte nicht zu sprechen, jedenfalls nicht mit Eliza. Sie wusste stets genau, was er dachte und fühlte, das war schon immer so gewesen. Schließlich waren sie Zwillinge, zwei Hälften eines Ganzen.

Deshalb wusste sie auch, dass er sich vor dem Flussschlamm fürchtete, und auch wenn sie seine Angst nicht teilte, konnte Eliza ihn verstehen. Die Luft war anders, wenn man näher ans Wasser ging. Irgendetwas in den Dämpfen, die aus dem Schlamm aufstiegen, die Sturzflüge der Vögel, die merkwürdigen Geräusche, die von den Befestigungsmauern widerhallten, mit denen die früheren Flussufer begradigt worden waren …

Eliza wusste auch, dass sie für Sammy verantwortlich war, und das nicht nur, weil ihre Mutter ihr das eingeschärft hatte. (Ihre Mutter war seltsamerweise davon überzeugt gewesen, dass ein böser Mann – wer das war, hatte sie nicht gesagt – ihnen auf den Fersen war.) Schon als sie noch ganz klein gewesen waren, hatte Eliza begriffen, dass Sammy sie mehr brauchte als sie ihn, noch bevor er das Fieber bekommen hatte und beinahe gestorben wäre. Irgendetwas an seiner Art machte ihn verletzlich. Die anderen Kinder hatten es gewusst, als sie noch klein gewesen waren, und Erwachsene wussten es jetzt auch. Sie spürten irgendwie, dass er keiner von ihnen war.

Und das war er auch nicht, er war ein Wechselbalg. Über Wechselbälger wusste Eliza Bescheid. Sie hatte darüber gelesen in dem Märchenbuch, das eine Zeit lang in der Pfandleihe gelegen hatte. Es waren auch Bilder darin gewesen. Von Feen und Kobolden, die genauso aussahen wie Sammy mit seinen dünnen, rötlichen Haaren, den langen, dürren Gliedmaßen und seinen runden, blauen Augen. Nach dem, was ihre Mutter erzählt hatte, war Sammy schon als Baby anders gewesen als andere Kinder, arglos und still. Sie hatte immer gesagt, dass Sammy im Gegensatz zu Eliza, die mit hochrot angelaufenem Kopf gebrüllt hatte, wenn sie hungrig war, nie geweint hatte. Er hatte still in seiner Schublade gelegen und gelauscht, als würde irgendeine wunderschöne Musik mit der Brise hereingetragen, die niemand außer ihm hören konnte.

Eliza war es schließlich gelungen, ihre Vermieter davon zu überzeugen, dass Sammy ihnen mehr einbrachte, wenn er für Mr Suttborn Schornsteine fegte. Seit es gesetzlich verboten war, Kinder in die Schornsteine zu schicken, gebe es nicht mehr viele Jungen in Sammys Alter, die diese Arbeit verrichteten, argumentierte sie, und niemand könne die engen Schornsteine über den Dächern von Kensington so gut reinigen wie so ein magerer Knirps mit spitzen Ellbogen, die wie gemacht seien für das Erklimmen dunkler, rußiger Kamine. Dank Sammy waren Mr Suttborns Auftragsbücher immer voll, und ein regelmäßiger Lohn sei doch sicherlich viel mehr wert als die vage Hoffnung, dass Sammy vielleicht hin und wieder etwas Brauchbares im Schlamm entdecken könnte.

So weit zeigten die Swindells Einsicht – sie waren hocherfreut über jede Münze, die Sammy nach Hause brachte, ebenso wie sie das Geld von Sammy und Elizas Mutter gern genommen hatten, als sie noch lebte und Schreibarbeiten für Mr Blackwater erledigte –, aber Eliza wusste nicht, wie lange das noch gut gehen würde. Vor allem Mrs Swindell kannte nichts als ihre Geldgier und sie genoss es, versteckte Drohungen vor sich hin zu murmeln über Wohltäterinnen, die ständig herumschnüffelten, um Gesindel von der Straße ins Armenhaus zu befördern.

Mrs Swindell hatte immer schon Angst vor Sammy gehabt. Sie gehörte zu der Sorte Menschen, die auf alles, was sie sich nicht erklären konnten, mit Angst reagierten. Eliza hatte einmal gehört, wie sie Mrs Barker, der Frau des Kohlenträgers, zuflüsterte, sie habe von Mrs Tether, der Hebamme, die bei den Zwillingen Geburtshilfe geleistet hatte, gehört, Sammy sei mit der Nabelschnur um den Hals auf die Welt gekommen. Er hätte die erste Nacht nicht überlebt und sein erster Atemzug wäre sein letzter gewesen, wären da nicht dunkle Mächte am Werk gewesen. Teufelswerk, sagte sie, die Mutter des Jungen habe mit dem da unten einen Handel ausgemacht. Man brauche ihn doch nur anzusehen – die Art, wie seine Augen tief in einen hineinsähen, die Stille in seinem Körper, so anders als all die anderen Jungen seines Alters –, also wirklich, irgendwas stimme hinten und vorn nicht mit diesem Sammy Makepeace.

Solche verrückten Geschichten sorgten dafür, dass Eliza

Sammy noch leidenschaftlicher beschützte. Manchmal, wenn sie nachts im Bett lag und die Swindells schimpfen und deren kleine Tochter Hatty wie am Spieß brüllen hörte, malte sie sich gern lauter schreckliche Dinge aus, die Mrs Swindell zustoßen könnten. Dass sie beim Waschen ins Feuer fiel oder auf dem glitschigen Boden ausrutschte, unter die Wäschemangel geriet und zerquetscht wurde oder kopfüber in einen Waschbottich mit kochender Lauge stürzte und nur die dürren Beine als Beweis ihres grausamen Endes aus dem Bottich ragten …

Wenn man vom Teufel spricht, ist er nicht weit. Um die Ecke zur Battersea Bridge Road bog Mrs Swindell, über der Schulter einen prall mit Diebesgut gefüllten Beutel. Sie kehrte zurück nach einem ertragreichen Tag, den sie mit der Jagd auf hübsch gekleidete kleine Mädchen zugebracht hatte. Eliza schob sich auf dem Regal von dem Mauerspalt weg und hangelte sich an der Schornsteinkante entlang auf den Fußboden hinunter.

Es war Elizas Aufgabe, die Kleider zu waschen, die Mrs Swindell mit nach Hause brachte. Manchmal, wenn sie die Sachen im heißen Waschwasser umrührte und achtgab, dass sie nicht die spinnennetzartige Spitze beschädigte, fragte sich Eliza, was die kleinen Mädchen wohl denken mochten, wenn sie Mrs Swindell näher kommen und mit der Konfekttüte wedeln sahen, der Tüte, die gefüllt war mit bunten Glasscherben. Nicht dass die Mädchen jemals nah genug an die Tüte herankamen, um die Täuschung zu durchschauen. Keine Sorge. Sobald sie die Mädchen erst einmal allein in eine Gasse gelockt hatte, riss Mrs Swindell ihnen die hübschen Kleidchen so schnell vom Leib, dass sie nicht einmal Zeit hatten zu schreien. Bestimmt hatten sie danach Albträume, dachte Eliza, so ähnlich wie sie selbst von Träumen verfolgt wurde, in denen Sammy in einem Schornstein stecken blieb. Einerseits taten ihr die Mädchen leid – Mrs Swindell auf der Jagd konnte Angst und Schrecken verbreiten –, andererseits waren sie selbst schuld. Was mussten sie auch so gierig sein und immer noch mehr haben wollen, als sie sowieso schon besaßen. Eliza wunderte sich immer wieder darüber, dass junge Mädchen aus reichem Haus, die mit schicken Kinderwagen und Spitzenkleidchen aufwuchsen, Mrs Swindell wegen einer Tüte Süßigkeiten zum Opfer fielen. Sie konnten von Glück reden, dass sie nicht mehr als ein Kleidchen und ein bisschen Seelenfrieden verloren. In Londons dunklen Gassen konnte man weit schlimmere Verluste erleiden.

Unten im Haus wurde die Tür zugeschlagen.

»Wo steckst du denn, du Göre?« Die Stimme kam die Treppe heraufgerollt, ein heißer Ball aus Gift. Eliza zuckte zusammen, als sie begriff: Die Jagd war nicht erfolgreich gewesen, eine Tatsache, die für alle Bewohner des Hauses Battersea Bridge Road 35 nichts Gutes verhieß. »Komm runter und mach das Essen fertig, sonst setzt es eine Tracht Prügel.«

Eliza eilte die Treppe hinunter in den Laden. Ihr Blick glitt über die undeutlichen Silhouetten, ein Sammelsurium aus Flaschen, Schachteln und Kleidern, in der Dunkelheit auf bizarre geometrische Formen reduziert. Neben dem Tresen bewegte sich eine dieser Silhouetten. Wie eine Schlammkrabbe stand Mrs Swindell über ihre Tasche gebeugt und kramte Spitzenkleidchen hervor. »Steh nicht rum und glotz wie dieser Schwachkopf von deinem Bruder; zünd die Laterne an, du dummes Gör.«

»Der Eintopf steht auf dem Ofen, Mrs Swindell«, erwiderte Eliza und beeilte sich, die Gaslampe anzuzünden. »Und die Kleider sind schon fast trocken.«

»Das will ich auch hoffen. Schließlich ist Wäschewaschen deine einzige Beschäftigung, während ich mich tagein, tagaus da draußen abrackere, um ein bisschen Geld zu verdienen. Manchmal denke ich, ich wäre besser dran, wenn ich mich selbst darum kümmern und dich und deinen Bruder rauswerfen würde.« Sie seufzte angewidert und setzte sich auf ihren Stuhl. »Komm her und zieh mir die Schuhe aus.«

Während Eliza auf dem Boden kniete und die engen Schuhe lockerte, ging die Tür erneut auf. Es war Sammy, von Kopf bis Fuß schwarz vom Kohlenstaub. Wortlos streckte Mrs Swindell ihre knochige Hand aus.

Sammy wühlte in der Brusttasche seiner Latzhose. Zog zwei Goldmünzen hervor und gab sie gehorsam ab. Mrs Swindell beäugte sie misstrauisch, trat Eliza mit ihrem schweißfeuchten Fuß aus dem Weg und humpelte zu ihrer Geldschatulle. Mit einem schlitzäugigen Blick über die Schulter zog sie den Schlüssel aus der Brusttasche ihrer Bluse und steckte ihn in das Schloss. Legte die beiden Münzen zu den anderen und überschlug gierig schmatzend die Gesamtsumme.

Sammy trat an den Herd, während Eliza zwei Schalen holte. Sie aßen nie gemeinsam mit den Swindells. Damit die beiden, wie Mrs Swindell sich ausdrückte, nicht auf die Idee kamen, sie könnten zur Familie gehören. Schließlich seien sie nur bezahlte Hilfskräfte, eher Bedienstete als Mieter. Eliza teilte Sammy eine Portion Eintopf zu, wobei sie jedoch ein Sieb über die Schalen hielt, wie Mrs Swindell es verlangte, weil sie das gute Fleisch nicht für so undankbare Taugenichtse vergeuden wollte.

»Du bist müde«, flüsterte Eliza. »Du bist heute Morgen schon so früh losgegangen.«

Sammy schüttelte den Kopf, er mochte es nicht, wenn sie sich Sorgen machte.

Eliza warf einen kurzen Blick zu Mrs Swindell hinüber, vergewisserte sich, dass sie ihnen immer noch den Rücken zukehrte, und gab ein kleines Stückchen Haxe in Sammys Schale.

Er schaute Eliza mit seinen großen Augen an und riskierte ein zaghaftes Lächeln. Als sie ihn so dasitzen sah, mit hängenden Schultern von der schweren Arbeit, das Gesicht voller Ruß aus den Schornsteinen reicher Leute, dankbar für ein Stückchen ledriger Haxe, hätte sie seinen schmalen Körper am liebsten in die Arme genommen und ihn nie mehr losgelassen.

»Sieh mal einer an, was für ein rührender Anblick«, sagte Mrs Swindell und klappte den Deckel der Schatulle zu. »Der arme Mr Swindell muss sich da draußen abrackern und nach was Verwertbarem im Schlamm wühlen, bloß um eure undankbaren Mäuler zu stopfen« – sie fuchtelte mit ihrem knubbligen Finger vor Sammys Nase –, »während so ein Rotzbengel wie du in seinem Haus herumlungert. Das kann ja wohl nicht angehen, und das dulde ich nicht, lass es dir gesagt sein. Wenn diese Wohltäterinnen das nächste Mal hier auftauchen, bist du reif.«

»Hat Mr Suttborn morgen wieder Arbeit für dich, Sammy?«, fragte Eliza hastig.

Sammy nickte.

»Und übermorgen?«

Wieder nickte er.

»Das sind noch mal zwei Goldmünzen diese Woche, Mrs Swindell.«

Wie gut es ihr gelang, ihrer Stimme einen unterwürfigen Ton zu verleihen!

Und wie wenig es nützte.

»Frechheit! Wie kannst du es wagen, Widerworte zu geben? Wenn Mr Swindell und ich nicht wären, hätten sie euch Rotznasen längst ins Armenhaus gesteckt und würden euch dort die Fußböden schrubben lassen.«

Eliza holte tief Luft. In einer der letzten Anstrengungen, die ihre Mutter vor ihrem Tod unternommen hatte, war es ihr gelungen, Mrs Swindell die Zusicherung abzuringen, dass Sammy und Eliza als Mieter weiterhin unter ihrem Dach bleiben könnten, solange sie die Miete aufbrachten und Haushaltsgeld zahlten. »Aber Mrs Swindell«, erwiderte Eliza vorsichtig, »Mutter hat gesagt, Sie hätten sich verpflichtet …«

»Verpflichtet? Verpflichtet?« In ihren wutverzerrten Mundwinkeln bildeten sich Speichelbläschen. »Ich besorg dir gleich verpflichtet. Ich habe mich dazu verpflichtet, dir den Hintern zu versohlen, bis du nicht mehr sitzen kannst.« Sie sprang auf und langte nach einem Lederriemen, der neben der Tür hing.

Eliza blieb tapfer stehen, auch wenn ihr Herz wie verrückt klopfte.

Mrs Swindell trat einen Schritt vor, dann blieb sie plötzlich stehen, und ein grausamer Zug legte sich um ihren Mund. Wortlos drehte sie sich zu Sammy um. »Du da«, sagte sie. »Komm her.«

»Nein«, rief Eliza mit einem Blick in Sammys Richtung. »Nein, es tut mir leid, Mrs Swindell. Es war wirklich unverschämt von mir, Sie haben recht. Ich … ich werde es wiedergutmachen. Morgen werde ich im Laden Staub wischen und die Eingangstreppe schrubben. Ich werde … ich werde …«

»Das Klo scheuern und den Dachboden von Ratten befreien.«

»Ja«, nickte Eliza. »Das mache ich alles.«

Mit beiden Händen zog Mrs Swindell den Riemen vor sich straff und blickte mit zusammengekniffenen Augen über den ledernen Horizont hinweg von Eliza zu Sammy. Schließlich ließ sie ein Ende los und hängte den Riemen wieder an seinen Platz neben der Tür.

»Danke, Mrs Swindell«, flüsterte Eliza, der vor Erleichterung beinahe schwindlig wurde.

Mit zittrigen Händen reichte sie Sammy die Schale mit Eintopf und ergriff die Schöpfkelle, um sich selbst eine Portion zu nehmen.

»Stopp!«, fauchte Mrs Swindell.

Eliza blickte auf.

»Du«, sagte Mrs Swindell und zeigte auf Sammy. »Du putzt die neuen Flaschen und räumst sie ins Regal. Eintopf gibt's erst, wenn du damit fertig bist.« Dann wandte sie sich an Eliza. »Und du, verschwinde nach oben und mach, dass du mir aus den Augen kommst.« Ihre schmalen Lippen zitterten. »Du gehst heute Abend leer aus, zur Strafe für deine Aufsässigkeit.«

Als kleines Mädchen hatte Eliza sich oft vorgestellt, dass ihr Vater eines Tages kommen und sie retten würde. Nach ihrer Mutter und dem Ripper eignete sich ihr Vater als tapferer Held hervorragend für Elizas Geschichten. Manchmal, wenn ihr das Auge schon vom Druck gegen den Spalt in der Mauer schmerzte, streckte sie sich oben auf dem Regalbrett aus und träumte von ihrem heldenhaften Vater. Dann redete sie sich ein, dass ihre Mutter sich geirrt hatte, dass er in Wirklichkeit gar nicht ertrunken, sondern auf eine wichtige Entdeckungsreise geschickt worden war und eines Tages zurückkehren würde, um sie von den Swindells zu befreien.

Sie wusste, dass es nur ein Wunschtraum war, der sich ebenso wenig erfüllen würde, wie damit zu rechnen war, dass Feen und Kobolde aus den Mauerritzen am Kamin sprangen, doch das minderte ihr Vergnügen, sich die Rückkehr ihres Vaters in allen Farben auszumalen, nicht im Geringsten. Er würde vor dem Haus der Swindells auftauchen – hoch zu Ross natürlich. Er würde nicht in einer Kutsche sitzen, sondern als Reiter auf einem schwarzen Pferd mit glänzender Mähne und langen, muskulösen Beinen erscheinen. Und die Leute auf der Straße würden alles stehen und liegen lassen, um diesen Mann zu bestaunen, ihren Vater, in seinem schmucken schwarzen Reiterkostüm. Mrs Swindell mit ihrem verhärmten, verkniffenen Gesicht würde über ihre Wäscheleine lugen, über all die hübschen Kleidchen hinweg, die sie am Morgen geraubt hatte, und sie würde Mrs Barker zurufen, sie solle herkommen und sich ansehen, was geschah. Und alle würden wissen, wer dieser Mann war, dass er Elizas und Sammys Vater war, der kam, um seine Kinder zu retten. Und er würde mit ihnen zum Fluss hinunterreiten, wo sein Schiff vor Anker lag, und sie würden über die Meere segeln in ferne Länder, von denen sie noch nie etwas gehört hatte.

Manchmal, wenn es Eliza gelungen war, sie dazu zu überreden, mit ihr zusammen Geschichten zu erfinden, hatte ihre Mutter vom Meer erzählt. Denn sie hatte es mit eigenen Augen gesehen und konnte ihre Geschichten mit magischen Geräuschen und Gerüchen untermalen – krachende Brecher und salzige Luft und feiner weißer Sand, ganz anders als die schwarzen Ablagerungen im Flussschlamm. Leider kam es nur selten vor, dass ihre Mutter sich aufs Geschichtenerzählen einließ. Denn im Grunde mochte sie keine Geschichten, schon gar nicht die von Elizas heldenhaftem Vater. »Du musst lernen, zwischen Märchen und Wahrheit zu unterscheiden, Liebes«, sagte sie immer wieder. »Märchen haben die Angewohnheit, zu früh zu enden. Man erfährt nie, was hinterher geschieht, nachdem der Prinz und die Prinzessin glücklich entschwunden sind.«

»Was meinst du damit, Mama?«, fragte Eliza.

»Was geschieht mit ihnen, wenn sie sich in der Welt zurechtfinden müssen? Wenn sie Geld verdienen und sich den Fährnissen des Lebens stellen müssen?«

Eliza konnte das nicht verstehen. Die Frage kam ihr albern vor, auch wenn sie das ihrer Mutter nicht sagte. Es ging um Prinzen und Prinzessinnen, die brauchten sich nicht in der Welt zurechtzufinden, die mussten bloß bis in ihr Zauberschloss gelangen.

»Du darfst nicht darauf warten, dass jemand kommt, um dich zu retten«, fuhr ihre Mutter dann fort, den Blick in die Ferne gerichtet. »Ein Mädchen, das auf einen Retter wartet, lernt nicht, auf eigenen Füßen zu stehen. Selbst wenn es die Mittel hat, fehlt ihm der Mut. So darfst du nicht werden, Eliza. Du musst den Mut finden, für dich selbst zu sorgen, du darfst dich nicht auf andere verlassen.«

Allein in ihrem Dachzimmer, kochend vor Wut auf Mrs Swindell und voller Zorn über ihre eigene Machtlosigkeit, kletterte Eliza in den unbenutzten offenen Kamin. Vorsichtig, ganz langsam, machte sie sich so lang, wie sie konnte, ertastete den losen Ziegelstein und zog ihn heraus. In der kleinen Nische dahinter berührten ihre Finger den vertrauten Deckel des kleinen tönernen Senfkrugs, seine kühle Oberfläche und die abgerundeten Ecken. Darauf bedacht, nur ja kein Geräusch zu machen, das durch den Kamin nach unten und an Mrs Swindells Ohren dringen konnte, nahm sie den Krug aus seinem Versteck.

Der Krug hatte ihrer Mutter gehört, und er war jahrelang ihr Geheimnis gewesen. Wenige Tage vor ihrem Tod hatte sie Eliza in einem ihrer seltenen wachen Momente von dem Versteck erzählt und sie gebeten, ihr zu bringen, was sich darin befand. Eliza hatte ihr den Tonkrug ans Bett gebracht, voller Verwunderung über den rätselhaften, geheimen Gegenstand.

Vor Aufregung kribbelten Eliza die Fingerspitzen, während sie darauf wartete, dass ihre Mutter den Deckel entfernte. In den letzten Tagen waren Mamas Bewegungen unbeholfen geworden, zudem klebte der Deckel an einem Wachsrand fest. Doch schließlich gelang es ihr, ihn zu lösen.

Eliza blieb vor Verblüffung beinahe das Herz stehen. Sie hatte so viele Fragen, und dennoch brachte sie kein einziges Wort heraus. In dem Krug befand sich eine Brosche, bei deren Anblick Mrs Swindell heiße Tränen über das verhärmte Gesicht gelaufen wären. Sie war so groß wie ein Penny, und der Rand war mit Edelsteinen besetzt, roten, grünen und funkelnden weißen.

Elizas erster Gedanke war, dass die Brosche gestohlen sein musste, auch wenn sie sich nicht vorstellen konnte, dass ihre Mutter so etwas tun könnte. Aber wie sonst sollte sie in den Besitz eines solch prächtigen Schatzes gelangt sein? Wo konnte er herkommen?

So viele Fragen, doch Eliza wagte nicht, sie auszusprechen, und hätte sie etwas gesagt, hätte ihre Mutter sicher sowieso nichts gehört, denn sie war mit einem Gesichtsausdruck in den Anblick der Brosche versunken, den Eliza noch nie zuvor bei ihr gesehen hatte.

»Diese Brosche bedeutet mir sehr viel«, stieß ihre Mutter hervor, »sehr, sehr viel.« Sie drückte Eliza den Tonkrug in die Hand, so als könnte sie es nicht länger ertragen, ihn zu berühren.

Der glasierte Topf fühlte sich glatt und kühl an. Eliza wusste nicht, wie sie sich verhalten sollte. Die Brosche, der seltsame Gesichtsausdruck ihrer Mutter … es kam alles so plötzlich.

»Weißt du, was das ist, Eliza?«

»Eine Brosche, Mama. Ich habe schon öfter elegante Damen gesehen, die so etwas tragen.«

Ihre Mutter lächelte schwach, sodass Eliza schon glaubte, die falsche Antwort gegeben zu haben.

»Oder vielleicht ein Anhänger? Der sich von der Kette gelöst hat?«

»Die erste Antwort war schon richtig, Eliza. Es ist eine Brosche, und zwar eine ganz besondere.« Sie rang die Hände. »Weißt du, was das ist hinter dem Glas?«

Eliza betrachtete das Muster aus rot-gold gewirkten Fäden. »Vielleicht eine Stickerei?«

Wieder lächelte ihre Mutter. »In gewisser Weise ja, aber nicht aus Fäden hergestellt.«

»Aber ich sehe die Fäden. Sie sind zu einer Schnur geflochten.«

»Es sind Haarsträhnen, Eliza, von den Frauen meiner Familie. Von meiner Großmutter, meiner Urgroßmutter und meiner Ururgroßmutter. Das ist eine Tradition. Eine solche Brosche wird Trauerbrosche genannt.«

»Warum?«

Ihre Mutter streichelte zärtlich über Elizas Zopf. »Weil sie uns an diejenigen erinnert, die von uns gegangen sind. Die vor uns da waren und uns zu dem gemacht haben, was wir sind.«

Eliza nickte feierlich, weil sie spürte, auch wenn ihr nicht ganz klar war, warum, dass ihre Mutter ihr etwas Wichtiges anvertraute.

»Die Brosche ist sehr wertvoll, Eliza, doch ich habe es nie übers Herz bringen können, sie zu verkaufen. Ich bin immer wieder

Opfer meiner Sentimentalität geworden, aber das sollte dich nicht aufhalten.«

»Was meinst du damit?«

»Ich bin sehr, sehr krank, mein Kind. Eines Tages wirst du für Sammy und dich selbst sorgen müssen. Es könnte notwendig werden, die Brosche zu verkaufen.«

»Nein, Mama …«

»Es könnte notwendig werden, und du wirst dich entscheiden müssen. Lass dich nicht von meinen Gefühlen beeinflussen, hörst du?«

»Ja, Mama.«

»Aber wenn du sie verkaufen musst, Eliza, sei sehr vorsichtig. Sie darf nicht offiziell verkauft werden, es darf darüber keine Unterlagen geben.«

»Warum denn nicht?«

Ihre Mutter schaute sie an. Eliza kannte den Blick, so hatte sie Sammy schon oft angesehen, wenn sie überlegt hatte, wie viel sie ihm sagen konnte.

»Weil meine Familie es herausfinden würde.« Eliza schwieg. Es kam äußerst selten vor, dass ihre Mutter über ihre Familie oder über ihre Vergangenheit sprach. »Ich fürchte, meine Familie hat die Brosche als gestohlen gemeldet.«

Eliza hob erschrocken die Brauen.

»Fälschlicherweise, Liebes, denn sie gehört mir. Meine Mutter hat sie mir zu meinem sechzehnten Geburtstag geschenkt, sie ist ein Erbstück, das sich schon lange im Besitz unserer Familie befindet.«

»Aber wenn sie dir doch gehört, warum darf dann niemand wissen, dass du sie hast?«

»Der Verkauf würde unseren Aufenthaltsort verraten, und das darf nicht geschehen.« Sie nahm Elizas Hand, die Augen geweitet, das Gesicht blass von der Mühe, die ihr das Sprechen bereitete. »Hast du das verstanden?«

Eliza nickte, sie hatte verstanden. Zumindest halbwegs. Ihre Mutter machte sich Sorgen wegen des bösen Mannes, vor dem sie die Kinder immer wieder warnte. Der überall sein konnte, hinter Ecken lauerte und darauf wartete, sie zu fangen. Eliza hatte diese Geschichten immer gemocht, auch wenn ihre Mutter nie genug Einzelheiten beschrieb, um ihre Neugier zu befriedigen. Es blieb Eliza überlassen, die Warnungen ihrer Mutter mit Details auszuschmücken, dem Mann ein Glasauge zu verpassen und einen Korb mit Schlangen sowie einen geifernden Mund, wenn er höhnisch lachte.

»Soll ich dir deine Medizin holen, Mama?«

»Ach, Eliza, du bist ein gutes Mädchen.«

Eliza stellte den Tonkrug neben ihre Mutter aufs Bett und holte die kleine Flasche mit dem Laudanum. Als sie zurückkam, berührte ihre Mutter eine Strähne, die sich aus Elizas Zopf gelöst hatte.

»Sorge gut für Sammy«, sagte sie. »Und pass auf dich selbst auf. Denk immer daran, dass auch der scheinbar Schwache etwas verändern kann. Du musst tapfer sein, wenn ich … falls mir irgendetwas zustoßen sollte.«

»Natürlich, Mama, aber dir wird nichts zustoßen.« Eliza glaubte ihren eigenen Worten nicht, und ihre Mutter ebenso wenig. Jeder wusste, was mit Leuten geschah, die an Schwindsucht litten.

Mit Mühe nahm ihre Mutter einen Schluck von ihrer Medizin und lehnte sich dann erschöpft zurück. Ihr rotes Haar breitete sich auf dem Kopfkissen aus, sodass die Narbe an ihrem bleichen Hals zu sehen war, die feine Linie, die nie schwächer geworden war und die Eliza zu ihrer Geschichte von der Begegnung ihrer Mutter mit dem Ripper inspiriert hatte. Eine von vielen Geschichten, die sie ihrer Mutter nie erzählte.

Mit noch immer geschlossenen Augen sprach ihre Mutter jetzt hastig und stoßweise: »Eliza, meine Kleine, ich sage es nur einmal. Wenn er dich findet und du fliehen musst, dann, und nur dann, nimm den Krug. Geh mit der Brosche nicht zu Christie's, auch nicht zu den anderen großen Auktionshäusern. Die bewahren alle Unterlagen auf. Geh einfach um die nächste Straßenecke und frag im Haus von Mr Baxter. Er wird dir sagen, wie du Mr John Picknick findest. Mr Picknick wird wissen, was zu tun ist.« Ihre Augenlider zitterten von der Anstrengung, die sie die Worte gekostet hatten. »Hast du verstanden?«

Eliza nickte.

»Hast du verstanden?«

»Ja, Mama, ich habe verstanden.«

»Bis es so weit ist, vergiss einfach, dass die Brosche überhaupt existiert. Fass sie nicht an, zeig sie auch nicht Sammy, erzähl keiner Menschenseele davon. Und, Eliza?«

»Ja, Mama?«

»Sieh dich immer vor dem Mann vor, von dem ich dir erzählt habe.«

Und Eliza hatte Wort gehalten. Wenigstens weitgehend. Sie hatte den Krug nur zweimal hervorgeholt, und das auch nur, um die Brosche anzuschauen. Um leicht mit den Fingerspitzen über die Oberseite zu fahren, genau wie ihre Mutter es getan hatte, um ihre Magie, ihre unschätzbare Kraft zu spüren, dann hatte sie den Deckel wieder sorgsam mit Wachs versiegelt und den Krug an seinen Ort zurückgestellt.

Aber als sie den Krug diesmal erneut herausnahm, tat sie es nicht, um die Trauerbrosche ihrer Mutter zu betrachten. Eliza bewahrte mittlerweile selbst etwas in dem Krug auf. Ihren eigenen Schatz, ihre eigene Vorsorge für die Zukunft. Sie hob den kleinen Lederbeutel heraus und umfasste ihn fest mit ihrer Hand. Zog Kraft aus seiner Festigkeit. Sammy hatte das Beutelchen auf der Straße gefunden und ihr geschenkt. Das Spielzeug irgendeines reichen Kindes, verloren und vergessen, gefunden und wieder zum Leben erweckt. Eliza hatte es sofort versteckt. Sie wusste genau, dass die Swindells, falls sie es zu Gesicht bekämen, große Augen machen, es ihr abnehmen und in ihren Laden bringen würden. Aber Eliza wollte dieses Kleinod für sich behalten. Es war ein Geschenk, und es gehörte jetzt ihr. Es gab nicht viel, wovon sie das hätte behaupten können.

Sie brauchte ein paar Wochen, bis sie eine Verwendung dafür fand, als Versteck für ihre geheimen Münzen, die der Rattenfänger Matthew Rodin ihr gezahlt hatte und von denen die Swindells nichts wussten. Eliza besaß großes Geschick im Rattenfangen, auch wenn sie es nur widerstrebend tat. Schließlich versuchten die Ratten auch nur, so gut es ging in einer Stadt zu überleben, die weder etwas für die Sanftmütigen noch für die Schwachen übrig hatte. Sie versuchte nicht daran zu denken, was ihre Mutter davon halten würde – sie hatte immer ein Herz für Tiere gehabt –, und sagte sich, dass ihr einfach nichts anderes übrig blieb. Wenn sie und Sammy je eine Chance haben wollten, dann brauchten sie eigenes Geld. Geld, von dem die Swindells nichts ahnten.

Eliza saß am Rand des Kamins, den Tonkrug auf dem Schoß, und wischte sich die rußigen Hände an der Innenseite ihres Rocks ab. Es wäre nicht gut, sie dort abzuwischen, wo Mrs Swindell es bemerken würde. Sie durfte auf keinen Fall deren Verdacht erregen.

Als Eliza überzeugt war, dass ihre Hände sauber genug waren, löste sie das seidene Band an dem Beutelchen, weitete vorsichtig die Öffnung und lugte hinein.

Sorg für dich selbst, hatte ihre Mutter ihr aufgetragen, und kümmere dich um Sammy. Und genau das hatte Eliza vor. In dem Beutel befanden sich vier Münzen. Zwölf Pence. Noch drei Pence, und sie hätte genug, um fünfzig Apfelsinen kaufen zu können. Das war alles, was sie brauchten, um als Apfelsinenverkäufer anzufangen. Von dem Geld, das sie dabei verdienen würden, könnten sie sich neue Apfelsinen kaufen, und dann würden sie eigenes

Geld verdienen. Sie hätten ihr eigenes kleines Geschäft. Und dann hätten sie die Freiheit, sich ein neues Zuhause zu suchen, wo sie sicher wären vor den habgierigen, bösartigen Blicken der Swindells und vor der immerwährenden Gefahr, den Wohltäterinnen ausgeliefert und ins Armenhaus gesteckt zu werden …

Schritte auf dem Treppenabsatz.

Eliza verstaute die Münzen schnell wieder, zog den kleinen Beutel zu und schob ihn in den Tonkrug. Mit klopfendem Herzen stellte sie den Krug zurück in den Schornstein; sie würde ihn später versiegeln. Gerade rechtzeitig gelang es ihr, sich auf ihr klappriges Bett zu setzen, als wäre nichts geschehen.

Als sich die Tür öffnete, stand Sammy da, von Kopf bis Fuß rußgeschwärzt.

In der dunklen Tür, eine schwach brennende Kerze in der Hand, kam er Eliza so dünn vor, dass sie zuerst dachte, es läge am Zwielicht. Als sie ihn anlächelte, trat er zu ihr, langte in seine Tasche und holte eine kleine Kartoffel hervor, die er aus Mrs Swindells Vorratsschrank stibitzt hatte.

»Sammy!«, schalt sie ihn und nahm die weiche Kartoffel. »Du weißt doch genau, dass sie sie immer abzählt. Sie kann sich ausrechnen, dass du sie genommen hast.«

Sammy zuckte die Achseln und begann, sich in der Waschschüssel neben dem Bett das Gesicht zu reinigen.

»Danke«, sagte Eliza und verstaute die Kartoffel schnell in ihrem Nähkorb, als Sammy wegsah. Sie würde sie am nächsten Morgen zurücklegen.

»Es wird kalt«, sagte sie und zog ihre Kittelschürze aus, unter der sie nur einen Unterrock trug. »Dieses Jahr kommt die Kälte ziemlich früh.« Zitternd legte sie sich ins Bett unter die dünne graue Decke.

In Unterhemd und Unterhose schlüpfte Sammy zu Eliza unter die Decke. Seine Füße waren eiskalt, und sie versuchte sie mit ihren eigenen zu wärmen.

»Alles wird gut werden«, sagte Eliza in Gedanken an ihr ledernes Beutelchen und an die zwölf Pence, die sich darin befanden. »Ich werde dafür sorgen, Sammy, ich versprech es dir.«

Schweigen.

»Soll ich dir eine Geschichte erzählen?«

Sie spürte, wie sich sein Kopf bewegte und seine Haare ihre Wange kitzelten, als er nickte. Und so begann sie mit ihrer Lieblingsgeschichte: »Es war einmal vor langer Zeit, die Nacht war kalt und dunkel, und die junge Prinzessin war ganz allein auf der Straße unterwegs. Die Zwillinge in ihrem Bauch strampelten und wanden sich, als sie hinter sich Schritte vernahm. Sofort wusste sie, welch böse Gestalt ihr nachstellte ...«

Diese Geschichte erzählte sie schon seit Jahren, allerdings nicht, wenn ihre Mutter in der Nähe war, die immer fürchtete, sie würde Sammy mit solchen Schauergeschichten bloß Angst einjagen. Ihre Mutter verstand nicht, dass Kinder keine Angst vor Geschichten hatten, dass sie in der Realität weitaus beängstigendere Dinge erlebten, als in diesen Märchen je vorkamen.

15 *London* *England, 2005*

Bens Tochter Ruby erwartete Cassandra am Londoner Flughafen Heathrow. Eine mollige Frau von Ende fünfzig mit rotem Gesicht und kurzem silbergrauem Haar, die Entschlussfreudigkeit ausstrahlte. Sie besaß eine Energie, die die Atmosphäre um sie herum aufzuladen schien, und gehörte zu der Sorte Mensch, die von anderen bemerkt wurde. Noch ehe Cassandra ihre Verwunderung darüber ausdrücken konnte, dass sie von dieser Fremden am Flughafen abgeholt wurde, hatte Ruby bereits ihren Koffer in der Hand, legte ihr einen fleischigen Arm um die

Schultern und bugsierte sie durch die Glastür des Flughafens in das nach Auspuffgasen stinkende Parkhaus.

In ihrem Auto, einem ramponierten, älteren Modell, roch es nach Moschus und ziemlich chemisch nach irgendeiner Blumenart, die Cassandra nicht identifizieren konnte. Nachdem sie sich angeschnallt hatten, holte Ruby eine Tüte Lakritzkonfekt aus ihrer Handtasche und hielt sie Cassandra hin, die sich einen kleinen, grün-weiß-schwarz gestreiften Würfel herausklaubte.

»Ich bin süchtig nach dem Zeug«, erklärte Ruby und schob sich ein rosafarbenes Konfekt in den Mund, das sogleich in ihre Wange wanderte. »Total süchtig. Ich kann gar nicht genug davon kriegen.« Sie kaute einen Moment lang energisch, dann schluckte sie. »Na ja. Das Leben ist zu kurz, um sich zu mäßigen, findest du nicht auch?«

Trotz der späten Stunde herrschte reger Verkehr auf den Straßen. Zügig ging es durch die nächtliche Stadt unter Bogenlampen hindurch, die orangefarbenes Licht auf den Asphalt warfen. Ruby fuhr schnell, trat nur, wenn es unbedingt notwendig war, scharf auf die Bremse und bedachte Fahrer, die es wagten, ihr in die Quere zu kommen, mit ungehaltenen Gesten und Kopfschütteln, während Cassandra zum Fenster hinausschaute und versuchte, die Entwicklungsgeschichte von Londons ringförmig angelegter Architektur nachzuvollziehen. Sie mochte es, Städte auf diese Weise zu erfassen. Eine Fahrt von den Außenbezirken ins Zentrum glich meist einer Zeitreise in die Vergangenheit. Von den modernen Flughafenhotels aus gelangte man über die breiten Verkehrsschneisen erst zu den Waschbeton-Doppelhäusern aus den Vierzigerjahren, dann zu den Jugendstil-Apartmenthäusern und schließlich in das dunkle, von prächtigen viktorianischen Stadtvillen geprägte Herz. Als sie sich dem Zentrum Londons näherten, fiel Cassandra ein, dass sie Ruby den Namen des Hotels nennen musste, das sie für die zwei Nächte gebucht hatte, die sie in London verbringen würde, ehe sie nach Cornwall weiterfuhr. Sie kramte in ihrer Handtasche nach der Klarsichthülle, in der sie ihre Reisedokumente aufbewahrte. »Ruby«, sagte sie, »sind wir in der Nähe von Holborn?«

»Holborn? Nein. Das liegt auf der anderen Seite der Stadt. Warum?«

»Da befindet sich mein Hotel. Ich kann mir natürlich ein Taxi nehmen; es ist nicht nötig, dass Sie mich – dass du mich den weiten Weg dorthin fährst.«

Ruby schaute sie so lange an, dass Cassandra schon befürchtete, dass sie die Straße nicht mehr im Auge behalten konnte. »Hotel? Kommt überhaupt nicht infrage.« Sie wechselte den Gang und konnte gerade noch rechtzeitig bremsen, um eine Kollision mit dem blauen Lieferwagen vor ihr zu vermeiden. »Du kommst mit zu mir, und keine Widerrede.«

»Nein, nein«, erwiderte Cassandra, der der Schreck über den Beinahezusammenstoß noch in den Gliedern steckte. »Das geht nicht, das macht zu viele Umstände.« Langsam entspannte sich ihre Hand auf dem Türgriff wieder. »Außerdem kann ich die Buchung jetzt nicht mehr stornieren.«

»Ach was, dazu ist es nie zu spät. Das erledige ich schon für dich.« Als Ruby sich Cassandra wieder zuwandte, quetschte ihr der Sicherheitsgurt eine ihrer großen Brüste ein, sodass sie ihr beinahe aus der Bluse quoll. Sie lächelte. »Und es ist überhaupt kein Problem, ich habe ein Bett für dich bezogen und freue mich schon darauf.« Sie grinste. »Mein Vater würde mir das Fell über die Ohren ziehen, wenn er mitbekäme, dass ich dich in ein Hotel gehen lasse.«

Als Ruby in South Kensington den Wagen rückwärts in eine winzige Parklücke setzte, stockte Cassandra der Atem vor Angst und gleichzeitig Respekt gegenüber dem gesunden Selbstbewusstsein dieser Frau.

»So, da wären wir.« Ruby zog den Zündschlüssel ab und gestikulierte in Richtung eines weißen Hauses auf der anderen Straßenseite. »Mein bescheidenes Heim.«

Die winzige Wohnung lag nach hinten hinaus im zweiten Stock einer edwardianischen Stadtvilla hinter einer gelb gestrichenen Tür. Sie bestand aus einem Schlafzimmer, einem kleinen Bad mit Dusche und Toilette und einem Wohnzimmer mit Kochnische. Ruby hatte das Schlafsofa für Cassandra schon vorbereitet.

»Nur drei Sterne, fürchte ich«, sagte sie. »Beim Frühstück werde ich das wiedergutmachen …«

Als Cassandra betreten die Kochnische beäugte, musste Ruby so lachen, dass ihre lindgrüne Bluse bebte. Sie wischte sich die Augen. »Ach du liebe Güte, nein. Ich habe nicht vor, selbst zu kochen. Warum sich so einen Stress machen, wenn andere diese Kunst erheblich besser beherrschen? Wir gehen um die Ecke ins Carluccio's.« Sie schaltete den Wasserkocher ein.

»Tee?«

Cassandra lächelte schwach. Viel eher war ihr danach, die Gesichtsmuskeln zu entspannen, um ihr angestrengtes Dauerlächeln loszuwerden. Vielleicht lag es ja daran, dass sie so viele Stunden hoch oben über der Erde verbracht hatte, oder vielleicht war es auch nur ihre eher ungesellige Art, aber sie musste all ihre Energie aufbringen, um die Fassade zu wahren. Eine Tasse Tee würde bedeuten, dass sie mindestens noch zwanzig weitere Minuten lächeln und nicken und, schlimmer noch, auf Rubys ständige Fragen eingehen müsste. Einen Augenblick lang dachte sie sehnsüchtig und zugleich schuldbewusst an das Hotelzimmer am anderen Ende der Stadt. Dann bemerkte sie, dass Ruby bereits Teebeutel in zwei Tassen gehängt hatte. »Ja, eine Tasse Tee wäre prima.«

»Bitte«, sagte Ruby und reichte Cassandra eine dampfende Tasse. Sie setzte sich ans Ende des Sofas und sah Cassandra freudestrahlend an. Um sie herum breitete sich eine moschusgeschwängerte Wolke aus. »Fühl dich ganz wie zu Hause«, sagte sie und deutete auf die Zuckerdose. »Beim Teetrinken kannst du mir alles über dich erzählen. Wie aufregend, dieses Haus in Cornwall.«

Nachdem Ruby endlich ins Bett gegangen war, versuchte Cassandra zu schlafen. Sie war hundemüde, alle Farben, Geräusche und Formen um sie herum verschwammen, und doch fand sie keinen Schlaf.

Bilder und Gesprächsfetzen wirbelten ihr durch den Kopf, ein nicht enden wollender Strom von Gedanken und Gefühlen, die alle nur ihre derzeitige Situation zum Inhalt hatten: Nell und Ben, der Antiquitätenstand, ihre Mutter, der lange Flug, der Flughafen, Ruby, Eliza Makepeace und ihre Märchen …

Irgendwann verwarf sie schließlich endgültig den Gedanken an Schlaf, schob das Laken beiseite und stand auf. Ihre Augen hatten sich an die Dunkelheit gewöhnt, und es war kein Problem, den Weg zum einzigen Fenster der Wohnung zu finden. Die breite Fensterbank ragte über den Heizkörper hinaus ins Zimmer, und wenn sie die Vorhänge zur Seite schob, konnte sie darauf sitzen, den Rücken an die eine Seite der breiten Fensterlaibung gelehnt, die Füße gegen die andere Seite gestemmt. Sie schaute über die schmalen, von efeubewachsenen Steinmauern eingefassten viktorianischen Gärten hinweg auf die Straße unter ihr. Der Mond tauchte die Szenerie in sanftes Licht.

Es war zwar schon fast Mitternacht, aber London war keineswegs dunkel. Städte wie London waren es wahrscheinlich nie, dachte Cassandra, zumindest heutzutage nicht mehr. Das moderne Leben hatte die Nacht getötet. Früher musste es ganz anders gewesen sein, als die Natur noch Erbarmen mit der Stadt gehabt hatte, als der Einbruch der Nacht die Straßen in schwarzes Pech und die Luft in Nebel verwandelt hatte: das London von Jack the Ripper.

Das war das London von Eliza Makepeace gewesen, das London, über das Cassandra in Nells Notizbuch gelesen hatte; nebelverhangene, von funzeligen Laternen notdürftig erleuchtete Straßen, in denen Pferde plötzlich aus dem Dunkel auftauchten, um gleich darauf wieder vom Nebel verschluckt zu werden.

Beim Anblick der dicht gedrängten Behausungen konnte sie sich das alles genau vorstellen: gespenstische Reiter, die ihre verängstigten Gäule über die Gehwege trieben. Laternenträger, die oben auf den Kutschen hockten und orange leuchtende Lampen hochhielten. Zuhälter und Huren, Polizisten und Diebe ...

Cassandra gähnte und rieb sich die plötzlich schwer gewordenen Lider. Zitternd, obwohl ihr nicht kalt war, kletterte sie von der Fensterbank zurück unter die Decke, schloss die Augen und versank in tiefen, von Träumen erfüllten Schlaf.

16 *London* *England, 1900*

Der Nebel war dick und so gelb wie Pastinaken und Maissuppe. Er war über Nacht hereingekrochen, auf dem Fluss entlanggerollt und hatte sich schwer über die Straßen gelegt, hüllte die Häuser ein und quoll durch die Türritzen. Eliza lugte durch den Spalt zwischen den Mauersteinen. Unter dem reglosen Mantel aus Nebel verwandelten sich Häuser, Gaslaternen und Mauern in riesige Schatten, die hin und her schwankten, während die schwefligen Wolken sich um sie herumschoben.

Mrs Swindell hatte ihr einen Stapel Wäsche hingelegt, aber soweit Eliza sehen konnte, war es sinnlos, bei diesem Nebel zu waschen – was weiß war, würde bis zum Abend grau sein. Genauso gut konnte sie die Sachen einfach nass aufhängen, ohne sie vorher zu waschen, und genau das hatte sie getan. Das sparte Seife, ganz zu schweigen von ihrer Zeit. Denn Eliza wusste Besseres zu tun, wenn so dichter Nebel herrschte – bei einem solchen Wetter konnte man sich noch besser verstecken und anschleichen.

Der Ripper war eins ihrer Lieblingsspiele. Anfangs hatte Eliza sich noch allein damit vergnügt, aber mit der Zeit hatte sie auch Sammy die Regeln beigebracht, und jetzt spielten sie abwechselnd die Rollen »Mutter« und »Ripper«. Eliza wusste selbst nicht so genau, welche Rolle sie bevorzugte. Den Ripper, dachte sie manchmal, wegen seiner Macht. Die Mischung aus Schuldbewusstsein und Erregung verursachte ihr eine Gänsehaut, wenn sie sich von hinten an Sammy heranschlich, und sie musste sich jedes Mal das Kichern verkneifen, wenn sie kurz davor war, ihn zu schnappen …

Aber die Rolle der Mutter hatte auch ihren Reiz. Schnell zu gehen, aufzupassen, sich nicht umzudrehen, sich zu beherrschen, um nicht zu laufen und dennoch schneller zu sein als die Schritte hinter ihr, während ihr Herz immer lauter klopfte, bis es alles andere übertönte und sie die Warnsignale nicht mehr hören konnte. Die Angst jagte ihr köstliche Schauer über die Haut.

Obwohl die Swindells gerade beide auf Beutejagd waren (Nebel war ein Geschenk für die Sorte Flussanwohner, die sich mit skrupellosen Mitteln durchschlugen), schlich Eliza auf leisen Sohlen die Treppe hinunter, vorsichtig darauf bedacht, die knarrende vierte Stufe zu vermeiden, denn Sarah, das Mädchen, das auf Hatty, die Tochter der Swindells, aufpasste, machte sich gern bei den Hausherren beliebt, indem sie Eliza verpetzte.

Am Fuß der Treppe blieb Eliza kurz stehen und ließ ihren Blick über die vollgestopften Regale des Ladens wandern. Der Nebel war durch die Ritzen gekrochen, hatte sich schwer über alles gelegt und bildete eine gelbliche Wolke um die flackernde Gasflamme. Sammy saß in der hinteren Ecke auf einem Hocker und putzte Flaschen, den Eliza so vertrauten Ausdruck im Gesicht, den er nur aufsetzte, wenn er seinen Tagträumen nachhing.

Nachdem sie sich kurz vergewissert hatte, dass Sarah nicht lauschte, ging Eliza auf Zehenspitzen zu ihm.

»Sammy!«, flüsterte sie.

Keine Reaktion, offenbar hatte er sie nicht gehört.

»Sammy!«

Sein Knie hörte auf zu wippen, er beugte sich vor und lugte hinter dem Tresen hervor. Die glatten Haare hingen ihm strähnig ums Gesicht.

»Draußen ist Nebel.«

Sein leerer Gesichtsausdruck sagte ihr, dass ihm das nichts Neues war. Er zuckte nur die Achseln.

»Dick wie die Brühe im Rinnstein, die Straßenlaternen sind kaum noch zu sehen. Perfekt für den Ripper.«

Damit hatte sie seine Neugier geweckt. Einen Moment lang dachte er nach, dann schüttelte er den Kopf. Zeigte auf Mr Swindells Sessel mit dem fleckigen Kissen, das an der Stelle klebte, wo sein Rücken sich Abend für Abend hineindrückte, wenn er aus der Kneipe heimkehrte.

»Der merkt doch gar nicht, dass wir nicht da sind. Der kommt noch lange nicht zurück, und sie auch nicht.«

Wieder schüttelte er den Kopf, allerdings schon etwas weniger nachdrücklich.

»Die haben den ganzen Nachmittag zu tun und lassen sich doch die Gelegenheit nicht entgehen, was zu erbeuten.« Eliza spürte, dass sein Widerstand schwand. Er war schließlich ein Teil von ihr, und sie war schon immer in der Lage gewesen, seine Gedanken zu lesen. »Komm, wir bleiben nicht lange weg. Wir gehen nur bis zum Fluss und dann kehren wir wieder um. Du darfst dir auch aussuchen, wer du sein willst.«

Das zog, sie hatte es gewusst. Sammys ernste Augen sahen sie an. Er hob die Hand, ballte sie zu einer kleinen, bleichen Faust, als würde er ein Messer umklammern.

Während Sammy an der Tür stand und die zehn Sekunden abwartete, die derjenige, der die Mutter spielte, als Vorsprung bekam, schlich Eliza sich davon. Geduckt lief sie unter Mrs Swindells vollgehängten Wäscheleinen hindurch, vorbei am Karren des Lumpensammlers und weiter in Richtung Fluss. Die Erregung ließ ihr Herz schneller schlagen. Köstlich, dieses Gefühl der Gefahr. Angst prickelte unter ihrer Haut, während sie weitereilte, vorbei an Menschen, Karren, Hunden und Kinderwagen, deren Umrisse im Nebel verschwammen. Sie hielt die Ohren gespitzt, lauschte auf Schritte, die sich von hinten anschlichen, näher und näher kamen.

Im Gegensatz zu Sammy liebte Eliza den Fluss. Er gab ihr das Gefühl, ihrem Vater nahe zu sein. Ihre Mutter hatte nicht viele Informationen über ihre Vergangenheit preisgegeben, aber einmal hatte sie Eliza erzählt, dass ihr Vater an einer anderen Biegung desselben Flusses aufgewachsen war. Dass er seine Seemannsknoten auf einem Kohlenschiff gelernt hatte, bevor er auf einem anderen Schiff angeheuert hatte und zur See gefahren war. Eliza malte sich gern aus, was er an seiner Flussbiegung alles gesehen haben mochte, in der Nähe des Execution Docks, wo die Galgen standen. Wo Piraten an Ketten aufgehängt wurden, bis die Gezeiten sie dreimal hintereinander überschwemmt hatten und sie den *Hempen Jig* tanzten, so hatten die Leute das früher genannt.

Eliza erschauerte, stellte sich die leblosen Körper vor, fragte sich, wie es sich wohl anfühlte, den letzten Atemzug zu tun, der einem aus dem Hals gewürgt wurde, dann schalt sie sich selbst dafür, dass sie sich ablenken ließ. Das war genau der Fehler, dem Sammy meist zum Opfer fiel. Was Sammy betraf, war das ja in Ordnung, aber Eliza wusste, dass sie vorsichtiger sein musste.

Wo blieben Sammys Schritte? Sie lauschte angestrengt und konzentrierte sich. Spitzte die Ohren … Möwen am Fluss, schlagende Schiffstaue, ächzende Masten, ein vorbeirollender Karren, der Verkäufer von Fliegenfängern, der rief: »Fangt sie lebendig«, die raschen Schritte einer vorübereilenden Frau, der Zeitungsjunge, der die neuesten Nachrichten ausrief …

Plötzlich hinter ihr ein Krachen. Ein Pferd wieherte auf. Ein Mann brüllte irgendetwas.

Elizas Herz pochte, beinahe hätte sie sich umgedreht. Die Versuchung, nachzusehen, was da los war, war groß, aber sie beherrschte sich noch rechtzeitig. Das war gar nicht so einfach. Sie war von Natur aus neugierig, das hatte ihre Mutter auch immer gesagt und dabei den Kopf geschüttelt, mit der Zunge geschnalzt und sie ermahnt, dass sie, wenn es ihr nicht gelänge, ihre Gedanken zu bremsen, eines Tages gegen einen Berg aus ihren Fantastereien rennen würde. Aber wenn Sammy in der Nähe war und mitbekam, dass sie sich umdrehte, hatte sie verloren, und sie hatte schon fast den Fluss erreicht. Der Gestank des Themseschlamms vermischte sich mit dem schwefligen Geruch des Nebels. Der Sieg war ihr beinahe sicher, sie musste es nur noch ein Stückchen weiter schaffen.

Irgendwo hinter ihr waren jetzt ein aufgeregtes Stimmengewirr und das Bimmeln einer näher kommenden Glocke zu hören. Wahrscheinlich hatte wieder irgendein blödes Pferd den Karren des Scherenschleifers gerammt; im Nebel drehten die Pferde immer durch. So ein Mist! Wie sollte sie Sammy bei dem Lärm hören, wenn er sie jetzt angriff?

Die Steinmauer am Flussufer tauchte auf, nur ein verschwommener Umriss ohne feste Konturen.

Eliza grinste und legte die letzten paar Meter rennend zurück.

Genau genommen verstieß es gegen die Regeln loszulaufen, aber sie konnte nicht anders. Quietschend vor Vergnügen klatschte sie mit der Hand an die glitschige Mauer. Sie hatte es geschafft, sie hatte gewonnen, den Ripper wieder einmal ausgetrickst.

Eliza zog sich auf die Mauer hoch und schaute triumphierend die Straße hinunter, aus der sie gekommen war. Während sie die

Beine baumeln ließ, sodass ihre Hacken rhythmisch gegen die Mauer schlugen, wartete sie darauf, dass Sammy aus dem dichten Nebel auftauchte. Der arme Sammy. Er war bei Spielen nie so gut gewesen wie sie, brauchte länger, die Regeln zu lernen, und es fiel ihm schwer, die ihm zugewiesene Rolle auszufüllen. Sich zu verstellen, lag ihm nicht, ganz im Gegensatz zu Eliza, die als Schauspielerin ein Naturtalent war.

Als Eliza sich von ihren Gedanken losriss, drangen die Gerüche und Geräusche der Straße wieder auf sie ein. Mit jedem Atemzug schmeckte sie den öligen Nebel, und das Glockengebimmel, das sie zuvor schon gehört hatte, wurde lauter und kam immer näher. Die Leute um sie herum wirkten auf einmal ganz aufgeregt und eilten in die Richtung, in die sie immer rannten, wenn der Sohn des Lumpensammlers wieder einmal einen epileptischen Anfall bekam oder der Leierkastenmann dem Viertel einen Besuch abstattete.

Natürlich! Der Leierkastenmann, das war die Erklärung für Sammys Ausbleiben. Eliza sprang so hastig von der Mauer, dass sie sich den Schuh an einem vorspringenden Stein aufscheuerte.

Sammy konnte Musik nicht widerstehen, wahrscheinlich stand er beim Leierkastenmann, bestaunte mit offenem Mund die Orgel und hatte den Ripper und das Spiel längst vergessen.

Sie folgte den laut durcheinanderrufenden Menschen, von denen jetzt immer mehr zusammenströmten. Die Glocke war schon ganz nahe, und plötzlich erkannte Eliza den Klang. Es war die Glocke des Ambulanzwagens. Vielleicht hatte es den Sohn des Lumpenhändlers wieder einmal erwischt.

Dann kam der Wagen auch schon um die Flussbiegung geprescht in Richtung der Menge. Der Mann auf dem Kutschbock läutete mit der Glocke und schrie den Leuten zu, sie sollten aus dem Weg gehen und den Wagen durchlassen.

Eliza rannte schneller. Beim Anblick des Ambulanzwagens hatte eine undefinierbare Angst sie gepackt, und sie schob sich mit wild pochendem Herzen durch die Menschenmenge. Elegante Damen in Ausgehkleidern, Herren im Frack, Straßenjungen, Waschfrauen, Büroangestellte. Unter Einsatz ihrer Ellbogen kämpfte sie sich vorwärts, nur von dem einen Gedanken beseelt, Sammy zu finden. Von weiter vorn drangen die ersten Informationen zu ihr durch. Eliza schnappte Fetzen auf von dem, was sich die Leute um sie herum über ihren Kopf hinweg aufgeregt zuflüsterten: ein schwarzes Pferd war plötzlich aus dem Nebel aufgetaucht; ein kleiner Junge, der es nicht hatte kommen sehen; der furchtbare Nebel …

Nicht Sammy, redete sie sich ein, es konnte nicht Sammy sein. Er war doch direkt hinter ihr gewesen, sie hatte auf seine Schritte gelauscht …

Sie näherte sich dem Ort des Geschehens, konnte beinahe schon etwas erkennen im dichten Nebel. Mit angehaltenem Atem drängte sie sich durch die erste Reihe der Schaulustigen, bis sie die grausige Szene vor sich sah. Sie nahm alles mit einem Blick wahr, begriff auf der Stelle. Das schwarze Pferd, der Sanitäter, der auf dem Boden kniete, der schmächtige Körper des Jungen. Rötliches, blutverklebtes Haar auf dem Kopfsteinpflaster. Die Brust aufgerissen von einem Pferdehuf, die blauen Augen leer.

Der Sanitäter schüttelte den Kopf. »Der ist hinüber. Der Kleine hatte keine Chance.«

Eliza betrachtete das Pferd. Es war nervös, verängstigt von dem Nebel, der Menschenmenge, dem Lärm. Aus den Nüstern stieß es heiße Atemwolken aus.

»Kennt irgendjemand den Jungen?«

Bewegung kam in die Menge, als die Leute einander fragend anschauten, mit den Schultern zuckten und die Köpfe schüttelten.

»Irgendwie kommt er mir bekannt vor«, sagte eine Stimme unsicher.

Eliza fing den Blick aus den glänzenden Augen des Pferds auf. Während die Welt mit all ihren Geräuschen sich um sie zu drehen schien, stand das Pferd reglos da. Sie sahen einander an, und in diesem Augenblick hatte sie das Gefühl, es könnte in sie hineinsehen. Als erblickte es die Leere, die sich plötzlich aufgetan hatte und die sie bis an ihr Lebensende nie mehr würde füllen können.

»Irgendwer muss ihn doch kennen«, sagte der Sanitäter.

Schweigen legte sich über die Menge, was die Atmosphäre noch unheimlicher machte.

Eigentlich müsste sie diesen schwarzen Gaul hassen, dachte Eliza, seine kräftigen Beine und die glatten harten Schenkel, aber sie tat es nicht. Auge in Auge mit ihm empfand sie fast eine Art Erkennen, als würde das Pferd, wie niemand sonst es vermochte, die Leere in ihr verstehen.

»Also gut«, sagte der Sanitäter. Auf seinen Pfiff hin sprangen zwei junge Burschen von dem Wagen. Einer hob die Leiche des Jungen hinauf, der andere kippte einen Eimer Wasser auf die Straße und begann, das blutverschmierte Pflaster zu schrubben.

»Ich glaube, er wohnt in der Battersea Bridge Road«, sagte jemand mit langsamer, gleichmäßiger Stimme. Eine Stimme wie von einem der Männer aus der Anwaltskanzlei, nicht direkt ein feiner Pinkel, aber vornehmer als die übrigen Flussanrainer.

Der Sanitäter hob den Blick, um festzustellen, von wem diese Erklärung gekommen war.

Ein hochgewachsener Mann mit einem Kneifer und einem gepflegten, wenn auch abgetragenen Gehrock trat aus dem Nebel vor. »Ich habe ihn erst kürzlich dort gesehen.«

Gemurmel setzte ein, als die Umstehenden diese Information verdauten und noch einmal einen Blick auf die übel zugerichtete Leiche des Jungen warfen.

»Irgendeine Ahnung, in welchem Haus, Sir?«

Der große Mann schüttelte nur den Kopf. »Das kann ich Ihnen leider nicht sagen.«

Der Sanitäter nickte, dann gab er seinen Helfern ein Zeichen. »Wir bringen ihn in die Battersea Bridge Road und hören uns um. Irgendwer muss ihn ja kennen.«

Das Pferd nickte Eliza dreimal zu, dann wandte es sich mit einem Seufzer ab.

Eliza blinzelte. »Warten Sie«, sagte sie, beinahe flüsternd.

Der Sanitäter schaute sie an. »Was gibt's?«

Alle starrten sie an, dieses magere Mädchen mit dem langen, rotblonden Zopf. Eliza streifte kurz den Blick des Mannes mit dem Kneifer. Die Gläser glänzten weiß, sodass sie seine Augen dahinter nicht sehen konnte.

Der Sanitäter hob die Hand, um die Menge zum Schweigen zu bringen. »Also gut, Kind. Wie heißt denn dieser Unglücksrabe?«

»Er heißt Sammy Makepeace«, sagte Eliza, »und er ist mein Bruder.«

Für ihre Beerdigung hatte ihre Mutter etwas zur Seite gelegt, für ihre Kinder jedoch hatte sie keine solche Vorkehrung getroffen. Das war nur verständlich, denn welche Eltern würden so etwas für nötig halten?

»Er bekommt ein Armenbegräbnis draußen auf St. Bride's«, verkündete Mrs Swindell später am selben Nachmittag. Sie schlürfte etwas Suppe, dann zeigte sie mit ihrem Löffel auf Eliza, die auf dem Fußboden saß. »Sie machen die Grube am Mittwoch wieder auf. Bis dahin werden wir ihn wohl oder übel hierbehalten müssen.« Sie kaute mit vorgeschobener Unterlippe. »Oben natürlich, das fehlte mir noch, dass der Gestank die Kunden vergrault.«

Eliza hatte schon von den Armenbegräbnissen auf St. Bride's gehört. Die große Grube, die jede Woche einmal geöffnet wurde, die Stapel von Leichen, der Geistliche, der hastig ein paar Gebete herunterleierte, um dem fürchterlichen Gestank des Viertels möglichst schnell wieder zu entkommen. »Nein«, sagte sie, »nicht St. Bride's.«

Die kleine Hatty hörte auf, ihr Brot zu kauen. Sie schob sich den abgebissenen Brocken in die Backe und schaute mit weit geöffneten Augen erst ihre Mutter, dann Eliza an.

»Nein?« Mrs Swindells dünne Finger umklammerten den Löffel.

»Bitte, Mrs Swindell«, sagte Eliza. »Er soll ein richtiges Begräbnis bekommen. Wie Mutter.« Sie biss sich auf die Zunge, um nicht in Tränen auszubrechen. »Ich möchte, dass er bei Mutter liegt.«

»Ach ja, das möchtest du? Vielleicht auch noch einen von Pferden gezogenen Leichenwagen? Und wie wär's mit einem professionellen Grabredner? Und dann sollen Mr Swindell und ich natürlich für das schicke Begräbnis aufkommen?« Sie schnaubte gierig, genoss ihre giftigen Worte. »Im Gegensatz zur allgemeinen Meinung, kleine Miss, sind wir nicht die Wohlfahrt, also wenn du nicht selbst das Geld dafür aufbringen kannst, wird dein Bruder seine letzte Ruhestätte auf St. Bride's finden. Das ist für seinesgleichen weiß Gott gut genug.«

»Ich möchte gar keine Kutsche, Mrs Swindell, und auch keinen Grabredner. Einfach nur ein Begräbnis, ein eigenes Grab.«

»Und wer soll das deiner Meinung nach ermöglichen?«

Eliza schluckte. »Mrs Barkers Bruder ist Leichenbestatter, vielleicht kann er das ja übernehmen. Wenn Sie ihn fragen, Mrs Swindell, macht er das bestimmt …«

»Ich soll mich wohl für dich und diesen Schwachkopf von deinem Bruder einsetzen?«

»Er ist kein Schwachkopf.«

»Er war immerhin blöd genug, sich von einem Gaul tottrampeln zu lassen.«

»Es war nicht seine Schuld, es war der Nebel.«

Mrs Swindell schlürfte noch etwas Suppe über ihre Unterlippe.

»Er wollte nicht mal rausgehen«, sagte Eliza.

»Natürlich wollte er das nicht«, sagte Mrs Swindell. »Von allein wär der nie auf solche Ideen gekommen. Das hast du ihm eingeflüstert.«

»Bitte, Mrs Swindell, ich kann es selbst bezahlen.«

Mrs Swindell hob die buschigen Brauen. »So so. Du kannst das also selbst bezahlen. Und womit? Mit Versprechungen und Luftschlössern?«

Eliza dachte an den kleinen Lederbeutel, in dem sich mittlerweile fünfzehn Pence befanden. »Ich … ich habe ein bisschen Geld.«

Mrs Swindell blieb der Mund offen stehen, und ein Tropfen Suppe lief ihr übers Kinn.

»Ein bisschen Geld?«

»Nur ein bisschen.«

»Du raffiniertes kleines Luder.« Ihre Lippen kräuselten sich wie der Rand eines Geldbeutels. »Und wie viel?«

»Fünfzehn Pence.«

Mrs Swindell kreischte laut vor Lachen; ein fürchterliches Geräusch, so fremdartig, so grob, dass ihre kleine Tochter zu heulen anfing. »Fünfzehn Pence?«, spottete sie. »Für fünfzehn Pence kriegst du nicht mal die Sargnägel.«

Mutters Brosche, sie könnte die Brosche verkaufen, dachte Eliza. Sicher, sie hatte ihrer Mutter versprechen müssen, sich erst davon zu trennen, wenn der böse Mann gefährlich wurde, aber in einer solchen Situation …

Mrs Swindell hustete, erstickte beinahe an ihrer eigenen Schadenfreude. Sie schlug sich auf die knochige Brust, dann setzte sie die kleine Hatty auf den Fußboden, die sofort loskrabbelte. »Verschon mich endlich mit diesem albernen Gerede, ich kann ja keinen klaren Gedanken fassen.«

Einen Moment lang saß sie schweigend da und musterte Eliza mit zusammengekniffenen Augen, nickte ein paarmal, während sie einen Entschluss fasste. »Als Lohn für deine Quengelei werde ich persönlich dafür sorgen, dass der Junge nichts Besseres bekommt, als er verdient hat. Er kriegt ein Armenbegräbnis.«

»Bitte …«

»Und die fünfzehn Pence gibst du mir für den Ärger, den du mir machst.«

»Aber Mrs Swindell –«

»Halt den Mund. Das wird dir eine Lehre sein. Heimlich Geld sparen. Warte nur, bis Mr Swindell nach Hause kommt und das erfährt, dann kannst du was erleben.« Sie reichte Eliza die Suppenschüssel. »Jetzt tu mir noch Suppe auf, dann bringst du Hatty ins Bett.«

Nachts war es am schlimmsten. Die Straßengeräusche klangen schriller als sonst, Schatten huschten grundlos hin und her, und zum ersten Mal in ihrem Leben allein in dem winzigen Zimmer wurde Eliza Opfer ihrer Albträume. Albträume, die viel schrecklicher waren als alles, was sie sich in ihren Geschichten je ausgemalt hatte.

Tagsüber war es, als hätte sich die Welt von innen nach außen gestülpt wie ein Wäschestück auf der Leine. Alles hatte die gleiche Form, Größe und Farbe und war dennoch völlig falsch. Und auch wenn Elizas Körper nach außen hin genauso funktionierte wie immer, streiften ihre Gedanken durch die endlose Landschaft ihrer Angst. Immer und immer wieder sah sie Sammy vor ihrem geistigen Auge mit verdrehten Gliedern auf dem Grund des Armengrabs von St. Bride's liegen, wo man ihn zu den namenlosen Toten geworfen hatte. Gefangen unter der Erde, die Augen, die sich öffnen wollten, der Mund, der rufen wollte, dass alles ein Irrtum war.

Denn Mrs Swindell hatte ihren Willen durchgesetzt, und Sammy hatte nur ein Armenbegräbnis bekommen. Eliza hatte die Brosche aus ihrem Versteck genommen und war sogar zu John Picknicks Haus gegangen, aber am Ende hatte sie es nicht übers Herz gebracht, sie zu verkaufen. Gut eine halbe Stunde hatte sie vor der Tür gestanden und versucht, zu einer Entscheidung zu gelangen. Wenn sie die Brosche verkaufte, hätte sie genug Geld, um Sammy ordentlich beerdigen zu können. Aber sie wusste auch, dass Mr und Mrs Swindell sie zur Rede stellen und dann gnadenlos dafür bestrafen würden, dass sie ihnen so einen wertvollen Gegenstand vorenthalten hatte.

Aber letztlich war es weder die Angst vor den Swindells, die zu ihrer Entscheidung geführt hatte, noch die Stimme ihrer Mutter, die sich laut meldete und sie an das Versprechen erinnerte, die Brosche nur dann zu verkaufen, wenn der Phantommann sie bedrohte.

Es war ihre eigene Angst, dass die Zukunft womöglich noch Schlimmeres bereithielt als die Vergangenheit. Dass vielleicht irgendwo im Nebel der Zukunft eine Situation lauerte, in der die Brosche ihre einzige Überlebenschance sein würde.

Ohne einen Fuß in Mr Picknicks Haus gesetzt zu haben, hatte sie sich schließlich umgedreht und war in Swindells Pfandleihe zurückgeeilt, während die Brosche in ihrer Hosentasche brannte wie das leibhaftige schlechte Gewissen. Aber sie sagte sich, dass Sammy sie verstehen würde, dass er ebenso wie sie gewusst hatte, wie teuer das Leben an der Flussbiegung war. Dann rollte sie die Erinnerung an ihn liebevoll zu einer kleinen Kugel, umwickelte sie mit mehreren Lagen von Gefühlen – Freude, Liebe, Zugehörigkeit –, für die sie keine Verwendung mehr hatte, und verschloss sie tief in ihrem Inneren. Bar solcher Erinnerungen und Gefühle zu sein, fühlte sich besser an. Denn seit Sammys Tod war Eliza nur noch ein halber Mensch. Wie ein Zimmer, in dem man das Kerzenlicht gelöscht hatte, war ihre Seele kalt, dunkel und verloren.

Wann war ihr die Idee eigentlich zum ersten Mal gekommen? Später war sich Eliza nicht mehr sicher. Der fragliche Tag war nichts Besonderes gewesen. Eliza war aufgewacht wie jeden Morgen. Sie öffnete die Augen im Dämmerlicht des winzigen Zimmers, lag still da und kehrte nach einer langen qualvollen Nacht langsam in ihren Körper zurück.

Sie schlug ihre Seite der Bettdecke zurück und stellte die nackten Füße auf den Boden. Ihr langer Zopf fiel über eine Schulter. Es war kalt; der Herbst war dem Winter gewichen, und der Morgen war so dunkel wie die Nacht. Eliza zündete ein Streichholz an und hielt es an den Kerzendocht, dann betrachtete sie die Kittelschürze, die an der Tür hing.

Woher kam der Impuls? Was brachte sie dazu, an ihrem Kittel vorbei nach dem Hemd und der Kniehose zu greifen? Und sich Sammys Kleider anzuziehen?

Sie wusste es nicht, wusste nur, dass es ihrem Gefühl entsprach, als wäre es das einzig Richtige. Das Hemd roch so vertraut wie ihre eigenen Kleider und doch anders, und als sie die Kniehose anzog, genoss Eliza das eigenartige Gefühl nackter Knöchel, spürte die kühle Luft an der Haut, die an Strümpfe gewöhnt war. Sie setzte sich auf den Boden und zog sich Socken und Schuhe an, alles passte perfekt.

Dann stellte sie sich vor den kleinen Spiegel und betrachtete sich. Schaute richtig hin, während die kleine Kerze neben ihr flackerte. Ein blasses Gesicht starrte sie an. Lange Haare, feuerrot, blaue Augen mit bleichen Brauen. Ohne den Blick abzuwenden, nahm Eliza die Nähschere, die im Wäschekorb lag, und hielt ihren Kopf zur Seite. Ihr Zopf war dick und fest wie ein Seil, und sie musste ihn regelrecht durchhacken. Schließlich hatte sie es geschafft. Nicht länger zusammengebunden fielen ihr die nur noch halblangen Haare ins Gesicht. Sie schnitt so lange weiter, bis sie so kurz waren wie Sammys, dann setzte sie sich die Mütze auf den Kopf.

Eliza wusste, dass sie Sammy sehr ähnlich sah, schließlich waren sie Zwillinge, dennoch stockte ihr der Atem. Sie lächelte, nur ganz leicht, und Sammy lächelte zurück. Sie streckte die Hand aus und berührte den kalten Spiegel. Sie war nicht länger allein.

Tock … Tock …

Mrs Swindell pochte mit dem Besenstiel an die Decke, das tägliche Zeichen, sich an die Arbeit zu machen und mit dem Wäschewaschen anzufangen.

Eliza hob ihren langen roten Zopf vom Boden auf, der sich dort, wo sie ihn abgeschnitten hatte, zu lösen begann, und umwickelte das Ende mit einem Stück Zwirn. Später würde sie ihn in dem Versteck verstauen, wo sie die Brosche ihrer Mutter aufbewahrte. Sie brauchte ihn nicht mehr, er gehörte der Vergangenheit an.

17 *London* *England, 2005*

Natürlich hatte Cassandra gewusst, dass die Busse rot und doppelstöckig waren, aber sie vorbeirumpeln zu sehen, mit Hinweisschildern wie Kensington High Street und Piccadilly Circus über der Windschutzscheibe, war dennoch verblüffend. Sie fühlte sich in ein Bilderbuch aus ihrer Kindheit versetzt oder in einen der alten Filme, die sie gesehen hatte, in denen schwarze käfernasige Taxen über Kopfsteinpflaster ruckelten, edwardianische Häuser an breiten Straßen Spalier standen und der Nordwind dünne Wolken über einen tief hängenden Himmel schob.

Seit vierundzwanzig Stunden weilte sie jetzt schon in diesem London aus tausend Filmszenen und unzähligen Geschichten. Als sie endlich aus ihrem Jetlag-Schlummer aufgewacht war, im Gesicht einen schmalen Streifen Sonnenlicht, der zwischen zwei

Häusern hindurch den Weg zu ihr gefunden hatte, war sie allein in Rubys winziger Wohnung gewesen.

Auf dem kleinen Hocker neben dem Schlafsofa lag ein Zettel von Ruby:

Habe Dich beim Frühstück vermisst. Wollte Dich nicht wecken – fühl Dich wie zu Hause. In der Obstschüssel liegen Bananen, im Kühlschrank Reste, hab nicht nachgesehen, vielleicht ist alles längst vergammelt! Handtücher findest Du im Badezimmerschrank. Bin bis 18:00 Uhr im V&A. Du musst unbedingt vorbeikommen und Dir die Ausstellung ansehen, die ich gerade betreue. Sehr aufregend, lohnenswert. R.

PS: Komm am frühen Nachmittag. Nervige Besprechungen am Vormittag.

»Unbedingt« und »aufregend« waren jeweils dreimal unterstrichen.

Und so stand Cassandra um ein Uhr mittags mit knurrendem Magen mitten auf der Cromwell Road und wartete auf eine Lücke im offenbar ununterbrochen durch die Adern der Stadt fließenden Verkehr, damit sie die Straße überqueren konnte.

Als sie das imposante Victoria and Albert Museum erreichte, legte sich der Mantel des nachmittäglichen Schattens bereits über seine steinerne Front. Ein gigantisches Mausoleum der Vergangenheit, das die Geschichte von Jahrhunderten beherbergte. Tausende Ausstellungsstücke, losgelöst von ihrer Zeit und ihrem ursprünglichen Ort, stumme Zeugen der Freuden und Traumata vergangener Epochen.

In der Eingangshalle sah sie Ruby, die gerade einer Gruppe deutscher Touristen den Weg zur neuen V&A-Cafeteria zeigte. »Ganz ehrlich«, flüsterte Ruby vernehmlich, als Cassandra sie begrüßte und die Touristen sich trollten, »ich bin ja froh, dass wir ein Café hier haben – ich trinke genauso gern einen guten Kaffee wie jeder andere auch –, aber nichts bringt mich so sehr auf die Palme wie Leute, die es so eilig haben, sich einen zuckerfreien

Muffin und eine Diätcola einzuverleiben, dass sie blind durch meine Ausstellung rennen.«

Cassandra lächelte ein wenig schuldbewusst in der Hoffnung, dass Ruby nicht hörte, wie ihr von den köstlichen Düften aus dem Café der Magen knurrte. Sie hatte ebenfalls vorgehabt, als Erstes für ihr leibliches Wohl zu sorgen.

»Ich meine, wie können sie sich die Gelegenheit entgehen lassen, der Vergangenheit in die Augen zu blicken«, sagte sie mit einer ungehaltenen Handbewegung in Richtung der mit Schätzen gefüllten Vitrinen. »Kannst du das verstehen?«

Cassandra schüttelte den Kopf und versuchte, ein erneutes Bauchrumoren zu unterdrücken.

»Ach ja«, seufzte Ruby theatralisch. »Aber jetzt bist du hier, und diese Kulturbanausen sollen mir doch den Buckel runterrutschen. Wie fühlst du dich? Macht der Jetlag dir noch zu schaffen?«

»Nein, nein, mir geht's gut.«

»Gut geschlafen?«

»Das Schlafsofa ist sehr bequem.«

»Du brauchst mir nichts vorzumachen«, sagte Ruby lachend. »Trotzdem, netter Versuch. Zumindest haben die harten Federn verhindert, dass du den ganzen Tag verschläfst. Sonst hätte ich dich anrufen und wecken müssen, denn dass du meine Ausstellung verpasst, kommt nicht infrage.« Sie strahlte. »Ich kann es immer noch nicht glauben, dass Nathaniel Walker auf dem Landsitz gelebt hat, zu dem dein Haus gehört! Bestimmt hat er es gesehen und sich davon inspirieren lassen. Womöglich ist er sogar mal drinnen gewesen.« Mit ihren runden, leuchtenden Augen hakte sich Ruby bei Cassandra unter und schob sie den Gang entlang. »Komm, du wirst begeistert sein.«

Etwas beunruhigt nahm Cassandra sich vor, ein halbwegs begeistertes Gesicht aufzusetzen, egal, was Ruby ihr zeigen würde.

»So, da wären wir.« Ruby deutete triumphierend auf eine Reihe Zeichnungen in einer Vitrine. »Na, was hältst du davon?«

Cassandra verschlug es den Atem. Sie beugte sich vor, um die Exponate besser in Augenschein nehmen zu können. Sie brauchte keine Begeisterung vorzutäuschen, denn die Bilder schockierten und erregten sie gleichermaßen. »Aber woher …? Wie bist du …?«, stammelte Cassandra, während Ruby entzückt in die Hände klatschte. »Ich wusste nicht mal, dass solche Bilder existieren.«

»Niemand hat davon gewusst«, erwiderte Ruby hingerissen. »Niemand außer der Eigentümerin, und die hatte sie selbst schon fast vergessen.«

»Wie bist du darangekommen?« Cassandras Herz pochte.

»Reiner Zufall, meine Liebe. Reiner Zufall. Als ich anfangs die Idee zu dieser Ausstellung hatte, wollte ich nicht einfach dieselben alten Viktorianer neu arrangieren, an denen die Leute schon seit Jahrzehnten vorbeischlurfen. Also habe ich in allen Fachzeitschriften, die mir einfielen, eine Kleinanzeige aufgegeben. Der Text war ganz schlicht: *Als Leihgabe gesucht: Kunstgegenstände der Jahrhundertwende (19. Jh.). Für eine liebevoll gestaltete Ausstellung in einem Londoner Museum.*

Und siehe da, kaum war die erste Anzeige erschienen, stand mein Telefon nicht mehr still. Das meiste, was mir angeboten wurde, war natürlich unbrauchbares Zeug, Großtante Mavis' Gemälde vom Himmel und dergleichen, aber es gab auch wahre Kleinode unter all dem Schrott. Du würdest dich wundern, wie viele unbezahlbare Stücke völlig unbeachtet überlebt haben.«

Bei Antiquitäten verhielt es sich genauso, dachte Cassandra; die besten Fundstücke waren diejenigen, die seit Jahrzehnten vergessen und so dem Zugriff begeisterter Heimwerker entgangen waren.

Ruby betrachtete erneut die Zeichnungen. »Die hier gehören zu meinen kostbarsten Fundstücken.« Sie lächelte Cassandra an.

»Unvollendete Zeichnungen von Nathaniel Walker, wer hätte das gedacht? Ich meine, wir haben eine kleine Sammlung seiner Porträts ein Stockwerk höher, und in der Tate Britain gibt es auch einen Raum mit Werken von ihm, aber soweit ich wusste – und soweit überhaupt jemand wusste –, war das alles, was überlebt hatte. Ansonsten ist man immer davon ausgegangen, dass alles andere …«

»Vernichtet wurde. Ja, ich weiß.« Cassandras Wangen glühten. »Nathaniel Walker war bekannt dafür, dass er seine Entwürfe oder Arbeiten, mit denen er unzufrieden war, weggeworfen hat.«

»Dann kannst du dir ja lebhaft vorstellen, was in mir vorgegangen ist, als die Frau mir diese Sachen gegeben hat. Am Tag zuvor war ich bis nach Cornwall rausgefahren und hatte eine Adresse nach der anderen abgeklappert, nur um alle möglichen Stücke, die nichts taugten, höflich abzulehnen. Ehrlich gesagt« – sie verdrehte die Augen – »du würdest dich wundern, wenn du wüsstest, was die Leute mir alles andrehen wollten. Jedenfalls, als ich an dem Haus ankam, war ich kurz davor, das Handtuch zu werfen. Das war so ein kleines reetgedecktes Haus an der Küste, und als Clara die Tür öffnete, hatte ich mich eigentlich schon darauf eingestellt, es kurz zu machen. Sie ist eine merkwürdige kleine Person, wie eine Figur aus einem Buch von Beatrix Potter, eine uralte Henne mit Kittelschürze. Sie führte mich in das winzigste, vollgestopfteste Wohnzimmer, das ich je gesehen hatte – dagegen ist meine Wohnung die reinste Villa –, und sie bestand darauf, mir einen Tee zu machen. Nach so einem Tag wäre mir ja ein Whisky lieber gewesen, aber ich hab mich einfach in die Sofakissen sinken lassen und darauf gewartet, dass sie irgendwelchen Tinnef hervorkramt.«

»Und dann hat sie dir diese Zeichnungen gegeben.«

»Ich wusste sofort, um was es sich handelte. Sie sind zwar nicht signiert, aber das Papier enthält sein Wasserzeichen. In der oberen linken Ecke. Ich schwöre dir, ich habe regelrecht angefangen zu zittern, als ich das gesehen habe. Um ein Haar hätte ich meinen Tee über die Bilder verschüttet.«

»Aber woher hatte sie die Bilder?«, fragte Cassandra. »Von wem?«

»Sie sagte, sie hätte sie zwischen den Sachen ihrer Mutter gefunden«, erwiderte Ruby. »Ihre Mutter Mary war zu Clara gezogen, nachdem sie Witwe geworden war, und hat bis zu ihrem Tod Mitte der Sechzigerjahre bei ihr gewohnt. Beide waren verwitwet, und sie haben sich offenbar gut verstanden. Jedenfalls war Clara ganz glücklich darüber, in mir ein Opfer gefunden zu haben, das sie mit Geschichten über ihre geliebte Mutter beglücken konnte. Als ich mich verabschieden wollte, hat sie darauf bestanden, mich über eine halsbrecherische Treppe nach oben zu führen und mir Marys Zimmer zu zeigen.« Ruby beugte sich zu Cassandra vor. »Und das war vielleicht eine Überraschung! Mary war schon seit vierzig Jahren tot, aber das Zimmer sah aus, als könnte sie jeden Moment nach Hause kommen. Es war richtig unheimlich, aber auf eine irgendwie angenehme Weise: ein schmales Bett, perfekt bezogen, auf dem Nachttisch eine gefaltete Zeitung mit einem nur halb gelösten Kreuzworträtsel auf der obersten Seite. Und unter dem Fenster stand eine kleine verschlossene Truhe – ich war völlig aus dem Häuschen.« Sie fuhr sich mit den Fingern durch ihr wildes graues Haar. »Ich schwöre dir, ich musste mich derart zusammenreißen, um mich nicht daraufzustürzen und das Schloss mit bloßen Händen aufzureißen.«

»Und? Hat sie Truhe aufgemacht? Hast du gesehen, was drin war?«

»Leider nicht. Ich habe mich bescheiden zurückgehalten, und im nächsten Augenblick wurde ich auch schon wieder hinauskomplimentiert. Ich musste mich mit den Zeichnungen von Nathaniel Walker zufriedengeben und mit Claras Beteuerungen, dass sie weiter nichts in dieser Art unter den Sachen ihrer Mutter gefunden hat.«

»War Mary denn auch Künstlerin?«, fragte Cassandra.

»Nein, Dienstmädchen. Zumindest anfangs. Während des Ersten Weltkriegs hat sie in einer Munitionsfabrik gearbeitet, wahrscheinlich war sie danach nicht wieder als Dienstmädchen in Stellung. Oder wie man's nimmt: Sie hat dann nämlich einen Schlachter geheiratet und den Rest ihrer Tage damit verbracht, Blutwurst herzustellen und Hackbretter zu schrubben. Ich weiß wirklich nicht, was schlimmer ist.«

»Trotzdem«, wandte Cassandra stirnrunzelnd ein, »wie in aller Welt hat sie diese Sachen in die Finger bekommen? Nathaniel Walker war bekannt für seine Geheimnistuerei, und es existieren fast keine Zeichnungen von ihm. Er hat sie nie herausgerückt und sich geweigert, Verträge mit Verlegern zu unterschreiben, die die Rechte auf die Originale erwerben wollten, und dabei ging es nur um fertiggestellte Arbeiten. Ich kann mir nicht vorstellen, was ihn dazu veranlasst haben könnte, sich von unvollendeten Zeichnungen wie diesen hier zu trennen.«

Ruby zuckte die Achseln. »Vielleicht hat sie sich die Blätter ausgeliehen? Oder gekauft? Oder auch gestohlen. Keine Ahnung. Und ehrlich gesagt, es ist mir auch völlig schnuppe. Ich hake es einfach als eins der schönsten Rätsel des Lebens ab. Und ich bin heilfroh, dass sie sie in die Finger bekommen hat, ohne zu ahnen, wie wertvoll sie sind. Sie ist nie auf die Idee gekommen, sie auszustellen, und so haben sie heil und unbeachtet das ganze zwanzigste Jahrhundert überlebt.«

Cassandra beugte sich näher über die Bilder. Auch wenn sie sie zuvor nie gesehen hatte, erkannte sie sie auf Anhieb. Sie waren unverwechselbar: frühe Skizzen der Illustrationen zu dem Märchenbuch. Hastig gezeichnet, die Linien ungeduldig hingekritzelt voller Erwartung, voll der anfänglichen Begeisterung des Künstlers für ein neues Thema. Cassandra kannte das Gefühl, und ihr Puls beschleunigte sich, als sie sich daran erinnerte, wie es ihr früher jedes Mal ergangen war, wenn sie eine neue Zeichnung in Angriff genommen hatte. »Unglaublich, die Chance zu bekommen, ein Kunstwerk in seiner Entstehung zu sehen. Manchmal denke ich, dass so etwas mehr über den Künstler aussagt, als das vollendete Werk es je könnte.«

»Wie die Skulpturen von Michelangelo in Florenz.«

Cassandra schaute Ruby von der Seite an, froh, von ihr verstanden zu werden. »Als ich zum ersten Mal ein Bild von diesem Knie gesehen habe, wie es aus dem Marmor wächst, habe ich eine Gänsehaut gehabt. Als wäre die Figur in dem Material gefangen und wartete nur auf jemanden, der sie daraus befreit.«

Ruby strahlte. »Hey«, sagte sie. Offenbar war ihr eine spontane Idee gekommen, »du bist doch nur noch eine Nacht in London, was hältst du davon, richtig gepflegt essen zu gehen? Eigentlich bin ich mit meinem Freund Grey verabredet, aber der wird das schon verstehen. Oder ich bringe ihn einfach mit, dann ist es noch lustiger, schließlich …«

»Entschuldigen Sie, Ma'am«, sagte jemand mit amerikanischem Akzent, »arbeiten Sie hier?«

Ein hochgewachsener Mann mit schwarzem Haar stand plötzlich zwischen den beiden Frauen.

»Ja«, erwiderte Ruby, »was kann ich für Sie tun?«

»Meine Frau und ich sind mächtig hungrig, und einer der Jungs oben hat mir gesagt, hier unten gäbe es ein Café.«

Ruby warf Cassandra einen kurzen Blick zu und verdrehte die Augen. »Wir sehen uns dann um sieben im Carluccio's. Ich muss wieder an die Arbeit.« Dann rang sich ein schmales Lächeln ab. »Hier entlang, Sir. Ich zeige Ihnen den Weg.«

Nachdem sie das Museum verlassen hatte, machte sich Cassandra auf die Suche nach einem Ort für ein verspätetes Mittagessen.

Die letzte ordentliche Mahlzeit, die sie zu sich genommen hatte, war das Abendessen im Flugzeug gewesen, danach nur noch eine Handvoll von Rubys Lakritzkonfekt und eine Tasse Tee. Kein Wunder, dass sich ihr Magen lautstark bemerkbar machte. Nells Notizbuch enthielt einen Taschenstadtplan von Londons Zentrum, der auf der Innenseite angeklebt war, und soweit Cassandra beurteilen konnte, würde sie überall etwas zu essen finden, egal, welche Richtung sie einschlug. Beim Studieren des Stadtplans fiel ihr ein kaum sichtbares Kreuzchen auf, wo Nell mit einem Kugelschreiber eine Straße in Battersea auf der anderen Seite der Themse markiert hatte. Das Kreuz bezeichnete eine bestimmte Stelle, aber welche genau?

Zwanzig Minuten später kaufte sie sich in einer Trattoria auf der Kings Road ein Thunfischsandwich und eine Flasche Wasser, dann ging sie die Flood Street in Richtung Themse hinunter. Auf der anderen Seite des Flusses reckten sich die vier hohen Schlote des Battersea-Kraftwerks kühn in den Himmel. Eine eigentümliche Erregung überkam Cassandra, als sie Nells Spuren folgte.

Die Herbstsonne war hinter den Wolken aufgetaucht und warf silbrige Sprenkel auf das Wasser des Flusses. Die Themse. Was der Fluss schon alles gesehen hatte: unzählige Menschen, die entlang seiner Ufer gelebt hatten, aber auch zahllose Tote. Und von diesem Fluss aus hatte vor langen Jahren ein Schiff abgelegt, mit der kleinen Nell an Bord. Hatte sie ihrem vertrauten Leben entrissen und in eine ungewisse Zukunft entführt. Eine Zukunft, die bereits Vergangenheit war, ein Leben, das längst vorüber war. Und doch spielte es noch eine Rolle, es hatte für Nell eine Rolle gespielt und jetzt spielte es für Cassandra eine Rolle. Dieses Rätsel war ihr Erbe. Mehr noch, es lag in ihrer Verantwortung, das Rätsel zu lösen.

18 *London* *England, 1975*

Nell legte den Kopf schief, um einen besseren Blickwinkel zu haben. Sie hatte gehofft, wenn sie das Haus sehen würde, in dem Eliza gewohnt hatte, würde sie es irgendwie wiedererkennen und instinktiv spüren, dass es in ihrer Vergangenheit eine wichtige Rolle gespielt hatte. Aber nichts dergleichen geschah. Das Haus Nummer 35 in der Battersea Bridge Road war ihr vollkommen fremd. Es war sehr schlicht und sah im Großen und Ganzen genauso aus wie alle anderen Häuser in der Straße: drei Stockwerke, Schiebefenster, dünne Regenrohre, die sich an von der Zeit und der Witterung schwarz verfärbten Ziegelmauern hochwanden. Das Einzige, was es von den anderen Häusern unterschied, war ein merkwürdiger Anbau auf dem oberen Stockwerk. Von außen sah es so aus, als hätte irgendwann jemand einen Teil des Dachs aufgemauert, um ein zusätzliches Zimmer zu gewinnen, aber das konnte sie erst mit Sicherheit wissen, wenn sie es von innen sah.

Die Battersea Bridge Road verlief in nördlicher Richtung auf die Themse zu, aber diese schmutzige Straße mit dem Müll in den Rinnsteinen und den rotznasigen Kindern, die auf dem Pflaster spielten, wirkte nicht gerade wie ein Ort, der eine Märchenautorin hervorgebracht hatte. Das waren natürlich alberne, romantische Gedanken, aber als Nell versucht hatte, sich Eliza vorzustellen, hatte sie die Szenerie in ihrer Fantasie mit Bildern ausgeschmückt, die an J.M. Barries *Kensington Gardens* oder an den zauberhaften Charme von Lewis Carrolls Oxford erinnerten.

Und das hier war die Adresse aus dem Buch, das sie von Mr Snelgrove gekauft hatte. Dies war das Haus, in dem Eliza Makepeace geboren worden war. Wo sie ihre frühe Kindheit verlebt hatte.

Nell ging näher heran. Da niemand im Haus zu sein schien, riskierte sie einen Blick durchs Fenster. Ein kleines Wohnzimmer, ein kleiner, gemauerter Kamin und eine winzige Küche, von der aus man durch eine Tür auf einen mit Ziegelsteinen gepflasterten Hof gelangte. Neben der Tür führte eine schmale Treppe nach oben.

Als Nell zurücktrat, wäre sie beinahe über eine vertrocknete Topfpflanze gestolpert.

Ein blasses, von einer Aureole aus feinem, weißem Haar eingerahmtes Gesicht, das am Fenster des Nachbarhauses auftauchte, ließ sie zusammenfahren. Nell blinzelte, schaute noch einmal hin, aber das Gesicht war wieder verschwunden. Ein Gespenst? Nell glaubte nicht an Gespenster, zumindest nicht an solche, die nachts in Häusern herumspukten.

Plötzlich wurde die Tür des Hauses Battersea Bridge Road 37 aufgerissen, und im Türrahmen erschien eine winzige Frau mit spindeldürren Beinen und einem Krückstock. Aus einer Warze an der linken Seite ihres Kinns wuchs ein langes, silbernes Haar. »Wer bist du, Mädel?«, fragte sie mit einem starken Cockney-Akzent.

Es war mindestens vierzig Jahre her, dass jemand sie Mädel genannt hatte, dachte Nell. »Nell Andrews«, sagte sie, während sie sich einen Schritt von der vertrockneten Pflanze entfernte. »Ich bin nur zu Besuch hier, sehe mich ein bisschen um. Ich versuche nur …« Sie streckte der Frau die Hand entgegen. »Ich bin Australierin.«

»Australierin?«, wiederholte die Frau und verzog die bleichen Lippen zu einem zahnlosen Lächeln. »Warum hast du das nicht gleich gesagt? Mein Schwiegersohn ist Australier. Die beiden wohnen in Sydney, vielleicht kennst du sie ja. Desmond und Nancy Parker?«

»Ich fürchte nein«, erwiderte Nell, woraufhin das Lächeln der Alten verschwand. »Ich wohne nicht in Sydney.«

»Tja«, sagte die Frau leicht skeptisch. »Wenn du mal hinkommst, läufst du ihnen vielleicht über den Weg.«

»Desmond und Nancy. Ich werde mir die Namen merken.«

»Der kommt meistens erst abends von der Arbeit.«

Nell runzelte die Stirn. Der Schwiegersohn in Sydney?

»Der Mann von nebenan. Ziemlich stiller Bursche.« Die Frau senkte ihre Stimme zu einem seltsamen Flüstern. »Ist zwar ein Neger, aber er arbeitet ziemlich hart.« Sie schüttelte den Kopf. »Ein Neger! Ein Mann aus Afrika hier in der Battersea Bridge Road. Wer hätte das für möglich gehalten? Meine Mutter würde sich im Grab umdrehen, wenn sie wüsste, dass jetzt Neger in der alten Straße wohnen. Noch dazu in dem alten Haus.«

Nell wurde hellhörig. »Ihre Mutter hat auch hier gewohnt?«

»Das kann man wohl sagen«, antwortete die Alte stolz. »Ich bin hier geboren, und zwar genau in dem Haus, für das du dich da eben interessiert hast.«

»Hier geboren?« Nell hob die Brauen. Es gab nicht viele Menschen, die von sich behaupten konnten, sie hätten ihr ganzes Leben in ein und derselben Straße gewohnt. »Wann war das denn? Vor ungefähr sechzig, siebzig Jahren?«

»Vor achtundsiebzig Jahren, wohlgemerkt.« Die Alte reckte das Kinn vor, sodass das silberne Haar im Sonnenlicht leuchtete. »Und keinen Tag weniger.«

»Achtundsiebzig Jahre«, wiederholte Nell langsam. »Und Sie haben die ganze Zeit hier gewohnt. Seit ...« Hastig rechnete sie es im Kopf aus. »Seit 1897?«

»Seit Dezember 1897. Ich bin ein Christkind.«

»Haben Sie noch Erinnerungen an damals? An Ihre Kindheit, meine ich.«

Die Alte kicherte. »Manchmal kommt es mir so vor, als wären das die einzigen Erinnerungen, die ich überhaupt noch habe.«

»Damals muss es hier völlig anders ausgesehen haben.«

»Worauf du dich verlassen kannst«, sagte die Alte seufzend.

»Die Frau, über die ich Informationen sammle, hat auch hier in dieser Straße gewohnt. Vielleicht können Sie sich an sie erinnern?« Nell öffnete den Reißverschluss ihrer Aktenmappe und nahm das Bild heraus, das sie aus dem Märchenbuch kopiert hatte. »So hat sie als Erwachsene ausgesehen. Als sie hier gewohnt hat, wird sie aber noch ein Kind gewesen sein.«

Die alte Frau streckte eine knorrige Hand aus, nahm das Bild entgegen und kniff die Augen zusammen, sodass sich um ihre Augen tausend winzige Fältchen bildeten. Dann kicherte sie in sich hinein.

»Sie kennen Sie?« Nell hielt den Atem an.

»Ja, die kenne ich sogar sehr gut, und ich werde sie mein Lebtag nicht vergessen. Die hat mich immer halb zu Tode erschreckt, als ich noch klein war. Hat mir alle möglichen Gruselgeschichten erzählt, wenn meine Ma nicht da war und sie nicht fürchten musste, eine Tracht Prügel zu beziehen und aus dem Haus gejagt zu werden.« Sie schaute Nell fragend an und legte die Stirn in Falten. »Elizabeth? Ellen?«

»Eliza«, sagte Nell hastig. »Eliza Makepeace. Sie ist später Schriftstellerin geworden.«

»Davon weiß ich nichts, ich lese nicht viel. All die vielen Seiten – ist mir zu anstrengend. Ich weiß nur, dass das Mädchen auf dem Bild da Geschichten erzählt hat, die einem die Haare zu Berge stehen ließen. Am Ende hatten alle Kinder hier Angst im Dunkeln, und trotzdem sind wir immer wieder zu ihr gegangen, um uns noch mehr Geschichten erzählen zu lassen. Möchte wissen, wo sie all das her hatte.«

Nell betrachtete noch einmal das Haus und versuchte, etwas von der jungen Eliza zu erspüren. Eine unverbesserliche Geschichtenerzählerin, die den kleineren Kindern mit ihren Gruselmärchen Angst einjagte.

»Sie hat uns gefehlt, nachdem sie weggeholt wurde.« Die alte Frau schüttelte traurig den Kopf.

»Ich hätte gedacht, Sie wären froh gewesen, dass sie Ihnen keine Angst mehr einjagen konnte.«

»Ach was«, entgegnete die alte Frau. Ihre Lippen bewegten sich, als kaute sie an ihrem zahnlosen Gaumen herum. »Alle Kinder genießen es, sich ab und zu richtig zu gruseln.« Sie bohrte ihren Krückstock in eine Stelle an der Treppe, wo der Mörtel bröckelte, dann schaute sie Nell mit zusammengekniffenen Augen an. »Aber die Kleine selbst hat den größten Schrecken abgekriegt, viel schlimmer als alles, womit sie uns ins Bockshorn gejagt hat. Sie hat ihren Bruder verloren, im dichten Nebel. Keine einzige von den Geschichten, die sie uns erzählt hat, war so schlimm wie das, was ihm passiert ist. Es war ein großes, schwarzes Pferd, hat ihm mit den Hufen das Herz zerquetscht.« Die Alte schüttelte den Kopf. »Danach war sie nicht mehr dieselbe. Ist ziemlich durchgedreht, wenn du mich fragst. Hat sich die Haare abgeschnitten und angefangen, Hosen zu tragen, wenn ich mich recht erinnere!«

Nell bekam Herzklopfen. Das war neu.

Die alte Frau räusperte sich, zog ein Taschentuch hervor und spuckte hinein. Dann fuhr sie fort, als sei nichts geschehen: »Es ging das Gerücht, man hätte sie ins Armenhaus gesteckt.«

»Nein, das stimmt nicht«, sagte Nell. »Sie wurde zu Verwandten nach Cornwall geschickt.«

»Cornwall.« Im Haus begann ein Kessel zu pfeifen. »Dann hat sie's also gut gehabt, was?«

»Ich glaube schon.«

»Na ja«, sagte die alte Frau mit einer Kopfbewegung in Richtung Küche. »Der Tee ist fertig.« Das klang so selbstverständlich, dass Nell einen Augenblick lang glaubte, die Alte würde sie zum Tee einladen und ihr noch viele weitere Anekdoten über Eliza Makepeace erzählen. Doch als die Tür langsam zuging, die Alte auf der einen und Nell auf der anderen Seite, löste sich die schöne Vorstellung in Wohlgefallen auf.

»Warten Sie«, sagte sie und streckte eine Hand aus.

Die alte Frau ließ die Tür einen Spaltbreit offen, während in der Küche der Kessel vor sich hin pfiff.

Nell zog einen Zettel aus ihrer Handtasche und schrieb etwas auf. »Wenn ich Ihnen die Adresse und Telefonnummer meines Hotels gebe, würden Sie sich bei mir melden, falls Ihnen noch etwas über Eliza einfällt? Egal was?«

Die Alte hob eine silberne Braue und musterte Nell. Dann nahm sie den Zettel entgegen. Als sie antwortete, klang ihre Stimme plötzlich anders. »Wenn mir noch etwas einfällt, gebe ich dir Bescheid.«

»Vielen Dank, Mrs ...«

»Swindell«, sagte die alte Frau. »Miss Harriet Swindell. Bin nie einem Mann begegnet, den ich heiraten wollte.«

Nell hob eine Hand zum Abschied, aber Miss Swindells Tür hatte sich bereits geschlossen. Als der Kessel in der Küche endlich Ruhe gab, schaute Nell auf ihre Armbanduhr. Wenn sie sich beeilte, würde sie es noch in die Tate Gallery schaffen, um sich Nathaniel Walkers Porträt von Eliza anzusehen, das Bild, dem er den Titel *Die Autorin* gegeben hatte. Sie nahm den kleinen Touristenstadtplan aus ihrer Handtasche und fuhr mit dem Finger am Fluss entlang, bis sie den Uferabschnitt Millbank fand. Ein roter Bus rumpelte durch die Straße. Nell warf einen letzten Blick auf die viktorianischen Häuser, die die Kulisse für Elizas Kindheit abgegeben hatten, dann machte sie sich auf den Weg.

Dort, an der Wand der Tate Gallery, hing ihr Porträt. *Die Autorin.* Genau so, wie Nell sie in Erinnerung hatte. Ein dicker Zopf, der ihr auf der linken Schulter lag, weiße Spitzenbluse, bis zum Hals zugeknöpft, Hut auf dem Kopf. Der Hut unterschied sich deutlich von denen, die die Damen in der edwardianischen Zeit gewöhnlich trugen. Seine Form war männlicher, er saß keck zur

Seite geschoben, und im Gesichtsausdruck seiner Trägerin lag eine gewisse Respektlosigkeit, auch wenn Nell sich nicht ganz sicher war, was diesen Eindruck hervorrief. Sie schloss die Augen. Wenn sie sich anstrengte, konnte sie sich beinahe sogar an die Stimme erinnern. Sie klang ihr hin und wieder ganz unerwartet in den Ohren, eine helltönende Stimme, geheimnisvoll und zauberhaft. Aber ehe Nell sie mit einer Erinnerung verbinden und sich zu eigen machen konnte, war sie schon wieder verklungen.

Hinter ihr entstand plötzlich ein Gedränge, und sie öffnete die Augen. Wieder sah sie *Die Autorin* vor sich und trat näher an das Bild heran. Es war ein ungewöhnliches Bild, eine Kohlezeichnung, eher eine Studie als ein Porträt. Auch die Perspektive war interessant. Das Modell schaute nicht wie üblich den Betrachter an, sondern es schien, als hätte Eliza sich bereits zum Gehen gewandt, sich im letzten Moment noch einmal umgedreht, und als hätte der Künstler genau diesen Augenblick eingefangen. Ihre großen Augen hatten etwas Gewinnendes, ihre Lippen waren leicht geöffnet, als wäre sie drauf und dran, etwas zu sagen. Gleichzeitig lag etwas Beunruhigendes in ihrem Gesichtsausdruck. Es war das gänzliche Fehlen auch nur der leisesten Spur eines Lächelns. Sie wirkte beinahe überrascht, als fühlte sie sich beobachtet. Ertappt.

Wenn du nur sprechen könntest, dachte Nell. Dann könntest du mir vielleicht erzählen, wer ich bin und was ich mit dir zu tun hatte. Warum wir zusammen auf diesem Schiff waren und warum du mich nicht abgeholt hast.

Die Enttäuschung lag auf Nell wie eine Last, auch wenn sie nicht hätte sagen können, welche Offenbarungen sie sich von dem Porträt erwartet hatte. Oder eher erhofft, korrigierte sie sich. Ihre ganze Suche basierte allein auf Hoffnung. Die Welt war schrecklich groß, und es war nicht leicht, einen Menschen zu finden, der vor sechzig Jahren verloren gegangen war, selbst wenn es sich bei diesem Menschen um einen selbst handelte.

Der Walker-Saal leerte sich allmählich, und auf einmal fand Nell sich von allen Seiten umgeben von den stummen Blicken längst Verstorbener. Sie alle beobachteten sie auf diese seltsame, melancholische Weise, wie Porträts es an sich haben; auf ewig wachsame Augen folgen dem Betrachter durch den Raum. Sie schauderte und zog sich ihre Jacke über.

Das zweite Porträt fiel ihr auf, als sie schon fast an der Tür war. Als sie das Gemälde der dunkelhaarigen Frau mit der blassen Haut und den vollen Lippen erblickte, wusste Nell sofort, wer sie war. Tausend Erinnerungsfetzen fügten sich in einem einzigen Augenblick zusammen, sie spürte die Gewissheit in jeder Körperzelle. Der Name *Rose Elizabeth Mountrachet*, der auf einem Schild auf dem Rahmen eingraviert war, sagte ihr nichts. Es war mehr, und es war zugleich viel weniger. Nells Lippen begannen zu zittern, und etwas tief in ihrer Brust zog sich zusammen. Sie bekam kaum noch Luft. »Mama«, flüsterte sie und fühlte sich gleichzeitig dumm und beglückt und verletzlich.

Glücklicherweise war die Westminster-Bibliothek noch geöffnet, denn Nell hätte unmöglich bis zum nächsten Tag warten können. Endlich kannte sie den Namen ihrer Mutter: Rose Elizabeth Mountrachet. Später sollte sie diesen Augenblick in der Tate Gallery als eine Art Wiedergeburt betrachten. Mit einem Mal, ohne Vorwarnung oder Formalitäten, war sie jemandes Tochter. Immer und immer wieder murmelte sie den Namen ihrer Mutter vor sich hin, während sie durch die dunkler werdenden Straßen eilte.

Es war nicht das erste Mal, dass sie diesen Namen gehört hatte. In dem Buch mit dem Kapitel über Eliza, das sie von Mr Snelgrove gekauft hatte, wurde die Familie Mountrachet erwähnt. Elizas Onkel mütterlicherseits, niederer Adel, Besitzer des Landsitzes Blackhurst in Cornwall, wohin man Eliza nach dem Tod ihrer Mutter geschickt hatte. Das war die Verbindung, nach der Nell gesucht hatte. Das Band, das die Autorin aus Nells Erinnerung mit dem Gesicht verband, das sie jetzt als das ihrer Mutter erkannt hatte.

Die Frau am Tresen in der Bibliothek erinnerte sich noch vom Vortag an Nell, als sie dort nach Informationen über Eliza nachgefragt hatte.

»Sie haben Mr Snelgrove also angetroffen?«, fragte sie lächelnd.

»Ja, hab ich«, antwortete Nell atemlos.

»Und Sie haben es überlebt.«

»Er hat mir ein Buch verkauft, das mir sehr weitergeholfen hat.«

»Ja, ja, der gute alte Snelgrove, der verkauft jedem etwas.« Die Frau schüttelte anerkennend lächelnd den Kopf.

»Vielleicht könnten Sie mir bitte noch einmal behilflich sein«, sagte Nell. »Ich brauche Informationen über eine bestimmte Frau.«

Die Bibliothekarin blinzelte. »Da brauche ich aber etwas genauere Angaben.«

»Natürlich. Die Frau wurde gegen Ende des neunzehnten Jahrhunderts geboren. Um 1890 herum.«

»War sie auch Schriftstellerin?«

»Nein, zumindest nehme ich das nicht an.« Nell atmete tief aus und versuchte, sich zu sammeln. »Sie hieß Rose Mountrachet und stammte aus einer irgendwie adeligen Familie. Ich dachte, ich könnte vielleicht etwas in einem dieser Bücher finden, Sie wissen schon, wo alles Mögliche über Adlige drinsteht.«

»Wie das *Debrett's* zum Beispiel. Oder das *Who's who.*«

»Ja, genau.«

»Zumindest lohnt es sich, mal einen Blick in diese Bücher zu werfen«, sagte die Bibliothekarin. »Womöglich gibt es keinen gesonderten Eintrag über sie, aber wenn Sie Glück haben, wird sie in einem Eintrag über jemand anderen erwähnt, in dem ihres

Vaters beispielsweise oder dem ihres Ehemannes. Sie wissen nicht zufällig, wann sie gestorben ist?«

»Nein, warum?«

»Da Sie nicht wissen, wann sie eingetragen wurde, wäre es einfacher, zuerst im *Who's who* nachzuschlagen, aber dafür müssten Sie ihr Todesdatum kennen.«

Nell schüttelte den Kopf. »Ich habe nicht die leiseste Ahnung. Wenn Sie mir in etwa sagen, wo ich anfangen kann, gehe ich das *Who's who* einfach durch – Ich fange mit einem bestimmten Jahr an und suche so lange, bis ich etwas über sie finde.«

»Das kann ziemlich lange dauern, und wir schließen bald.«

»Ich beeile mich.«

Die Bibliothekarin zuckte die Achseln, nahm einen kleinen Notizblock, der neben ihrer Schreibmaschine lag, schrieb eine Signatur auf und reichte Nell den Zettel. »Fahren Sie mit dem Aufzug in den dritten Stock, dann sehen Sie das Regal direkt vor sich. Die Einträge sind alphabetisch geordnet.«

Endlich, im Jahrgang 1935, wurde Nell fündig. Es war zwar nicht Rose, aber es war ein Mountrachet, und zwar Linus, der Onkel, der Eliza nach dem Tod ihrer Mutter Georgiana zu sich genom men hatte. Nell überflog den Eintrag:

MOUNTRACHET, Lord Linus Saintjohn Henry, * 11. Januar 1858, Sohn von Lord Saintjohn Luke Mountrachet † und Margaret Elizabeth Mountrachet †, ⚭ 17. Juli 1888 Adeline Langley. Eine Tochter, Rose Elizabeth Mountrachet †, ⚭ Nathaniel Walker †.

Rose hatte also Nathaniel Walker geheiratet. Das bedeutete doch, dass Walker ihr Vater war, dachte Nell. Sie las den Eintrag noch einmal. Rose Elizabeth Mountrachet †, ⚭ Nathaniel Walker †. Sie waren also beide vor 1935 gestorben. War sie, Nell, deswegen in Elizas Obhut gewesen? War Eliza zu ihrem Vormund bestimmt worden, weil ihre Eltern beide tot waren?

Ihr Vater – also Hamish – hatte sie 1913 am Kai von Maryborough gefunden. Wenn Eliza nach dem Tod ihrer Eltern zu ihrem Vormund bestimmt worden war, dann bedeutete das doch, dass sie vor 1913 gestorben sein mussten.

Und wenn sie nun Nathaniel Walker unter dem Jahrgang 1913 im *Who's who* nachschlug? Er hatte bestimmt einen eigenen Eintrag. Oder noch besser: Wenn ihre Theorie stimmte und er schon 1913 nicht mehr gelebt hatte, sollte sie lieber gleich im *Who was who* nachschlagen. Hastig trat sie an das lange Regal und zog den Band 1897–1915 heraus. Mit zitternden Fingern blätterte sie von hinten nach vorn. Z, Y, X, W. Da war er.

WALKER, Nathaniel James, * 22. Juli 1883, † 1. September 1913, Sohn von Anthony Samuel Walker und Mary Walker, ⚭ 17. Juli 1907 Hon. Rose Elizabeth Mountrachet †. Eine Tochter, Ivory Walker †.

Nell zuckte zusammen. Eine Tochter, das stimmte, aber wieso war sie als verstorben eingetragen? Sie war doch nicht tot, im Gegenteil, sie fühlte sich lebendiger denn je.

Plötzlich wurde Nell bewusst, wie überheizt die Bibliothek war, und sie konnte kaum noch durchatmen. Sie fächelte sich Luft zu und rieb sich den Nacken. Dann betrachtete sie noch einmal den Eintrag.

Was hatte das zu bedeuten? Sollten die sich etwa geirrt haben?

»Haben Sie sie gefunden?«

Nell blickte auf. Die Frau vom Empfangstresen. »Kann es passieren, dass hier falsche Angaben drinstehen?«, fragte Nell. »Kommt so was vor?«

Die Frau schürzte nachdenklich die Lippen. »Na ja, die Angaben basieren nicht gerade auf den verlässlichsten Quellen, würde ich sagen. Sie stammen von den beschriebenen Personen selbst.«

»Und was ist, wenn die Person tot ist?«

»Wie bitte?«

»Im *Who was who* werden doch nur Personen eingetragen, die bereits verstorben sind. Wer stellt denn in dem Fall die Informationen zur Verfügung?«

Die Frau zuckte die Achseln. »Die Angehörigen, nehme ich an. Das meiste wird wahrscheinlich von dem letzten Fragebogen übernommen, den der Verstorbene selbst ausgefüllt hat. Dann wird das Todesdatum hinzugefügt und fertig.« Sie wischte einen Fussel von einem Regalbrett. »Wir schließen in einer Stunde. Geben Sie mir Bescheid, falls ich Ihnen bei irgendetwas behilflich sein kann.«

Es war ein Fehler, das war alles. Das kam sicherlich häufig vor, schließlich kannte der Setzer in der Druckerei die Personen überhaupt nicht. Außerdem war es durchaus möglich, dass ein Setzer bei der Arbeit mal mit den Gedanken woanders war und aus Versehen ein Kreuz hinter einen Namen setzte. Ein Fremder, für tot erklärt für die Augen der Nachwelt?

Was auch immer da passiert sein mochte, sie wusste jetzt, wessen Tochter sie war – und sie war überaus lebendig. Jetzt brauchte sie nur noch eine Biografie von Nathaniel Walker zu finden, dann konnte sie beweisen, dass der Eintrag fehlerhaft war. Sie hatte jetzt einen Namen, sie war einst auf den Namen Ivory Walker getauft worden. Und wenn er ihr nicht vertraut erschien, wenn er ihr nicht passte wie ein alter Mantel, dann war das eben so. Auf das Gedächtnis war einfach kein Verlass, man konnte nie wissen, was haften blieb und was nicht.

Plötzlich fiel ihr das Buch ein, das sie auf dem Weg zur Tate Gallery gekauft hatte, ein Buch über Walkers Gemälde. Das enthielt garantiert eine Kurzbiografie. Sie nahm es aus ihrer Tasche und schlug es auf.

Nathaniel Walker (1883–1913) wurde als Sohn polnischer Einwanderer in New York geboren. Sein Vater schlug sich als Hafenarbeiter durch, während seine Mutter Wäsche in Auftrag nahm und sechs Kinder großzog. Nathaniels Kindheit war von Armut geprägt.

Zwei seiner Geschwister starben früh, und Nathaniel sollte eigentlich in die Fußstapfen seines Vaters treten und Hafenarbeiter werden, als einem Passanten ein Bild auffiel, das er in New York auf der Straße gezeichnet hatte. Der Mann, Walter Irving Junior, Erbe des Irving Ölkonzerns, ließ sich von Walker porträtieren. Unter den Fittichen seines Mentors entwickelte sich Nathaniel zu einem bekannten Mitglied der jungen New Yorker Gesellschaft. Auf einer Party in Irvings Haus im Jahr 1906 lernte Nathaniel Walker die Ehrenwerte Rose Mountrachet aus Cornwall kennen, die zu Besuch in New York weilte. Die beiden heirateten ein Jahr später auf Blackhurst, dem Anwesen der Mountrachets in der Nähe von Tregenna, Cornwall. Nach der Eheschließung und seiner Übersiedlung nach Großbritannien konnte Walker sein Ansehen weiter steigern. Den Höhepunkt seiner Karriere bildete im Jahr 1910 der Auftrag für ein Porträt von König Edward VII., das dessen letztes werden sollte.

Nathaniel und Rose Walker hatten eine Tochter, Ivory Walker, geboren 1909. Seine Frau und seine Tochter waren Walkers Lieblingsmodelle, die er immer wieder darstellte, und als eines seiner besten Porträts gilt das Bild mit dem Titel Mutter und Kind. *Das junge Paar kam 1913 bei einem tragischen Unfall ums Leben, als der Ais-Gill-Schnellzug kurz vor der schottischen Grenze mit einem anderen Zug zusammenstieß und in Flammen aufging. Ivory Walker starb kurz nach dem Tod ihrer Eltern an Scharlach.*

Das ergab keinen Sinn. Nell *wusste*, dass sie die Tochter der Personen war, die in dem Eintrag beschrieben wurden. Rose und Nathaniel Walker waren ihre Eltern. Sie *erinnerte* sich an Rose, sie hatte sie sofort wiedererkannt. Und die Daten stimmten: Ihr Geburtsjahr, selbst ihre Reise nach Australien passten zu gut zum Todesdatum von Rose und Nathaniel, um Zufall sein zu können. Ganz zu schweigen von dem zusätzlichen Verbindungsdetail, dass Rose und Eliza offenbar Cousinen waren.

Nell schlug das Inhaltsverzeichnis auf und fuhr mit dem Finger über die alphabetische Liste. Bei *Mutter und Kind* hielt sie inne und blätterte mit klopfendem Herzen nach vorn bis zu der angegebenen Seite.

Ihre Unterlippe zitterte. Sie mochte vielleicht keine Erinnerung daran haben, dass man sie Ivory genannt hatte, aber nun bestand kein Zweifel mehr. Sie wusste, wie sie als Kind ausgesehen hatte. Das kleine Mädchen dort auf dem Bild, das war sie. Auf dem Schoß ihrer Mutter, gemalt von ihrem Vater.

Warum galt sie dann für die offizielle Geschichtsschreibung als tot? Woher hatte das *Who was who* diese Angaben? Hatte jemand absichtlich falsche Informationen weitergegeben, oder hatte derjenige sie für tot gehalten, weil er nicht wusste, dass eine mysteriöse Märchenschreiberin sie auf eine Schiffsreise nach Australien mitgenommen hatte?

»Du darfst niemandem deinen Namen sagen. Das gehört zu dem Spiel, das wir spielen.« Das hatte die Autorin zu ihr gesagt. Plötzlich war es Nell, als hörte sie die helle Stimme der Autorin, die wie eine Meeresbrise an ihre Ohren drang. *»Es ist unser Geheimnis. Du darfst deinen Namen nicht verraten.«*

Nell fühlte sich wieder wie das vierjährige Mädchen von damals, empfand die Angst, die Verunsicherung, die Aufregung. Nahm den Geruch des schlammigen Flusses wahr, der so anders roch als der weite, blaue Ozean, hörte das Kreischen der hungrigen Themsemöwen, die Rufe der Seeleute. Zwei Fässer, ein dunkles Versteck, ein Streifen Sonnenlicht, in dem lauter Staubkörner tanzten …

Die Autorin hatte sie mitgenommen. Sie war gar nicht im Stich gelassen worden. Sie war entführt worden, und ihre Großeltern hatten nichts davon gewusst. Deswegen hatten sie auch nicht nach ihr suchen lassen. Sie hatten sie für tot gehalten.

Aber aus welchem Grund hatte die Autorin sie entführt? Und warum war sie dann verschwunden und hatte Nell allein auf dem Schiff zurückgelassen? Mutterseelenallein auf der Welt?

Nells Vergangenheit war wie eine russische Puppe, jede Frage enthielt eine weitere Frage.

Was sie brauchte, um all diese neuen Rätsel zu lösen, war ein Mensch aus Fleisch und Blut. Sie brauchte jemanden, mit dem sie reden konnte, der sie womöglich selbst als Kind gekannt hatte oder ihr so jemanden nennen konnte. Jemanden, der ihr etwas über die Autorin erzählen konnte, über die Mountrachets und über Nathaniel Walker.

Aber diesen Jemand, sagte sich Nell, würde sie nicht in den verstaubten Sälen der Bibliothek finden. Sie musste sich ins Zentrum des Rätsels begeben und nach Cornwall fahren, in dieses Dorf namens Tregenna. Zu dem riesigen, dunklen Herrenhaus Blackhurst, wo ihre Familie einmal gelebt und wo sie als kleines Mädchen gespielt hatte.

19 *London* *England, 2005*

Ruby verspätete sich zum Abendessen, aber das machte Cassandra nichts aus. Der Kellner hatte ihr einen Tisch an einem großen Fenster gegeben, und sie beobachtete gestresste Pendler, die nach Hause eilten. Gleich vor dem Fenster befand sich eine Haltestelle der Buslinie 25, und gegenüber lag die South-Kensington-Station der U-Bahn mit ihren hübschen Art-déco-Fliesen. Hin und wieder schwappte eine vom Strom des Verkehrs erzeugte Welle windzerzauster Leute ins Restaurant, die sich an Tischen niederließen oder an der Theke auf ihr in weißen Kartons verpacktes Abendessen zum Mitnehmen warteten.

Cassandra fuhr mit dem Daumen über den weichen, abgegriffenen Rand von Nells Notizheft und ließ sich die Aufzeichnung noch einmal durch den Kopf gehen, in der Hoffnung, sie irgendwann verdauen zu können. Nells Vater war Nathaniel Walker – der Nathaniel Walker, der die königliche Familie porträtiert hatte, der Künstler, dem in der Tate Gallery ein Extrasaal gewidmet war. Und er war Cassandras Urgroßvater.

Nein, die Wahrheit war, genauso wie am Nachmittag, als sie sie entdeckt hatte, immer noch ein Brocken, der sich kaum schlucken ließ. Sie hatte auf einer Bank am Themseufer gesessen und Nells fast unleserlichen Bericht über den Tag entziffert, an dem sie zuerst das Haus in Battersea aufgesucht hatte, in dem Eliza Makepeace geboren war, und anschließend in die Tate Gallery gegangen war, wo die Porträts von Nathaniel Walker hingen. Nach einer Weile war von der Themse her Wind aufgekommen, und Cassandra war drauf und dran gewesen, ihren Platz auf der Bank aufzugeben, als ihr Blick auf ein paar dick unterstrichene Zeilen auf der nächsten Seite des Hefts gefallen war. Dort stand: *Rose Mountrachet war meine Mutter. Ich erkenne sie auf dem Porträt und ich erinnere mich an sie.* Dann ein Pfeil zu einem Buchtitel, *Who was who*, unter dem einige Bemerkungen aufgelistet waren:

- Rose Mountrachet hat den Maler Nathaniel Walker 1907 geheiratet
- eine Tochter! Ivory Walker (geboren 1909) (wg. Scharlach nachforschen)
- Rose und Nathaniel beide 1913 bei einem Zugunglück in Ais Gill, Schottland, ums Leben gekommen (dasselbe Jahr, in dem ich verschwunden bin. Zusammenhang?)

Hinten in dem Heft steckte ein zusammengefaltetes Blatt Papier, eine Fotokopie aus einem Buch mit dem Titel *Schwere Eisenbahnunfälle im Zeitalter der Dampflokomotiven.* Cassandra nahm die Kopie aus ihrer Tasche und glättete sie auf dem Tisch. Das Papier war dünn und der Druck verblasst, aber es hatte zum Glück keine Schimmelflecken wie der Rest des Notizhefts. Die Überschrift oben auf der Seite lautete: »Die Eisenbahntragödie von Ais Gill«. Umgeben von anheimelndem Stimmengemurmel im Restaurant las Cassandra den knappen, aber leidenschaftlichen Bericht noch einmal durch.

In den frühen Morgenstunden des 1. September 1913 rollten zwei Züge aus dem Bahnhof Carlisle mit dem Reiseziel St. Pancras, und keiner der Passagiere konnte ahnen, dass er in sein Verderben fuhr. Für die Strecke, die aus den schottischen Tälern steil auf die Pässe hinaufführt, waren die Lokomotiven hoffnungslos zu schwach. Die Summe zweier Faktoren besiegelte schließlich das Schicksal der Züge: Die Lokomotiven verfügten nicht über die notwendige Leistung für die steilen Anstiege und wurden zudem mit minderwertiger Kohle befeuert.

Der erste Zug verließ Carlisle um 1:38 Uhr. Auf dem Weg zum Ais-Gill-Pass ließ der Dampfdruck nach, und der Zug kam zum Stehen. Es ist anzunehmen, dass die Passagiere sich über den Halt so kurz nach der Abfahrt wunderten, aber sie werden sich keine Sorgen gemacht haben. Sie wähnten sich in guten Händen, und der Schaffner hatte ihnen versichert, es bestehe kein Grund zur Beunruhigung, sie würden die Fahrt in wenigen Minuten fortsetzen.

Aber die Überzeugung des Schaffners, dass es sich nur um eine kurze Unterbrechung der Fahrt handelte, war einer der tödlichen Fehler, die in jener Nacht begangen wurden. Normalerweise hätte der Schaffner sich informieren müssen, wie lange der Lokführer und der Heizer noch brauchen würden, den Feuerrost zu reinigen und den Dampfdruck erneut aufzubauen, dann hätte er Zündkapseln abfeuern oder mit einer Laterne ein Stück die Schienen zurückgehen müssen, um nachfolgende Züge zu warnen. Doch das tat er leider nicht, und damit war das Schicksal der Passagiere in jener Nacht besiegelt.

Denn der nachfolgende Zug hatte ebenfalls Schwierigkeiten. Er zog zwar eine leichtere Last, aber die zu schwache Lokomotive und die minderwertige Kohle bereiteten auch diesem Lokführer Probleme. Wenige Meilen vor dem Ais-Gill-Pass, kurz vor Mallerstang, traf der Lokführer die tödliche Entscheidung, während der Fahrt den Führer-

stand zu verlassen und bewegliche Teile der Lokomotive abzuschmieren. Ein solches Verhalten mag uns heutzutage als gefährlich erscheinen, doch zu jener Zeit war es gang und gäbe. Während also der Lokführer nicht auf seinem Platz war, wurde zu allem Unglück auch der Heizer mit Schwierigkeiten konfrontiert: Die Injektorpumpe funktionierte nicht, und der Dampfdruck fiel. Nachdem der Lokführer zurückgekehrt war, nahm die Reparatur die beiden Männer so stark in Anspruch, dass sie, als der Zug die Signalstation in Mallerstang passierte, die rote Laterne nicht sahen, die zur ihrer Warnung geschwenkt wurde.

Als sie endlich die Probleme behoben hatten und ihre Aufmerksamkeit wieder auf den Schienenstrang richteten, war der erste liegen gebliebene Zug nur noch wenige Meter entfernt, und es gab keine Möglichkeit mehr, rechtzeitig zu bremsen. Man kann sich vorstellen, dass der Schaden extrem groß war und die Tragödie unerwartet viele Opfer forderte. Durch den Zusammenprall löste sich eins der Gepäckwagendächer, wurde über die zweite Lokomotive geschleudert und bohrte sich in den Schlafwagen der ersten Klasse. Das Gas der Beleuchtungsanlage entzündete sich, und Feuer breitete sich in den zerstörten Abteilen aus, dem mehrere Passagiere zum Opfer fielen.

Cassandra bekam eine Gänsehaut, als sie sich die Ereignisse in jener Nacht im Jahr 1913 vor Augen führte: Die Fahrt in die steilen Berge hinauf, der Blick aus dem Fenster auf die nächtliche Landschaft, die Verwunderung, als der Zug plötzlich stehen blieb. Sie fragte sich, was Rose und Nathaniel im Augenblick des Zusammenstoßes wohl gerade gemacht hatten. Hatten sie in ihrem Abteil geschlafen oder sich unterhalten? Vielleicht sprachen sie sogar gerade über ihre Tochter Ivory, die zu Hause auf ihre Rückkehr wartete. Voller Mitgefühl faltete sie den Bericht zusammen und schob ihn wieder zurück in das Notizheft. Wie seltsam, dass das Schicksal ihrer Vorfahren, von deren Existenz sie doch gerade erst erfahren hatte, sie so bewegte. Und wie schrecklich musste es für Nell gewesen sein, ihre Eltern endlich zu finden, nur um sie auf so grausame Weise gleich wieder zu verlieren.

Die Tür des Carluccio's wurde aufgerissen, und kühle, mit Abgasen vermischte Luft strömte herein. Als Cassandra aufblickte, sah sie Ruby auf sich zukommen, gefolgt von einem hageren Mann mit Glatze.

»Was für ein Nachmittag!« Ruby ließ sich Cassandra gegenüber auf einen Stuhl fallen. »Eine nicht enden wollende Busfahrt. Ich dachte schon, ich komm da nie mehr weg.« Sie zeigte auf den dünnen, gepflegten Mann, der steif hinter ihr stand. »Das ist Grey, er ist unterhaltsamer, als er aussieht.«

»Ruby, Schätzchen, was für eine charmante Art, mich vorzustellen.« Er streckte Cassandra eine weiche Hand entgegen. »Graham Westerman. Ruby hat mir alles über Sie erzählt.«

Cassandra lächelte. Das war eine interessante Vorstellung in Anbetracht der Tatsache, dass sie bisher ganze zwei Stunden mit Ruby zugebracht hatte. Aber falls es irgendjemanden gab, der ein solches Wunder vollbringen konnte, dann war es wahrscheinlich Ruby.

Graham nahm Platz. »Was für ein Glücksfall, ein Haus zu erben.«

»Ganz zu schweigen von dem dazugehörigen Familiengeheimnis.« Ruby winkte einen Kellner heran und bestellte Vorspeisen für sie alle.

Bei der Erwähnung des Familiengeheimnisses zuckte Cassandra zusammen. Ihre neu gewonnenen Erkenntnisse über die Identität von Nells Eltern lagen ihr auf der Zunge, doch das Geheimnis schnürte ihr die Kehle zu.

»Ruby sagt, ihre Ausstellung hat Ihnen gefallen«, bemerkte Grey mit funkelnden Augen.

»Na klar hat sie ihr gefallen, sie ist schließlich ein Mensch«, sagte Ruby. »Und außerdem Künstlerin.«

»Kunsthistorikerin«, korrigierte Cassandra errötend.

»Dad hat mir erzählt, dass Sie tolle Zeichnungen machen. Sie haben ein Kinderbuch illustriert, stimmt's?«

Cassandra schüttelte den Kopf. »Nein. Ich hab früher mal gezeichnet, aber es war nur ein Hobby.«

»Also, nach allem, was ich gehört hab, war das mehr als ein Hobby. Dad sagt …«

»Als junges Mädchen bin ich immer mit einem Zeichenblock rumgelaufen, aber das ist lange her. Ich hab schon seit Jahren nichts mehr gezeichnet.«

»Hobbys haben es an sich, mit der Zeit verloren zu gehen«, bemerkte Grey diplomatisch. »Ein gutes Beispiel dafür ist Rubys Gott sei Dank nur kurzlebige Begeisterung fürs Tanzen.«

»Ach, Grey, bloß weil du zwei linke Füße hast …«

Während die beiden über Rubys Begeisterung für das Salsatanzen diskutierten, gab Cassandra sich der Erinnerung an jenen viele Jahre zurückliegenden Nachmittag hin, als Nell einen Zeichenblock und eine Schachtel 2B-Bleistifte auf den Tisch gelegt hatte, an dem Cassandra gerade über ihren Mathe-Hausaufgaben brütete.

Damals wohnte sie seit einem Jahr bei ihrer Großmutter, sie war gerade auf die Highschool gekommen, und Freunde zu finden fiel ihr ebenso schwer, wie ihre Gleichungen zu lösen.

»Ich kann nicht zeichnen«, hatte sie verblüfft und verunsichert gesagt.

Unerwartete Geschenke hatten sie schon immer argwöhnisch gemacht. Wenn ihre Mutter oder Len ihr überraschenderweise ein Geschenk machten, folgte gewöhnlich irgendetwas Unangenehmes.

»Du wirst es schon lernen«, sagte Nell. »Du hast Augen und Hände. Zeichne, was du siehst.«

Cassandra seufzte geduldig. Nell steckte voller verrückter Einfälle. Sie war ganz anders als die Mütter anderer Kinder, und sie war erst recht anders als Lesley, aber sie meinte es gut, und Cassandra wollte sie nicht verletzen. »Ich glaube, zum Zeichnen gehört ein bisschen mehr, Nell.«

»Unsinn. Du musst einfach nur lernen zu sehen, was wirklich da ist, und nicht, was du zu sehen *glaubst.*«

Cassandra hob zweifelnd die Brauen.

»Alles besteht aus Linien und Formen. Es ist wie ein Code, du brauchst nur zu lernen, wie man ihn entziffert und deutet.« Nell zeigte auf eine Lampe. »Die Lampe da. Sag mir, was du siehst.«

»Äh … eine Lampe?«

»Siehst du, da hast du das Problem«, sagte Nell. »Wenn du nichts als eine Lampe siehst, wirst du nie lernen, sie zu zeichnen. Aber wenn du siehst, dass es sich um ein Dreieck und ein Rechteck handelt und dass beide durch ein dünnes Rohr miteinander verbunden sind, dann hast du schon die halbe Miete.«

Cassandra zuckte die Achseln.

»Tu mir den Gefallen. Versuch's einfach.«

Cassandra seufzte – zum Zeichen, dass sie sich in ihr Schicksal fügte.

»Wer weiß, vielleicht wirst du dich noch selbst überraschen.«

Und das hatte sie getan. Nicht dass sie von Anfang an ein außerordentliches Talent bewiesen hätte. Die Überraschung war vielmehr die Tatsache gewesen, dass es ihr so viel Spaß machte. Wenn sie dasaß, den Zeichenblock auf den Knien und den Bleistift in der Hand, konnte sie die Zeit und alles um sich herum vergessen …

Der Kellner kam und stellte einen Korb mit Brot und eine kleine Schale mit einer dunklen Paste auf den Tisch. Er nickte, als Ruby eine Flasche Sekt bestellte. Nachdem er gegangen war, fischte Ruby sich ein Stück warmes Knoblauchbrot aus dem Korb, zwinkerte Cassandra zu und zeigte auf die Schale. »Probier mal die Tapenade. Sie ist absolut köstlich.«

Cassandra strich sich etwas von der dunklen Olivenpaste auf ein Stück Brot.

»Kommen Sie schon, Cassandra«, ermunterte sie Grey. »Erlösen Sie ein altes, unverheiratetes Paar von seinen Kabbeleien und erzählen uns, was Sie heute in Erfahrung gebracht haben.«

Cassandra klaubte ein Stückchen Olive von der Papiertischdecke. Rieb mit dem Daumen über den dunklen Fleck.

»Ja, war irgendwas Aufregendes dabei?«, fragte Ruby.

Cassandra hörte sich sagen: »Ich weiß jetzt, wer Nells leibliche Eltern waren.«

Ruby quiekte vor Begeisterung. »Was? Wer denn? Wie hast du das denn rausgefunden?«

Cassandra biss sich auf die zitternde Lippe und schaffte es, ein selbstbewusstes Lächeln zustande zu bringen. »Rose und Nathaniel Walker.«

»Ach du lieber Himmel, der heißt ja genauso wie mein Maler, Grey! Was für ein Zufall, wir haben doch heute noch über ihn gesprochen, und er hat sogar mal auf demselben Landsitz ...« Ruby unterbrach sich und erbleichte. »Hast du wirklich Nathaniel Walker gesagt?« Sie schluckte. »Dein Urgroßvater war Nathaniel Walker?«

Cassandra nickte und musste unwillkürlich grinsen. Sie kam sich irgendwie lächerlich vor.

Ruby fiel regelrecht die Kinnlade herunter. »Und du hattest keinen Schimmer? Ich meine, als wir uns heute in der Gallery getroffen haben?«

Cassandra, die immer noch grinste wie eine Närrin, schüttelte den Kopf.»Ich hab's erst heute Nachmittag erfahren, als ich in Nells Notizheft gestöbert habe.«

»Ich kann nicht fassen, dass du nicht sofort mit der Neuigkeit rausgeplatzt bist, als wir uns an den Tisch gesetzt haben!«

»Du hast dich doch die ganze Zeit übers Salsatanzen ausgelassen, da ist sie gar nicht zu Wort gekommen«, bemerkte Grey. »Und abgesehen davon, liebe Ruby, gibt es tatsächlich Leute, die ihr Privatleben nicht gern vor aller Welt ausbreiten.«

»Ach, komm schon, Grey, kein Mensch behält gern ein Geheimnis für sich. Das einzig Spannende an einem Geheimnis ist zu wissen, dass man es eigentlich nicht hätte verraten dürfen.« Ruby schaute Cassandra kopfschüttelnd an. »Du bist also mit Nathaniel Walker verwandt. Wahnsinn!«

»Es kommt mir irgendwie komisch vor, und vor allem so unerwartet.«

»Sagenhaft«, seufzte Ruby. »Da durchforsten alle möglichen Leute die Geschichtsbücher in der Hoffnung, irgendeinen Beweis dafür zu finden, dass sie entfernt mit jemandem wie Scheiß-Winston-Churchill verwandt sind, und dir fällt das Glück in Gestalt eines berühmten Malers einfach so in den Schoß.«

Cassandra lächelte, sie kam nicht dagegen an.

Der Kellner kam wieder an den Tisch und schenkte allen ein Glas Sekt ein.

»Auf das Lüften von Geheimnissen«, sagte Ruby und hob ihr Glas.

Sie stießen an und tranken einen Schluck.

»Verzeihen Sie mir meine Unwissenheit«, sagte Grey, »ich bin in Kunstgeschichte nicht so bewandert, wie ich es sein sollte, aber wenn Nathaniel Walker eine Tochter hatte, die verschwunden ist, dann hätte es doch bestimmt eine Riesensuchaktion gegeben, oder?« Er hob eine Hand, als Cassandra etwas sagen wollte. »Ich will ja nicht die Nachforschungsergebnisse Ihrer Großmutter infrage stellen, aber wie, zum Teufel, kann die Tochter eines berühmten Künstlers verschwinden, ohne dass jemand etwas davon mitbekommt?«

Ausnahmsweise hatte Ruby darauf keine Antwort parat. Sie schaute Cassandra an.

»Nach dem, was ich aus Nells Aufzeichnungen entnehmen kann, geht aus den Registern hervor, dass Ivory Walker im Alter von vier Jahren gestorben ist. Und Nell war vier Jahre alt, als sie in Australien eintraf.«

Ruby rieb sich die Hände. »Du glaubst also, sie wurde entführt, und die Entführer haben es dann so aussehen lassen, als wäre sie gestorben? Wie aufregend! Aber wer kann das getan haben? Und warum? Was hat Nell denn darüber in Erfahrung gebracht?«

Cassandra lächelte verlegen. »Diesen Teil des Rätsels hat sie anscheinend nie lösen können. Jedenfalls nicht mit Sicherheit.«

»Was soll das heißen? Wie kommst du darauf?«

»Ich hab die letzten Seiten ihrer Aufzeichnungen gelesen. Nell hat es nicht rausgefunden.«

»Aber *irgendwas* muss sie doch rausgefunden haben. Hat sie nicht wenigstens eine Theorie gehabt?« Ruby wirkte beinahe verzweifelt. »Bitte sag mir, dass sie eine Theorie hatte! Hat sie uns irgendeinen Hinweis hinterlassen, an dem wir anknüpfen können?«

»Es gibt einen Namen«, sagte Cassandra. »Eliza Makepeace. Ich habe vorher noch nie von ihr gehört, aber ich glaube, sie war damals ziemlich bekannt. Es gibt einen Koffer, der irgendwie in Nells Besitz gelangt ist, und dieser Koffer enthielt unter anderem ein Märchenbuch, das offenbar einige Erinnerungen wachgerufen hat. Möglicherweise hat diese Eliza Nell ja tatsächlich auf das Schiff gebracht, aber sie selbst ist nie in Australien angekommen.«

»Was ist denn aus ihr geworden?«

Cassandra hob die Schultern. »Es gibt nichts Offizielles. Es ist, als hätte sie sich genau zu der Zeit, als Nell sozusagen nach Australien ›verschifft‹ wurde, in Luft aufgelöst. Was auch immer Eliza vorgehabt haben mag, es muss am Ende schiefgelaufen sein.«

Der Kellner füllte ihre Gläser nach und fragte, ob sie jetzt das Essen bestellen wollten.

»Gute Idee«, sagte Ruby. »Geben Sie uns noch fünf Minuten?« Entschlossen schlug sie die Speisekarte auf und seufzte. »Gott, ist das aufregend. Wenn ich mir vorstelle, dass du morgen nach Cornwall fahren und endlich das geheimnisvolle Haus sehen wirst! Wie kannst du das bloß aushalten!«

»Werden Sie in dem Haus wohnen?«, wollte Grey wissen.

Cassandra schüttelte den Kopf. »Der Anwalt, der den Schlüssel hat, sagt, es ist eigentlich nicht bewohnbar. Ich habe ein Zimmer im Hotel Blackhurst gebucht, das liegt ganz in der Nähe. In dem Haus hat früher die Familie Mountrachet gewohnt, Nells Familie.«

»Deine Familie«, bemerkte Ruby.

»Ja.« Daran hatte Cassandra noch gar nicht gedacht. Ohne, dass sie es wollte, verzogen sich ihre Lippen wieder zu einem zitternden Lächeln.

Ruby schüttelte sich theatralisch. »Ich sterbe vor Neid. Ich würde alles dafür geben, so ein Geheimnis in meiner Familiengeschichte zu haben, so was Aufregendes, dem ich auf die Spur kommen müsste.«

»Für mich ist das alles tatsächlich ziemlich aufregend. Es lässt mich gar nicht mehr los. Dauernd sehe ich dieses kleine Mädchen vor mir, die kleine Nell, die ihrer Familie entrissen wurde und ganz allein am Kai auf ihrem Koffer sitzt. Ich kriege das Bild nicht mehr aus dem Kopf. Ich wüsste so gern, was wirklich passiert ist, wie es möglich ist, dass sie mutterseelenallein am anderen Ende der Welt gelandet ist.« Plötzlich war Cassandra ganz verlegen, hatte das Gefühl, zu viel geredet zu haben. »Das ist wahrscheinlich ziemlich albern.«

»Nein, ganz und gar nicht. Ich finde es absolut verständlich.«

Etwas an Rubys mitfühlendem Ton ließ Cassandra erschauern. Sie wusste, was als Nächstes kommen würde. Ihr Magen zog sich zusammen, und sie suchte nach Worten, um das Thema zu wechseln. Aber sie war nicht schnell genug.

»Ich kann mir nicht vorstellen, wie das ist, ein Kind zu verlieren«, sagte Ruby sanft. Ihre Worte durchbrachen die dünne Schutzschicht über Cassandras Trauer, und plötzlich hatte sie Leos Gesicht, sein Kinderlachen vor Augen.

Mit Mühe gelang es ihr zu nicken, ein schwaches Lächeln aufzusetzen und ihre Erinnerungen zu unterdrücken, als Ruby ihre Hand nahm.

»Nach dem, was mit deinem kleinen Sohn passiert ist, ist es doch kein Wunder, dass du unbedingt rausfinden willst, was deiner Großmutter zugestoßen ist.« Ruby drückte ihre Hand. »Ich finde das vollkommen nachvollziehbar: Du hast ein Kind verloren und jetzt versuchst du, ein anderes wiederzufinden.«

20 *London* *England, 1900*

Kaum hatte Eliza sie um die Ecke in die Battersea Bridge Road biegen sehen, wusste sie genau, wer sie waren. Die beiden, eine Alte und eine Junge, waren ihr schon öfter in den Straßen des Viertels aufgefallen, piekfeine Damen, die ihr gutes Werk mit einer Gnadenlosigkeit durchsetzten, als hätte der Herrgott persönlich sie damit beauftragt.

Seit Sammy nicht mehr da war, drohte Mr Swindell dauernd damit, die wohltätigen Damen zu rufen, und ließ keine Gelegenheit aus, Eliza daran zu erinnern, dass sie schon bald im Arbeitshaus landen würde, wenn sie nicht das Geld für zwei aufbrachte. Und obwohl Eliza tat, was sie konnte – sie arbeitete jede freie Minute für Mr Rodin –, schien sie bei der Rattenjagd das Glück verlassen zu haben, und sie geriet von Woche zu Woche weiter in den Rückstand mit der Miete.

Unten klopfte es an der Tür. Eliza erstarrte. Sie schaute sich im Zimmer um, verfluchte den feinen Riss im Mörtel, den verstopften Kamin. In einem fensterlosen Zimmer und vor neugierigen Blicken geschützt zu sein, war gut und schön, wenn man heimlich das Treiben auf der Straße beobachten wollte, aber nicht besonders praktisch, wenn man unverhofft eine Fluchtmöglichkeit brauchte.

Wieder klopfte es. Kurz und trocken, so als sträubte die klopfende Hand sich, die Tür zu einer so armseligen Behausung zu berühren. Dann drang eine schrille Stimme durch die Ziegelwand. »Huhu! Besuch von der Pfarrei!«

Eliza hörte, wie unten die Tür aufging und das Glöckchen darüber bimmelte.

»Ich bin Miss Rodha Sturgeon, und das ist meine Nichte Miss Margaret Sturgeon.«

Dann Mrs Swindell: »Entzückend.«

»Meine Güte, stehen hier viele merkwürdige alte Sachen herum, man kann sich ja kaum um sich selbst drehen.«

Wieder Mrs Swindell, diesmal ziemlich gereizt: »Folgen Sie mir, das Mädchen ist oben. Und passen Sie auf. Wenn Sie was kaputt machen, müssen Sie es bezahlen.«

Schritte, die näher kamen. Die vierte Stufe quietschte, einmal, zweimal, dreimal. Eliza wartete, ihr Herz raste so schnell wie eine von Mr Rodins gefangenen Ratten. Sie sah es regelrecht in ihrer Brust flattern wie eine Flamme bei einem Windstoß.

Dann ging die treulose Tür auf, und die beiden Wohltäterinnen erschienen im Türrahmen.

Die Ältere lächelte, bis ihre Augen fast in ihrem faltigen Gesicht verschwanden. »Wir kommen von der Pfarrgemeinde«, sagte sie freundlich. »Ich bin Miss Rodha Sturgeon, und das ist meine Nichte Miss Margaret Sturgeon.« Sie beugte sich vor, sodass Eliza einen Schritt zurückweichen musste. »Und du musst die kleine Eliza Makepeace sein.«

Eliza antwortete nicht. Nervös fummelte sie an Sammys Kappe, die sie immer noch trug.

Die alte Dame richtete sich auf und ließ den Blick durch das dunkle, feuchte Zimmer wandern. »Meine Güte«, sagte sie und schnalzte mit der Zunge. »Die Beschreibung deiner Misere war nicht übertrieben.« Mit einer Hand fächelte sie sich Luft zu. »Nein, nicht im Geringsten übertrieben.« Sie schob sich an Eliza vorbei. »Kein Wunder, dass man hier krank wird. Hier gibt es ja nicht mal ein Fenster.«

Mrs Swindell, gekränkt angesichts des vernichtenden Urteils über ihr Dachzimmer, funkelte Eliza zornig an.

Die ältere Miss Sturgeon wandte sich an ihre Nichte, die wie angewurzelt in der Tür stand. »Du solltest dir dein Taschentuch vor den Mund halten, Margaret, bei deiner schwachen Gesundheit.«

Die junge Frau nickte, zog ein Spitzentaschentuch aus dem Ärmel, faltete es zu einem Dreieck und hielt es sich über Mund und Nase. Dann trat sie vorsichtig ins Zimmer. Erfüllt von der Gewissheit ihrer Rechtschaffenheit, fuhr die alte Miss Sturgeon unbeirrt fort: »Zu meiner großen Freude darf ich dir mitteilen, dass dein Elend ein Ende hat, Eliza. Als wir von deiner Notlage erfuhren, haben wir uns sofort um eine Stelle für dich bemüht. Um als Hausmädchen zu arbeiten, bist du noch zu jung – und auch vom Charakter her nicht geeignet, fürchte ich –, aber es ist uns gelungen, eine gute Lösung zu finden. Mit Gottes gütiger Hilfe konnten wir für dich einen Platz im Arbeitshaus bekommen.«

Eliza blieb die Luft weg.

»Wenn du also deine Sachen packen würdest«, ihr Blick huschte unter ihren Wimpern hin und her, »deine paar Habseligkeiten, dann können wir gehen.«

Eliza schüttelte den Kopf.

»Komm, trödel nicht herum, wir müssen uns auf den Weg machen.«

»Nein!«, sagte Eliza.

Mrs Swindell verpasste Eliza eine schallende Ohrfeige, und Miss Sturgeons Augen weiteten sich. »Du solltest dich glücklich schätzen, dass man dir einen Platz verschafft, Eliza. Ich versichere dir, dass einem jungen Mädchen, das auf sich allein gestellt ist, schlimmere Dinge widerfahren können als das Arbeitshaus.« Die alte Miss Sturgeon schniefte vielsagend und hob das Kinn. »Komm jetzt.«

»Nein.«

»Vielleicht ist sie begriffsstutzig«, bemerkte die junge Miss Sturgeon durch ihr Taschentuch.

»Die ist nicht begriffsstutzig«, sagte Mrs Swindell, »bloß aufsässig.«

»Der Herrgott nimmt sich aller seiner Lämmer an, auch der aufsässigen«, entgegnete die alte Miss Sturgeon. »Margaret, meine Liebe, sieh mal nach, ob du ein paar anständige Kleider für das Mädchen findest. Aber pass auf, dass du die faulige Luft nicht einatmest.«

Eliza schüttelte den Kopf. Sie würde weder ins Arbeitshaus gehen noch Sammys Sachen ausziehen. Die gehörten jetzt zu ihr.

Jetzt wäre der richtige Augenblick für den heldenhaften Auftritt ihres Vaters gewesen, dachte Eliza und wünschte sich, er würde sie auf sein Pferd heben und mit ihr davonreiten und dann auf der Suche nach Abenteuern über die Meere segeln.

»Das dürfte reichen«, sagte Miss Sturgeon und hielt Elizas altes Trägerkleid hoch. »Da, wo sie hinkommt, wird sie nicht mehr brauchen.«

Plötzlich fielen Eliza die Worte ihrer Mutter ein. Sie hatte ihr eingeschärft, dass jeder sich selbst retten musste, dass sogar die Schwachen viel Kraft besaßen, wenn ihr Wille stark genug war. Und mit einem Mal wusste sie, was sie zu tun hatte. Ohne ein Wort zu verlieren, rannte sie zur Tür.

Die alte Miss Sturgeon, überraschend behände und noch dazu größer und kräftiger, stellte sich ihr in den Weg, während Mrs Swindell flugs die zweite Verteidigungslinie bildete.

Eliza senkte den Kopf, rammte ihn Miss Sturgeon in den Schenkel und biss zu, so fest sie konnte. Die alte Frau stieß einen schrillen Schrei aus und fasste sich ans Bein. »Oh, du kleines Biest!«

»Oh Gott, Tante, bestimmt hat sie dich mit der Tollwut angesteckt!«

»Ich hab Ihnen ja gleich gesagt, dass man sich vor der in Acht nehmen muss«, bemerkte Mrs Swindell. »Kümmern Sie sich nicht um die Kleider, sehen wir lieber zu, dass wir die kleine Hexe nach unten schaffen.«

Sie packten sie an den Armen und schleiften sie nach unten, obwohl sie sich mit Händen und Füßen wehrte, während die junge Miss Sturgeon unbeholfen und überflüssigerweise vor Stufen und Türrahmen warnte.

»Halt still, du ungezogenes Gör!«, fauchte die alte Miss Sturgeon.

»Hilfe!«, schrie Eliza, der es beinahe gelungen war, sich zu befreien. »Hilfe!«

»Du kriegst eine Tracht Prügel«, zischte Mrs Swindell, als sie den Fuß der Treppe erreichten.

Dann, plötzlich, ein unerwarteter Verbündeter.

»Eine Ratte! Ich hab eine Ratte gesehen!«

»In meinem Haus gibt's keine Ratten!«

Die junge Miss Sturgeon kreischte, sprang auf einen Stuhl und warf ein halbes Dutzend grüne Flaschen um, die krachend zu Boden fielen.

»Du kleines Biest! Alles, was kaputtgeht, bezahlst du mir!«

»Selbst schuld, wenn Sie Ratten im Haus haben.«

»Hier gibt's keine Ratten! In meinem Haus hat sich noch nie eine …«

»Tante, ich hab sie selbst gesehen. Ein grauenhaftes Vieh, so groß wie ein Hund, mit schwarzen Knopfaugen und langen, scharfen Krallen …« Die junge Miss Sturgeon brachte den Satz nicht zu Ende und ließ sich kraftlos gegen die Stuhllehne sinken. »Ich glaube, ich werde ohnmächtig. Solche Schrecken verkrafte ich nicht.«

»Ganz ruhig, Margaret, Kopf hoch. Denk an die vierzig Tage und Nächte, die unser Herr Jesus in der Wüste verbracht hat.«

Die alte Miss Sturgeon stellte ihre robuste Natur unter Beweis, indem sie die strampelnde Eliza fest im Griff hielt, während sie gleichzeitig ihre Nichte stützte, die gerade schniefte: »Aber die kleinen Knopfaugen und die ekelhafte schnüffelnde Nase …« Sie schnappte nach Luft. »Iiihhh, da ist sie wieder!«

Alle schauten in die Richtung, in die Margaret zeigte. Hinter einer dicken Whiskyflasche kauerte eine zitternde Ratte. Eliza wünschte ihr, dass sie entkommen würde.

»Komm her, du kleines Mistvieh!« Mrs Swindell schnappte sich einen Lappen und jagte die Ratte damit kreuz und quer durch den Laden.

Margaret kreischte, die alte Miss Sturgeon versuchte, sie zu beruhigen, Mrs Swindell jagte laut fluchend nach der Ratte, Glas ging zu Bruch. Dann, wie aus dem Nichts, ertönte mitten in dem Tohuwabohu eine neue Stimme. Laut und tief.

»Sofort aufhören!«

Alle verstummten, und Eliza, Mrs Swindell und die beiden Misses Sturgeon drehten sich gleichzeitig um, um zu sehen, woher die Stimme kam. In der offenen Tür stand ein ganz in Schwarz gekleideter Mann, hinter dem eine glänzende Kutsche wartete. Lauter Kinder umringten das elegante Gefährt, berührten staunend die großen Räder und die blank geputzten Laternen, während der Mann die Szene betrachtete, die sich im darbot.

»Miss Eliza Makepeace?«

Eliza nickte verdattert, brachte jedoch keinen Ton heraus. Sie war viel zu bestürzt darüber, dass ihre Flucht nunmehr vereitelt war, um sich zu fragen, wer der Fremde sein könnte, der ihren Namen kannte.

»Tochter von Georgiana Mountrachet?« Der Mann reichte Eliza ein Foto. Es war ein Bild von ihrer Mutter in jungen Jahren, gekleidet wie eine vornehme Dame. Elizas Augen weiteten sich. Verwirrt nickte sie noch einmal.

»Ich bin Finneus Newton. Ich komme im Auftrag von Lord

Linus Mountrachet in Blackhurst, um Sie abzuholen, Miss, und Sie auf das Anwesen der Familie zu bringen.«

Nicht nur Eliza, sondern auch die beiden Misses Sturgeon starrten den Mann mit aufgerissenen Augen an. Mrs Swindell sank auf einen Stuhl, als hätte sie der Schlag getroffen. Sie klappte den Mund auf und zu wie ein gestrandeter Fisch und stammelte: »Lord Mountrachet ...? Blackhurst ...? Anwesen ...?«

Die alte Miss Sturgeon straffte sich. »Mr Newton, ich fürchte, ich kann Ihnen nicht gestatten, einfach hier hereinzuplatzen und dieses Kind mitzunehmen, ohne dass Sie eine offizielle Vollmacht vorlegen können. Wir von der Pfarrgemeinde nehmen unsere Verantwortung sehr ...«

»Dies hier dürfte alle nötigen Erklärungen enthalten.« Er reichte ihr ein Dokument. »Mein Dienstherr hat die Vormundschaft für diese Minderjährige beantragt, und sie wurde ihm übertragen.« Er wandte sich an Eliza, ohne sich von ihrem ärmlichen Äußeren abschrecken zu lassen. »Kommen Sie, Miss. Es zieht ein Gewitter auf, und wir haben einen weiten Weg vor uns.«

Eliza brauchte nicht lange zu überlegen. Es spielte keine Rolle, dass sie noch nie von einem Linus Mountrachet oder einem Anwesen namens Blackhurst gehört hatte, und es war ihr egal, ob dieser Mr Newton die Wahrheit sagte. Es spielte keine Rolle, dass ihre Mutter nie ein Wort über ihre Familie verloren hatte und dass sich jedes Mal ein Schatten über ihr Gesicht gelegt hatte, wenn Eliza versucht hatte, ihr etwas über ihre Vergangenheit zu entlocken. Alles war besser als das Arbeitshaus. Und wenn sie dem Mann seine Geschichte abkaufte und dadurch den Klauen der beiden Misses Sturgeon entkommen und sich von den Swindells und ihrem kalten, einsamen Dachzimmer verabschieden konnte, war das mindestens genauso gut, wie wenn es ihr gelungen wäre, sich loszureißen und aus der Tür zu rennen.

Sie eilte an Mr Newtons Seite, brachte sich hinter seinem weiten Mantel in Sicherheit und riskierte einen Blick auf sein Gesicht. Aus der Nähe betrachtet, wirkte er gar nicht mehr so riesig wie vorher, als er im Türrahmen erschienen war. Er war ziemlich korpulent und mittelgroß. Seine Haut war gerötet, und unter seinem schwarzen Zylinderhut lugten braune und silberne Haare hervor.

Während die beiden Misses Sturgeon das Vormundschaftsdokument studierten, gewann Mrs Swindell allmählich ihre Fassung zurück. Sie trat mit erhobenem Kinn vor und unterstrich mit ihrem ausgestreckten, schmutzigen Zeigefinger jedes Wort: »Das ist doch bloß ein gemeiner *Trick*, und Sie, *Sir*, sind ein *Betrüger.*« Sie schüttelte den Kopf. »Ich weiß ja nicht, was Sie mit dem Mädchen vorhaben, auch wenn ich es mir lebhaft vorstellen kann, aber ich lasse mir die Kleine nicht von Ihnen abluchsen.«

»Ich versichere Ihnen, Madam«, antwortete Mr Newton sichtlich angewidert, »dass hier kein Betrug vorliegt.«

»Ach nein?« Ihre Brauen hoben sich, und ihre Lippen verzogen sich zu einem schleimigen Lächeln. »Ach nein?« Sie wandte sich triumphierend an die beiden Misses Sturgeon. »Es ist alles Schwindel, und er ist ein Lügner. Diese Göre hat gar keine Familie, die ist ein Waisenkind. Ein Waisenkind, ist das klar? Sie gehört mir, und ich kann mit ihr tun, was mir gefällt.« In der Gewissheit, dass ihre Position unanfechtbar war, verzog sie siegessicher den Mund. »Ihre Mutter hat sie mir auf dem Totenbett überlassen, weil sie keine andere Bleibe für sie wusste.« Triumphierend hielt sie inne. »Genau so ist es, ihre Mutter hat es mir selbst gesagt: Sie hatte überhaupt keine Familie. In den ganzen dreizehn Jahren, die sie bei mir gewohnt hat, hat sie nicht ein einziges Mal was von einer Familie erwähnt. Dieser Mann ist ein Gauner.«

Eliza schaute zu Mr Newton auf, der einen Seufzer ausstieß und die Brauen hob. »Auch wenn es mich nicht wundert, dass Elizas Mutter es vorgezogen hat, die Existenz ihrer Familie zu verschweigen, ändert das nichts an der Tatsache, dass es diese Familie gibt.« Er wandte sich an die ältere Miss Sturgeon. »Es steht alles hier in den Unterlagen.« Dann trat er aus dem Haus und öffnete die Tür der Kutsche. »Miss Eliza?«, sagte er und bedeutete ihr einzusteigen.

»Ich hole meinen Mann«, rief Mrs Swindell.

Eliza trat unschlüssig von einem Fuß auf den anderen.

»Miss Eliza?«

»Mein Mann wird Ihnen schon zeigen, wer hier im Recht ist!«

Wie auch immer die Wahrheit über ihre Familie aussehen mochte, Eliza stand vor einer einfachen Entscheidung: die Kutsche oder das Arbeitshaus. Im Moment hatte sie keine andere Möglichkeit, ihr Schicksal selbst in die Hand zu nehmen. Ihr blieb nichts anderes übrig, als sich in die Hände einer der anwesenden Personen zu begeben. Sie holte tief Luft und trat auf Mr Newton zu. »Ich habe nichts gepackt …«

»Jemand soll Mr Swindell holen!«

Mr Newton lächelte grimmig. »Ich kann mir nicht vorstellen, dass es hier irgendetwas gibt, was Sie mit nach Blackhurst nehmen sollten.«

Inzwischen hatten sich alle möglichen Leute aus der Nachbarschaft vor dem Haus eingefunden. Auf der einen Seite stand Mrs Barker, den Mund weit offen, einen Korb mit feuchter Wäsche vor dem Bauch, auf der anderen Sarah mit der kleinen Hatty, die ihr verrotztes Gesicht an das Kleid des großen Mädchens drückte.

»Wenn Sie so freundlich wären, Miss Eliza.« Mr Newton trat zur Seite und zeigte auf die Kutschentür.

Eliza warf einen letzten Blick auf die keuchende Mrs Swindell und die beiden Misses Sturgeon, dann kletterte sie über die heruntergelassene Trittleiter in die Kutsche.

Erst als die Tür hinter ihr zugeschlagen wurde, bemerkte Eliza, dass sie nicht allein war. Auf der mit dunklem Stoff bezogenen Bank ihr gegenüber saß ein Mann, den sie schon einmal gesehen hatte. Ein Mann mit einem Kneifer, der einen eleganten Anzug trug. Vor Schreck blieb ihr beinahe das Herz stehen. Sie wusste sofort, dass das der böse Mann war, vor dem ihre Mutter sie gewarnt hatte, und ihr war klar, dass sie vor ihm fliehen musste. Aber als sie gerade die Kutschentür aufreißen wollte, schlug der böse Mann mit der flachen Hand gegen die Wand hinter ihm, und die Kutsche setzte sich in Bewegung.

Teil zwei

21 *Cornwall* *England, 1900*

Während sie die Battersea Bridge Road entlangrasten, betrachtete Eliza eingehend die Kutschentür. Vielleicht, wenn sie an einem Knauf drehte oder auf eine Vertiefung drückte, würde die Tür sich öffnen, und sie konnte hinausspringen und sich in Sicherheit bringen. Andererseits war fraglich, wie viel Sicherheit sie finden würde. Falls sie den Sprung überlebte, würde sie eine Möglichkeit finden müssen, dem Arbeitshaus zu entgehen, aber das war vermutlich immer noch besser, als von dem Mann entführt zu werden, vor dem ihre Mutter so große Angst gehabt hatte.

Ihr Herz flatterte wie ein gefangener Spatz in ihrer Brust, als sie vorsichtig die Hand ausstreckte, ihre Finger den Knauf umschlossen und …

»Das würde ich an deiner Stelle nicht tun.«

Erschrocken blickte Eliza auf.

Der Mann, dessen Augen von den Gläsern seines Kneifers vergrößert wurden, beobachtete sie. »Du wirst unter die Kutsche fallen, und die Räder werden dich mittendurch schneiden.« Er lächelte dünn und entblößte einen Goldzahn. »Und wie sollte ich das deinem Onkel erklären? Wenn ich dich, nachdem ich dich zwölf Jahre lang gesucht habe, in zwei Hälften abliefere?« Dann machte er ein schmatzendes Geräusch, das Eliza, weil er dabei die Mundwinkel leicht nach oben zog, als Lachen deutete.

So abrupt, wie es begonnen hatte, verstummte das Geräusch, und der Mund des Mannes nahm wieder einen mürrischen Ausdruck an. Er strich sich über den buschigen Schnurrbart, der über seiner Oberlippe lag wie zwei Eichhörnchenschwänze. »Mein Name ist Mansell.« Er lehnte sich zurück, schloss die Augen und verschränkte seine bleichen, feucht wirkenden Hände auf dem polierten Knauf seines Spazierstocks. »Ich arbeite für deinen Onkel und ich habe einen sehr leichten Schlaf.«

Die Räder der Kutsche holperten mit einem metallischen Knirschen über das Kopfsteinpflaster. Backsteinhäuser flogen vorbei, alles grau in grau, so weit das Auge reichte. Eliza blieb stocksteif auf ihrem Platz sitzen, um nur ja den schlafenden bösen Mann nicht zu wecken.

Sie versuchte, ihren Atem dem Rhythmus der galoppierenden Pferde anzupassen. Versuchte, ihre wirren Gedanken zu ordnen. Konzentrierte sich auf das kühle Leder der Bank, auf der sie saß, um gegen das Zittern in ihren Beinen anzukämpfen. Sie kam sich vor wie eine Figur aus einem Märchenbuch, die aus einer Geschichte, deren Rhythmus und Inhalt ihr bekannt waren, ausgeschnitten und achtlos in eine andere, unbekannte hineingeklebt worden war.

Als sie aus dem Häuserdschungel hinausfuhren und den weniger dicht besiedelten Stadtrand von London erreichten, konnte Eliza den wütenden Himmel sehen. Die Pferde taten ihr Bestes, den grauen Wolken davonzurennen, aber welche Chance hatten die Tiere gegen den Zorn Gottes? Die ersten Regentropfen schlugen gehässig auf das Kutschendach, und die Welt außerhalb der Kutsche verschwand hinter einer weißen Decke, während der Regen gegen die Fenster prasselte und durch die feinen Ritzen oberhalb der Türen hereindrang.

So ging die Fahrt noch stundenlang weiter. Eliza suchte Zuflucht in ihren Gedanken, bis sie um eine Kurve fuhren und ein Schwall eisiges Wasser auf ihren Kopf tropfte. Es dauerte einen kurzen Augenblick, bis Eliza begriff, was geschehen war. Sie blinzelte mit ihren triefenden Wimpern und betrachtete den nassen Fleck auf ihrem Schoß. Sie musste sich zusammennehmen, um nicht zu weinen. Seltsam, dass an einem so ereignisreichen Tag etwas so Harmloses wie ein bisschen kaltes Wasser einen fast in Tränen ausbrechen lassen konnte. Aber sie würde nicht weinen, nicht hier, nicht, solange der Böse Mann ihr gegenübersaß. Sie schluckte den dicken Kloß herunter, der in ihrem Hals steckte.

Scheinbar ohne die Augen zu öffnen zog der Mann ein weißes Taschentuch aus seiner Brusttasche, hielt es Eliza hin und bedeutete ihr, es zu nehmen.

Sie tupfte sich das Gesicht trocken.

»So ein Theater«, sagte er so leise, dass seine Lippen sich kaum öffneten. »So ein Riesentheater.«

Zuerst dachte Eliza, er meinte sie. Das kam ihr ungerecht vor, denn sie hatte weiß Gott wenig Theater gemacht, wagte jedoch nicht, etwas darauf zu entgegnen. »So viele Jahre geopfert«, fuhr Mr Mansell fort, »und so ein armseliger Lohn.« Er öffnete die Augen, musterte sie mit abschätzigem Blick. Sie spürte, wie ihr die Angst in die Glieder kroch. »Ein gebrochener Mann ist zu allem bereit.«

Eliza fragte sich, wer der gebrochene Mann sein mochte, wartete darauf, dass Mr Mansell sich eindeutiger dazu äußerte. Doch der hüllte sich wieder in Schweigen. Ließ sich lediglich sein Taschentuch zurückgeben, das er mit spitzen Fingern entgegennahm und dann auf den Sitz neben sich fallen ließ.

Die Kutsche machte einen plötzlichen Schlenker, sodass Eliza sich festhalten musste. Die Pferde hatten ihre Gangart geändert, die Kutsche fuhr jetzt langsamer und blieb schließlich stehen.

Waren sie am Ziel? Eliza schaute aus dem Fenster, konnte jedoch keine Häuser entdecken, nur ein riesiges, aufgeweichtes Feld und daneben ein kleines Steinhaus mit einem von Wind und Wetter ausgebleichten Schild über der Tür. *MacCleary's Inn, Salisbury* stand darauf.

»Ich muss mich jetzt um andere Dinge kümmern«, sagte Mr Mansell. »Newton wird dich abliefern.« Dann öffnete er die Kutschentür, und der Regen verschluckte den Befehl, den er Newton zurief. Als die Tür zugeschlagen wurde, schnappte Eliza die Worte auf: »Bringen Sie das Mädchen nach Blackhurst.«

Eine scharfe Biegung, und Eliza wurde gegen die kalte, harte Wand geworfen. So unsanft aus dem Schlaf gerissen, brauchte sie eine Weile, um zu begreifen, wo sie sich befand, warum sie allein in einer dunklen Kutsche saß, die sie einem unbekannten Schicksal entgegentrug. Bruchstückhaft und schwerfällig kehrte die Erinnerung an den Tag zurück. Der Bote ihres geheimnisvollen Onkels, die Rettung aus den Klauen von Mrs Swindells Wohltäterinnen, Mr Mansell … Sie wischte eine Stelle am beschlagenen Kutschenfenster frei und lugte nach draußen. Es war schon fast dunkel. Offenbar hatte sie eine ganze Weile geschlafen, aber wie lange genau, konnte sie nicht einschätzen. Es hatte aufgehört zu regnen, und durch die tief hängenden Wolken waren vereinzelte Sterne zu erkennen. Die Laternen der Kutsche, die im Rhythmus der rumpelnden Kutsche schaukelten, konnten gegen die tiefe ländliche Dunkelheit nichts ausrichten. In dem spärlichen Licht, das sie verbreiteten, konnte Eliza undeutlich große Bäume ausmachen, Äste, die sich schwarz gegen den Himmel abzeichneten, dann ein hohes schmiedeeisernes Tor. Sie fuhren in einen Tunnel aus dichtem Dornengestrüpp, die Kutschenräder rumpelten durch tiefe Pfützen, sodass schlammiges Wasser gegen die Fenster klatschte.

In dem Tunnel war es stockfinster, das Gestrüpp war so dicht, dass kein Abendlicht es zu durchdringen vermochte. Mit angehaltenem Atem wartete Eliza auf den Moment, da sie abgeliefert werden würde, wartete darauf zu sehen, was hinter dem Tunnel lag. Blackhurst. Sie konnte ihr Herz schlagen hören, kein Spatz mehr wie zuvor, sondern ein riesiger Rabe mit kräftigen Schwingen, die gegen ihre Brust schlugen.

Unvermittelt gelangten sie ins Freie.

Vor ihnen lag ein steinernes Haus, das größte, das Eliza je gesehen hatte. Größer sogar als die Hotels in London, in denen die feinen Leute ein und aus gingen. Das Haus war von dichtem Nebel umhüllt, und dahinter ragten große Bäume empor, deren Äste sich ineinanderwanden. In einigen der unteren Fenster flackerte Lampenlicht. Das konnte doch unmöglich das Haus sein, oder?

Eine Bewegung, und Elizas Blick wanderte zu einem Fenster hoch oben. Ein Gesicht, bleich im Kerzenlicht, schaute zu ihr herunter. Eliza rückte näher ans Fenster, um besser sehen zu können, doch da war das Gesicht schon wieder verschwunden.

Die Kutsche fuhr an dem Gebäude vorbei, die metallbeschlagenen Räder knirschten auf den Pflastersteinen. Sie fuhren durch einen steinernen Torbogen, dann blieb die Kutsche mit einem Ruck stehen.

Eliza straffte sich, wartete, beobachtete, fragte sich, ob sie vielleicht aus der Kutsche steigen und selbst den Weg ins Haus finden sollte.

Im nächsten Augenblick wurde die Tür geöffnet, und Mr Newton, trotz seines Regenmantels völlig durchnässt, reichte ihr eine Hand. »Kommen Sie, kleine Miss, wir sind schon spät dran. Wir haben keine Zeit zum Trödeln.«

Eliza nahm die ihr angebotene Hand und stieg aus der Kutsche. Während sie geschlafen hatte, waren sie dem Regen davongefahren, aber dem Himmel nach zu urteilen würde er sie schon bald wieder einholen. Dunkle, graue Wolken lagen dräuend über dem Land, und die Luft darunter war von dichtem Nebel erfüllt, der ganz anders war als der Londoner Nebel, kälter, weniger ölig. Er roch nach Salz und Laub und Wasser. Und sie hörte ein Geräusch, das sie nicht einordnen konnte, wie von einem vorbeifahrenden Zug. Tschtschsch … Tschtschsch … Tschtschsch …

»Sie sind spät dran. Die Mistress hatte das Mädchen schon um halb vier erwartet.« In der Tür stand ein Mann, der ein bisschen wie einer von diesen feinen Pinkeln gekleidet war. Und er redete auch wie einer, und doch wusste Eliza, dass er keiner war. Seine steife Haltung und seine demonstrative Überlegenheit verrieten ihn. Niemand, der als feiner Mann geboren war, musste sich so anstrengen.

»War nicht zu ändern, Mr Thomas«, sagte Newton. »Mistwetter den ganzen Tag. Wir können von Glück reden, dass wir's überhaupt geschafft haben, jetzt, wo der Tamar Hochwasser führt.«

Mr Thomas war unbeeindruckt. Er ließ seine Taschenuhr zuschnappen. »Die Mistress ist sehr verstimmt. Sie wird Sie morgen früh zur Rede stellen.«

Die Stimme des Kutschers klang verdrießlich. »Ja, Mr Thomas. Zweifellos, Sir.«

Als Mr Thomas Eliza erblickte, verzog er das Gesicht. »Was ist das?«

»Das Mädchen, das ich abholen sollte, Sir.«

»Das ist doch kein Mädchen.«

»Doch, Sir, das ist ein Mädchen.«

»Aber die Haare … die Kleider …«

»Ich tue nur, was man mir aufträgt, Mr Thomas. Falls Sie irgendwelche Fragen haben, wenden Sie sich bitte an Mr Mansell. Er war dabei, als ich die Kleine abgeholt habe.«

Diese Information schien Mr Thomas etwas zu beruhigen. Er stieß einen schmallippigen Seufzer aus. »Ich nehme an, wenn Mr Mansell überzeugt war …«

Der Kutscher nickte. »Wenn das alles ist, bringe ich die Pferde in den Stall.«

Eliza überlegte, ob sie Mr Newton und den Pferden hinterherlaufen und sich im Stall in Sicherheit bringen sollte. Vielleicht konnte sie sich in einer Kutsche verstecken und irgendwie zurück nach London gelangen, aber als sie in seine Richtung schaute, hatte der Nebel Mr Newton und die Pferde bereits verschluckt.

»Komm«, sagte Mr Thomas, und Eliza tat, wie ihr geheißen.

Drinnen war es kühl und feucht, allerdings wärmer und trockener als draußen. Eliza folgte Mr Thomas durch einen kurzen Flur, bemüht, beim Gehen kein lautes Geräusch auf den grauen Fliesen zu machen. Es duftete nach gebratenem Fleisch, und Eliza spürte, wie ihr Magen knurrte. Wann hatte sie zuletzt etwas gegessen? Am Abend zuvor eine Schale von Mrs Swindells Brühe … Ihre Lippen wurden ganz trocken vor Hunger.

Als sie durch die riesige, dampferfüllte Küche gingen, wurde der Duft intensiver. Mehrere Hausmädchen und eine fette Köchin brachen ihr Gespräch ab und beäugten sie neugierig. Kaum hatten Eliza und Mr Thomas die Küche verlassen, ertönte aufgeregtes Flüstern. Eliza kamen fast die Tränen bei dem Gedanken, so nah an etwas Essbarem gewesen zu sein, und das Wasser lief ihr im Mund zusammen.

Am Ende des Korridors trat eine dünne Frau mit einer mageren Taille und Gesichtszügen, die steife Förmlichkeit ausdrückten, aus einer Tür. »Ist das die Nichte, Mr Thomas?« Unverhohlen musterte sie Eliza von Kopf bis Fuß.

»Jawohl, Mrs Hopkins.«

»Es handelt sich nicht um einen Irrtum?«

»Bedauerlicherweise nein, Mrs Hopkins.«

»Verstehe.« Sie atmete langsam ein. »Man sieht jedenfalls, dass sie aus London kommt.«

Eliza spürte deutlich, dass das nicht gerade vorteilhaft für sie war.

»In der Tat, Mrs Hopkins«, sagte Mr Thomas. »Ich habe schon überlegt, ob wir sie vielleicht baden sollten, ehe wir sie präsentieren.«

Mrs Hopkins kniff die Lippen zusammen, dann stieß sie einen kurzen, entschlossenen Seufzer aus. »Ich teile Ihre Meinung, Mr

Thomas, aber ich fürchte, dafür reicht die Zeit nicht. Sie hat bereits ihren Unmut darüber zum Ausdruck gebracht, dass man sie warten lässt.«

Sie. Eliza fragte sich, wer *sie* wohl sein mochte.

Ihr fiel auf, dass Mrs Hopkins jedes Mal von einer gewissen Erregung ergriffen wurde, wenn dieses Wort fiel. Hastig strich sie zum Beispiel ihren tadellos sitzenden Rock glatt. »Das Mädchen soll in den Salon geführt werden. *Sie* wird das Kind dort in Empfang nehmen. In der Zwischenzeit lasse ich ein Bad einlaufen, dann wollen wir mal sehen, ob es uns gelingt, vor dem Abendessen ein bisschen von dem Londoner Dreck abzuwaschen.«

Es würde also ein Abendessen geben. Und schon so bald. Eliza wurde beinahe schwindlig vor Erleichterung.

Als sie hinter sich ein Kichern hörte, drehte sie sich um und sah gerade noch ein Hausmädchen mit einem Lockenkopf zurück in die Küche huschen.

»Mary!«, sagte Mrs Hopkins und ging dem Mädchen nach. »Du wirst noch eines Morgens aufwachen und über deine eigenen Ohren stolpern, wenn du nicht aufhörst, sie ständig auszufahren!«

Am Ende des Flurs führte eine schmale Treppe in einem leichten Bogen zu einer Holztür. Eliza folgte Mr Thomas, der mit forschen Schritten voranging. Durch die Tür traten sie in einen großen Raum.

Der Boden war mit hellen, quadratischen Fliesen bedeckt, und von der Mitte des Raums führte eine breite, geschwungene Treppe nach oben. An der hohen Decke hing ein Kronleuchter, dessen Kerzen den gesamten Raum mit warmem Licht erfüllten.

Mr Thomas durchquerte die Eingangshalle und ging auf eine glänzend rot lackierte Tür zu. Mit einer Kopfbewegung bedeutete er Eliza, zu ihm zu kommen.

Er schürzte seine bleichen Lippen, als er sie musterte, und um seine Mundwinkel bildeten sich kleine Fältchen. »Die Mistress, deine Tante, wird in einer Minute hier sein, um dich zu begrüßen. Achte auf deine Aussprache und sprich sie nur mit ›Mylady‹ an, solange sie dir nichts anderes befiehlt.«

Eliza nickte. *Sie* war also ihre Tante.

Mr Thomas schaute sie unverwandt an. Ohne den Blick abzuwenden schüttelte er den Kopf. »Ja«, sagte er leise. »Ich sehe die Ähnlichkeit mit deiner Mutter. Du bist ein schmuddeliges kleines Gör, kein Zweifel, aber die Ähnlichkeit ist nicht zu übersehen.« Ehe Eliza die erfreuliche Feststellung, dass sie ihrer Mutter ähnelte, verdauen konnte, hörte sie oben auf der breiten Treppe ein Geräusch. Mr Thomas zuckte zusammen und straffte die Schultern. Dann gab er Eliza einen sanften Schubs, und sie stolperte allein über die Schwelle in einen großen Raum mit weinroter Tapete und einem knisternden Feuer im offenen Kamin.

Auf den Tischen flackerten Gaslampen, denen es jedoch trotz all ihrer Mühe nicht gelang, den riesigen Raum ausreichend zu erhellen. Dunkelheit wisperte in den Ecken, Schatten huschten über die Wände. Hin und her, hin und her …

Ein Geräusch von hinten, und die Tür ging abermals auf. Ein kühler Luftzug ließ das Feuer im Kamin flackern. Gezackte Schatten tanzten über die Wände.

Erwartungsvoll drehte Eliza sich um.

Eine Frau, groß und dünn wie eine in die Länge gezogene Sanduhr, stand in der Tür. Ihr langes, eng anliegendes Seidenkleid war tiefblau wie der nächtliche Himmel.

Neben ihr stand ein riesiger Jagdhund. Er tänzelte unruhig auf seinen langen Beinen und drückte sich an ihren Rock. Hin und wieder hob er seinen schmalen Kopf und rieb ihn an ihrer Hand.

»Miss Eliza«, verkündete Mr Thomas, der der Frau in den Raum gefolgt und abwartend hinter ihr stehen geblieben war.

Nachdem die Frau Eliza eine ganze Weile schweigend gemustert hatte, sagte sie in einem herablassenden Tonfall: »Ich werde morgen mit Newton sprechen müssen. Sie ist eine halbe Stunde später als erwartet eingetroffen.« Die Frau sprach so langsam und dabei so bestimmt, dass Eliza die scharfen Kanten ihrer Worte spüren konnte.

»Jawohl, Mylady«, sagte Thomas errötend. »Soll ich jetzt den Tee servieren, Mylady? Mrs Hopkins hat …«

»Nicht jetzt, Thomas.« Ohne sich umzudrehen, wedelte sie kurz mit ihrer bleichen, schmalen Hand. »Sie müssten doch wissen, dass es für Tee viel zu spät ist.«

»Sehr wohl, Mylady.«

»Wenn sich herumsprechen würde, dass auf Blackhurst Manor der Tee nach fünf serviert wird …« Ein gepresstes Lachen, das Glas hätte zerspringen lassen können. »Nein, wir werden auf das Abendessen warten.«

»Im Speisesaal, Mylady?«

»Wo sonst, Thomas?«

»Soll ich für zwei decken, Mylady?«

»Ich werde allein speisen.«

»Und Miss Eliza, Ma'am?«

Die Tante atmete scharf ein. »Ein leichtes Abendessen.«

Elizas Magen knurrte. Sie konnte nur hoffen, dass zu ihrem Essen ein bisschen warmes Fleisch gehören würde.

»Sehr wohl, Mylady«, sagte Mr Thomas und zog sich mit einer Verbeugung zurück.

Die Tante holte tief Luft und schaute Eliza an. »Komm her, Kind. Lass mich dich ansehen.«

Eliza gehorchte, trat vor die Tante und bemühte sich, ihren Atem zu beruhigen.

Aus der Nähe betrachtet, war die Tante sehr schön. Es war eine Art Schönheit, die in Einzelheiten deutlich zur Geltung kam, aber durch den Gesamteindruck wieder beeinträchtigt wurde. Ihr Gesicht wirkte wie gemalt. Haut so weiß wie Schnee,

Lippen so rot wie Blut, die Augen blassblau. In ihre Augen zu schauen war, als würde man in einen Spiegel sehen, auf den ein Lichtstrahl gerichtet ist. Ihr dunkles Haar war glatt und glänzend und oben auf dem Kopf zu einem kunstvollen Knoten zusammengefasst.

Die Wimpern der Tante zuckten kaum merklich, während sie Elizas Gesicht musterte. Kalte Finger hoben Elizas Kinn, um einen noch besseren Blick auf sie zu bekommen. Eliza, unsicher, wo sie hinsehen sollte, blinzelte in die undurchdringlichen Augen der Tante. Der riesige Hund, der immer noch neben der Tante stand, hechelte warmen, feuchten Atem gegen Elizas Arme.

»Ja«, sagte die Tante. Ein Nerv zuckte an ihrem Mundwinkel. Es war, als beantwortete sie eine Frage, die niemand gestellt hatte. »Du bist ihre Tochter. Völlig heruntergekommen, aber du bist ihr Kind.« Sie schauderte kaum merklich, als eine Bö den Regen gegen die Fenster prasseln ließ. Das schlechte Wetter hatte sie eingeholt. »Wir können nur hoffen, dass du nicht den gleichen Charakter hast wie sie. Dass wir, wenn wir zur rechten Zeit mit deiner Erziehung beginnen, ähnliche Neigungen im Keim ersticken können.«

Eliza fragte sich, was das für Neigungen sein konnten. »Meine Mutter ...«

»Nein«, die Tante hob eine Hand. »Nein.« Sie schlug sich mit der Hand vor den Mund und rang sich ein Lächeln ab. »Deine Mutter hat Schande über den Namen der Familie gebracht, hat alle beleidigt, die in diesem Haus leben. Hier wird nicht über sie gesprochen. Niemals. Das ist die erste und wichtigste Bedingung für deine Unterbringung auf Blackhurst Manor. Haben wir uns verstanden?«

Eliza biss sich auf die Lippe.

»Haben wir uns verstanden?« Überraschenderweise zitterte die Stimme der Tante.

Eliza nickte, eher vor Verblüffung als zustimmend.

»Dein Onkel ist ein Gentleman. Er kennt seine Pflichten.« Unwillkürlich richtete die Tante den Blick auf ein Porträt neben der Tür. Ein Mann in mittleren Jahren mit rötlichem Haar und einem Gesichtsausdruck, der Eliza an einen Fuchs erinnerte. Abgesehen von seinem roten Haar, hatte er keinerlei Ähnlichkeit mit Elizas Mutter. »Du darfst nie vergessen, was für ein unglaubliches Glück dir beschieden ist. Gib dir große Mühe, damit du vielleicht eines Tages die Großzügigkeit deines Onkels verdienst.«

»Ja, Mylady«, sagte Eliza, die sich gemerkt hatte, was Mr Thomas ihr eingeschärft hatte.

Die Tante drehte sich um und betätigte einen kleinen, silbernen Hebel an der Wand.

Eliza schluckte. Wagte, etwas zu sagen. »Verzeihung, Mylady«, sagte sie leise. »Werde ich meinen Onkel kennenlernen?«

Die linke Braue der Tante hob sich. Feine Fältchen bildeten sich auf ihrer Stirn, die sich schnell wieder glättete und wie aus Alabaster gemacht schien. »Mein Gatte hält sich gerade in Schottland auf, um die Kathedrale von Brechin zu fotografieren.« Als sie näher trat, konnte Eliza die Anspannung spüren, die von ihrem Körper ausging. »Dein Onkel hat sich zwar erboten, dich in seinem Haus aufzunehmen, aber er ist ein viel beschäftigter Mann, ein wichtiger Mann, der keine Zeit hat, um sich von Kindern ablenken zu lassen.« Sie presste die Lippen so fest zusammen, dass die Farbe aus ihnen wich. »Du darfst ihn niemals stören. Es reicht, dass er die Liebenswürdigkeit besitzt, dich herzuholen. Also hüte dich, mehr zu verlangen. Verstanden?« Die Lippen der Tante zitterten. »Hast du verstanden?«

Eliza nickte hastig.

Zum Glück ging die Tür wieder auf, und Mr Thomas trat ein. »Sie haben geläutet, Mylady?«

Der Blick der Tante ruhte immer noch auf Eliza. »Das Kind braucht ein Bad.«

»Sehr wohl, Mylady. Mrs Hopkins hat bereits alle Vorbereitungen getroffen.«

Die Tante schüttelte sich. »Sie soll dem Badewasser etwas Karbolseife zugeben. Etwas Kräftiges, das diesen Londoner Dreck abwäscht.« Dann fügte sie kaum hörbar hinzu: »Ich wünschte, wir könnten gleich auch alles andere abwaschen, mit dem sie besudelt ist, wie ich fürchte.«

Immer noch mit dem Gefühl, wund geschrubbt zu sein, folgte Eliza Mrs Hopkins' flackernder Laterne eine kalte Holztreppe hoch und dann einen Flur hinunter. Längst verstorbene Männer in vergoldeten Rahmen verfolgten sie mit lüsternen Blicken. Wie schrecklich es sein musste, porträtiert zu werden, dachte Eliza, so lange still sitzen zu müssen, nur damit man der Nachwelt eine Schicht von sich selbst hinterlassen konnte auf einem Stück Leinwand, das dann für immer einsam in einem dunklen Korridor hing.

Sie verlangsamte ihre Schritte. Auf dem letzten Bild war ein Gesicht, das sie wiedererkannte. Es sah anders aus als das in dem unteren Raum, auf diesem Bild war der Mann noch jünger. Sein Gesicht war voller, und von dem Fuchs, der ihm mit der Zeit seine Züge verleihen sollte, war noch nichts zu sehen. In diesem Porträt, im Gesicht des jungen Mannes, sah Eliza ihre Mutter.

»Der da ist dein Onkel«, sagte Mrs Hopkins. »Du wirst ihm noch früh genug in Fleisch und Blut begegnen.« Das Wort Fleisch machte Eliza auf die rosa- und cremefarbenen Farbtupfer aufmerksam, die auf dem Porträt in den dick aufgetragenen letzten Pinselstrichen des Künstlers haften geblieben waren. Bei dem Gedanken an Mr Mansells feuchte Finger lief ihr ein Schauer über den Rücken.

Am Ende eines dunklen Flurs blieb Mrs Hopkins stehen, und Eliza, die immer noch Sammys Kleider umklammert hielt, eilte ihr nach. Mrs Hopkins angelte einen großen Schlüssel aus den Falten ihres Kleids und schob ihn ins Schloss. Sie öffnete die Tür und ging mit erhobener Laterne voraus.

Das Zimmer lag im Dunkeln, und die Laterne warf nur ein schwaches Licht über die Schwelle. In der Mitte des Raums konnte Eliza ein Bett aus glänzendem, schwarzem Holz ausmachen, mit vier Pfosten, an denen geschnitzte Gestalten emporkletterten.

Auf dem Nachttisch stand ein Tablett mit einem Stück Brot und einer Schale Suppe, die längst aufgehört hatte zu dampfen. Leider konnte sie kein Fleisch entdecken, aber in der Not durfte man nicht wählerisch sein, wie ihre Mutter sie immer wieder ermahnt hatte. Heißhungrig machte Eliza sich über die Suppe her und schlang sie so schnell herunter, dass sie beinahe einen Schluckauf davon bekommen hätte. Zum Schluss tunkte sie mit dem Stück Brot auch noch den letzten Tropfen auf.

Mrs Hopkins, die ihr einigermaßen verblüfft zugesehen hatte, enthielt sich jeden Kommentars. Steif stellte sie die Laterne auf einer Kiste am Fußende des Betts ab und schlug die schwere Decke zurück. »So, ab ins Bett mit dir. Ich hab nicht die ganze Nacht Zeit.«

Eliza tat, wie ihr geheißen. Die Laken fühlten sich kalt und feucht an ihren Beinen an, die nach dem heftigen Schrubben immer noch ein bisschen empfindlich waren.

Mrs Hopkins nahm die Laterne wieder an sich, und gleich darauf hörte Eliza, wie die Tür geschlossen wurde. Dann war sie allein in dem stockfinsteren Zimmer. Die müden, alten Knochen des Hauses ächzten unter der prächtigen äußeren Hülle.

Die Dunkelheit des Schlafzimmers hatte eine eigene Stimme, dachte Eliza. Wie ein tiefes, fernes Grollen. Allgegenwärtig, bedrohlich, nie nah genug, um sich als etwas Harmloses zu erweisen.

Und dann fing es wieder an zu regnen, ein plötzlicher Wolkenbruch. Eliza fuhr zusammen, als ein Blitz den Himmel in zwei

Hälften teilte und die Welt für einen Augenblick in grelles Licht tauchte. In diesen kurzen Momenten, bevor ein Donner folgte, der das riesige Haus erzittern ließ, betrachtete Eliza die Wände des Zimmers eine nach der anderen, um sich ein Bild von ihrer Umgebung zu machen.

Blitz … Donner … Dunkler Holzschrank neben dem Bett.

Blitz … Donner … Offener Kamin an der gegenüberliegenden Wand.

Blitz … Donner … Alter Schaukelstuhl vor dem Fenster.

Blitz … Donner … Eine breite Fensterbank.

Auf Zehenspitzen lief Eliza über die kalten Dielen. Wind drang durch die Ritzen im Holz und fegte über den Fußboden. Sie kletterte auf die Fensterbank und schaute in die Dunkelheit hinaus. Wütende Wolken verhüllten den Mond, und der Garten lag unter einem Mantel aus stürmischer Nacht. Regen prasselte auf den durchtränkten Boden.

Ein weiterer Blitz erhellte das Zimmer. Ehe es wieder in der Dunkelheit versank, erhaschte Eliza einen Blick auf ihr Spiegelbild. Ihr Gesicht, Sammys Gesicht.

Eliza streckte eine Hand aus, doch das Bild war schon wieder verschwunden, und ihre Finger berührten nur das eisige Glas. In diesem Augenblick wurde ihr zum ersten Mal richtig bewusst, wie weit weg sie von zu Hause war.

Sie schlüpfte zurück zwischen die klammen, unvertrauten Bettlaken. Legte ihren Kopf auf Sammys Hemd. Schloss die Augen und glitt sanft in das Reich des Schlafs.

Plötzlich fuhr sie hoch.

Ihr Magen zog sich zusammen, und ihr Herz begann zu rasen.

Die Brosche ihrer Mutter. Wie war es möglich, dass sie sie vergessen hatte? In der Eile, in dem ganzen Durcheinander, hatte sie sie zurückgelassen. Hoch oben in der Lücke im Kamin, im Haus von Mr und Mrs Swindell, lag der Schatz, den ihre Mutter so lange gehütet hatte, und wartete.

22 *Cornwall* *England, 2005*

Cassandra hängte den Teebeutel in die Tasse und schaltete den Wasserkocher ein. Während sie darauf wartete, dass das Wasser heiß wurde, schaute sie aus dem Fenster. Ihr Zimmer im Hotel Blackhurst lag nach hinten mit Blick aufs Meer, und obwohl es bereits dunkel war, konnte sie die Gartenanlagen erkennen. Ein perfekt gepflegter Rasen erstreckte sich von der Terrasse aus auf abfallendem Gelände bis hin zu einer Reihe hoher Bäume, die im Mondlicht bläulich schimmerten. Diese Bäume standen direkt am Rand der Klippe, sie bildeten die letzte Verteidigungslinie an diesem besonderen Fleckchen Erde.

Irgendwo jenseits der kleinen Bucht lag der Ort selbst. Bisher hatte Cassandra noch nicht viel davon gesehen, da die Zugfahrt fast den ganzen Tag gedauert hatte, und als das Taxi sich schließlich durch die Hügellandschaft von Tregenna schlängelte, war es schon fast dunkel. Nur einmal, als das Taxi über eine Kuppe gefahren war, hatte sie einen kurzen Blick auf einen Kreis aus blinkenden Lichtern im Tal werfen können, die in der Abenddämmerung an ein Dorf aus einem Märchen erinnerten.

Cassandra blätterte in Nells eselsohrigem Notizheft. Sie hatte es fast während der ganzen Zugfahrt in der Hand gehalten, weil sie die Fahrtzeit hatte nutzen wollen, um sich mit der nächsten Etappe von Nells Reise zu beschäftigen, aber dazu war es nicht gekommen. Ein guter Vorsatz, dessen Umsetzung allerdings nicht so einfach gewesen war. Die meiste Zeit hatte sie in Gesellschaft ihrer eigenen Gedanken verbracht, die sie seit dem Abendessen mit Ruby und Grey begleiteten. Eigentlich gab es keinen Tag, an dem sie nicht an Nick und Leo dachte, aber so offen und unverblümt an ihren Tod erinnert zu werden, hatte das schreckliche Erlebnis wieder auf schmerzliche Weise in die Gegenwart zurückgeholt.

Es war so plötzlich passiert. Wahrscheinlich geschahen solche Dinge immer unerwartet. Eben noch war sie Ehefrau und Mutter gewesen, im nächsten Augenblick ganz allein. Und das alles nur, weil sie sich eine Stunde zum Zeichnen freigenommen hatte. Sie hatte Nick den daumenlutschenden Leo in die Arme gedrückt und die beiden zum Einkaufen geschickt, obwohl sie gar nichts brauchten. Nick hatte ihr zugelächelt, als er losgefahren war, und Leo hatte ihr mit seiner kleinen Hand zugewinkt, in der anderen immer noch den seidenen Kopfkissenbezug, den er neuerdings ständig mit sich herumschleppte. Cassandra, in Gedanken bereits in ihrem Atelier, hatte abwesend eine Hand zum Gruß gehoben.

Das Allerschlimmste aber war, wie sehr sie die anderthalb Stunden genossen hatte, bis es an der Tür klopfte. Ihr war noch nicht einmal aufgefallen, wie lange die beiden schon weg waren …

Zum zweiten Mal war Nell Cassandras Retterin gewesen. Sie war sofort mit Ben gekommen, und Ben hatte Cassandra vorsichtig beigebracht, was passiert war, hatte ihr alles mit Worten erklärt, die ihr aus dem Mund des Polizisten völlig sinnlos erschienen waren: ein Unfall, ein ausweichender Laster, ein Zusammenstoß. Eine grauenhafte Verkettung von Ereignissen, die so alltäglich, so normal waren, dass sie sich unmöglich vorstellen konnte, davon betroffen zu sein.

Nell hatte nicht gesagt, es würde alles wieder gut werden. Sie hatte sich gehütet, so etwas zu behaupten, denn sie wusste, dass es nie, niemals wieder gut werden würde. Stattdessen hatte sie ein Beruhigungsmittel mitgebracht, damit Cassandra schlafen konnte. Sie hatte Cassandras rasenden Gedanken mit einem erlösenden Schlag Einhalt geboten, und sei es nur für ein paar Stunden. Und sie hatte Cassandra mit zu sich nach Hause genommen.

In Nells Haus war sie besser aufgehoben, dort konnten ihre

Geister es sich nicht so gemütlich machen, denn Nell hatte ihre eigenen Dämonen, da konnten die, die Cassandra mitbrachte, sich nicht ganz so frei entfalten.

An die erste Zeit danach hatte sie nur verschwommene Erinnerungen, eine Mischung aus Trauer und Entsetzen, und einen Albtraum, der sich beim Aufwachen nicht abschütteln ließ. Sie wusste nicht, was schlimmer gewesen war, die Nächte, in denen Nicks Geist sie heimsuchte und immer wieder fragte: Warum hast du uns fortgeschickt? Warum hast du darauf bestanden, dass ich Leo mitnehme? Oder die Nächte, in denen der Geist nicht kam, wenn sie ganz allein war, die dunklen Stunden sich endlos hinzogen und die erlösende Dämmerung schneller vorüber war, als sie sie wahrnehmen konnte. Und dann der Traum. Diese furchtbare Wiese mit der Verheißung, ihre Liebsten irgendwo finden zu können.

Tagsüber war es Leo, der sie verfolgte, das Geräusch seiner Spielsachen, ein Jauchzen, eine kleine Hand, die sich an ihrem Rock festklammerte, damit sie ihn auf den Arm nahm. Ach, das Aufflackern dieses Glücksgefühls, kurz und bruchstückhaft, und dennoch ganz real. Der Sekundenbruchteil, in dem sie vergaß. Und dann das böse Erwachen, wenn sie sich umdrehte, um ihn hochzuheben, und er nicht da war.

Sie hatte versucht auszugehen, hatte gehofft, ihren Geistern auf diese Weise entkommen zu können, aber es hatte nicht funktioniert. Es gab so viele Kinder, überall, wo sie hinkam. In den Parks, in den Schulen, in den Geschäften. Hatte es schon immer so viele gegeben? Schließlich war sie im Haus geblieben, hatte die Tage in Nells Garten verbracht, auf dem Rücken unter dem alten Mangobaum gelegen und zugesehen, wie die Wolken vorüberzogen. Hatte den blauen Himmel über den Blättern des Tempelbaums betrachtet, die in der Brise bebenden Palmwedel, die winzigen, sternförmigen Samenkörner, die der Wind auf den Weg regnen ließ.

Und an nichts gedacht. Versucht, an nichts zu denken. An alles gedacht.

Dort unter dem Baum hatte Nell sie eines Nachmittags angetroffen. Es war Spätsommer, die größte Hitze war vorbei, und die Luft duftete schon nach Herbst. Cassandras Augen waren geschlossen.

Dass Nell neben ihr stand, spürte sie daran, dass die Sonne die Haut an ihren Armen nicht mehr wärmte und dass sich ein Schatten über ihre Augen legte.

Dann Nells Stimme. »Hab ich mir doch gedacht, dass ich dich hier finden würde.«

Cassandra sagte nichts.

»Meinst du nicht, es wird allmählich Zeit, dass du etwas unternimmst, Cass?«

»Bitte, Nell. Lass mich einfach.«

Langsamer, die einzelnen Wörter betonend: »Du musst irgendetwas tun …«

»Bitte …« Einen Bleistift in die Hand zu nehmen, verursachte ihr Übelkeit. Und wenn sie einen Zeichenblock auch nur aufschlug … Wie konnte sie es riskieren, dass ihr Blick auf eine rosige Wange fiel, auf eine Nasenspitze, auf zarte Babylippen …?

»Du musst etwas tun.«

Nell versuchte nur, ihr zu helfen, und dennoch hätte Cassandra am liebsten geschrien, ihre Großmutter gepackt und geschüttelt und dafür bestraft, dass sie sie einfach nicht verstand. Stattdessen seufzte sie nur. Ihre immer noch geschlossenen Lider flatterten leicht. »Das höre ich oft genug von Doktor Harvey. Ich hab keine Lust, mir das auch noch von dir anzuhören.«

»Ich rede nicht von Beschäftigungstherapie, Cass.« Dann, nach kurzem Zögern: »Du musst anfangen, deinen Teil beizutragen.«

Cassandra öffnete die Augen und hob eine Hand gegen die grelle Sonne. »Was?«

»Ich bin nicht mehr die Jüngste, meine Liebe. Ich brauche

Hilfe. Im Haushalt, im Laden. Ich brauche finanzielle Unterstützung.«

Die schockierenden Worte schimmerten in der klaren Luft, ihre scharfen Kanten wollten nicht verschwinden. Wie konnte Nell nur so kaltherzig sein? So gedankenlos? Cassandra fröstelte. »Ich habe meine Familie verloren«, brachte sie schließlich heraus. Vor lauter Anstrengung tat ihr der Hals weh. »Ich trauere.«

»Das weiß ich«, sagte Nell und setzte sich neben Cassandra ins Gras. Sie nahm ihre Hand. »Das weiß ich doch, Liebes. Aber inzwischen ist ein halbes Jahr vergangen. Und du bist nicht tot.«

Cassandra hatte angefangen zu weinen. Weil Nell es laut ausgesprochen hatte, konnte sie ihre Tränen nicht länger zurückhalten.

»Du bist noch da«, sagte Nell leise und drückte Cassandras Hand. »Und ich brauche Hilfe.«

»Ich kann nicht.«

»Doch, du kannst.«

»Nein …« Ihr dröhnte der Schädel; sie war müde, so schrecklich müde. »Ich meine, ich kann nicht. Ich kann nichts geben.«

»Du brauchst mir nichts zu geben. Ich möchte nur, dass du mit mir kommst und tust, worum ich dich bitte. Du kannst doch ein Poliertuch halten, oder?«

Nell strich Cassandra ein paar tränennasse Strähnen aus dem Gesicht. Dann sagte sie leise und in einem unerwartet stählernen Ton: »Du wirst darüber hinwegkommen. Ich weiß, dass du dir das nicht vorstellen kannst, aber du wirst es schaffen. Du bist eine Kämpfernatur.«

»Ich will das nicht überleben.«

»Auch das weiß ich«, hatte Nell gesagt. »Und es ist nur verständlich. Aber manchmal bleibt einem keine andere Wahl.«

Der Wasserkocher im Hotelzimmer schaltete sich mit einem

triumphierenden Klicken ab, und Cassandra goss mit zitternder Hand kochendes Wasser in ihre Tasse. Blieb einen Moment stehen und ließ den Tee ziehen. Mittlerweile wusste sie, dass Nell sie wirklich verstanden hatte, dass sie nur zu gut gewusst hatte, was für eine schreckliche Leere sich um einen herum auftat, wenn man plötzlich ganz allein auf der Welt war.

Sie rührte in ihrem Tee und seufzte, während Nick und Leo vor ihrem geistigen Auge verblassten. Zwang sich, sich auf die Gegenwart zu konzentrieren. Sie befand sich im Hotel Blackhurst in Tregenna, Cornwall, und lauschte den Wellen eines fremden Meeres, die an einen ihr unvertrauten Strand rollten.

Hinter den hohen Bäumen zog eine Möwe wie ein schwarzer Schatten über den dunkelblauen Himmel, und der Mondschein schimmerte auf dem fernen Meer. Winzige Lichter blinkten entlang der Küste. Wahrscheinlich Fischerboote, dachte Cassandra. Tregenna war schließlich ein Fischerdorf. Seltsam. In der modernen Welt wunderte man sich, wenn man an einen Ort geriet, wo alles noch auf altmodische Art gemacht wurde, in einem überschaubaren Rahmen, so wie die Menschen es seit Generationen gewöhnt waren.

Cassandra trank einen Schluck Tee und atmete tief aus. Sie war in Cornwall, genau wie Nell damals. Und wie Rose und Nathaniel und Eliza Makepeace vor ihr. Als sie all die Namen vor sich hin flüsterte, spürte sie ein seltsames Kribbeln auf der Haut. Wie kleine Fäden, die alle gleichzeitig gezogen wurden. Sie hatte hier eine Aufgabe zu erledigen, und die bestand nicht darin, in ihrer eigenen Vergangenheit zu wühlen.

»Da bin ich, Nell«, flüsterte sie. »Ist es das, was du von mir wolltest?«

23 *Blackhurst Manor* *Cornwall, 1900*

Als Eliza am nächsten Morgen aufwachte, dauerte es einen Moment, bis sie wusste, wo sie war. Es kam ihr vor, als läge sie in einem riesigen Holzschlitten, über den ein tiefblauer Baldachin gespannt war. Sie hatte ein Nachthemd an, bei dessen Anblick Mrs Swindell sich die Hände gerieben hätte, und unter ihrem Kopf lagen Sammys alte Sachen. Dann erinnerte sie sich wieder: die Wohltäterinnen, Mr Newton, die Kutschfahrt, der böse Mann. Sie befand sich im Haus ihres Onkels und ihrer Tante, es hatte ein heftiges Gewitter gegeben. Sammys Gesicht am Fenster.

Eliza kletterte auf die Fensterbank und schaute nach draußen. Die Morgendämmerung hatte den Regen und den Donner der letzten Nacht verdrängt, und die Luft war klar und sauber. Auf dem Rasen lagen überall Blätter und Zweige, und eine Gartenbank direkt unter dem Fenster war umgekippt.

In der hinteren Ecke des Gartens bewegte sich jemand zwischen den Sträuchern. Ein Mann. Er hinkte und benutzte einen Krückstock. Das musste ihr Onkel sein. Sie erkannte ihn an seinem roten Haar. Auch seine Haltung hatte etwas Vertrautes. Er hob den Stock und machte jemandem ein Zeichen, und Eliza fragte sich, wem es gegolten haben könnte.

Hinter einem großen Strauch trat ein zweiter Mann hervor. Dieser Mann hatte einen schwarzen Vollbart und trug eine Latzhose, einen merkwürdigen grünen Hut und schwarze Galoschen. Er hob einen Ast auf und legte ihn am Rand des Rasens ab. Schüttelte den Kopf als Antwort auf etwas, was der Onkel gesagt hatte.

Als Eliza hinter sich ein Geräusch hörte, drehte sie sich um. Die Zimmertür stand offen, und ein junges Hausmädchen mit wilden Locken war gerade dabei, ein Tablett vorsichtig auf dem Nachttisch abzustellen. Es war dasselbe Hausmädchen, das am Abend zuvor die Schelte bezogen hatte.

»Guten Morgen, Miss«, sagte sie. »Ich heiße Mary und ich bringe dir dein Frühstück. Mrs Hopkins sagt, du kannst heute in deinem Zimmer frühstücken wegen der langen Reise gestern.«

Eliza sprang von der Fensterbank und setzte sich an den kleinen Tisch. Ihre Augen weiteten sich, als sie sah, was sich auf dem Tablett befand: frische, warme Brötchen mit Butter, weiße Schälchen, bis zum Rand gefüllt mit den fruchtigsten Kompotts, die Eliza je gesehen hatte, zwei Salzheringe, ein kleiner Berg schaumiges Rührei, eine dicke, glänzende Wurst. Ihr Herz hüpfte vor Freude.

»Das war ein ordentliches Gewitter gestern Abend«, sagte Mary, während sie die Vorhänge zurückzog. »Beinahe hätte ich es nicht nach Hause geschafft. Dachte schon, ich müsste hier übernachten.«

Eliza aß ein Stück Brot. »Wohnst du denn nicht hier?«

Mary lachte. »Nein, für die anderen mag das ja angehen, aber mir würde das nicht …« Sie schaute Eliza an und errötete. »Also, ich wohne im Dorf. Mit meinen Eltern und meinen Geschwistern.«

»Hast du auch einen Bruder?« Eliza musste an Sammy denken und empfand plötzlich eine schreckliche Leere.

»Ja, drei sogar. Zwei ältere und einen jüngeren, aber Patrick, der älteste, wohnt nicht mehr zu Hause, obwohl er immer noch mit Pa auf den Fischerbooten arbeitet. Patrick, Will und Pa fahren jeden Tag raus, bei jedem Wetter. Der jüngste, Roly, ist erst drei, der bleibt den ganzen Tag mit Ma und der kleinen May zu Hause.« Sie schüttelte die Kissen auf der Fensterbank auf. »Die Martins sind schon immer zur See gefahren, mein Urgroßvater war einer von den Tregenna-Piraten.«

»Tregenna-was?«

»Tregenna-Piraten«, sagte Mary und schaute Eliza ungläubig an. »Hast du etwa noch nie von denen gehört?«

Eliza schüttelte den Kopf.

»Die Tregenna-Piraten waren die furchterregendste Bande, die es je gegeben hat. Die haben die Meere beherrscht und Whiskey und Mehl mitgebracht, als ihre Familien nicht wussten, wo sie so was sonst herbekommen sollten. Aber sie haben nur von den Reichen genommen, wohlgemerkt. Genau wie dieser berühmte Räuber, nur nicht im Wald, sondern auf dem Meer. Es gibt lauter Wege, die sich durch die Hügel da draußen schlängeln, und ein paar davon führen direkt ans Meer.«

»Wo ist das Meer, Mary?«, fragte Eliza. »Ist es hier in der Nähe?«

Wieder sah Mary sie merkwürdig an. »Natürlich ist es in der Nähe, Schätzchen. Hörst du es denn nicht?«

Eliza lauschte angestrengt. Konnte sie das Meer hören?

»Horch«, sagte Mary. »Schsch … schsch … schsch … Das ist das Meer. Es atmet ein und aus, ein und aus. Hast du es wirklich nicht gehört?«

»Doch, ich habe es gehört«, antwortete Eliza, »aber ich wusste nicht, dass es das Meer ist.«

»Du wusstest nicht, dass es das Meer ist?« Mary grinste. »Für was, in aller Welt, hast du es denn gehalten?«

»Für einen Zug.«

»Ein Zug!« Mary brach in lautes Gelächter aus. »Du bist mir vielleicht eine. Der Bahnhof ist ziemlich weit weg von hier. Hat das Meer für einen Zug gehalten, nicht zu fassen. Das muss ich meinen Brüdern erzählen.«

Eliza dachte an die Geschichten, die ihre Mutter erzählt hatte, von Sand und silbernen Kieseln und von Wind, der nach Salz schmeckte. »Könnte ich mir das Meer wohl mal ansehen, Mary?«

»Das nehme ich doch an. Hauptsache, du bist zurück, wenn die Köchin zum Mittagessen läutet. Die Mistress ist den ganzen

Vormittag außer Haus, die wird also nichts davon mitbekommen.« Als sie die Mistress erwähnte, verfinsterte sich Marys Miene. »Und sorg dafür, dass du vor ihr zurückkommst, hörst du? Sie legt Wert auf Zucht und Ordnung und duldet keinen Widerspruch.«

»Wie komme ich denn zum Meer?«

Mary bedeutete ihr, ans Fenster zu treten. »Komm her, ich zeig's dir.«

Die Luft war anders hier, und auch der Himmel. Er wirkte heller und weiter. Ganz anders als die graue Decke, die über London lag und immer drohte, die Stadt zu ersticken. Der Seewind hob den Himmel hoch wie ein großes, weißes Laken an der Wäscheleine, das sich immer höher bauschte.

Eliza stand oben auf der Klippe über der Bucht und schaute auf das tiefe, blaue Meer hinaus. Das Meer, über das ihr Vater gesegelt war, der Strand, an dem ihre Mutter als kleines Mädchen gespielt hatte.

Der Sturm der vergangenen Nacht hatte Treibholz an die Küste geworfen. Schöne, knorrige Äste, weiß und glatt geschliffen im Lauf der Zeit, ragten aus dem Kieselstrand wie Geweihe von geisterhaften Ungeheuern.

Eliza schmeckte das Salz in der Luft, genau wie ihre Mutter es ihr immer beschrieben hatte. Außerhalb der Enge dieses seltsamen Hauses fühlte sie sich mit einem Mal leicht und frei. Sie holte tief Luft und stieg die Stufen hinunter, lief immer schneller und schneller, weil sie es kaum erwarten konnte, dem Meer nah zu sein.

Unten am Strand setzte sie sich auf einen glatten Stein und band sich so hastig die Schuhe auf, dass ihre Finger sich beinahe in den Schnürsenkeln verfingen. Dann rollte sie Sammys Hosenbeine bis über die Knie hoch und ging vorsichtig bis ans Wasser.

Die Steine, manche glatt, andere spitz, fühlten sich warm unter ihren Füßen an. Einen Moment lang blieb sie stehen und sah zu, wie die blauen Wassermassen heranrollten und wieder zurückwichen.

Schließlich atmete sie noch einmal ganz tief die salzige Luft ein und wagte sich weiter vor, bis sie knietief im Wasser stand. Sie ging am Strand entlang, lachte über die kühlen Bläschen, die zwischen ihren Füßen aufstiegen, hob hier und da eine Muschel auf, die ihr gefiel, und ein Stückchen Strandgut, das aussah wie ein Stern.

Die Bucht war klein und länglich, und Eliza brauchte nicht lange, um bis ans andere Ende zu gelangen. Dort angekommen, konnte sie nun aus der Nähe etwas genauer erkennen, das aus der Entfernung gewirkt hatte wie ein großer dunkler Fleck: Es war ein riesiger schwarzer Felsen, der aus der Klippe ins Meer hinausragte. Er sah aus wie eine gewaltige, wütende, schwarze Rauchwolke, die zu Stein erstarrt und zu ewiger Reglosigkeit verdammt war, sodass er weder zum Land noch zum Meer noch zur Luft zu gehören schien.

Der Felsen war glitschig, doch er hatte einen kleinen Vorsprung, der gerade so breit war, dass Eliza darauf stehen konnte. Sie suchte nach Stellen, wo sie Halt fand, und begann zu klettern, und sie hielt erst inne, als sie oben angelangt war. Der Felsen war so hoch, dass sie nicht nach unten sehen konnte, ohne das Gefühl zu haben, ihr Kopf wäre mit Luftblasen gefüllt. Auf Händen und Knien kroch sie vorwärts. Der Felsen wurde schmaler und schmaler, bis sie schließlich an seinem spitzen Ende angelangt war. Sie setzte sich auf die hochgereckte Faust des Felsens und brach in lautes Gelächter aus.

Es war, als säße sie auf dem Bug eines großen Schiffs. Unter ihr der weiße Schaum der sich brechenden Wellen, vor ihr das offene Meer. Die Sonne ließ Hunderte von Lichtern auf der Wasseroberfläche glitzern, die bis zum Horizont im Wind auf den

Wellen tanzten. Direkt gegenüber, das wusste Eliza, lag Frankreich. Jenseits von Europa lagen Ostindien, Ägypten, Persien und lauter andere exotische Länder, deren Namen sie gehört hatte, wenn die Themseschiffer davon erzählten. Und jenseits davon, am anderen Ende der Welt, lag der Ferne Osten. Während sie so dasaß und das Meer und das Sonnenlicht betrachtete und an ferne Länder dachte, überkam sie ein nie gekanntes Gefühl. Eine tiefe Ruhe, als öffnete sich ihr Herz ohne jeden Argwohn den Möglichkeiten des Lebens …

Sie beugte sich vor und kniff die Augen zusammen. Der Horizont war keine ungebrochene Linie mehr. Etwas war aufgetaucht: ein großes, schwarzes Schiff, das alle Segel gesetzt hatte, balancierte auf der Linie, wo Meer und Himmel sich trafen, als würde es gleich vom Rand der Welt fallen. Eliza schloss kurz die Augen, und als sie sie wieder öffnete, war das Schiff nicht mehr zu sehen. Es war einfach verschwunden, wahrscheinlich in die weite Ferne, dachte sie. Wie schnell Schiffe auf dem offenen Meer fahren mussten, wie stark sie waren mit ihren großen, weißen Segeln. Auf so einem Schiff war bestimmt ihr Vater gefahren.

Sie hob den Blick zum Himmel. Über ihr, vor dem weißen Himmel kaum zu erkennen, zog eine Möwe kreischend ihre Kreise. Eliza folgte ihr mit dem Blick, bis etwas oben auf der Klippe ihre Aufmerksamkeit erregte. Ein kleines Haus. Es war fast ganz hinter Bäumen verborgen, aber sie konnte das Dach sehen, aus dem ein komisches, kleines Fenster ragte. Sie fragte sich, wie es sein mochte, in so einem Haus zu wohnen, so am Rand der Welt. Würde man immer das Gefühl haben, gleich von der Klippe ins Meer zu stürzen?

Eliza zuckte zusammen, als ihr kaltes Wasser ins Gesicht spritzte. Sie schaute hinunter in die Brandung. Die Flut hatte eingesetzt, und das Wasser stieg schnell. Der Vorsprung, auf den sie zuerst geklettert war, lag schon unter Wasser.

Sie kroch zurück und stieg vorsichtig an der Seite des Felsens hinunter, wobei sie darauf achtete, dass sie immer Stellen fand, an denen sie sich festklammern konnte.

Kurz bevor sie die Wasseroberfläche erreichte, hielt sie inne. Von dieser Stelle aus konnte sie sehen, dass der Felsen kein kompakter Block war, sondern eine Öffnung besaß, als hätte jemand ein Loch hineingeschnitzt.

Eine Höhle, ja genau. Eliza musste an Marys Tregenna-Piraten und deren verborgene Wege denken. Was sie da entdeckt hatte, war eine Piratenhöhle, da war sie sich ganz sicher. Hatte Mary nicht gesagt, die Piraten hätten ihre Beute in einem Gewirr aus Höhlen versteckt, die unterhalb der Klippen verliefen?

Eliza hangelte sich um die Vorderseite des Felsens und kletterte auf eine glatte Plattform. Vorsichtig wagte sie sich ein paar Schritte in die Höhle hinein. Drinnen war es dunkel und feucht. »Hallo-o-o!«, rief sie. Die Höhlenwände warfen das Echo ihrer Stimme zurück, bis sie verklang.

Obwohl sie nicht tief in die Höhle hineinsehen konnte, war sie plötzlich ganz aufgeregt. Ihre eigene Höhle. Sie nahm sich vor, demnächst noch einmal mit einer Laterne herzukommen, um sie genauer zu erkunden …

Ein rumpelndes Geräusch. Noch war es weit weg, aber es kam näher. *Ka-rumm, ka-rumm, ka-rumm …* Immer lauter.

Langsam kletterte sie zurück zur Felswand.

Elizas erster Gedanke war, dass es aus dem Inneren der Höhle kam. Starr vor Schreck überlegte sie, was für ein Meeresungeheuer sie da holen kam.

Ka-rumm, ka-rumm, ka-rumm … Das Geräusch wurde noch lauter.

Und dann sah sie zwei glänzende, schwarze Pferde, die an der Klippe entlanggaloppierten und eine Kutsche hinter sich herzogen. Es war also gar kein Meeresungeheuer gewesen, sondern Newton, der mit seiner Kutsche die Küstenstraße entlangfuhr, und die Felswände der Bucht hatten das Geräusch verstärkt.

Eliza erinnerte sich an Marys Ermahnung. Die Tante war am Vormittag weggefahren, wurde jedoch zum Mittagessen zurückerwartet, und Eliza sollte sich hüten, zu spät zu erscheinen.

Sie kletterte den Felsen hinunter, sprang auf den Kiesstrand und lief durch das seichte Wasser zurück zu der Stelle, wo sie ihre Schuhe ausgezogen hatte. Hastig band sie sich die Schnürsenkel zu und rannte die Stufen hinauf. Ihre Hosenbeine waren nass und schlugen gegen ihre Knöchel, als sie zwischen den Bäumen hindurch zum Haus zurückeilte. Die Sonne war inzwischen höher gestiegen, und der Weg war jetzt kühl und schattig. Es war, als liefe sie durch einen Tunnel, einen geheimen Laubengang aus Dornengestrüpp, wo Feen und Elfen und Kobolde hausten. Aus ihren Verstecken heraus beobachteten sie Eliza, wie sie durch ihre Zauberwelt huschte. In der Hoffnung, eines der Wesen zu Gesicht zu bekommen, behielt sie im Laufen das Unterholz im Auge und bemühte sich, dabei nicht zu blinzeln. Schließlich wusste jeder, dass eine Fee demjenigen, der sie erblickte, drei Wünsche erfüllte.

Ein Geräusch ließ Eliza erstarren. Sie hielt den Atem an. Auf der Lichtung vor ihr saß ein Mann, ein echter, lebendiger Mann. Der mit dem schwarzen Bart, den sie am Morgen von ihrem Fenster aus gesehen hatte. Er hockte auf einem Baumstamm und wickelte gerade ein Stück Fleischpastete aus einem karierten Küchentuch.

Eliza drückte sich in den Schatten der Bäume und beobachtete den Mann. Die Spitzen kleiner Zweige streiften ihr kurzes Haar, als sie auf einen niedrig hängenden Ast kletterte, um eine bessere Sicht zu haben. Neben dem Mann stand eine mit Erde gefüllte Schubkarre. So sah es zumindest aus. Aber Eliza wusste, dass das bloß eine List war, dass er unter der Erde seine Schätze versteckt hatte. Denn er war natürlich der Piratenkönig. Einer der Tregenna-Piraten oder zumindest der Geist eines Piraten. Ein untoter Seefahrer, der auf eine Gelegenheit wartete, den Tod seiner

Kameraden zu rächen. Ein Geist, der noch eine Aufgabe zu erledigen hatte und in seinem Versteck kleinen Mädchen auflauerte, die er mit nach Hause nehmen konnte, damit seine Frau sie zu Fleischpastete verarbeitete. Ihm gehörte das Schiff, das sie am Horizont gesehen hatte, das große, schwarze Segelschiff, das verschwunden war, als sie geblinzelt hatte. Es war ein Geisterschiff, und er …

Der Ast, auf dem sie saß, brach, und Eliza landete in einem Haufen feuchten Laubs.

Der bärtige Mann zuckte kaum mit der Wimper. Sein rechtes Auge blickte kurz in Elizas Richtung, während er in aller Ruhe weiterkaute.

Eliza stand auf, klopfte sich den Dreck von den Knien und zupfte sich ein trockenes Blatt aus den Haaren.

»Du bist also die neue kleine Miss«, sagte der Mann langsam mit vollem Mund. »Ich hab gehört, dass du kommen würdest. Allerdings siehst du mit dieser Jungshose und den kurzen Haaren nicht gerade aus wie eine Miss, wenn ich das mal bemerken darf.«

»Ich bin gestern Abend angekommen. Ich hab das Gewitter mitgebracht.«

»Ziemlich beachtliche Leistung für so ein kleines Ding, wie du es bist.«

»Mit einem starken Willen kann auch ein Schwacher Macht ausüben.«

Eine seiner Augenbrauen, die aussahen wie haarige Raupen, zuckte kurz. »Wer hat dir das denn erzählt?«

»Meine Mutter.«

Zu spät erinnerte Eliza sich daran, dass sie ihre Mutter eigentlich nicht erwähnen durfte. Mit klopfendem Herzen wartete sie ab, wie der Mann reagieren würde.

Er musterte sie kauend. »Ich muss sagen, deine Mutter wusste, wovon sie redete. Aber das haben die meisten Mütter so an sich.«

Ein warmes Prickeln der Erleichterung. »Meine Mutter ist gestorben.«

»Meine auch.«

»Ich wohne jetzt hier.«

Er nickte. »Sieht so aus.«

»Ich heiße Eliza.«

»Und ich Davies.«

»Du bist ziemlich alt.«

»So alt wie mein kleiner Finger und ein bisschen älter als meine Zähne.«

Eliza holte tief Luft. »Bist du ein Pirat?«

Er lachte. Es war ein tiefes, puffendes Geräusch wie von Rauch, der aus einem schmutzigen Kamin aufsteigt. »Da muss ich dich leider enttäuschen, meine Kleine. Ich bin nur der Gärtner, so wie mein Vater es früher war. Genauer gesagt, der Labyrinthgärtner.«

Eliza zog die Nase kraus. »Labyrinthgärtner?«

»Ich halte das Labyrinth in Schuss.« Als Eliza noch immer verständnislos dreinblickte, deutete er auf zwei große Hecken hinter sich, zwischen denen sich ein schmiedeeisernes Tor befand. »Das ist ein aus Hecken gemachtes Rätsel. Es geht darum, seinen Weg hindurchzufinden, ohne sich zu verirren.«

Ein Rätsel, das man betreten konnte? Von so etwas hatte Eliza noch nie gehört. »Und wo führt der Weg hin?«

»Ach, hin und her und im Kreis herum. Wenn man Glück hat und den richtigen Weg findet, kommt man am anderen Ende des Anwesens wieder raus. Wenn man Pech hat«, seine Augen weiteten sich dramatisch, »kann es einem passieren, dass man verhungert, ehe einen jemand vermisst.« Er beugte sich vor und fuhr leise fort: »Ich finde immer wieder Knochen von solchen Unglücksraben.«

Eliza war so aufgeregt, dass sie nur flüstern konnte. »Und wenn es mir gelänge, hindurchzukommen? Was würde ich am anderen Ende finden?«

»Noch einen Garten, einen ganz besonderen Garten. Und ein kleines Haus, das direkt am Rand der Klippe steht.«

»Das kleine Haus hab ich schon gesehen. Vom Strand aus.«

Er nickte. »Ja, von dort kann man es sehen.«

»Wem gehört das Haus? Wer wohnt da drin?«

»Zurzeit niemand. Lord Archibald Mountrachet, das müsste dein Urgroßvater gewesen sein, hat es damals bauen lassen. Es heißt, es war als Ausguck gedacht, als eine Art Signalposten.«

»Für die Schmuggler? Die Tregenna-Piraten?«

Davies lächelte. »Aha, du hast dich also schon mit Mary Martin unterhalten.«

»Darf ich mir das Haus ansehen?«

»Das findest du sowieso nicht.«

»Doch, ich finde es.«

Mit verschmitzt funkelnden Augen sagte er: »Niemals, du wirst nie den Weg durch das Labyrinth finden. Und selbst wenn, wirst du nicht herausfinden, wie man das geheime Gartentor öffnet und in den Garten gelangt, der zu dem Haus gehört.«

»Doch! Lass es mich wenigstens versuchen! Bitte, Davies!«

»Ich fürchte, das geht nicht, Miss Eliza«, sagte Davies etwas ernster. »Es ist schon lange niemand mehr bis ans Ende des Labyrinths vorgedrungen. Ich pflege und beschneide die Hecken, aber nur bis zu einer bestimmten Stelle, weiter ist es mir nicht erlaubt. Dahinter ist inzwischen sicherlich alles überwuchert.«

»Warum geht denn niemand mehr bis ans Ende?«

»Dein Onkel hat das Labyrinth vor langer Zeit schließen lassen, und seitdem hat es niemand mehr betreten.« Er beugte sich zu ihr hinunter. »Aber deine Mutter, die kannte das Labyrinth wie ihre Westentasche. Beinahe so gut wie ich.«

In der Ferne bimmelte eine Glocke.

Davies nahm seinen Hut ab und wischte sich die verschwitzte Stirn. »Du solltest jetzt lieber wie ein geölter Blitz nach Hause flitzen, Miss, denn das war die Glocke, die zum Mittagessen läutet.«

»Kommst du auch mit zum Essen?«

Er lachte. »Die Bediensteten bekommen kein Mittagessen, Miss Eliza, das gehört sich nicht. Die bekommen jetzt schon ihr Abendessen.«

»Kommst du denn mit zum Abendessen?«

»Ich esse schon lange nicht mehr im Haus.«

»Warum nicht?«

»Ich fühle mich dort nicht wohl.«

Eliza verstand überhaupt nichts. »Warum denn nicht?«

Davies kratzte sich den Bart. »Ich bin lieber bei meinen Pflanzen, Miss Eliza. Manche Leute sind gern in Gesellschaft von Menschen, andere nicht. Ich gehöre zur letzteren Sorte: Ich hocke am liebsten auf meinem eigenen Misthaufen.«

»Aber warum?«

Er atmete langsam aus wie ein müder Riese. »Es gibt Orte, die lassen einem die Haare zu Berge stehen, die behagen einem einfach nicht. Verstehst du, was ich meine?«

Eliza dachte an ihre Tante, wie sie am Abend zuvor in dem Zimmer mit der weinroten Tapete gestanden hatte, an den Jagdhund und die Schatten, die im Kerzenlicht über die Wände gehuscht waren. Sie nickte.

»Die kleine Mary, die ist ein nettes Mädchen. Die wird schon auf dich aufpassen da oben im Haus.« Er runzelte die Stirn. »Es ist nicht gut, den Menschen allzu leicht zu vertrauen. Das ist überhaupt nicht gut, hörst du?«

Eliza nickte feierlich, weil ihr das angebracht schien.

»Und jetzt ab mit dir, sonst kommst du noch zu spät, und dann wird die Mistress dein Herz zum Abendessen servieren. Sie mag es nicht, wenn man gegen ihre Regeln verstößt, merk dir das.«

Eliza lächelte, obwohl Davies ein ernstes Gesicht machte. Sie wandte sich zum Gehen, blieb jedoch wieder stehen, als sie etwas in einem der oberen Fenster sah, etwas, das sie schon am Abend zuvor gesehen hatte. Ein Gesicht, klein und wachsam.

»Wer ist das?«, fragte sie.

Davies drehte sich um und schaute mit zusammengekniffenen Augen zum Haus hinüber. Mit einer Kopfbewegung deutet er auf das Fenster. Ohne die Pfeife aus dem Mund zu nehmen, die zwischen seinen Zähnen klemmte, sagte er: »Ich nehme an, das ist Miss Rose.«

»Miss Rose?«

»Deine Cousine. Die Tochter von deinem Onkel und deiner Tante.«

Elizas Augen weiteten sich. Ihre Cousine?

»Früher war sie überall auf dem Landgut zu sehen, aber dann ist sie krank geworden, und seitdem ist es damit vorbei. Die Mistress opfert all ihre Zeit und eine Menge Geld, um rauszufinden, was mit der Kleinen los ist, und der junge Arzt aus dem Dorf kommt fast jeden Tag.«

Eliza schaute immer noch zu dem Fenster hinüber. Langsam hob sie die Hand, die Finger gespreizt wie die Seesterne am Strand. Dann winkte sie und sah zu, wie das Gesicht am Fenster im Dunkeln verschwand. Ein Lächeln huschte über Elizas Gesicht. »Rose«, sagte sie und genoss den süßen Geschmack des Worts. Wie der Name einer Prinzessin in einem Märchen.

24 *Cliff Cottage* *Cornwall, 2005*

Der Wind zauste Cassandras Haare und ließ ihren Pferdeschwanz flattern. Sie zog ihre Strickjacke enger um die Schultern, blieb einen Moment stehen, um zu verschnaufen, und schaute die schmale Küstenstraße zurück, die ins Dorf hinunterführte. Kleine, weiße Häuser klebten in der felsigen Bucht wie Läuse an einem Zweig, und rote und blaue Fischerboote sprenkelten das Hafenbecken, schaukelten auf den Wellen, während Möwen über ihnen kreisten. Selbst bis hier oben trug der Wind das von der Meeresoberfläche abgeleckte Salz.

Die Straße war so schmal und führte so dicht am Rand der Klippe entlang, dass Cassandra sich wunderte, wie die Leute den Mut aufbrachten, hier mit dem Auto entlangzufahren. Zu beiden Seiten wuchs hohes, bleiches Seegras, das im Wind zitterte. Je höher sie stieg, desto feuchter wurde die Luft.

Cassandra warf einen Blick auf ihre Uhr. Sie hatte die Zeit unterschätzt, die sie für den Fußweg hier herauf brauchen würde, ganz abgesehen von der Anstrengung, die ihr die Beine schon nach der halben Strecke bleischwer machte. Das lag am Jetlag und am guten alten Schlafmangel.

Sie hatte in der Nacht zuvor ausgesprochen schlecht geschlafen. Das Zimmer war in Ordnung und das Bett einigermaßen bequem, aber sie war von seltsamen Träumen geplagt worden, Träume von der Sorte, die ihr nach dem Aufwachen noch nachgehangen hatten, ohne dass sie in der Lage gewesen wäre, sich an ihren Inhalt zu erinnern. Was blieb, war nur ein dumpfes Unbehagen.

Irgendwann im Lauf der Nacht war sie von einem Geräusch geweckt worden. Sie war sich ziemlich sicher, dass jemand sich mit einem Schlüssel an ihrer Tür zu schaffen gemacht hatte, aber als sie es am Morgen an der Rezeption meldete, sah die junge Frau hinter dem Tresen sie nur mit einem seltsamen Ausdruck an und erinnerte sie dann ziemlich unterkühlt daran, dass das Hotel Codekarten benutze und keine Metallschlüssel. Wahrscheinlich habe sie bloß den Wind gehört, der durch die alten Messingbeschläge pfiff.

Cassandra setzte ihren Weg den Hügel hinauf fort. Weit konnte es nicht mehr sein, die Frau in dem Lebensmittelladen im Dorf hatte gesagt, es sei ein Fußweg von zwanzig Minuten, und sie war jetzt schon seit gut einer halben Stunde unterwegs.

Als sie um eine Biegung kam, sah sie ein rotes Auto, das am Straßenrand geparkt war. Ein Mann und eine Frau standen daneben und schauten sie erwartungsvoll an: er groß und dünn, sie klein und pummelig. Einen Augenblick dachte Cassandra, sie seien vielleicht ausgestiegen, um die Aussicht zu genießen, doch als sie beide eine Hand zum Gruß hoben, wusste sie, wer die beiden waren.

»Hallo!«, rief der Mann und kam auf sie zu. Er war mittleren Alters, auch wenn sein schlohweißes Haar und sein grauer Bart ihn auf den ersten Blick älter wirken ließen. »Sie müssen Cassandra sein. Ich bin Henry Jameson, und das«, er zeigte auf seine Frau, die ein strahlendes Lächeln aufgesetzt hatte, »ist meine Frau Robyn.«

»Freut mich, Sie kennenzulernen«, sagte Robyn eifrig. Ihr grau meliertes Haar war zu einem adretten Bubikopf geschnitten, der Wangen so rot und rund wie Äpfel umschmeichelte.

Cassandra lächelte. »Danke, dass Sie an einem Samstag Zeit für mich haben.«

»Aber ich bitte Sie«, Henry fuhr sich mit einer Hand über den Kopf, um sein feines, vom Wind zerzaustes Haar zu glätten, »das ist doch selbstverständlich. Ich hoffe nur, es stört Sie nicht, dass ich meine Frau mitgebracht habe ...«

»Natürlich stört sie das nicht, was sollte sie denn dagegen haben?«, sagte Robyn. »Es macht Ihnen doch nichts aus, oder?«

Cassandra schüttelte den Kopf.

»Siehst du, hab ich's dir nicht gesagt? Es stört sie kein bisschen.« Robyn packte Cassandras Handgelenk. »Er hätte mich gar nicht daran hindern können, ihn zu begleiten. Und wenn er es versucht hätte, wäre ihm die Scheidung sicher gewesen.«

»Meine Frau ist die Vorsitzende des örtlichen Heimatkundevereins«, erklärte Henry mit einem entschuldigenden Lächeln.

»Ich habe ein paar kleine Informationsbroschüren über die Gegend herausgebracht. Hauptsächlich über ortsansässige Familien, über wichtige Wahrzeichen und Herrenhäuser. In meinem neuesten Heft geht es um die Schmuggelei, und jetzt gerade sind wir dabei, eine Webseite einzurichten, damit wir die Artikel ins Netz stellen können und …«

»Sie hat sich geschworen, in jedem historisch bedeutenden Haus im ganzen Land einmal Tee zu trinken.«

»Ich lebe seit meiner Geburt hier im Dorf, aber in dieses alte Haus habe ich noch nie einen Fuß gesetzt.« Robyn lächelte, und ihre Wangen glänzten. »Ich gebe zu, ich sterbe vor Neugier.«

»Darauf wären wir nie gekommen, meine Liebe«, sagte Henry müde und zeigte den Hügel hinauf. »Jetzt müssen wir zu Fuß weitergehen, die Straße hört hier auf.«

Robyn, die vorausging, schritt entschlossen über den schmalen Pfad. Nachdem sie ein Stück des Anstiegs bewältigt hatten, fielen Cassandra die Vögel auf. Massenhaft kleine, braune Schwalben, die zwitschernd in den Bäumen hin und her hüpften. Seltsamerweise fühlte sie sich plötzlich beobachtet, als drängelten die Vögel sich in den Bäumen, um die menschlichen Eindringlinge im Auge zu behalten. Ein leichter Schauer überlief sie, doch dann schalt sie sich innerlich, weil sie sich so kindisch benahm und selbst in der Natur etwas Geheimnisvolles witterte.

»Mein Vater hat für Ihre Großmutter den Hauskauf abgewickelt«, sagte Henry, der sich hatte zurückfallen lassen, um neben Cassandra herzugehen. »Das war 1975. Ich hatte gerade erst angefangen, in dem Immobilienbüro zu arbeiten, trotzdem erinnere ich mich noch gut daran.«

»Jeder erinnert sich daran«, bemerkte Robyn. »Es war der letzte Teil des alten Landguts, der verkauft wurde. Es gab Leute im Dorf, die geschworen hatten, dass das Cottage sich nie verkaufen würde.«

Cassandra schaute aufs Meer hinaus. »Und warum? Von dem Haus aus muss man doch eine fantastische Aussicht haben …«

Henry schaute Robyn an, die atemlos stehen geblieben war,

eine Hand auf der Brust. »Das stimmt allerdings«, sagte er. »Aber …«

»Im Ort sind böse Geschichten umgegangen«, sagte Robyn keuchend. »Gerüchte über die Vergangenheit und so …«

»Was denn für Gerüchte?«

»Ach, alles dummes Geschwätz«, sagte Henry bestimmt. »Lauter Unsinn, wie man ihn sich in jedem englischen Dorf erzählt.«

»Es heißt, dass es in dem Haus spukt«, raunte Robyn bedeutungsvoll.

Henry lachte. »Zeig mir ein Haus in Cornwall, in dem es nicht spukt.«

Robyn verdrehte ihre blassblauen Augen. »Mein Mann ist ein unverbesserlicher Pragmatiker.«

»Und meine Frau ist eine Romantikerin«, sagte Henry. »Das Haus auf der Klippe besteht aus Stein und Mörtel wie jedes andere Haus in Tregenna. Es ist ebenso wenig verwunschen wie ich.«

»Und du willst tatsächlich aus Cornwall stammen?« Robyn schob sich eine Strähne hinters Ohr und blinzelte in Cassandras Richtung. »Glauben Sie an Gespenster, Cassandra?«

»Eigentlich nicht.« Cassandra musste an das seltsame Gefühl denken, das die Vögel bei ihr verursacht hatten. »Jedenfalls nicht an solche, die mit einer Kugel am Arm in Schlössern rumspuken.«

»Sehr vernünftig«, sagte Henry. »In den vergangenen dreißig Jahren hat niemand das Haus betreten, außer vielleicht ein paar Jungs aus dem Dorf, die sich ein bisschen gruseln wollten.« Er zog ein Taschentuch mit aufgesticktem Monogramm aus der Hosentasche, faltete es einmal und betupfte sich die Stirn. »Komm, Robyn, wir brauchen noch den ganzen Tag, wenn wir nicht weitergehen, und die Sonne ist ganz schön heiß. Diese Woche ist der Sommer noch mal zurückgekommen.«

Der Anstieg und der immer schmaler werdende Weg machten eine Unterhaltung schwierig, und so gingen sie die letzten hundert Meter schweigend hintereinander her. Zarte, bleiche Grashalme wiegten sich im Wind.

Endlich, nachdem sie sich durch dichtes Gestrüpp gearbeitet hatten, erreichten sie eine steinerne Mauer. Sie war mindestens zwei Meter hoch und wirkte irgendwie fehl am Platz, nachdem sie so weit gegangen waren, ohne auch nur irgendetwas von Menschenhand Geschaffenes zu Gesicht zu bekommen. Ein schmiedeeiserner Bogen umrahmte das Eingangstor, dünne Ranken hatten sich durch die Zwischenräume geschlängelt und waren mit der Zeit verholzt. Ein Schild, das früher einmal an dem Tor festgeschraubt gewesen war, hing jetzt nur noch an einer Ecke fest. Hellgrüne und braune Flechten bedeckten das Schild wie Schorf und klammerten sich an die geschwungenen Buchstaben. Cassandra neigte den Kopf, um die Worte besser lesen zu können: *Betreten auf eigene Gefahr.*

»Die Mauer ist noch ziemlich neu«, bemerkte Robyn.

»Mit neu meint meine Frau, dass die Mauer erst hundert Jahre alt ist. Das Haus ist etwa dreimal so alt.« Henry räusperte sich. »Jetzt begreifen Sie sicher, dass das alte Gemäuer ziemlich baufällig ist.«

»Ich habe ein Foto.« Cassandra nahm es aus ihrer Handtasche.

Henry betrachtete es mit hochgezogenen Brauen. »Aufgenommen, bevor es zum Verkauf stand, würde ich mal sagen. Seitdem hat es sich ziemlich verändert. Es kümmert sich niemand darum, wissen Sie.« Er schob das schmiedeeiserne Tor auf und machte eine auffordernde Kopfbewegung. »Wollen wir?«

Ein mit Steinen gepflasterter Weg führte durch einen Laubengang aus uralten, verholzten Rosenbüschen, und es wurde spürbar kühl, als sie den Garten betraten. Schummrig und düster. Und über allem lag eine seltsame Stille. Selbst das unentwegte Rauschen des Meers wirkte hier oben gedämpft. Es war, als läge alles, was sich innerhalb der Steinmauer befand, in tiefem

Schlaf und wartete darauf, von etwas oder jemandem geweckt zu werden.

»Cliff Cottage«, sagte Henry, als sie das Ende des Wegs erreicht hatten.

Cassandras Augen weiteten sich. Sie stand vor einem Gewirr aus dichten Dornenranken. Efeu mit tiefgrünen, gezackten Blättern wucherte an den Mauern hoch, sodass nicht einmal mehr die Fenster zu sehen waren. Wenn sie nicht gewusst hätte, dass hier ein Haus stand, wäre sie nie darauf gekommen.

Henry hüstelte und errötete verlegen. »Es ist ziemlich sich selbst überlassen worden.«

»Ein gründlicher Hausputz, dann sieht das schon wieder ganz anders aus«, verkündete Robyn mit einer gezwungenen Zuversicht, die selbst ein untergegangenes Schiff noch hätte retten können. »Kein Grund, den Mut zu verlieren, Sie haben doch bestimmt schon mal gesehen, was die in diesen Renovierungsshows machen, oder? Haben Sie so was auch in Australien?«

Cassandra, den Blick auf das Dach geheftet, nickte abwesend.

Henry holte den Schlüssel aus seiner Hosentasche und reichte ihn Cassandra. »Nach Ihnen.«

Der Schlüssel war überraschend lang und schwer, mit einem Griff aus Messing. Als Cassandra ihn entgegennahm, hatte sie das Gefühl, ihn wiederzuerkennen. So einen Schlüssel hatte sie schon einmal in der Hand gehalten. Wann konnte das gewesen sein? Und wo? An ihrem Antiquitätenstand? Das Bild war überdeutlich, und doch wollte die Erinnerung sich nicht einstellen.

Cassandra trat auf die Stufe vor der Tür. Sie konnte das Schloss sehen, aber es war von Efeu überwuchert.

»Das haben wir gleich«, verkündete Robyn und förderte eine Gartenschere aus ihrer Handtasche. »Sieh mich nicht so an, Liebling«, sagte sie, als Henry verwundert die Brauen hob. »Ich bin ein Mädchen vom Land, und wir sind immer vorbereitet.«

Cassandra nahm das ihr angebotene Werkzeug entgegen und schnitt die Ranken eine nach der anderen ab. Als sie alle lose herunterhingen, hielt sie einen Moment lang inne und fuhr mit der Hand über die vom Salz angegriffene Holztür. Etwas in ihr sträubte sich dagegen weiterzumachen, wollte den Augenblick auf der Schwelle der Erkenntnis noch ein wenig genießen, doch als sie sich umdrehte, nickten Henry und Robyn ihr aufmunternd zu. Cassandra steckte den Schlüssel ins Schloss, fasste ihn mit beiden Händen und drehte ihn um.

Als Erstes schlug ihr der Geruch nach Feuchtigkeit und Fruchtbarkeit entgegen, und es stank nach Tierkot. Ähnlich wie der Regenwald in Australien, dessen Laubdach eine eigene Welt feuchter Fruchtbarkeit verbarg. Ein geschlossenes Ökosystem, allem Fremden gegenüber misstrauisch.

Sie machte einen zaghaften Schritt in den Flur. Durch die offene Haustür fiel gerade genug Licht, dass man moosige Flöckchen erkennen konnte, die in der schalen Luft trudelten, zu leicht und zu träge, um zu fallen. Der Boden bestand aus Holzdielen, auf denen Cassandras Schuhe ein Geräusch machten, als wollte sie sich für jeden Schritt entschuldigen.

Cassandra erreichte das erste Zimmer und lugte um die Ecke durch die Tür. Es war dunkel, die Fenster blind von jahrzehntealtem Schmutz. Nachdem ihre Augen sich an die Dunkelheit gewöhnt hatten, erkannte sie, dass es sich um die Küche handelte. In der Mitte standen ein heller Holztisch mit schiefen Beinen und zwei Stühle, die ordentlich unter den Tisch geschoben waren. In einer Nische auf der gegenüberliegenden Seite befand sich ein schwarzer Herd, bedeckt mit einem pelzigen Vorhang aus Spinnweben. Ein Geschirrschrank war gefüllt mit altem Kochgeschirr, und in einem Spinnrad in der Ecke hing immer noch ein Stück dunkle Wolle.

»Das ist ja wie ein Museum«, flüsterte Robyn. »Nur verstaubter.«

»Ich fürchte, ich werde Ihnen nicht so bald eine Tasse Tee anbieten können«, bemerkte Cassandra.

Henry war zu dem Spinnrad hinübergegangen und zeigte auf eine holzverkleidete Nische. »Da ist eine Treppe.«

Eine schmale Stiege führte steil nach oben und machte an einem Absatz eine Biegung. Cassandra stellte einen Fuß auf die unterste Stufe, um sie zu testen. Sie wirkte stabil. Vorsichtig stieg sie die Treppe hoch.

»Schön aufpassen«, sagte Henry, der hinter ihr herging und ihr eine Hand in den Rücken hielt, eine unbeholfene, aber freundlich gemeinte, beschützende Geste.

Auf dem kleinen Absatz blieb Cassandra stehen.

»Was ist?«, fragte Henry.

»Ein Baum. Ein riesiger Baum versperrt den Weg. Er ist direkt durchs Dach gestürzt.«

Henry lugte über ihre Schulter hinweg. »Ich glaube kaum, dass wir den mit Robyns Gartenschere wegkriegen«, bemerkte er. »Da müssen Sie schon einen Holzfäller kommen lassen.« Er drehte sich um und rief: »Fällt dir jemand ein, Robyn? Wen würdest du anrufen, um einen umgestürzten Baum wegzuschaffen?«

Als Cassandra die Treppe herunterkam, sagte Robyn gerade: »Bobby Blakes Sohn, der kann so was.«

»Ein junger Mann aus dem Dorf«, erklärte Henry mit einem Nicken in Cassandras Richtung. »Der hat einen Gartenbaubetrieb. Er erledigt auch fast alle Arbeiten für das Hotel, und das ist die beste Empfehlung, die man sich wünschen kann.«

»Soll ich ihn mal anrufen?«, fragte Robyn, »und ihn fragen, wie es Ende der Woche bei ihm aussieht? Ich geh einfach raus auf die Klippe und seh mal, ob ich da Empfang habe. Mein Handy gibt keinen Ton mehr von sich, seit wir das Haus betreten haben.«

Henry schüttelte den Kopf. »Es ist über hundert Jahre her, seit Marconi sein Signal empfangen hat, und wohin hat die Technik uns gebracht? Sie wissen doch sicher, dass das Signal von einer Bucht ganz hier in der Nähe gesendet wurde, nicht wahr? Von Poldhu Cove aus?«

»Ach, wirklich?« Cassandra dämmerte allmählich, in was für einem baufälligen Zustand sich das Haus befand, und sie fühlte sich regelrecht erschlagen. Auch wenn sie Henry dankbar war für seine Hilfsbereitschaft, war ihr im Augenblick nicht danach, so zu tun, als würde sie sich für einen Vortrag über die Geschichte der Telekommunikation interessieren. Sie wischte ein Geflecht aus Spinnweben fort, lehnte sich gegen die Wand und schenkte ihm ein stoisches Lächeln.

Henry schien zu spüren, was in ihr vorging. »Es tut mir schrecklich leid, dass das Haus sich in so einem desolaten Zustand befindet«, sagte er. »Ich kann mir nicht helfen, irgendwie fühle ich mich verantwortlich dafür, immerhin bin ich derjenige, der den Schlüssel und die Unterlagen aufbewahrt hat.«

»Sie hätten nichts machen können, da bin ich mir ziemlich sicher. Vor allem, wo Nell Ihren Vater gebeten hat, nichts zu unternehmen.« Sie lächelte. »Außerdem hängt ein Schild am Tor, das ausdrücklich vor dem Betreten des Grundstücks warnt.«

»Stimmt. Und Ihre Großmutter hat uns ausdrücklich untersagt, Handwerker kommen zu lassen. Sie meinte, das Haus sei ihr sehr wichtig, und sie würde sich um die Renovierung selbst kümmern.«

»Ich glaube, sie hatte vor, hierherzuziehen«, sagte Cassandra. »Und zwar für immer.«

»Ja«, erwiderte Henry. »Ich habe mir vor unserem Treffen heute Morgen noch einmal die alten Akten angesehen. In all ihren Briefen schreibt sie, dass sie hierherkommen will, und dann kam Anfang 1976 ein Schreiben, in dem sie uns erklärte, die Umstände hätten sich geändert und sie würde vorerst nicht wieder nach England kommen können. Allerdings bat sie meinen Vater, den Schlüssel in Verwahrung zu nehmen, damit sie wusste, wo sie ihn gegebenenfalls finden würde.« Er schaute sich im Zimmer um. »Aber dann ist es nie dazu gekommen.«

»Nein«, sagte Cassandra.

»Aber jetzt sind Sie ja hier«, sagte er mit neuer Zuversicht.

»Ja.«

An der Tür war ein Geräusch zu hören, und sie blickten beide auf. »Ich habe Michael erreicht«, sagte Robyn, während sie das Handy einsteckte. »Er sagt, er kommt am Mittwochmorgen mal vorbei, um sich anzusehen, was zu machen ist.« Sie wandte sich an Henry. »Komm, Liebling, Marcia erwartet uns zum Mittagessen, und du weißt ja, wie sie sich aufregen kann, wenn man zu spät kommt.«

Henry verdrehte die Augen. »Unsere Tochter verfügt ja über eine Menge Tugenden, aber Geduld gehört leider nicht dazu.«

Cassandra lächelte. »Danke für alles.«

»Nicht dass Sie auf die Idee kommen, den Baum selbst wegschaffen zu wollen«, sagte er. »Egal, wie sehr Sie darauf brennen, sich in der oberen Etage umzusehen.«

»Keine Sorge.«

Auf dem Weg zum Tor drehte Robyn sich noch einmal zu Cassandra um. »Sie sehen ihr ähnlich, wissen Sie.«

Cassandra blinzelte.

»Ihrer Großmutter. Sie haben die gleichen Augen.«

»Sie haben Sie gekannt?«

»Aber ja, selbstverständlich. Ich kannte sie schon, bevor sie das Haus gekauft hat. Sie kam eines Tages in das Museum, in dem ich damals arbeitete, und hat mir Fragen über die Geschichte der Gegend gestellt. Vor allem über einige der alten Familien.«

Henrys Stimme ertönte von der Klippe her. »Komm jetzt, Robyn. Marcia wird es uns nie verzeihen, wenn der Braten anbrennt.«

»Über die Familie Mountrachet?«

Robyn winkte Henry zu. »Ja, genau. Die haben früher oben im

Herrenhaus gewohnt. Und über die Walkers. Über den Maler und seine Frau und über die Schriftstellerin, die diese Märchen geschrieben hat.«

»Robyn!«

»Ja, ja, ich komm ja schon.« Sie verdrehte die Augen. »Mein Mann hat etwa so viel Geduld wie ein gezündeter Knallkörper.« Dann eilte sie hinter ihm her und rief Cassandra über die Schulter hinweg zu, sie könne sich jederzeit an sie wenden.

25 *Tregenna* *Cornwall, 1975*

Das Fischerei- und Schmuggelmuseum von Tregenna befand sich in einem kleinen, weiß gekalkten Haus am Rand des Außenhafens, und obwohl ein Schild im Fenster eindeutige Angaben über die Öffnungszeiten enthielt, dauerte es drei Tage, bis Nell endlich drinnen ein Licht brennen sah.

Sie drehte den Knauf und drückte die niedrige, mit Spitzengardinen versehene Tür auf. Eine Frau mit schulterlangem braunem Haar saß steif hinter dem Empfangstresen. Jünger als Lesley, dachte Nell, obwohl sie wesentlich älter wirkt. Als die Frau aufsprang, blieb die gehäkelte Tischdecke an ihren Oberschenkeln hängen, sodass sie die Papiere, die darauf lagen, auf sich zu zog. Sie wirkte wie ein Kind, das beim Naschen erwischt wurde. »Ich … ich hatte nicht mit Besuchern gerechnet«, stotterte sie, während sie Nell über ihre große Brille hinweg beäugte.

Und sie schien auch nicht sonderlich erfreut über diesen unerwarteten Besuch. Nell streckte ihr die Hand hin. »Nell Andrews.« Sie warf einen Blick auf das Namensschild auf dem Tisch. »Sie sind also Robyn Martin?«

»Hier kommen nicht viele Besucher her, vor allem in der Nachsaison. Ich hole den Schlüssel.« Sie ordnete die Papiere auf ihrem Tisch und schob sich eine Strähne hinters Ohr. »Die Schaukästen sind ein bisschen verstaubt«, sagte sie mit einem vorwurfsvollen Unterton. »Hier geht's lang.«

Nell schaute in die Richtung, in die Robyn zeigte. Hinter der verschlossenen Glastür befand sich ein kleiner Raum, in dem Netze, Haken und Angelruten ausgestellt waren. An den Wänden hingen Schwarz-Weiß-Fotos von Fischkuttern, Seeleuten und kleinen Buchten.

»Eigentlich«, sagte Nell, »suche ich nach ganz bestimmten Informationen. Der Mann auf der Post meinte, Sie könnten mir vielleicht weiterhelfen.«

»Mein Vater.«

»Wie bitte?«

»Mein Vater ist der Postmeister.«

»Ah«, sagte Nell. »Also, er meinte jedenfalls, Sie könnten mir helfen. Die Informationen, die ich brauche, haben nichts mit Fischerei oder Schmuggelei zu tun, wissen Sie. Es geht eher um Heimatkunde. Genauer gesagt um Familiengeschichte.«

Sofort änderte sich Robyns Gesichtsausdruck. »Warum haben Sie das nicht gleich gesagt? Ich arbeite hier im Fischereimuseum, um mich in der Gemeinde nützlich zu machen, aber die Geschichte von Tregenna ist mein Lebensinhalt. Hier.« Sie ging die Unterlagen durch, mit denen sie beschäftigt gewesen war, und drückte Nell ein Blatt Papier in die Hand. »Das ist der Text für die Touristenbroschüre, die ich gerade zusammenstelle. Außerdem arbeite ich an einem Entwurf für einen kleinen Artikel über die Herrenhäuser hier in der Gegend. Ein Verleger in Falmouth interessiert sich bereits dafür.« Sie warf einen Blick auf ihre silberne Armbanduhr. »Ich würde mich liebend gern mit Ihnen unterhalten, aber ich muss unbedingt …«

»Bitte«, sagte Nell. »Ich bin weit gereist. Ich werde Ihre Zeit nicht lange in Anspruch nehmen. Hätten Sie nicht wenigstens ein paar Minuten?«

Robyn presste die Lippen zusammen und betrachtete Nell mit ihrem Mäuseblick.

»Ich habe eine bessere Idee«, sagte sie mit einem entschlossenen Nicken. »Ich nehme Sie mit.«

Dichter Nebel war mit der Flut hereingekommen und sorgte zusammen mit der Dämmerung dafür, dass alle Farben in der Stadt verblassten. Während sie durch die schmalen Straßen bergauf gingen, legte sich ein grauer Schleier über alles. Die veränderte Situation hatte Robyns Lebensgeister geweckt. Sie schritt so forsch aus, dass Nell, die selbst eigentlich gut zu Fuß war, Mühe hatte mitzuhalten. Obwohl Nell gern gewusst hätte, wohin sie so eilig gingen, brachte sie vor Anstrengung kein Wort heraus.

Am oberen Ende der Straße angekommen, blieben sie vor einem kleinen, weißen Haus stehen. Ein Schild verkündete: *Pilchard Cottage.* Robyn klopfte an die Tür und wartete. Im Haus brannte kein Licht, und sie sah noch einmal auf ihre Uhr. »Immer noch nicht zu Hause. Dabei sagen wir ihm immer, er soll früher zurückkommen, wenn es Nebel gibt.«

»Wer?«

Robyn schaute Nell an, als hätte sie ganz vergessen, dass sie da war. »Gump, mein Großvater. Er geht jeden Tag an den Hafen, um die Schiffe zu beobachten. Er war früher selbst Fischer, wissen Sie. Seit zwanzig Jahren ist er jetzt schon Rentner, aber er ist nicht zufrieden, wenn er nicht weiß, wer rausgefahren ist und wo ein großer Fang gemacht wurde.« Ihr versagte beinahe die Stimme. »Wir reden immer auf ihn ein, er soll nach Hause gehen, wenn der Nebel steigt, aber er will einfach nicht hören …«

Sie brach ab und spähte mit zusammengekniffenen Augen in die Ferne.

Nell folgte ihrem Blick und sah, wie der Nebel sich an einer Stelle verdunkelte. Dann tauchte eine Gestalt vor ihnen auf.

»Gump!«, rief Robyn.

»Reg dich nicht auf, Mädel«, ertönte eine Stimme aus dem Nebel. »Reg dich bloß nicht auf.« Der alte Mann kam näher, stieg die drei Stufen zu seinem Haus hoch und schloss die Tür auf. »Nun steht nicht da rum wie zwei begossene Pudel«, sagte er über seine Schulter hinweg. »Kommt rein, dann trinken wir einen schönen heißen Tee.«

Im engen Flur half Robyn dem alten Mann aus seinem salzverkrusteten Regenmantel und aus seinen schwarzen Gummistiefeln, die sie auf einer niedrigen Holzbank abstellte. »Du bist ja ganz nass, Gump«, schalt sie, während sie an seinem Hemd fühlte. »Zieh dir erst mal was Trockenes an.«

»Pah«, grummelte der Alte und tätschelte die Hand seiner Enkelin. »Ich setze mich einfach ans Feuer, und bis du mir den Tee servierst, bin ich schon wieder knochentrocken.«

Robyn hob die Brauen und warf Nell einen Blick zu, als Gump ins Wohnzimmer ging, der besagte: Sehen Sie, womit ich mich herumplagen muss?

»Gump ist fast neunzig, aber er weigert sich, aus seinem Haus auszuziehen«, flüsterte sie. »Wir Angehörigen kochen ihm abwechselnd sein Abendessen. Ich bin montags bis mittwochs dran.«

»Für neunzig wirkt er aber noch ziemlich fit.«

»Seine Augen lassen nach, und er hört nicht mehr so gut, aber er lässt es sich trotzdem nicht nehmen, sich jeden Abend persönlich zu vergewissern, dass ›seine Jungs‹ sicher in den Hafen zurückkehren. Gott steh mir bei, falls ihm mal was passiert, wenn ich gerade an der Reihe bin, auf ihn aufzupassen.« Sie lugte durch das Fenster in der Tür und zuckte zusammen, als ihr Großvater auf dem Weg zu seinem Sessel über den Teppich stolperte. »Es wäre wohl zu viel verlangt … Äh, ich meine, könnten Sie vielleicht bei ihm bleiben, während ich das Feuer anzünde und den Wasserkessel aufsetze? Ich bin erst beruhigt, wenn er wieder trocken ist.«

Bei der verlockenden Aussicht darauf, endlich etwas über ihre Familie zu erfahren, war Nell zu fast allem bereit. Sie nickte, Robyn atmete erleichtert auf und eilte ins Wohnzimmer zu ihrem Großvater.

Gump hatte es sich in einem ledernen Sessel bequem gemacht und einen alten Quilt über die Knie gelegt. Nell musste an all die Quilts denken, die Lil für sie und ihre Schwestern angefertigt hatte. Sie fragte sich, was ihre Mutter wohl von ihren Nachforschungen halten würde, ob sie verstehen würde, warum es ihr so wichtig war, die ersten vier Jahre ihres Lebens zu rekonstruieren. Wahrscheinlich nicht. Lil war immer der Meinung gewesen, dass es die Pflicht eines jeden sei, das Beste aus der Situation zu machen, in die das Schicksal ihn geführt hatte. Es hat keinen Zweck, sich zu fragen, was hätte sein können, hatte sie immer gesagt, das Einzige, was zählt, ist das, was ist. Was natürlich für Lil, die wusste, woher sie stammte, leicht gesagt war.

Robyn richtete sich auf. Im offenen Kamin hinter ihr sprangen frische Flammen von Papierknäuel zu Papierknäuel. »Ich setze jetzt den Tee auf, Gump, und fange an zu kochen. Während ich in der Küche zu tun habe, wird meine Freundin …« Sie schaute Nell fragend an. »Verzeihen Sie …«

»Nell. Nell Andrews.«

»… wird Nell dir Gesellschaft leisten, Gump. Sie ist in Tregenna zu Besuch und interessiert sich für die hier ansässigen Familien. Vielleicht kannst du ihr ein bisschen von früher erzählen?«

Der alte Mann breitete die Hände aus, an denen Jahrzehnte des Tauziehens und des Einfädelns von Angelhaken ihre Spuren hinterlassen hatten. »Fragen Sie mich, was Sie wollen«, sagte er. »Ich sage Ihnen alles, was ich weiß.«

Nachdem Robyn durch eine niedrige Tür verschwunden war, sah Nell sich nach einer Sitzgelegenheit um. Sie setzte sich in einen grünen Ohrensessel am Kamin und genoss die Wärme des Feuers.

Gump blickte von der Pfeife auf, die er sich gerade stopfte und hob fragend die Brauen. Offensichtlich wartete er auf ihre Fragen.

Nell räusperte sich und scharrte mit den Füßen auf dem Teppich, während sie überlegte, wo sie anfangen sollte. Sie kam zu dem Schluss, dass es keinen Zweck hatte, um den heißen Brei herumzureden. »Ich interessiere mich für die Familie Mountrachet.«

Gumps Streichholz flammte auf, und er zog mehrmals an seiner Pfeife.

»Ich habe mich schon im Dorf erkundigt, aber niemand scheint etwas über sie zu wissen.«

»Ach, die Leute wissen natürlich alle etwas über die Mountrachets«, sagte er, während er seinen Rauch ausblies. »Sie wollen nur nicht über sie reden.«

Nell schaute ihn verwundert an. »Und warum nicht?«

»Die Leute in Tregenna erzählen sich gern Geschichten, aber die meisten hier sind auch ziemlich abergläubisch. Wir plaudern eigentlich gern über jedes erdenkliche Thema, aber sobald die Rede auf die Geschehnisse hier oben auf der Klippe kommt, verstummen alle schlagartig.«

»Ja, das ist mir auch schon aufgefallen«, sagte Nell. »Liegt das daran, dass die Mountrachets Adelige waren? Dass sie der Oberklasse angehörten?«

Gump schnaubte verächtlich. »Die hatten Geld, kein Zweifel, aber von Klasse keine Spur.« Er zog heftig an seiner Pfeife und beugte sich vor. »Den Titel haben sie sich mit dem Blut von Unschuldigen erkauft. Das war 1724. Eines Nachmittags ist ein fürchterlicher Sturm aufgekommen, der schlimmste seit Jahren.

Er hat das Dach vom Leuchtturm gerissen und die neue Öllampe ausgepustet wie eine Kerze. Es war Neumond, und die Nacht war kohlrabenschwarz.« Seine bleichen Lippen umschlossen den Pfeifenstiel. Er tat einen langen, kräftigen Zug, allmählich kam er in Fahrt. »Die meisten Fischkutter waren rechtzeitig in den Hafen zurückgekehrt, aber ein Schiff war noch draußen, ein Zweimaster mit Freibeutern an Bord.

Die Mannschaft des Kaperschiffs hatte keine Chance. Es heißt, die Wellenkämme hätten die halbe Höhe der Sharpstone-Klippe erreicht. Der Kahn wurde hin und her geworfen wie ein Spielzeug und gegen die Felsen geschleudert, sodass er auseinanderbrach, noch ehe er die Bucht erreichte. Es hat Zeitungsberichte gegeben und eine von der Regierung angeordnete Untersuchung, aber von dem Schiff ist nicht viel mehr übrig geblieben als ein paar rote Planken vom Rumpf. Natürlich wurden sofort die ortsansässigen Freibeuter verdächtigt.«

»Freibeuter?«

»Schmuggler«, sagte Robyn, die gerade mit einem Tablett mit Tee hereinkam.

»Aber nicht die Schmuggler haben das Wrack geplündert«, sagte Gump. »Oh nein. Das war die Familie, das waren die Mountrachets.«

Nell nahm die Teetasse entgegen, die Robyn ihr reichte. »Die Mountrachets waren Schmuggler?«

Gump stieß ein trockenes Lachen aus und trank einen Schluck Tee. »Nein, nein, so ehrenhaft waren die nicht. Schmuggler erleichtern Schiffe, die in Seenot geraten, um ihre überbesteuerte Ware, das ist richtig, aber sie retten auch Seeleute in Not. Was damals in jener Nacht in der Bucht von Blackhurst passiert ist, war das Werk von Dieben. Von Dieben und Mördern. Die haben die gesamte Mannschaft umgebracht, die Ladung gestohlen und am nächsten Morgen, ehe irgendjemand etwas davon mitbekommen konnte, das Wrack mitsamt den Toten auf dem offenen Meer versenkt. Die haben einen richtigen Schatz erbeutet: Kisten voller Perlen und Elfenbein, kostbare seidene Fächer aus China, Juwelen aus Spanien.«

»In den darauffolgenden Jahren wurde Blackhurst von Grund auf renoviert«, nahm Robyn den Faden auf. Sie hockte inzwischen auf der Fußbank vor dem Sessel ihres Großvaters. »Ich habe gerade für meine Broschüre ›Die Herrenhäuser von Cornwall‹ einen Artikel darüber geschrieben. Damals hat man das dritte Stockwerk hinzugefügt und prächtige Gärten angelegt. Und Mr Mountrachet wurde vom König geadelt.«

»Erstaunlich, was man mit ein paar sorgfältig ausgewählten Geschenken alles erreichen kann.«

Nell schüttelte den Kopf. Es wäre ein schlechter Zeitpunkt gewesen zu erwähnen, dass sie mit diesen Dieben und Mördern verwandt war. »Ich finde es vor allem erstaunlich, dass sie damit davonkommen konnten.«

Robyn schaute Gump an, der sich räusperte. »Tja«, sagte er schließlich. »So würde ich das nicht sehen.«

Nell blickte verwirrt von einem zum anderen.

»Glauben Sie mir, es gibt schlimmere Strafen als solche, die das Gesetz vorsieht.« Gump atmete tief aus. »Seit den Vorkommnissen in der Bucht lag ein Fluch auf der Familie, und zwar auf jedem einzelnen Familienmitglied.«

Nell lehnte sich enttäuscht zurück. Ein Familienfluch. Ausgerechnet in dem Augenblick, als sie glaubte, endlich etwas Konkretes zu erfahren.

»Erzähl ihr von dem Schiff, Gump«, sagte Robyn, die Nells Enttäuschung zu spüren schien. »Von dem schwarzen Schiff.«

Jetzt war Gump ganz in seinem Element. »Die Mountrachets mögen das Schiff versenkt haben, aber damit sind sie es nicht losgeworden, jedenfalls nicht für lange. Es taucht immer noch manchmal am Horizont auf. Meistens vor oder nach einem Gewitter. Ein großes, schwarzes Segelschiff, ein Phantomschiff, das die Bucht belauert und die Nachkommen der Täter in Angst und Schrecken versetzt.«

Nells Augen weiteten sich. »Haben Sie es schon mal gesehen? Das Schiff?«

Der alte Mann schüttelte den Kopf. »Einmal dachte ich, ich hätte es gesehen, aber ich hatte mich Gott sei Dank geirrt.« Er beugte sich vor. »Ein schlechter Wind lässt das Schiff auftauchen. Es heißt, wer das Phantomschiff sieht, muss für seinen Untergang büßen. Wenn man es sieht, sieht es einen auch. Ich weiß nur, dass jeder, der es gesehen hat, mehr Unglück auf sich zieht, als ein Mensch aushalten kann. Das Schiff trug den Namen *Jacquard*, aber wir Einheimischen nennen es *The Black Hearse*, Schwarzer Sarg.«

»Blackhurst«, sagte Nell. »Ich nehme an, das ist kein Zufall?«

»Deine Freundin ist ein helles Köpfchen«, sagte Gump lächelnd zu Robyn. »Es gibt tatsächlich Leute, die behaupten, dass das Anwesen seinen Namen daher hat.«

»Aber Sie nicht?«

»Ich glaube eher, dass der Name etwas mit dem großen schwarzen Felsen in der Bucht zu tun hat. Es gibt einen Tunnel, der mitten hindurchführt. Früher gelangte man durch ihn von der Bucht zu einer Stelle auf dem Landgut und weiter ins Dorf. Ein Glücksfall für die Schmuggler, aber ziemlich gefährlich. Es hat was mit den Windungen des Tunnels zu tun: Wenn die Flut höher stieg als erwartet, hatte jemand, der sich gerade in der Höhle befand, kaum eine Chance zu überleben. Dieser Felsen ist über die Jahre für manch tapfere Seele zum Grab geworden. Wenn Sie mal einen Blick auf den Strand des Anwesens geworfen haben, müssten Sie ihn eigentlich gesehen haben. Ein riesiges, zerklüftetes Monster.«

Nell schüttelte den Kopf. »Ich habe die Bucht noch nicht gesehen. Gestern wollte ich das Haus besichtigen, aber das Tor war verriegelt. Morgen gehe ich noch mal hin und werfe eine Karte in den Briefkasten. Ich hoffe, dass die Eigentümer mir gestatten, mir das Haus anzusehen. Wissen Sie vielleicht, was das für Leute sind?«

»Neu Zugezogene«, sagte Robyn. »Leute von außerhalb. Sie wollen aus dem ehemaligen Herrenhaus ein Hotel machen.« Sie beugte sich vor. »Es heißt, die junge Frau sei Schriftstellerin, sie schreibt Liebesromane und solche Sachen. Sie ist eine schillernde Persönlichkeit, und ihre Bücher sind ziemlich gewagt.« Aus dem Augenwinkel sah sie kurz zu ihrem Großvater hinüber und errötete. »Nicht, dass ich eins davon gelesen hätte.«

»Im Schaufenster eines Immobilienmaklers im Ort habe ich gesehen, dass ein Teil des Anwesens zum Verkauf angeboten wird«, sagte Nell. »Ein kleines Haus namens *Cliff Cottage*.«

Gump lachte heiser. »Das können sie zum Verkauf anbieten, bis sie schwarz werden, sie werden keinen finden, der dumm genug ist, es zu kaufen. Um das Haus von allem Übel, was es erlebt hat, reinzuwaschen, braucht man mehr als einen neuen Anstrich.«

»Was für Übel?«

Gump, der bis dahin seine Geschichten freimütig zum Besten gegeben hatte, verstummte plötzlich. Etwas schien in seinen Augen aufzuflackern. »Das Haus hätte man schon vor Jahren niederbrennen sollen. Da haben sich schlimme Dinge zugetragen.«

»Was denn für Dinge?«

»Ach, das ist nicht so wichtig«, sagte Gump mit zitternden Lippen. »Glauben Sie's mir einfach. Manche Häuser kann man eben selbst mit einer frischen Schicht Farbe nicht wieder sauber kriegen.«

»Ich hatte ja gar nicht vor, es zu kaufen«, erwiderte Nell, verblüfft über seine heftige Reaktion. »Ich dachte nur, es gäbe eine Möglichkeit, mal einen Blick auf das Anwesen zu werfen.«

»Um einen Blick auf die Bucht zu werfen, brauchen Sie nicht über das Blackhurst-Anwesen zu gehen, die können Sie von der Klippe aus sehen.« Er zeigte mit seiner Pfeife in Richtung Küste. »Folgen Sie dem Weg vom Dorf um die Landzunge herum in Richtung Sharpstone, dann sehen Sie die Bucht unten liegen. Die hübscheste kleine Bucht in ganz Cornwall, wenn dieser schreckliche Felsen nicht wäre. Von dem Blut, das da vor langer Zeit vergossen wurde, ist heute keine Spur mehr zu sehen.«

Inzwischen duftete es köstlich nach Rindfleisch und Rosmarin, und Robyn nahm Besteck und Geschirr aus dem Schrank. »Sie bleiben doch zum Abendessen, nicht wahr, Nell?«

»Selbstverständlich bleibt sie zum Essen«, sagte Gump und lehnte sich in seinem Sessel zurück. »Wir können sie doch nicht in so einen Nebel rausschicken. Da draußen sieht man die eigene Hand nicht vor den Augen.«

Der Eintopf war köstlich, und Nell musste nicht lange zu einer zweiten Portion überredet werden. Anschließend zog Robyn sich zum Spülen in die Küche zurück, und Nell und Gump waren wieder allein. Inzwischen hatte sich eine wohlige Wärme im Zimmer ausgebreitet, und Gumps Wangen waren gerötet. Er spürte Nells Blick und nickte gut gelaunt.

Nell fühlte sich unbeschwert in William Martins Gesellschaft, fühlte sich geschützt in seinem kleinen Wohnzimmer. Es war, als hätte eine Zauberformel die Zeit aufgehoben und sie von ihren alltäglichen Sorgen befreit. Es war das Geschick des Märchenerzählers, dachte sie. Die Fähigkeit, Farben heraufzubeschwören, sodass alles andere verblasste. Und William Martin war der geborene Märchenerzähler, daran bestand kein Zweifel. Die Frage war nur, wie viel von dem, was er erzählte, man ihm auch glauben konnte. Zweifellos besaß er das Talent, aus Stroh Gold zu spinnen, dennoch war er wahrscheinlich der einzige Mensch, der die Zeit, die sie interessierte, noch erlebt hatte. »Sagen Sie mal«, begann sie. Das Feuer wärmte sie wohlig von der Seite. »Haben Sie als junger Mann vielleicht Eliza Makepeace gekannt? Sie war Schriftstellerin und das Mündel von Linus und Adeline Mountrachet.«

William zögerte merklich. Dann murmelte er durch seinen Schnurrbart: »Jeder kannte Eliza.«

Nell atmete tief ein. »Wissen Sie, was aus ihr geworden ist?«, fragte sie hastig. »Am Ende, meine ich. Wie und wo sie gestorben ist?«

Er schüttelte den Kopf. »Nein, das weiß ich nicht.«

Mit einem Mal wirkte der alte Mann zurückhaltend und argwöhnisch. Diese Beobachtung erfüllte sie zwar einerseits mit Hoffnung, andererseits wusste sie, dass sie äußerst vorsichtig vorgehen musste. Auf keinen Fall wollte sie, dass er sich in sein Schneckenhaus zurückzog, nicht ausgerechnet jetzt. »Und was ist mit der Zeit, als sie auf Blackhurst wohnte? Können Sie mir darüber etwas erzählen?«

»Ich habe sie zwar gekannt, aber nur flüchtig. Ich war in dem vornehmen Haus nicht willkommen; die da oben das Sagen hatten, wären nicht erfreut gewesen, mich dort zu sehen.«

Nell ließ nicht locker. »Nach allem, was mir bisher bekannt ist, wurde Eliza zuletzt im Jahr 1913 in London gesehen. Sie hatte ein kleines Mädchen bei sich, Ivory Walker, Rose Mountrachets Tochter, die damals vier Jahre alt war. Können Sie sich irgendeinen Grund vorstellen, der Eliza dazu veranlasst haben könnte, mit dem Kind anderer Leute eine Reise nach Australien zu planen?«

»Nein.«

»Oder können Sie sich vorstellen, warum die Familie Mountrachet ihre Enkelin für tot erklärte, obwohl sie noch lebte?«

Sein Tonfall wurde scharf. »Nein.«

»Sie wussten also, dass Ivory entgegen der offiziellen Darstellung noch lebte?«

Das Feuer knisterte. »Das konnte ich nicht wissen, weil es nicht so war. Das Kind ist an Scharlach gestorben.«

»Ja, ich weiß, dass das damals behauptet wurde«, sagte Nell. Ihr Gesicht war heiß, ihr Schädel pochte. »Aber ich weiß auch, dass es nicht stimmt.«

»Woher wollen Sie das denn wissen?«

»Weil ich das Kind bin«, antwortete Nell mit zitternder Stimme. »Ich bin mit vier Jahren in Australien angekommen. Eliza Makepeace hat mich auf ein Schiff gesetzt, während alle glaubten, ich wäre tot, und anscheinend kann mir niemand erklären, warum.«

Williams Gesichtsausdruck war schwer zu deuten. Er schien etwas sagen zu wollen, ließ es jedoch bleiben.

Stattdessen stand er auf und streckte sich, sodass sein Bauch sich vorwölbte. »Ich bin müde«, knurrte er. »Zeit, mich in die Falle zu hauen.« Dann rief er: »Robyn?« Noch einmal, diesmal lauter: »Robyn!«

»Ja, Gump?« Robyn kam mit einem Geschirrtuch in der Hand aus der Küche. »Was ist denn?«

»Ich gehe schlafen.« Er ging auf die schmale Treppe zu, die vom Zimmer aus nach oben führte.

»Willst du nicht noch eine Tasse Tee? Wir sitzen doch gerade so gemütlich zusammen.« Verwirrt schaute sie Nell an.

William legte Robyn im Vorbeigehen eine Hand auf die Schulter. »Sei so gut und mach die Tür hinter dir zu, wenn du rausgehst, damit der Nebel nicht reinkommt.«

Während Robyn ihn mit vor Verwunderung geweiteten Augen ansah, nahm Nell ihren Mantel. »Ich sollte jetzt lieber gehen.«

»Es tut mir furchtbar leid«, sagte Robyn. »Ich weiß gar nicht, was plötzlich in ihn gefahren ist. Er ist sehr alt, er wird schnell müde …«

»Natürlich.« Nell knöpfte ihren Mantel zu. Eigentlich hätte sie sich entschuldigen müssen, schließlich war es ihre Schuld, dass der alte Mann so aus dem Häuschen geraten war, aber sie brachte es nicht fertig. Die Enttäuschung schnürte ihr die Kehle zu. »Danke, dass Sie sich Zeit für mich genommen haben«, brachte sie mühsam hervor, als sie in den dichten Nebel hinaustrat.

Am unteren Ende der steilen Straße angekommen, drehte Nell sich noch einmal um. Robyn schaute ihr immer noch nach. Als die junge Frau ihr zuwinkte, winkte sie zurück.

William Martin mochte alt und müde sein, aber sein plötzlicher Rückzug hatte einen anderen Grund. Nell musste es wissen, denn sie hatte ihr dorniges Geheimnis lange genug gehütet, um einen Leidensgenossen zu erkennen. William wusste mehr, als er zugab, und Nells Bedürfnis, die Wahrheit zu erfahren, überwog bei Weitem ihren Respekt vor seiner Privatsphäre.

Sie presste die Lippen zusammen und senkte den Kopf zum Schutz gegen den Wind, entschlossen, den Alten dazu zu bringen, dass er ihr alles erzählte, was er wusste.

26 *Blackhurst Manor* *Cornwall, 1900*

Eliza hatte recht: »Rose« war ein passender Name für eine Märchenprinzessin, und Rose Mountrachet war zweifellos vom Schicksal mit dem Privileg der gesellschaftlichen Stellung und der ungewöhnlichen Schönheit gesegnet, die es brauchte, um eine solche Rolle ausfüllen zu können. Leider waren die ersten zwölf Lebensjahre der kleinen Rose alles andere als märchenhaft gewesen.

»Weit aufmachen.« Dr. Matthews nahm einen Holzspatel aus seinem ledernen Koffer und drückte Rose' Zunge herunter. Als er sich vorbeugte, um ihren Hals zu inspizieren, kam sein Gesicht dem ihren so nah, dass Rose das unfreiwillige Vergnügen hatte, seine Nasenhaare zu begutachten. »Hmm«, brummte er, und die kleinen Härchen erzitterten.

Rose hustete schwach, als der Spatel sie in der Kehle kratzte.

»Nun, Doktor?« Mama trat aus dem Schatten, ihre langen, dünnen Finger hoben sich blass von ihrem dunkelblauen Kleid ab.

Dr. Matthews richtete sich zu voller Größe auf. »Es war richtig, dass Sie mich gerufen haben, Lady Mountrachet. Es handelt sich in der Tat um eine Entzündung.«

Mama seufzte. »Dachte ich's mir doch. Haben Sie eine Arznei mitgebracht?«

Während Dr. Matthews seine Behandlungsmethode erläuterte, wandte Rose den Kopf zur Seite und schloss die Augen. Gähnte ein bisschen. Seit sie denken konnte, wusste sie, dass ihr nicht viel Zeit auf dieser Welt vergönnt sein würde.

In schwachen Momenten erlaubte sie es sich hin und wieder, sich auszumalen, wie ihr Leben sein könnte, wenn sie nicht wüsste, dass ihr ein baldiges Ende beschieden war, wenn es vor ihr läge wie eine lange, gewundene Straße, die zu einem ihr unbekannten Ziel führte, mit Meilensteinen wie einem Debütantinnenball, einem Ehemann, Kindern, einem vornehmen Haus, mit dem sie andere Damen beeindrucken konnte. Ach, wie sehr sie sich im Grunde ihres Herzens nach einem solchen Leben sehnte.

Aber solchen Tagträumen gab sie sich nicht oft hin. Was nützte es, zu jammern und zu klagen? Stattdessen wartete sie geduldig, erholte sich, arbeitete an ihren Zeichnungen. Las, wenn ihr Gesundheitszustand es erlaubte, von Orten, die sie niemals sehen würde, sammelte Stoff für Gespräche, die sie nie führen würde. Wartete auf den nächsten, unvermeidlichen Zwischenfall, der sie dem Ende näher bringen würde, hoffte, dass die nächste Krankheit interessanter verlaufen würde. Mit weniger Schmerzen und mehr Trost. Wie das eine Mal, als sie Mamas Fingerhut verschluckt hatte.

Das war natürlich keine Absicht gewesen. Wenn der Fingerhut nicht so prächtig in seiner silbernen Halterung geglitzert hätte, wäre sie gar nicht auf die Idee gekommen, ihn überhaupt in die Hand zu nehmen. Aber so war es nun mal gewesen. Welche Achtjährige hätte der Verlockung widerstehen können? Sie hatte versucht, den Fingerhut auf der Zungenspitze zu balancieren, so ähnlich wie der Clown in ihrem Zirkusbuch, der einen roten Ball auf seiner dicken, roten Nase balancierte. Eine ziemliche Dummheit eigentlich, aber sie war schließlich noch ein Kind, und außerdem hatte sie das Kunststück schon einige Monate lang vollbracht, ohne dass ein Unglück passiert wäre.

Der Zwischenfall mit dem Fingerhut war jedenfalls ein voller Erfolg gewesen. Man hatte sofort nach dem Arzt geschickt, einem jungen Mann, der erst kürzlich die Praxis im Dorf übernommen hatte. Er hatte ihren Körper befühlt und betastet, wie Ärzte das eben so taten, und dann mit zitternder Stimme vorgeschlagen, einen neuartigen Apparat zu Hilfe zu nehmen, der eine genauere Diagnose ermöglichte, einen fotografischen Apparat, der es ihm erlaubte, direkt in Roses Bauch hineinzuschauen, ohne ein Skalpell auch nur in die Hand nehmen zu müssen. Alle hatten seinen Vorschlag freudig begrüßt: Vater, der als erfahrener Fotograf das moderne Gerät bedienen sollte, Dr. Matthews, dem gestattet wurde, die Bilder in einer speziellen Zeitschrift namens *The Lancet* zu veröffentlichen, und Mama, weil die Veröffentlichung in ihren gesellschaftlichen Kreisen für Aufregung sorgte.

Rose hatte den Fingerhut etwa achtundvierzig Stunden später (äußerst unschicklich) einfach ausgeschieden, und sie war sich ganz sicher, dass es ihr endlich einmal gelungen war, das, wenn auch kurzlebige, Wohlwollen ihres Vaters zu gewinnen. Nicht dass er etwas dergleichen ausgesprochen hätte, das war nicht seine Art, aber Rose besaß ein untrügliches Gespür für die Stimmungen ihrer Eltern (auch wenn sie deren jeweilige Ursachen noch nicht durchschaute). Und die Freude ihres Vaters hatte Roses Herz vor Glück jubilieren lassen.

»Gestatten Sie, dass ich meine Untersuchung fortsetze, Lady Mountrachet?«

Rose seufzte, als Dr. Matthews ihr Nachthemd hochschob und ihren Bauch freilegte. Sie drückte die Augen fest zu, als kalte Finger ihre Haut betasteten, und dachte an ihren Zeichenblock. Seit Mama ihr aus London eine Zeitschrift mit Bildern der neuesten Brautmode besorgt hatte, war Rose dabei, mit Spitzen und Seidenbändern zu basteln. Die Braut in ihrem Zeichenblock wurde von Tag zu Tag prächtiger ausgestattet: ein Schleier aus belgischer Spitze, winzige Perlchen am Rocksaum, ein Strauß aus gepressten Blumen. Der Bräutigam stellte für sie eine weit schwierigere Aufgabe dar, mit Gentlemen kannte sie sich nicht aus. (Und das war auch richtig so, denn über so etwas Bescheid zu wissen, gehörte sich nicht für junge Mädchen.) Aber die Details an der Aufmachung des Bräutigams waren nicht so wichtig, fand Rose, Hauptsache, die Braut war hübsch und rein.

»Es sieht alles zufriedenstellend aus«, sagte Dr. Matthews, während er Roses Nachthemd wieder in Ordnung brachte. »Zum Glück handelt es sich nicht um eine schlimme Entzündung. Darf ich jedoch vorschlagen, Lady Mountrachet, dass wir uns ausführlich über die weitere Behandlung unterhalten?«

Rose öffnete die Augen gerade rechtzeitig, um zu sehen, wie Dr. Matthews ihre Mama unterwürfig anlächelte. Wie lästig er war, immer darauf aus, sich eine Einladung zum Tee zu erschleichen, um noch mehr Angehörigen des Landadels vorgestellt zu werden, denen er sich als Arzt andienen konnte. Die veröffentlichten Fotos von dem Fingerhut in Roses Bauch hatten ihm unter den Gutbetuchten des Landes ein gewisses Ansehen verschafft, und er hatte es verstanden, daraus seinen Profit zu ziehen. Als er sein Stethoskop nahm und es mit seinen feingliedrigen Fingern sorgfältig in seiner Tasche verstaute, schlug Roses Langeweile in Ärger um.

»Bin ich also noch nicht auf dem Weg in den Himmel, Doktor Matthews?«, fragte sie und blickte direkt in sein errötendes Gesicht. »Ich arbeite nämlich an einem Bild für meine Sammelmappe, und es wäre eine Schande, wenn ich es nicht mehr fertigstellen könnte.«

Dr. Matthews lachte affektiert und schaute Roses Mama an. »Na, na, meine Kleine«, stammelte er. »Da brauchst du dir keine Sorgen zu machen. Irgendwann werden wir alle an Gottes Tafel sitzen …«

Eine Zeit lang lauschte Rose seinem ausführlichen Vortrag über Leben und Tod, bis sie sich schließlich abwandte, um ihr Lächeln zu verbergen.

Die Aussicht auf einen frühen Tod hat auf jeden Betroffenen andere Auswirkungen. Bei manchen führt sie zu einer Reife, die über ihr Alter und ihre Erfahrungen hinausgeht: Gelassen akzeptieren sie ihr Schicksal und entwickeln einen sanften und edelmütigen Charakter. Andere dagegen entwickeln ein Herz aus Eis, das zwar nicht immer sichtbar ist, aber niemals schmilzt.

Obwohl Rose sich gern zu den Ersteren gezählt hätte, wusste sie tief in ihrem Inneren, dass sie zu Letzteren gehörte. Nicht dass sie bösartig gewesen wäre, aber sie neigte zu einer gewissen Gefühlskälte, sie besaß die Fähigkeit, aus sich herauszutreten und Situationen völlig frei von störenden Gefühlen zu beobachten.

»Doktor Matthews.« Mamas Stimme unterbrach die zunehmend verzweifelte Beschreibung des Arztes von Gottes kleinen Engeln. »Gehen Sie doch schon mal nach unten und warten im Wintergarten auf mich. Thomas wird Ihnen einen Tee servieren.«

»Sehr wohl, Lady Mountrachet«, sagte er, erleichtert, sich aus dem peinlichen Gespräch zurückziehen zu dürfen. Ohne Rose noch einmal anzusehen, verließ er das Zimmer.

»Das war ungehörig von dir, Rose«, sagte Mama.

Mama war viel zu besorgt, um sie wirklich zu tadeln, und Rose wusste, dass sie keine Strafe zu befürchten hatte. Wer würde schon ein kleines Mädchen bestrafen, das auf den Tod wartete? Rose seufzte. »Das weiß ich, Mama, und es tut mir leid. Aber ich fühle mich so benommen, und wenn ich Doktor Matthews zuhöre, wird es nur noch schlimmer.«

»Von kränklicher Natur zu sein, ist eine große Last, ich weiß.« Mama nahm Roses Hand. »Aber du bist eine junge Dame, eine Mountrachet. Und Krankheit ist keine Entschuldigung für schlechte Manieren.«

»Ja, Mama.«

»Ich muss jetzt gehen und mit dem Arzt sprechen«, sagte sie, während sie Roses Wangen mit ihren kühlen Fingerspitzen berührte. »Wenn Mary dir dein Essen gebracht hat, komme ich noch einmal, um nach dir zu sehen.«

Sie ging zur Tür, und ihre Röcke raschelten, als sie vom Teppich auf den Holzfußboden trat. »Mama?«, rief Rose ihr nach.

Ihre Mutter drehte sich um. »Ja?«

»Ich wollte dich noch etwas fragen.« Rose zögerte, wusste nicht recht, wie sie ihre merkwürdige Frage formulieren sollte. »Ich habe einen Jungen im Garten gesehen. Er hat sich hinter dem Rhododendronbusch versteckt.«

Mamas linke Braue hob sich. »Einen Jungen?«

»Heute Morgen. Ich hab ihn vom Fenster aus gesehen, als Mary mich in meinen Sessel gesetzt hat. Er stand hinter dem Kamelienstrauch und redete mit Davies. Er hatte struppige, rote Haare und er kam mir ziemlich frech vor.«

Mama fasste sich an den bleichen Hals und atmete langsam aus, was Rose nur noch neugieriger machte. »Das war kein Junge, Rose.«

»Wie meinst du das?«

»Das war deine Cousine Eliza.«

Rose' Augen weiteten sich. Das war eine unerwartete Neuigkeit. Denn eigentlich konnte das gar nicht sein. Mama hatte doch gar keine Geschwister, und seit Großmamas Tod waren Mama, Papa und Rose die letzten Überlebenden des Geschlechts der Mountrachets. »Ich hab doch überhaupt keine Cousine.«

Mama richtete sich auf und antwortete ungewöhnlich hastig: »Leider doch. Sie heißt Eliza und wohnt ab jetzt auf Blackhurst.«

»Für wie lange denn?«

»Für immer, fürchte ich.«

»Aber Mama ...« Rose wurde so schwindlig wie noch nie. Wie konnte so eine schmuddelige Range ihre Cousine sein? »Ihre Haare ... Und wie sie sich benommen hat ... Ihre Sachen waren ganz nass, und sie war schmutzig und vom Wind zerzaust ...« Rose schüttelte sich. »Sie war von oben bis unten voll mit Laub ...«

Mama legte einen Finger an ihre Lippen. Als sie sich zum Fenster umwandte, bebte die dunkle Locke in ihrem Nacken. »Sie hat kein anderes Zuhause mehr, deswegen haben dein Vater und ich uns bereit erklärt, sie bei uns aufzunehmen. Ein Akt christlicher Nächstenliebe, den sie nicht zu schätzen weiß und erst recht nicht verdient hat, aber man muss ja immer zeigen, dass man ein rechtschaffenes Leben führt.«

»Aber was soll sie denn hier *tun*, Mama?«

»Sie wird uns zweifellos viel Ärger bereiten. Aber wir konnten sie schlecht abweisen. Es hätte gar keinen guten Eindruck gemacht, wenn wir nicht entsprechend reagiert hätten, also haben wir uns entschlossen, aus der Not eine Tugend zu machen.« Ihre Worte hörten sich ziemlich gequält an, und sie schien selbst zu spüren, wie hohl sie klangen, denn sie verstummte.

»Mama?«, fragte Rose vorsichtig.

»Du wolltest wissen, was sie hier tun soll?« Mama schaute Rose an und sagte mir einem scharfen Unterton: »Ich vertraue sie dir an.«

»Du vertraust sie mir an?«

»Damit du eine Aufgabe hast. Sie wird dein Schützling sein.

Wenn du wieder gesund genug bist, wirst du ihr beibringen, wie man sich benimmt. Sie ist halb wild, zeigt keine Spur von Anmut oder Charme. Eine Waise, die kaum oder nie Unterweisung in Umgangsformen genossen hat.« Mama atmete aus. »Natürlich mache ich mir keine Illusionen und erwarte kein Wunder von dir.«

»Ja, Mama.«

»Eine Katze lässt das Mausen nicht, und ein Gassenkind wird nie zu einer Rose erblühen. Aber wir müssen tun, was wir können, sie muss geläutert werden. Welchen schlimmen Einflüssen diese Waise ausgesetzt war, mein Kind, können wir nur ahnen. Sie ist in London in einem von Dekadenz und Sünde geprägten Umfeld aufgewachsen.«

Da wusste Rose auf einmal, wer dieses Mädchen war. Diese Eliza war das Kind von Papas Schwester, der geheimnisvollen Georgiana, deren Porträt Mama auf den Dachboden verbannt hatte und über die niemand zu sprechen wagte.

Niemand außer Großmama.

Als die alte Frau wie eine verwundete Bärin nach Blackhurst zurückgekehrt war und sich in ein Turmzimmer zurückgezogen hatte, um zu sterben, war sie immer wieder halb aus ihrem Dämmerzustand erwacht und hatte in hastig ausgestoßenen Worten von zwei Kindern namens Linus und Georgiana gesprochen. Rose wusste, dass mit Linus ihr Vater gemeint war, und schloss daraus, dass es sich bei Georgiana um seine Schwester handeln musste. Die Tante, die vor Rose' Geburt verschwunden war.

Damals hatte das Schicksal es gewollt, dass Rose sich vergleichsweise guter Gesundheit erfreute, und Mama hatte sie immer wieder dazu ermuntert, ihrer Großmama Gesellschaft zu leisten. Es sei überaus wichtig, hatte sie erklärt, dass eine junge Dame lernte, sich um Kranke und Sterbende zu kümmern. Zwar hatte Rose den Verdacht, dass Mamas Wunsch, Rose möge sich um ihre Großmutter kümmern, eher daher rührte, dass sie sich selbst nicht überwinden konnte, der alten Frau beizustehen, doch sie protestierte nicht. Denn Rose mochte es, am Bett ihrer Großmama zu sitzen. Ihr beim Schlafen zuzusehen in dem Bewusstsein, dass jeder Atemzug ihr letzter sein konnte.

Es war ein Sommermorgen, und Rose saß im Sessel am Fenster, wo eine warme Meeresbrise ihren Nacken streichelte, als Großmama plötzlich die Augen öffnete und blinzelte. Rose, die gedankenverloren die Schweißperlen auf der Stirn der alten Frau betrachtet hatte, atmete scharf ein.

Die alten Augen waren groß und blass, ausgebleicht von einem Leben voller Verbitterung. Einen Moment lang starrte Großmama sie an, schien sie jedoch nicht zu erkennen und ließ den Blick zur Seite wandern, anscheinend fasziniert von den vom Wind gebauschten Gardinen. Instinktiv wollte Rose schon nach Mama klingeln – es war Stunden her, dass Großmama zuletzt aufgewacht war –, aber als sie gerade die Hand nach der Glocke ausstrecken wollte, stieß die alte Frau einen Seufzer aus, so tief, dass alle Luft aus ihr zu weichen schien und ihre Knochen scharf hervortraten.

Dann, wie aus dem Nichts, umfasste eine runzlige Hand Roses Handgelenk. »Was für ein hübsches Mädchen«, sagte Großmama so leise, dass Rose sich über sie beugen musste, um sie zu verstehen. »Viel zu hübsch, es war ein Fluch. Alle jungen Männer drehten sich nach ihr um. Er konnte nicht anders, hat ihr überall nachgestellt. Dachte, wir wüssten nichts davon. Dann ist sie fortgelaufen und nie wieder zurückgekommen. Nie wieder ein Wort von meiner Georgiana …«

Rose Mountrachet war ein artiges Mädchen, und sie kannte die Regeln. Von klein auf mit nur wenigen Unterbrechungen ans Krankenbett gefesselt, hatte sie sich immer und immer wieder die Vorträge ihrer Mutter über die Benimmregeln und die ungeschriebenen Gesetze der feinen Gesellschaft anhören müssen. Rose wusste genau, dass eine Dame vormittags niemals Perlen oder Diamanten tragen und unter gar keinen Umständen einen Gentleman allein besuchen durfte. Und vor allem wusste Rose, dass es galt, um jeden Preis einen Skandal zu vermeiden, denn ein Skandal war ein Übel, das eine Dame auf der Stelle vernichten konnte. Oder zumindest ihren guten Ruf.

Aber die Erwähnung ihrer auf Abwege geratenen Tante, der peinigende Ruch eines Familienskandals, beunruhigte Rose keineswegs, sondern jagte ihr prickelnde Schauer über den Rücken. Zum ersten Mal seit Jahren klopfte ihr Herz vor Aufregung. Sie beugte sich noch dichter über Großmama, hoffte, dass sie fortfahren würde, begierig, ihren Worten zu lauschen, die in dunkle, unbekannte Gewässer führten.

»Wer, Großmama?«, drängte Rose. »Wer hat ihr nachgestellt, mit wem ist sie davongelaufen?«

Aber Großmama antwortete nicht. Was für Bilder es auch sein mochten, die in ihrem Kopf auftauchten, sie ließen sich nicht manipulieren. Vergeblich versuchte Rose es noch mehrmals. Am Ende musste sie sich damit zufrieden geben, allein über ihre Fragen nachzugrübeln.

Dieser Zeitvertreib erwies sich als äußerst erquicklich, und nach einer Weile hatte sie sich für die skandalöse Georgiana diverse Biografien ausgedacht. Für Rose bedeutete diese geheimnisvolle Tante eine Lebensader. Manchmal flüsterte sie den Namen immer und immer wieder vor sich hin wie ein Mantra. Genoss es, den geheimnisvollen Klang der Silben über ihre Zunge rollen zu lassen. Auch später, in Zeiten der Krankheit oder der Langeweile, beschwor sie den Namen herauf. Dann lag sie im Bett, schloss die Augen, um die Welt um sich herum auszuschließen, und flüsterte: »Georgiana … Georgiana … Georgiana …« Für sie wurde der Name zum Symbol für düstere, harte Zeiten. Für alles Ungerechte und Böse in der Welt …

»Rose?« Mamas Brauen zogen sich zu einem Stirnrunzeln zusammen, das sie zu verbergen suchte, doch Rose hatte einen ge-

übten Blick. »Hast du etwas gesagt, mein Kind? Du hast vor dich hin geflüstert. Wie fühlst du dich?«

Sie legte Rose eine Hand auf die Stirn, um ihre Temperatur zu fühlen.

»Es geht mir gut, Mama, ich war nur ein bisschen in Gedanken.«

»Du wirkst erhitzt.«

Rose fasste sich an die Stirn. War sie erhitzt? Sie konnte es nicht feststellen.

»Ich werde Doktor Matthews noch einmal herschicken, bevor er sich verabschiedet«, sagte Mama. »Man kann gar nicht vorsichtig genug sein.«

Rose schloss die Augen. Noch ein Besuch von Dr. Matthews, der zweite an ein und demselben Nachmittag. Das war zu viel.

»Du bist heute zu schwach, um deine neue Aufgabe in Angriff zu nehmen«, sagte Mama. »Ich werde mit dem Arzt sprechen, und wenn er es für vertretbar hält, werde ich dir Eliza morgen vorstellen. Eliza! Stell dir bloß mal vor, dass die Tochter eines Seemanns den Familiennamen der Mountrachets trägt!«

Ein Seemann, das war eine interessante Neuigkeit. Rose riss die Augen auf. »Wie bitte?«

Mama errötete. Sie hatte mehr gesagt als beabsichtigt, ein ungewöhnlicher Ausrutscher. »Der Vater deiner Cousine war Seemann, wir sprechen nicht über ihn.«

»Mein Onkel war ein Seemann?«

Mama schlug sich die schmale Hand vor den Mund. »Er war nicht dein Onkel, Rose, er hatte weder für dich noch für mich eine Bedeutung. Er war ebenso wenig mit deiner Tante Georgiana verheiratet wie ich.«

»Aber Mama!« Das war ja noch skandalöser, als Rose es sich auszumalen gewagt hätte. »Wie meinst du das?«

»Eliza mag deine Cousine sein, Rose«, sagte Mama leise, »und uns bleibt nichts anderes übrig, als sie bei uns aufzunehmen.

Aber sie ist von niedriger Geburt, vergiss das nicht. Sie kann sich glücklich schätzen, dass der Tod ihrer Mutter sie nach Blackhurst zurückgeführt hat, nach all der Schande, die diese Frau über die Familie gebracht hat.« Sie schüttelte den Kopf. »Als sie damals weggelaufen ist, wäre dein Vater beinahe vor Gram gestorben. Ich wage gar nicht, mir vorzustellen, was passiert wäre, wenn ich ihm nicht während der Zeit des Skandals beigestanden hätte.« Sie schaute Rose in die Augen. Dann fuhr sie mit leicht zitternder Stimme fort: »Eine Familie kann nur ein gewisses Maß an Schande überleben, Rose, bis ihr Name endgültig beschmutzt ist. Deswegen ist es von so großer Bedeutung, dass wir beide, du und ich, ein makelloses Leben führen. Deine Cousine Eliza wird eine Herausforderung für dich sein, daran gibt es keinen Zweifel. Sie wird nie eine von uns sein, aber indem wir unser Bestes geben, retten wir sie wenigstens aus der Londoner Gosse.«

Rose tat, als betrachtete sie die Rüschen an den Ärmeln ihres Nachthemds. »Kann man einem Mädchen von niedriger Geburt denn nicht beibringen, sich wie eine Lady zu benehmen?«

»Nein, mein Kind.«

»Nicht einmal, wenn sie von einer adeligen Familie aufgenommen wird?« Rose schaute Mama aus dem Augenwinkel an. »Oder wenn sie einen Gentleman heiratet?«

Mama sah sie durchdringend an, dann sagte sie langsam: »Es wäre natürlich möglich, dass ein sehr außergewöhnliches Mädchen aus armem, aber anständigem Hause, das unermüdlich an sich arbeitet, mit der Zeit einen edleren Charakter erwirbt.« Sie holte kurz Luft, um ihre Fassung wiederzugewinnen. »Aber ich fürchte, im Fall deiner Cousine ist das aussichtslos. Wir dürfen keine hohen Erwartungen an sie stellen, Rose.«

»Selbstverständlich, Mama.«

Der wirkliche Grund für Mamas Verlegenheit stand unausgesprochen zwischen ihnen, obwohl Mama, wenn sie geahnt hätte,

dass Rose das wusste, vor Scham im Erdboden versunken wäre. Es handelte sich um ein weiteres Familiengeheimnis, das Rose ihrer Großmutter entlockt hatte. Ein Geheimnis, das so vieles erklärte: die Animositäten zwischen den beiden Matriarchinnen und vor allem Mamas Besessenheit in Bezug auf gute Manieren, die Zwanghaftigkeit, mit der sie die Regeln der Gesellschaft befolgte, und ihr Drang, stets ein Muster an Wohlanständigkeit zu sein. Lady Adeline Mountrachet mochte vielleicht vor langer Zeit alles darangesetzt haben, die Wahrheit zu vertuschen – die meisten derjenigen, die Bescheid wussten, waren so eingeschüchtert worden, dass sie dieses Wissen aus ihrem Gedächtnis gestrichen hatten, und die anderen waren so sehr darauf bedacht, ihre gesellschaftliche Stellung nicht zu gefährden, dass ihnen niemals auch nur ein einziges Wort über Lady Mountrachets Herkunft über die Lippen kommen würde –, aber Großmama hatte wenig Hemmungen gehabt. Sie hatte sich gern an das junge Mädchen aus Yorkshire erinnert, dessen fromme, aber verarmte Eltern nicht gezögert hatten, als sich die Gelegenheit bot, sie als Schützling der ruhmreichen Georgiana Mountrachet nach Blackhurst Manor, Cornwall, zu schicken.

An der Tür blieb Mama noch einmal stehen. »Noch etwas, Rose, das Allerwichtigste.«

»Ja, Mama?«

»Das Mädchen darf deinem Vater auf keinen Fall unter die Augen kommen.«

Diese Aufgabe würde leicht zu bewältigen sein. Rose konnte die Gelegenheiten, an denen sie ihren Vater im Lauf des vergangenen Jahres gesehen hatte, an einer Hand abzählen. Doch der Nachdruck, mit dem ihre Mutter die letzte Ermahnung ausgesprochen hatte, erstaunte sie. »Aber warum denn nicht?«

Ein Zögern, das Rose mit wachsendem Interesse registrierte, dann eine Antwort, die mehr Fragen aufwarf, als sie beantwortete. »Dein Vater ist ein viel beschäftigter Mann, eine wichtige Persönlichkeit. Er muss nicht ständig an die Schande erinnert werden, die dem Namen seiner Familie zugefügt wurde.« Sie atmete hastig ein, dann fuhr sie flüsternd fort: »Glaub mir, Rose, es wird niemandem in diesem Haus zur Freude gereichen, sollte das Mädchen in Vaters Nähe gelangen.«

Vorsichtig drückte Adeline ihre Fingerspitze, beobachtete, wie der rote Blutstropfen heraustrat. Es war das dritte Mal in drei Minuten, dass sie sich in den Finger gestochen hatte. Normalerweise übte die Stickerei eine beruhigende Wirkung auf sie aus, aber diesmal lagen ihre Nerven einfach blank. Sie legte die Stickarbeit beiseite. Das Gespräch mit Rose hatte sie irritiert, ebenso die verwirrende Unterhaltung mit Dr. Matthews, aber der eigentliche Grund war natürlich die Ankunft von Georgianas Tochter. Mochte sie auch nur ein Kind sein, so hatte sie doch etwas mitgebracht. Etwas Unsichtbares, etwas wie die Veränderung in der Atmosphäre, die einem schlimmen Sturm vorausgeht. Und dieses Etwas drohte alles zu zerstören, wofür Adeline so mühsam gearbeitet hatte, ja, es hatte sein heimtückisches Werk bereits begonnen: Schon den ganzen Tag über konnte Adeline an nichts anderes denken als an ihre eigene Ankunft auf Blackhurst. Erinnerungen, die sie längst verdrängt hatte, verfolgten sie nun auf Schritt und Tritt. Und das, nachdem sie so hart daran gearbeitet hatte, alles zu vergessen und dafür zu sorgen, dass auch alle anderen vergaßen.

Als sie im Jahr 1886 auf Blackhurst eingetroffen war, hatte sie ein scheinbar unbewohntes Haus vorgefunden. Und was für ein Haus. Größer als alle, in die sie je einen Fuß gesetzt hatte. Nachdem der Kutscher ihre Koffer abgestellt hatte, stand sie mindestens zehn Minuten herum und wartete darauf, dass jemand sie in

Empfang nahm. Schließlich erschien ein junger, förmlich gekleideter Mann mit arroganter Miene in der Eingangshalle, blieb mit erstaunt hochgezogener Braue stehen und warf einen Blick auf seine Taschenuhr.

»Sie sind zu früh«, sagte er in einem Ton, der keinen Zweifel daran ließ, was er von Leuten hielt, die früher als erwartet eintrafen. »Wir hatten erst zum Tee mit Ihnen gerechnet.«

Adeline, die nicht wusste, was man von ihr erwartete, stand nur stumm da.

Der Mann schnaubte. »Warten Sie hier, ich schicke jemanden, der Sie auf Ihr Zimmer führt.«

Adeline hatte das Gefühl, dem Mann lästig zu sein. »Ich könnte auch ein bisschen im Garten spazieren gehen, wenn Ihnen das lieber ist«, sagte sie kleinlaut. Mehr denn je war sie sich ihres nordländischen Akzents bewusst, der hier in dieser mit weißem Marmor ausgekleideten Halle noch stärker zu klingen schien.

Der Mann nickte knapp. »Tun Sie das.«

Pfarrer Lambert hatte bei seinen nachmittäglichen Besuchen bei Adeline und ihren Eltern häufig vom Reichtum und Ansehen der Mountrachets gesprochen. Es sei eine Ehre für die gesamte Diözese, hatte er immer wieder feierlich betont, dass eine von ihnen dazu auserwählt worden war, so eine bedeutende Pflicht auszuüben. Sein Kollege in Cornwall habe unter Anweisung der Dame des Hauses überall nach der am besten geeigneten Kandidatin gesucht, und nun müsse Adeline beweisen, dass sie einer solchen Ehre würdig war. Hinzu kam die großzügige Summe, die Adelines Eltern für ihren Verlust gezahlt wurde. Und Adeline war fest entschlossen, ihre Aufgabe erfolgreich zu erfüllen. Auf dem ganzen Weg von Yorkshire hierher hatte sie sich selbst kleine Vorträge gehalten zu Themen wie »Vornehmheit zeigt sich in der Erscheinung« und »Eine Dame ist, was sie tut«, aber in dem großen, leeren Haus hatten ihre halbherzigen Überzeugungen sich in Wohlgefallen aufgelöst.

Ein lautes Kreischen über ihr ließ sie aus ihren Gedanken aufschrecken, und sie sah eine Gruppe schwarzer Krähen über den Himmel ziehen. Plötzlich ließ sich einer der Vögel im Sturzflug fallen, dann folgte er den anderen zu einer Ansammlung hoher Bäume in einiger Entfernung. Da sie kein bestimmtes Ziel hatte, ging Adeline den Krähen nach und hielt sich dabei innerlich einen kleinen Vortrag darüber, was es bedeutete, einen neuen Anfang zu machen.

Adeline war so sehr mit ihrer stillen Tirade beschäftigt, dass ihr gar keine Zeit blieb, die herrlichen Gartenanlagen von Blackhurst zu bewundern. Noch ehe sie bis zu den Themen »Standesgemäßes Verhalten« und »Aristokratie« gelangt war, hatte sie das kühle Wäldchen durchquert. Am Rand der Klippe blieb sie stehen. Um sie herum raschelte das vertrocknete Gras, und vor ihr lag das tiefblaue Meer wie eine große, samtene Decke.

Adeline klammerte sich an einem Ast fest. Sie hatte schon immer unter Höhenangst gelitten, und ihr Herz raste wie wild.

Als sie vorsichtig einen Blick nach unten riskierte, entdeckte sie ein kleines Boot in der Bucht. Ein junger Mann ruderte es, während eine junge Frau aufrecht darin stand und es mit den Füßen zum Schaukeln brachte. Ihr weißes Kleid war bis zur Taille nass und klebte ihr auf eine Weise an den Beinen, die Adeline nach Luft schnappen ließ.

Adeline hatte das Gefühl, sich abwenden zu müssen, konnte sich jedoch von dem Anblick nicht losreißen. Die junge Frau hatte langes, leuchtend rotes Haar, das ihr in feuchten Strähnen über die Schultern hing. Der Mann trug einen Strohhut, und um seinen Hals hing an einem Riemen eine Art schwarzer Kasten. Er lachte und spritzte die junge Frau nass. Dann kroch er auf allen vieren auf sie zu und streckte die Hand aus, um nach ihren Beinen zu greifen. Das Boot geriet immer mehr ins Schaukeln, und kurz bevor er sie zu packen bekam, drehte die junge Frau sich um und machte einen eleganten Kopfsprung ins Wasser.

Schockiert atmete Adeline ein. Nichts in ihrem Leben hatte sie auf ein derartiges Verhalten vorbereitet. Was war bloß in diese junge Frau gefahren, dass sie so etwas tat? Und wo war sie jetzt? Adeline reckte den Hals. Suchte mit den Augen das glitzernde Wasser ab, bis sie schließlich eine weiße Gestalt entdeckte, die in der Nähe des schwarzen Felsens an die Oberfläche kam. Die junge Frau zog sich an dem Felsen aus dem Wasser, das Kleid klebte ihr am ganzen Körper. Klatschnass wie sie war, kletterte sie, ohne sich noch einmal umzudrehen, auf den Felsen und verschwand über einen steilen Pfad, der zu einem kleinen Haus oben auf der Klippe führte.

Adeline rang nach Luft. Sie schaute zu dem jungen Mann hinüber, der musste doch ebenso schockiert sein wie sie. Auch er hatte gesehen, wohin die junge Frau verschwunden war, und ruderte zurück in die Bucht. Er zog das Boot auf den Kiesstrand, nahm seine Schuhe und stieg die Stufen hinauf. Adeline fiel auf, dass er hinkte und einen Gehstock benutzte.

Obwohl der Mann ganz dicht an Adeline vorbeiging, bemerkte er sie nicht. Er pfiff leise vor sich hin, eine Melodie, die Adeline nicht kannte. Eine heitere, fröhliche Melodie, voller Sonne und Salz. Das Gegenteil des düsteren Yorkshire, dem zu entfliehen Adeline sich so verzweifelt wünschte. Dieser junge Mann wirkte doppelt so groß wie die Burschen zu Hause und dazu noch viel gescheiter.

Wie sie da so allein auf der Klippe stand, wurde ihr mit einem Mal bewusst, wie schwer und warm ihr Reisekostüm war. Das Wasser in der Bucht wirkte so kühl, und der schändliche Gedanke hatte sich ihrer bemächtigt, ehe sie es verhindern konnte: Wie mochte es sich anfühlen, ins Meer zu springen und klatschnass wieder aufzutauchen, wie die junge Frau es gerade getan hatte? Wie Georgiana es getan hatte?

Später, viele Jahre später, als Linus' Mutter, die alte Hexe, im Sterben lag, gestand sie Adeline, aus welchem Grund sie gerade sie als Georgianas Schützling ausgewählt hatte. »Ich habe nach dem langweiligsten, möglichst frommen Mauerblümchen gesucht, das ich finden konnte, in der Hoffnung, dass etwas von dieser Person auf meine Tochter abfärben würde. Nie im Leben hätte ich gedacht, dass mein Paradiesvogel davonfliegen und das Mauerblümchen den Platz meiner Tochter einnehmen könnte. Eigentlich sollte ich dir gratulieren. Am Ende hast du gewonnen, nicht wahr, Lady Mountrachet?«

Und das hatte sie. Von niedriger Geburt, war Adeline durch harte Arbeit und dank ihres unbeugsamen Willens in der Welt aufgestiegen, höher, als ihre Eltern es sich je hätten träumen lassen, als sie sie damals in ein unbekanntes Dorf in Cornwall gehen ließen.

Und selbst nach ihrer Heirat und ihrem Aufstieg zur Lady Mountrachet hatte sie nicht aufgehört, hart zu arbeiten. Sie hatte ein strenges Regime geführt und dafür gesorgt, dass, auch wenn noch so viel Schmutz geworfen wurde, nichts davon an ihrer Familie, ihrem vornehmen Haus hängen blieb. Und das würde auch so bleiben. Georgianas Tochter wohnte bei ihnen, daran ließ sich nichts ändern. Jetzt war es an Adeline, sicherzustellen, dass das Leben auf Blackhurst Manor wo weiterging wie immer.

Sie musste sich nur von der nagenden Angst befreien, dass Rose durch Elizas Anwesenheit Schaden nahm ...

Adeline schüttelte die bösen Vorahnungen ab und konzentrierte sich darauf, ihre Fassung wiederzugewinnen. Was Rose betraf, war sie schon immer überempfindlich gewesen, aber das war nur natürlich, wenn man ein derart kränkliches Kind hatte. Neben ihr winselte McLennan, ihr Hund. Auch er war schon den ganzen Tag nervös. Adeline streichelte seinen Kopf. »Schsch«, sagte sie. »Es wird alles gut.« Sie kratzte ihm die hochgezogenen Brauen. »Dafür werde ich sorgen.«

Es gab nichts zu befürchten, denn welche Gefahr konnte dieser Eindringling, dieses magere, kleine Mädchen mit dem kurz geschorenen Haar und der von einem Leben in Armut bleichen Haut schon für Adeline und ihre Familie darstellen? Man brauchte Eliza doch nur anzusehen, um zu wissen, dass sie keine Georgiana war, Gott sei's gedankt. Vielleicht war diese innere Unruhe gar keine Angst, sondern Erleichterung. Erleichterung darüber, dass ihre schlimmsten Ängste sich in Wohlgefallen aufgelöst hatten. Denn Elizas Ankunft bedeutete zugleich die Gewissheit, dass Georgiana wirklich und endgültig fort war und nie wieder zurückkehren würde. An ihrer Stelle war ein verwahrlostes Kind gekommen, das keine Spur der seltsamen Gabe ihrer Mutter besaß, anderen mühelos ihren Willen aufzuzwingen.

Die Tür ging auf, und ein Luftzug ließ das Feuer knistern.

»Das Abendessen ist serviert, Ma'am.«

Wie Adeline Thomas verachtete, wie sie sie alle verachtete. Sie konnten noch so oft »Ja, Ma'am« und »Nein, Ma'am« und »Das Abendessen ist serviert, Ma'am« sagen, sie wusste genau, was sie in Wirklichkeit von ihr hielten, was sie immer von ihr gehalten hatten.

»Seine Lordschaft?«, fragte sie in ihrem kühlsten, herrischsten Ton.

»Lord Mountrachet war in der Dunkelkammer und ist auf dem Weg hierher, Ma'am.«

Die vermaledeite Dunkelkammer, dort hatte er also mal wieder gesteckt. Sie hatte seine Kutsche vorfahren hören, während sie das Teegespräch mit Dr. Matthews über sich hatte ergehen lassen. Hatte auf den unverkennbaren Schritt ihres Gatten in der Eingangshalle gelauscht – schwer, leicht, schwer, leicht –, aber nichts hatte sich gerührt. Sie hätte sich denken können, dass er sich schnurstracks in seine teuflische Dunkelkammer begeben hatte.

Thomas beobachtete sie noch immer, und Adeline richtete sich zu voller Größe auf. Eher würde sie sich von Luzifer höchstpersönlich foltern lassen, als Thomas die Genugtuung zu gönnen, dass er von ihrer ehelichen Missstimmung etwas mitbekam.

»Gehen Sie«, sagte sie mit einer entsprechenden Handbewegung. »Kümmern Sie sich persönlich darum, dass die Stiefel Seiner Lordschaft von dem scheußlichen schottischen Schlamm befreit werden.«

Linus saß bereits am Tisch, als Adeline eintrat. Er hatte schon angefangen, seine Suppe zu löffeln, und blickte nicht auf, sondern konzentrierte sich auf die Schwarz-Weiß-Fotos, die an seinem Ende des langen Tischs vor ihm ausgebreitet lagen: Moos und Schmetterlinge und Ziegelsteine, die Ausbeute seiner letzten Reise.

Sein Anblick ließ eine Hitzewelle in Adeline aufsteigen. Was würden andere sagen, wenn sie wüssten, dass auf Blackhurst solche Manieren bei Tisch geduldet wurden? Aus dem Augenwinkel warf sie einen Blick zur Seite. Thomas und der Lakai schauten stur auf die hintere Wand. Aber das konnte Adeline nicht täuschen, sie wusste, was in ihren Köpfen ablief: Sie beobachteten, beurteilten und merkten sich alles, um ihren Kollegen brühwarm zu berichten, wie auf Blackhurst Manor die Sitten verfielen.

Adeline nahm steif am Tisch Platz und wartete, während der Lakai ihr die Suppe servierte. Sie nahm einen Löffel davon und verbrannte sich prompt die Zunge. Sah zu, wie Linus mit gesenktem Kopf seine Abzüge betrachtete. Die kleine Stelle auf seinem Hinterkopf wurde immer kahler. Es sah aus, als hätte ein Spatz angefangen, sich dort ein neues Nest zu bauen.

»Ist das Mädchen hier?«, fragte er, ohne aufzublicken.

Adeline spürte ein Prickeln auf der Haut: das vermaledeite Mädchen. »Ja.«

»Hast du sie schon gesehen?«

»Selbstverständlich. Sie wurde im ersten Stock untergebracht.«

Endlich hob er den Kopf. Trank einen Schluck Wein. Dann noch einen. »Und ist sie … Ist sie wie …?«

»Nein«, antwortete Adeline kühl. »Nein, ist sie nicht.« Auf ihrem Schoß ballten ihre Hände sich zu Fäusten.

Linus stieß einen kurzen Seufzer aus, brach ein Stück Brot ab und begann zu kauen. Er redete mit vollem Mund, wahrscheinlich, um sie zu ärgern. »Mansell war derselben Meinung.«

Wenn irgendjemand die Schuld daran trug, dass das Kind jetzt in ihrem Hause war, dann war es dieser Henry Mansell. Linus mochte immer auf Georgianas Rückkehr gewartet haben, aber es war Mansell gewesen, der dafür gesorgt hatte, dass er die Hoffnung nie aufgab. Der Detektiv mit seinem säuberlich gestutzten Schnurrbart und seinem Kneifer hatte Linus' Geld genommen und ihm regelmäßig Bericht erstattet. Jeden Abend hatte Adeline gebetet, Mansell möge erfolglos bleiben, Georgiana möge nie wieder auftauchen und Linus möge lernen, sie zu vergessen.

»Ist deine Reise zu deiner Zufriedenheit verlaufen?«

Keine Antwort. Er war wieder mit seinen Fotografien beschäftigt.

Adelines Stolz verbot ihr einen weiteren Seitenblick zu Thomas hinüber. Sie setzte eine entspannte, zufriedene Miene auf und probierte es noch einmal mit der Suppe. Sie war etwas abgekühlt. Adeline konnte mit Linus' Zurückweisung leben – das hatte schon kurz nach der Hochzeit angefangen –, aber dass er von Rose überhaupt nichts wissen wollte, war unerträglich. Sie war schließlich sein Kind, sein Blut floss in ihren Adern, das Blut seiner adeligen Familie. Wie er dieses Kind so ganz und gar ablehnen konnte, war ihr unbegreiflich.

»Doktor Matthews war heute wieder da«, sagte sie. »Sie hat schon wieder einen Infekt.«

Linus hob den Kopf, den Blick auf vertraute Weise von Desinteresse verschleiert. Aß noch ein Stück Brot.

»Nichts Besorgniserregendes, Gott sei Dank«, sagte Adeline, ermutigt, dass er überhaupt reagiert hatte.

Linus schluckte das Brot herunter. »Morgen fahre ich nach Frankreich. Vor Notre Dame gibt es ein Tor …« Er sprach den Satz nicht zu Ende. Weiter ging sein Bedürfnis nicht, Adeline über seine Aktivitäten auf dem Laufenden zu halten.

Adelines linke Braue zuckte, doch sie hatte sich schnell wieder unter Kontrolle. »Interessant«, antwortete sie und verzog ihren Mund zu einem schmallippigen Lächeln. »Ich freue mich schon auf die Fotos, wenn du aus Paris zurückkehrst.«

27 *Tregenna* *Cornwall, 1975*

Das war er, der schwarze Felsen aus der Geschichte von William Martin. Vom Klippenrand aus betrachtete Nell die weißen Schaumkronen, die um den Felsen brandeten, bevor die Wellen in die Höhle strömten und wieder zurück ins Meer gesaugt wurden. Man brauchte nicht viel Fantasie, um sich die Bucht als Schauplatz tosender Stürme, sinkender Schiffe und nächtlicher Schmuggelaktionen vorzustellen.

Entlang der Klippe stand eine Reihe von Bäumen gerade wie Soldaten und versperrte Nell den Blick auf das Herrenhaus von Blackhurst, das Haus, in dem ihre Mutter gelebt hatte.

Nell schob die Hände tiefer in die Manteltaschen. Der Wind blies heftig hier oben, und sie brauchte ihre ganze Kraft, um das Gleichgewicht halten zu können. Ihr Hals fühlte sich rau an, und ihre Wangen waren abwechselnd heiß von den Kratzern im Gesicht und kalt vom Wind. Sie drehte sich um und folgte dem Pfad aus niedergetretenem Gras, der von der Klippe wegführte. Die Straße führte nicht bis hier oben, und der Weg war schmal. Nell konnte nur langsam gehen, denn ihr Knie war geschwollen und mit blauen Flecken übersät nach ihrem ziemlich improvisierten

Eindringen in das Blackhurst-Anwesen am Tag zuvor. Eigentlich hatte sie vorgehabt, einen Brief in den Kasten zu werfen, einen Brief, in dem sie sich als Antiquitätenhändlerin aus Australien vorstellte und darum bat, das Haus zu einem Termin, der den Eigentümern genehm sei, besichtigen zu dürfen. Aber als sie vor dem hohen schmiedeeisernen Tor gestanden hatte, war etwas in sie gefahren, ein drängender Wunsch, der beinahe ebenso stark war wie die Notwendigkeit zu atmen. Das Nächste, woran sie sich erinnern konnte, war, dass sie, ohne einen Gedanken an ihre Würde zu verschwenden, am Tor hochgeklettert war und unbeholfen versuchte, mit den Füßen in den geschwungenen Verzierungen Halt zu finden.

Ein lächerliches Verhalten selbst für eine halb so alte Frau wie sie es war, aber es ließ sich nicht mehr ändern. So nah an ihrem Elternhaus zu stehen, ihrem Geburtsort, und nicht einmal einen Blick hineinwerfen zu können, das war ein unerträglicher Gedanke gewesen. Bedauernswert nur, dass ihre körperliche Verfassung nicht mit ihrer Entschlusskraft mithalten konnte. Sie war gleichermaßen verlegen und froh gewesen, als Julia Bennett sie zufällig bei ihrem Einstiegsversuch erwischt hatte. Gott sei Dank hatte die neue Eigentümerin von Blackhurst Nells Erklärung akzeptiert und sie eingeladen, sich umzusehen.

Es war ein merkwürdiges Gefühl gewesen, das Haus zu betreten. Eigenartig, aber nicht auf die Weise, wie sie es erwartet hatte. Vor Aufregung hatte es Nell die Sprache verschlagen. Sie hatte die Eingangshalle durchquert, war die Treppe hochgestiegen, hatte in die Zimmer gesehen, sich immer wieder gesagt: *Deine Mutter hat hier gesessen, ist hier herumgelaufen und hat hier geliebt*, und dabei die ganze Zeit darauf gewartet, von einem überwältigenden Gefühl ergriffen zu werden. Hatte damit gerechnet, dass die Wände all ihr Wissen über sie ergießen und ihr die tiefe Gewissheit geben würden, endlich zu Hause angekommen zu sein. Aber nichts dergleichen war geschehen. Eine törichte Erwartung, die eigentlich überhaupt nicht zu Nell passte. Dennoch war es genau so gewesen. Selbst die pragmatischste Person konnte irgendwann einmal ihren eigenen Sehnsüchten zum Opfer fallen. Aber zumindest konnte sie jetzt die Erinnerungen, deren Bruchstücke sie zusammenzusetzen versuchte, auf eine Realität beziehen, und zuvor noch imaginäre Gespräche konnten jetzt in realen Räumen stattfinden.

Im hohen, schimmernden Gras entdeckte Nell einen Stock, der genau die richtige Länge hatte. Es musste ein unermessliches Vergnügen bereiten, mithilfe eines solchen Stocks zu gehen, er würde dem Vorwärtskommen Zielstrebigkeit verleihen. Nicht zuletzt konnte er den Druck auf ihr geschwollenes Knie mindern. Sie hob den Stock auf und ging an der hohen Steinmauer entlang vorsichtig den Abhang hinunter. Am Eingangstor befand sich über dem Hinweisschild: *Betreten auf eigene Gefahr* ein weiteres Schild mit der Aufschrift: *Zu verkaufen* und eine Telefonnummer.

Das also war das Cottage, das zum Blackhurst-Anwesen gehörte, das Cottage, das William Martin am liebsten dem Erdboden gleichgemacht hätte, weil es Zeuge *unnatürlicher Dinge* geworden war, was auch immer er damit gemeint haben mochte. Nell beugte sich zum Tor vor, um mehr sehen zu können. Das Haus machte ganz und gar keinen bedrohlichen Eindruck. Der Garten war zugewuchert, und die Abenddämmerung legte sich in Erwartung der Nacht in jeden Winkel. Ein kleiner Pfad führte zur Haustür, bog davor nach links ab und wand sich weiter durch den Garten. Vor der gegenüberliegenden Gartenmauer stand eine einzelne, von grünen Flechten bedeckte Statue. Ein kleiner nackter Junge in einem Gartenbeet, den Blick für immer auf das Haus gerichtet.

Nein, das war kein Beet, der Junge stand in einem Fischteich.

Das wusste sie plötzlich mit einer solchen Gewissheit, dass sie vor Verblüffung das Gartentor fester umklammerte. Woher wusste sie es?

Mit einem Mal veränderte sich der Garten vor ihren Augen. Unkraut und Brombeeren, die seit Jahrzehnten dort wucherten, verschwanden. Das Laub hob sich vom Boden und legte Wege, Blumenbeete und eine Gartenbank frei. Licht durchströmte den Garten und spiegelte sich im Wasser des Teichs. Und dann befand sie sich an zwei Orten gleichzeitig: eine fünfundsechzigjährige Frau mit einem wunden Knie, die sich an ein rostiges Gartentor klammerte, und ein kleines Mädchen, die langen Haare zu einem dicken Zopf gebunden, das im weichen, kühlen Gras saß und die Füße im Teich baumeln ließ …

Der dicke Fisch stieß wieder an die Oberfläche, sein Bauch leuchtete golden, und das Mädchen musste laut lachen, als der Fisch sein Maul öffnete und an ihrem großen Zeh knabberte. Sie liebte den Teich, hätte zu Hause auch gern einen gehabt, aber ihre Mutter fürchtete, sie könnte hineinfallen und ertrinken. Mama hatte häufig Angst, besonders wenn es um Dinge ging, die das kleine Mädchen betrafen. Wenn Mama wüsste, dass sie jetzt hier waren, würde sie ziemlich böse werden. Aber Mama wusste nichts davon, sie fühlte sich unpässlich, lag in ihrem dunklen Schlafzimmer, ein feuchtes Tuch auf der Stirn.

Das kleine Mädchen hörte ein Geräusch und blickte auf. Papa und die Dame waren wieder nach draußen gekommen. Sie standen eine Weile da, während Papa etwas zu der Dame sagte. Etwas, das das Mädchen nicht hören konnte. Er berührte sie am Arm, worauf die Dame langsam auf das Mädchen zuging und es auf eine merkwürdige Weise musterte, die das Mädchen an die Statue des Jungen erinnerte, die Tag für Tag im Teich stand und nie blinzelte. Die Dame lächelte, es war ein magisches Lächeln, und das kleine Mädchen zog die Füße aus dem Wasser und wartete, neugierig, was die Dame wohl sagen würde …

Eine Krähe flog knapp über Nells Kopf hinweg und holte sie in die Gegenwart zurück. Die Brombeeren und das Unkraut wucherten, das Laub fiel zu Boden, und der Garten war wie zuvor ein feuchter Ort, den die Abenddämmerung gnädig verhüllte. Der kleine Junge war wieder von grünen Flechten bedeckt, wie es sein sollte.

Nells Knöchel schmerzten. Sie ließ das Gartentor los und beobachtete die Krähe, die mit weit ausholendem Flügelschlag in den Wipfeln der Bäume verschwand. Am westlichen Himmel wurden die Wolkengebirge beleuchtet und hoben sich rosafarben gegen den dunklen Abendhimmel ab.

Nell betrachtete benommen den Garten. Das kleine Mädchen war verschwunden. Oder nicht?

Als sie den Stock wieder aufnahm und sich auf den Weg ins Dorf machte, folgte ihr ein ganz merkwürdiges, durchaus angenehmes Gefühl der Dualität.

28 *Blackhurst Manor* *Cornwall, 1900*

Am nächsten Morgen, als die bleiche Wintersonne durch das Fenster des Kinderzimmers fiel, strich Rose ihr langes, dunkles Haar glatt. Mrs Hopkins hatte es gekämmt, bis es glänzte, genau so, wie Rose es mochte, und nun lag es perfekt auf der Spitze ihres schönsten Kleids, dem neuen, das Mama aus Paris hatte kommen lassen. Rose fühlte sich müde und ein bisschen reizbar, aber an diesen Zustand war sie inzwischen gewöhnt. Von kleinen, kränklichen Mädchen erwartete niemand, dass sie immer fröhlich waren, und Rose hatte nicht die Absicht, sich in irgendeiner Weise untypisch zu verhalten. Im Grunde genommen genoss sie es sogar, wenn die Menschen um sie herum einen Eiertanz aufführten: Sie fühlte sich weniger elend, wenn andere mitlitten. Außerdem hatte Rose heute allen Grund, müde zu sein. Sie hatte die ganze Nacht wach gelegen, hatte sich wie die Prinzessin auf der Erbse hin und her gewälzt, nur dass es keine Erbse unter der Matratze gewesen war, die sie am Schlafen gehindert hatte, sondern Mamas erstaunliche Neuigkeiten.

Nachdem ihre Mutter gegangen war, hatte Rose angefangen, sich den Kopf darüber zu zerbrechen, worin genau der Schandfleck bestand, der den guten Namen ihrer Familie beschmutzte, welches Drama sich wohl abgespielt hatte, nachdem ihre Tante Georgiana vor Haus und Familie geflüchtet war. Die ganze Nacht lang hatte sie über ihre verdorbene Tante nachgegrübelt und auch nicht damit aufgehört, als der Morgen graute. Während des Frühstücks und später, als Mrs Hopkins sie angezogen hatte, selbst jetzt noch, während sie im Kinderzimmer wartete, kreisten die Gedanken in ihrem Kopf. Sie betrachtete gerade das Feuer im Kamin und fragte sich, ob das orangefarbene Glühen wohl dem Tor zur Hölle ähnelte, durch das ihre Tante sicherlich gegangen war, dann hörte sie plötzlich Schritte auf dem Korridor!

Rose zuckte kurz zusammen. Sie glättete die Wolldecke auf ihren Knien und ordnete ihre Züge zu einem Ausdruck der perfekten Gelassenheit, wie sie es von Mama gelernt hatte. Genoss den Schauer der Erregung, der ihr über den Rücken kroch. Was für eine wichtige Aufgabe ihr übertragen worden war! Man hatte ihr einen Schützling zugewiesen. Ihr eigenes Waisenkind, das sie nach ihrem Vorbild formen würde. Rose hatte noch nie eine Freundin gehabt, und man hatte ihr auch kein eigenes Haustier erlaubt (Mama war viel zu besorgt wegen der Tollwutgefahr). Und trotz Mamas warnender Worte hegte sie, was ihre Cousine anging, große Hoffnungen. Sie würde sie zu einer Dame erziehen und sie zu ihrer Gefährtin machen, die ihr die Stirn trocknete, wenn sie krank war, die ihre Hand tätschelte, wenn sie reizbar war, die ihr besänftigend übers Haar strich, wenn sie sich ärgerte. Und sie würde Rose zutiefst dankbar sein, sie würde so glücklich darüber sein, dass man sie lehrte, sich wie eine Dame zu verhalten, dass sie immer tun würde, was Rose von ihr verlangte. Sie würde die perfekte Freundin sein, eine, die nie Streit suchte, nie lästig wurde, es nie wagte, eine unliebsame Meinung zu äußern.

Die Tür ging auf, das Feuer knisterte ärgerlich im Kamin, und Mama rauschte in einem blauen Kleid herein. Sie strahlte heute eine Unruhe aus, die Roses Neugier weckte, etwas an der Art, wie sie das Kinn vorreckte, bestätigte Roses böse Vorahnung, dass das Projekt größer und vielschichtiger war, als Mama zugab. »Guten Morgen, Rose«, sagte Mama knapp.

»Guten Morgen, Mama.«

»Gestatte mir, dir deine Cousine … Eliza vorzustellen.«

Und dann, wie aus dem Nichts, tauchte hinter Mamas Röcken der magere Knabe auf, den Rose am Tag zuvor vom Fenster aus beobachtet hatte.

Unwillkürlich drückte Rose sich etwas tiefer in ihren Sessel. Sie musterte das seltsame Kind von Kopf bis Fuß, das kurze, struppige Haar, die scheußlichen Kleider (Eliza trug eine Hose!), die abgetragenen Schnürschuhe. Die Cousine brachte kein Wort heraus, nicht mal ein einfaches »Guten Morgen«, sondern starrte nur einfach mit großen Augen vor sich hin, ein Verhalten, das Rose als extrem unhöflich empfand. Ihre Mutter hatte recht. Natürlich erwartete sie nicht von Rose, das Mädchen als ihre Cousine zu betrachten, aber diesem Kind waren nicht einmal die einfachsten Umgangsformen beigebracht worden.

Schließlich gewann Rose ihre Fassung wieder. »Es freut mich, dich kennenzulernen.« Das hatte ein bisschen schwach geklungen, aber ein Nicken von Mama sagte ihr, dass sie sich richtig verhalten hatte. Sie wartete darauf, dass Eliza ihren Gruß erwiderte, doch die blieb stumm. Rose schaute Mama an, die ihr zu verstehen gab, dass sie fortfahren durfte. »Nun, Cousine Eliza«, sagte sie, »gefällt es dir bei uns?«

Eliza schaute sie an, wie man ein seltenes Tier im Londoner Zoo beglotzen würde, dann nickte sie.

Wieder waren auf dem Korridor Schritte zu hören, sodass Rose kurz aufatmen konnte. Es war wirklich äußerst anstrengend, mit dieser seltsamen, stummen Cousine ins Gespräch zu kommen.

»Verzeihen Sie die Störung, Mylady«, ertönte Mrs Hopkins' Stimme von der Tür her, »aber Doktor Matthews ist unten im Wintergarten. Er sagt, er hat die neue Tinktur mitgebracht, um die Sie ihn gebeten hatten.«

»Sagen Sie ihm, er soll sie einfach abgeben, Mrs Hopkins. Ich bin im Augenblick anderweitig beschäftigt.«

»Selbstverständlich, Mylady, das habe ich ihm bereits nahegelegt, aber Doktor Matthews besteht darauf, sie Ihnen persönlich zu übergeben.«

Mamas Lider flatterten kaum merklich, und nur jemand, zu dessen Lebensaufgabe es gehörte, ihr Verhalten zu beobachten, konnte es überhaupt wahrnehmen. »Danke, Mrs Hopkins«, sagte sie grimmig. »Richten Sie Doktor Matthews aus, dass ich sofort nach unten komme.«

Während Mrs Hopkins' Schritte sich entfernten, wandte Mama sich der Cousine zu und befahl ihr: »Du wirst still auf dem Teppich sitzen und dir Roses Unterweisungen aufmerksam anhören. Beweg dich nicht, sag kein Wort und rühr nichts an.«

»Aber Mama …« Rose hatte nicht damit gerechnet, so bald alleingelassen zu werden.

»Vielleicht könntest du deine Erziehung damit beginnen, dass du deiner Cousine etwas dazu sagst, wie man sich anständig kleidet.«

»Ja, Mama.«

Dann war das bauschige blaue Kleid verschwunden, die Tür wurde geschlossen, und das Feuer hörte auf zu knistern. Rose schaute ihre Cousine an. Jetzt waren sie allein, und sie konnte ihr Werk in Angriff nehmen.

»*Leg das wieder hin. Sofort.*« Es lief ganz und gar nicht so, wie Rose sich das vorgestellt hatte. Das Mädchen hörte einfach nicht auf sie und gehorchte nicht einmal, wenn Rose ihr mit Mamas Zorn drohte. Seit mindestens fünf Minuten schlenderte Eliza nun schon durch das Zimmer, nahm etwas in die Hand, betrachtete es, legte es wieder zurück. Wahrscheinlich hinterließ sie überall klebrige Fingerabdrücke. Jetzt gerade schüttelte sie das Kaleidoskop, das irgendeine Großtante Rose im vergangenen Jahr zum Geburtstag geschickt hatte. »Das ist wertvoll«, sagte Rose gereizt. »Ich bestehe darauf, dass du das wieder hinlegst. Du weißt ja nicht einmal, wie man damit umgeht.«

Zu spät erkannte Rose, dass sie das Falsche gesagt hatte. Jetzt kam die Cousine auf sie zu und hielt ihr das Kaleidoskop hin. Sie kam ihr so nah, dass Rose den Dreck unter ihren Fingernägeln sehen konnte, den gefürchteten Dreck, vor dem Mama sie gewarnt hatte, weil er sie krank machen würde.

Vor lauter Angst wurde Rose ganz flau. Sie drückte sich tiefer in ihren Sessel. »Nein«, krächzte sie. »Schsch! Geh weg!«

Eliza blieb neben dem Sessel stehen und schien drauf und dran, sich auf die Lehne zu setzen.

»Geh weg, hab ich gesagt!« Rose versuchte, Eliza mit ihrer blassen, schwachen Hand zu verscheuchen. Verstand dieses Wesen etwa kein Englisch? »Du darfst dich nicht neben mich setzen!«

»Warum denn nicht?«

Es konnte also sprechen. »Du warst draußen. Du bist nicht sauber. Ich könnte mir etwas einfangen.« Rose sank gegen ihr Kissen. »Mir ist ganz schwindlig, und das ist alles deine Schuld.«

»Es ist nicht meine Schuld«, entgegnete Eliza trocken ohne die geringste Spur der angemessenen Unterwürfigkeit. »Mir ist auch schwindlig. Das liegt daran, dass es hier drin so heiß ist wie in einem Backofen.«

Ihr war auch schwindlig? Rose war sprachlos. Schwindel war ihre spezielle Waffe, die sie geschickt einzusetzen wusste. Und was tat die Cousine jetzt? Sie ging auf das Fenster zu. Mit vor Angst weit aufgerissenen Augen sah Rose ihr zu. Sie würde doch nicht versuchen …

»Ich mache mal das Fenster auf.« Eliza rüttelte am Griff. »Dann kommt ein bisschen frische Luft rein.«

»Nein«, japste Rose. »Nein!«

»Du wirst dich viel besser fühlen.«

»Aber es ist Winter. Draußen ist es grau und düster. Am Ende erkälte ich mich noch.«

Eliza zuckte die Achseln. »Vielleicht auch nicht.«

Rose war so schockiert über die Frechheit dieses Mädchens, dass die Empörung größer war als die Angst. Sie ahmte Mamas Ton nach: »Ich verlange, dass du das sein lässt.«

Elisa zog die Nase kraus und schien über den Befehl nachzudenken. Mit angehaltenem Atem sah Rose, wie Eliza den Fenstergriff losließ. Wieder zuckte sie die Achseln, aber diesmal wirkte es nicht ganz so unverschämt. Als sie in die Mitte des Zimmers zurückkam, meinte Rose, eine gewisse Mutlosigkeit an ihren Schultern ablesen zu können. Schließlich blieb Eliza auf dem Teppich stehen und zeigte auf das Rohr auf Roses Schoß. »Kannst du mir zeigen, wie das Ding funktioniert? Das Teleskop? Ich konnte nichts damit erkennen.«

Rose atmete erschöpft aus, erleichtert und zugleich zunehmend verwirrt über dieses merkwürdige Geschöpf. Dass sie einfach so wieder auf dieses alberne Ding zu sprechen kam, also wirklich! Aber die Cousine war folgsam gewesen und hatte sich eine kleine Aufmunterung verdient … »Erstens«, sagte Rose seufzend, »ist das gar kein Teleskop, sondern ein Kaleidoskop. Es ist nicht dazu gedacht, damit etwas zu erkennen. Man schaut hinein und sieht ein sich ständig veränderndes Muster.« Sie hielt es hoch und führte vor, wie es funktionierte, dann legte sie es auf den Boden und rollte es auf ihre Cousine zu.

Eliza hob es auf, hielt es sich ans Auge und drehte es. Als die bunten Glasstückchen hin und her kullerten, breitete sich ein Lächeln auf ihrem Gesicht aus, und dann fing sie an, laut zu lachen.

Rose blinzelte verwundert. Sie hatte noch nicht oft Leute lachen hören, nur die Diener und Dienstmädchen lachten laut, wenn sie sich unbeobachtet fühlten. Es hörte sich angenehm an. Glücklich, leicht und mädchenhaft, und es schien so gar nicht zu der seltsamen Erscheinung ihrer Cousine zu passen.

»Warum trägst du so komische Kleider?«, fragte Rose.

Eliza schaute weiter durch das Kaleidoskop. »Weil es meine sind«, sagte sie schließlich. »Sie gehören mir.«

»Sie sehen aus, als gehörten sie einem Jungen.«

»Früher haben sie auch mal einem Jungen gehört. Aber jetzt sind es meine.«

Das überraschte Rose. Alles wurde immer wunderlicher. »Welchem Jungen haben sie denn gehört?«

Sie erhielt keine Antwort, hörte nur das Rascheln des Kaleidoskops.

»Ich habe dich gefragt, welchem Jungen sie gehört haben«, wiederholte Rose etwas lauter.

Langsam ließ Eliza das Spielzeug sinken.

»Es gehört sich nicht, jemanden einfach zu ignorieren.«

»Ich ignoriere dich nicht«, sagte Eliza.

»Warum antwortest du mir dann nicht?«

Schon wieder dieses Achselzucken.

»Es ist unhöflich, so mit den Schultern zu zucken. Wenn jemand dich etwas fragt, musst du eine Antwort geben. Und jetzt erklär mir, warum du meine Frage nicht beantwortet hast.«

Eliza blickte auf. Während Rose sie ansah, schien sich etwas im Gesicht ihrer Cousine zu verändern. »Ich habe nichts gesagt, weil ich nicht wollte, dass *sie* erfährt, wo ich bin.«

»Wer, sie?«

Vorsichtig, ganz langsam, kam Eliza näher. »Die andere Cousine.«

»Welche andere Cousine?« Das Mädchen redete wirklich dummes Zeug. Allmählich gewann Rose den Eindruck, dass sie ein bisschen einfältig war. »Ich weiß nicht, wovon du redest«, sagte sie. »Es gibt keine andere Cousine.«

»Es ist ein Geheimnis«, flüsterte Eliza hastig. »Sie haben sie in einem Zimmer im ersten Stock eingesperrt.«

»Das denkst du dir doch bloß aus. Warum sollte jemand hier etwas geheim halten?«

»Mich haben sie doch auch geheim gehalten, oder?«

»Aber sie haben dich nicht eingesperrt.«

»Das liegt daran, dass ich nicht gefährlich bin.« Eliza schlich auf Zehenspitzen zur Tür, öffnete sie einen Spaltbreit und lugte hinaus. Plötzlich zuckte sie zusammen.

»Was ist?«, fragte Rose.

»Schsch!« Eliza hielt einen Finger an ihre Lippen. »Sie darf nicht wissen, dass wir hier drin sind.«

»Warum nicht?« Roses Augen weiteten sich.

Eliza schlich zurück zu Roses Sessel. Das flackernde Feuer verlieh ihrem Gesicht einen unheimlichen Schimmer. »Unsere andere Cousine«, flüsterte sie, »ist wahnsinnig.«

»Wahnsinnig?«

»Komplett übergeschnappt.« Eliza schaute sie mit großen Augen an und flüsterte so leise, dass Rose sich vorbeugen musste, um ihre Worte zu verstehen: »Sie ist da oben eingesperrt, seit sie ganz klein war, aber jemand hat sie rausgelassen.«

»Wer?«

»Einer von den Geistern. Der Geist einer alten, sehr fetten Frau.«

»Großmama«, hauchte Rose.

»Schsch!«, machte Eliza. »Horch! Da kommen Schritte.«

Rose spürte, wie ihr armes, schwaches Herz wie ein Frosch in ihrem Brustkorb hüpfte.

Eliza sprang auf Roses Sessellehne. »Sie kommt!«

Als die Tür aufging, stieß Rose einen Schrei aus. Eliza grinste, und Mama schnappte nach Luft.

»Was machst du da, du unverschämtes Gör?«, zischte sie, während ihr Blick von Eliza zu Rose huschte. »Eine junge Dame sitzt nicht rittlings auf Möbelstücken. Ich hatte dir doch befohlen, dich nicht von der Stelle zu rühren.« Sie atmete hörbar. »Bist du verletzt, Liebes?«

Rose schüttelte den Kopf. »Nein, Mama.«

Einen ganz kurzen Moment lang schien ihre Mutter nicht zu wissen, was sie tun sollte, und Rose fürchtete schon, sie würde in Tränen ausbrechen. Dann packte sie Eliza am Arm und bugsierte sie zur Tür. »Du unverschämtes Gör! Du gehst heute ohne Abendessen ins Bett!« Ihre Stimme klang wieder auf vertraute Weise unterkühlt. »Und du bekommst erst wieder ein Abendessen, wenn du gelernt hast zu tun, was man dir sagt. Ich bin die Herrin dieses Hauses, und du wirst mir gehorchen …«

Die Tür schloss sich, und Rose war wieder allein, verwundert über alles, was sich ereignet hatte. Die Erregung, die Elizas Geschichte bei ihr ausgelöst hatte, die seltsame, köstliche Angst, die ihr über den Rücken gekrochen war, die andere Cousine, das furchterregende, herrliche Schreckgespenst. Aber was sie am meisten faszinierte, war der Riss in Mamas normalerweise unerschütterlicher Haltung. Denn in diesem Augenblick waren die festen Grenzen von Roses Welt ins Wanken geraten.

Nichts war mehr, wie es gewesen war. Und dieses Wissen ließ ihr Herz vor unerwarteter, unerklärlicher und unverfälschter Freude hüpfen.

29 *Hotel Blackhurst* *Cornwall, 2005*

Die Farben waren anders hier. Erst jetzt, als sie das sanfte Licht in Cornwall erlebte, fiel Cassandra auf, wie grell die australische Sonne schien. Sie fragte sich, wie sie es anstellen sollte, dieses Licht mit ihrer Farbenpalette wiederzugeben, und war gleichzeitig verblüfft über diesen Gedanken. Sie biss in ihr mit Butter bestrichenes Toastbrot und kaute nachdenklich, während sie die Baumreihe am Rand der Klippe betrachtete. Das eine Auge zusammengekniffen, zeichnete sie mit dem Zeigefinger die Spitzen der Wipfel nach.

Ein Schatten fiel auf ihren Tisch, und im selben Augenblick sagte jemand: »Cassandra? Cassandra Ryan?« Eine Frau von Anfang sechzig stand neben ihr, silbergraues Haar, eine üppige Figur und Lidschatten in allen Regenbogenfarben. »Ich bin Julia Bennett, mir gehört das Hotel Blackhurst.«

Cassandra wischte sich die Finger an der Serviette ab und gab ihr die Hand.

»Freut mich, Sie kennenzulernen.«

Julia zeigte auf den freien Stuhl. »Darf ich?«

»Selbstverständlich, bitte.«

Julia nahm Platz, während Cassandra mit gemischten Gefühlen abwartete und sich fragte, ob dies wohl zu dem persönlichen Service gehörte, den der Prospekt angedroht hatte.

»Ich hoffe, Sie genießen den Aufenthalt bei uns.«

»Es ist sehr schön hier.«

Julia lächelte sie mit strahlenden Augen an. »Ich erkenne Ihre Großmutter in Ihnen wieder. Aber das hören Sie wahrscheinlich ständig.«

Hinter Cassandras höflichem Lächeln türmten sich eine Menge Fragen auf. Woher wusste diese Fremde, wer sie war? Woher kannte sie Nell? Wie hatte sie die Verbindung zwischen ihnen hergestellt?

Julia lachte und beugte sich verschwörerisch vor. »Ein Vögelchen hat mir gesungen, dass die Australierin, die das Cottage geerbt hat, sich in der Stadt aufhält. Tregenna ist ein kleiner Ort, und wenn einer auf der Sharpstone-Klippe niest, hört es der ganze Hafen.«

Cassandra konnte sich gut vorstellen, wie das Vögelchen hieß. »Robyn Jameson.«

»Sie war gestern hier, um mich für das nächste Festkomitee anzuwerben«, erwiderte Julia. »Und wo sie schon mal da war, konnte sie natürlich nicht widerstehen, mich mit dem allerneuesten Klatsch zu versorgen. Ich habe einfach zwei und zwei zusammengezählt und Sie mit der Dame in Verbindung gebracht, die vor ungefähr dreißig Jahren hier aufgetaucht ist und meine Haut gerettet hat, indem sie mir das Cottage abkaufte. Ich habe mich immer gefragt, wann Ihre Großmutter wiederkommen würde, und habe eine Zeit lang die Augen nach ihr offen gehalten. Sie gefiel mir. Sie war anscheinend eine, die gern Nägel mit Köpfen machte, nicht wahr?«

Die Beschreibung war so zutreffend, dass Cassandra nicht umhin konnte, sich zu fragen, was Nell wohl gesagt oder getan haben mochte, um diesen Eindruck zu hinterlassen.

»Als ich Ihre Großmutter das erste Mal gesehen habe, hing sie in einer Glyzinie neben dem Tor zu unserer Einfahrt.«

»Wie bitte?«, fragte Cassandra mit großen Augen.

»Sie war über die Mauer geklettert und kam auf der anderen Seite nicht wieder herunter. Zum Glück hatte ich mich gerade mit meinem Mann gestritten, ungefähr zum hundertsten Mal an jenem Tag, und war in den Garten gegangen, um mich zu beruhigen. Nicht auszudenken, wie lange sie sonst dort gehangen hätte.«

»Wollte sie sich das Haus ansehen?«

Julia nickte. »Sie sagte, sie sei Antiquitätenhändlerin und interessiere sich für Dinge aus der viktorianischen Epoche, und fragte, ob sie einen Blick ins Haus werfen dürfte.«

Bei der Vorstellung, wie Nell, entschlossen zu bekommen, was sie wollte, über Mauern kletterte und Halbwahrheiten erzählte, wurde Cassandra ganz warm ums Herz.

»Ich habe ihr gesagt, sobald sie genug davon hätte, in der Glyzinie herumzuturnen, könne sie gern hereinkommen.« Julia lachte. »Das Haus befand sich in einem ziemlich miserablen Zustand, es hatte jahrzehntelang leer gestanden, und nachdem Dan und ich mit den Renovierungsarbeiten angefangen hatten, sah es noch schlimmer aus als vorher, aber das schien Ihrer Großmutter überhaupt nichts auszumachen. Sie ist herumgegangen, hat sich jedes einzelne Zimmer angesehen. Es war, als versuchte sie, sich alles genau einzuprägen.«

Oder es sich in Erinnerung zu rufen. Cassandra fragte sich, wie viel Nell Julia über den wahren Grund ihres Interesses an dem Haus erzählt haben mochte. »Haben Sie ihr auch das Cottage gezeigt?«

»Nein, aber ich habe ihr davon erzählt, darauf können Sie Gift nehmen. Und dann habe ich ein Stoßgebet gen Himmel geschickt und uns alle verfügbaren Daumen gedrückt.« Sie lachte. »Wir suchten damals verzweifelt nach einem Käufer! Wir steuerten auf die Pleite zu, als hätten wir ein Loch unter das Haus gegraben und jeden Penny, den wir besaßen, hineingeworfen. Wissen Sie, wir hatten das Cottage schon eine ganze Zeit lang zum Verkauf angeboten. Zweimal haben wir mit Interessenten aus London verhandelt, die ein Ferienhaus suchten, aber beide Male kam es nicht zum Vertrag. Einfach Pech. Dann sind wir mit dem Preis runtergegangen, aber niemand wollte das Haus haben, nicht für Geld und gute Worte. Eine unbezahlbare Aussicht, aber wegen irgendwelcher albernen, alten Gerüchte hat sich keiner dafür interessiert.«

»Robyn hat mir davon erzählt.«

»Irgendwas stimmt nicht mit Ihrem Häuschen, womöglich spukt es sogar darin«, sagte Julia gut gelaunt. »Wir haben hier im Hotel unseren eigenen Hausgeist. Aber das wissen Sie ja, denn wie ich höre, haben Sie schon Bekanntschaft mit ihm gemacht.«

Cassandra stand die Verwirrung ins Gesicht geschrieben, als Julia fortfuhr: »Samantha von der Rezeption hat mir berichtet, Sie hätten einen Schlüssel in Ihrer Tür gehört.«

»Ach so«, erwiderte Cassandra. »Ja. Ich dachte erst, es wäre ein anderer Gast gewesen, aber es war wohl der Wind. Ich wollte kein Aufhebens ...«

»Das war unser Hausgeist.« Julia musste über Cassandras verblüfften Gesichtsausdruck lachen. »Keine Sorge, er, oder besser gesagt sie, ist völlig harmlos. Sie ist kein *böser* Geist. So einen würden wir uns hier nicht halten.«

Cassandra hatte das Gefühl, dass Julia sie auf den Arm nahm. Andererseits hatte sie seit ihrer Ankunft in Cornwall mehr von Geistern reden hören als auf ihrer ersten Pyjamaparty, an der sie im Alter von zwölf Jahren teilgenommen hatte. »Ich nehme an, jedes alte Haus braucht einen Geist«, sagte sie.

»Richtig«, erwiderte Julia. »Die Leute erwarten das. Ich hätte glatt einen erfinden müssen, wäre da nicht schon einer gewesen. In so einem historischen Hotel ist ein eigener Hausgeist genauso wichtig für die Gäste wie saubere Handtücher.« Sie beugte sich vor. »Unserer hat sogar einen Namen: Rose Mountrachet. Die Mountrachets haben früher hier gewohnt, Anfang des zwanzigsten Jahrhunderts. Na ja, vorher natürlich auch, wenn man bedenkt, dass es sich immerhin um eine Familie mit einer jahrhundertealten Geschichte handelt. Im Foyer neben dem Bücherregal hängt ein Porträt von ihr, die junge Frau mit der blassen Haut und den dunklen Haaren. Haben Sie es gesehen?«

Cassandra schüttelte den Kopf.

»Sie müssen es sich unbedingt ansehen«, sagte Julia. »John Singer Sargent hat es gemalt, einige Jahre, nachdem er die Schwestern Wyndham porträtiert hat. Was für eine Schönheit sie war, unsere Rose, und so ein tragisches Leben! Ein kränkliches Kind, das schließlich gesund geworden ist, nur um dann mit vierundzwanzig Jahren bei einem schrecklichen Unfall ums Leben zu kommen.« Sie seufzte theatralisch. »Sind Sie schon mit dem Frühstück fertig? Dann kommen Sie mit, ich zeige Ihnen das Gemälde.«

Rose Mountrachet war im Alter von achtzehn Jahren tatsächlich ausgesprochen schön gewesen: weiße Haut, die dunkle Haarpracht zu einem losen Zopf zusammengebunden, und der volle Busen nach damaliger Mode zur Geltung gebracht. Sargent war für seine Fähigkeit bekannt, die Persönlichkeit seiner Modelle erfasst und wiedergegeben zu haben, und Roses Blick war schwermütig. Die roten Lippen entspannt und leicht geöffnet, aber die Augen wachsam auf den Künstler gerichtet. Der ernste Gesichtsausdruck einer jungen Frau, die wegen ihrer kränklichen Natur ihre ganze Kindheit über ans Haus gefesselt war, dachte Cassandra.

Sie beugte sich vor. Die Komposition des Porträts war interessant. Rose saß auf einem Sofa, ein Buch auf dem Schoß. Das Sofa stand in einem solchen Winkel zum Betrachter, dass Rose auf der rechten Seite in den Vordergrund gerückt war; die Wand hinter ihr war mit grüner Tapete bedeckt, sonst gab es keinen Wandschmuck. Die Art, wie die Wand dargestellt war, ließ die junge Frau blass und zart erscheinen, eher impressionistisch im Gegensatz zu dem Realismus, für den Sargent bekannt war. Es war durchaus vorgekommen, dass Sargent gewisse impressionistische Techniken angewandt hatte, aber dieses Gemälde wirkte irgendwie leichter als seine anderen Arbeiten.

»Ist sie nicht eine Schönheit?«, sagte Julia, die vom Rezeptionstresen herüberkam.

Cassandra nickte gedankenversunken. Das Bild stammte aus dem Jahr 1906, bald danach hatte der Künstler der Porträtmalerei abgeschworen. Ob es ihm vielleicht schon zu jener Zeit Verdruss bereitet hatte, die Gesichter der Wohlhabenden abzubilden?

»Wie ich sehe, hat sie Sie bereits in ihren Bann gezogen. Jetzt verstehen Sie vielleicht, warum wir sie unbedingt als unseren Hausgeist anwerben wollten.« Sie lachte, dann fiel ihr auf, dass Cassandra ernst blieb. »Alles in Ordnung? Sie wirken ein bisschen blass. Soll ich Ihnen ein Glas Wasser bringen?«

Cassandra schüttelte den Kopf. »Nein, danke. Es ist einfach das Bild …« Sie presste die Lippen zusammen. Dann hörte sie sich sagen: »Rose Mountrachet war meine Urgroßmutter.«

Julia schaute sie verblüfft an.

»Ich habe es erst kürzlich erfahren.« Cassandra lächelte verlegen. Auch wenn es die Wahrheit war, kam sie sich vor wie eine Schauspielerin in einer billigen Seifenoper. »Verzeihen Sie. Es ist das erste Mal, dass ich ein Bild von ihr sehe. Es kommt alles ein bisschen plötzlich.«

»Ach, meine Liebe«, sagte Julia. »Ich sage es nur ungern, aber ich fürchte, da liegt ein Irrtum vor. Rose kann gar nicht Ihre Urgroßmutter sein, sie kann niemandes Urgroßmutter sein. Ihre einzige Tochter ist als ganz kleines Kind gestorben.«

»An Scharlach.«

»Das arme kleine Ding, gerade mal vier Jahre alt …« Sie warf Cassandra einen Seitenblick zu. »Wenn Sie von der Krankheit wissen, müsste Ihnen doch auch bekannt sein, dass Roses Tochter gestorben ist.«

»Ja, das ist die offizielle Version, aber ich weiß, dass sie nicht der Wahrheit entspricht. So kann es gar nicht gewesen sein.«

»Ich habe den Grabstein auf dem Friedhof des Anwesens

gesehen«, entgegnete Julia sanft. »Sehr poetische Inschrift und sehr traurig. Wenn Sie möchten, kann ich Ihnen das Grab zeigen.«

Cassandra spürte, wie sie errötete, wie immer, wenn sich eine Auseinandersetzung anbahnte. »Es mag ja sein, dass es einen Grabstein gibt, aber in dem Grab liegt kein kleines Mädchen. Jedenfalls nicht Ivory Mountrachet.«

In Julias Gesichtsausdruck spiegelten sich abwechselnd Neugier und Besorgnis. »Erzählen Sie weiter.«

»Als meine Großmutter einundzwanzig war, hat sie erfahren, dass ihre Eltern nicht ihre leiblichen Eltern waren.«

»Sie war ein Adoptivkind?«

»Mehr oder weniger. Sie wurde in einem Hafen in Australien an einem Kai aufgefunden, da war sie vier Jahre alt und hatte nichts bei sich als einen kleinen Kinderkoffer. Aber erst mit fünfundsechzig hat sie von ihrem Vater diesen Koffer ausgehändigt bekommen und konnte endlich anfangen, Nachforschungen über ihre Vergangenheit anzustellen. Sie ist nach England gereist, hat mit den verschiedensten Leuten gesprochen und Informationen gesammelt. All das hat sie in einem Tagebuch festgehalten.«

Julia lächelte wissend. »Das Sie jetzt besitzen.«

»Genau. Deshalb weiß ich auch, dass sie herausgefunden hat, dass Roses Tochter nicht gestorben ist.«

Julias blaue Augen musterten Cassandra. Ihre Wangen waren leicht gerötet. »Aber wenn sie entführt wurde, hätte es da nicht eine groß angelegte Suchaktion geben müssen? Hätte das nicht in allen Zeitungen gestanden? Wie bei dem Lindbergh-Baby?«

»Nicht, wenn die Angehörigen die Sache geheim halten wollten.«

»Aber warum hätten sie das tun sollen? Sie hätten doch sicherlich ein Interesse daran gehabt, dass jeder davon erfährt.«

Cassandra schüttelte den Kopf. »Nicht, wenn sie einen Skandal vermeiden wollten. Die Frau, die sie entführt hat, war das Mündel von Lord und Lady Mountrachet, Roses Cousine.«

Julia stockte der Atem. »*Eliza* hat Roses Tochter entführt?«

Jetzt war es an Cassandra, verblüfft zu sein. »Sie wissen von Eliza?«

»Natürlich, sie ist hier in der Gegend ziemlich bekannt.« Julia schluckte. »Also lassen Sie mich das noch mal klarstellen: Sie glauben also, Eliza hat Roses Tochter nach Australien entführt?«

»Sie hat sie auf das Schiff nach Australien gebracht, ist aber selbst nicht mitgefahren. Eliza ist irgendwo zwischen London und Maryborough verschwunden. Als mein Urgroßvater Nell gefunden hat, stand sie mutterseelenallein am Kai. Deshalb hat er sie mit zu sich nach Hause genommen, so ein kleines Mädchen konnte er schließlich nicht allein dort zurücklassen.«

Julia schnalzte mit der Zunge. »Das muss man sich mal vorstellen, ein kleines Mädchen einfach so allein zu lassen. Ihre arme Großmutter, wie furchtbar, nicht zu wissen, wo man herkommt. Jetzt verstehe ich, warum sie sich hier alles so genau ansehen wollte.«

»Nur aus diesem Grund hat Nell damals das Cottage gekauft«, erwiderte Cassandra. »Nachdem sie herausgefunden hatte, wer sie war, wollte sie ein Stück ihrer Vergangenheit besitzen.«

»Ja, natürlich.« Julia hob die Hände und ließ sie wieder sinken. »Das finde ich absolut nachvollziehbar, aber alles andere – ich weiß nicht.«

»Was meinen Sie damit?«

»Na ja, selbst wenn das, was Sie sagen, stimmt, wenn Roses Tochter überlebt hat, entführt wurde und in Australien aufgewachsen ist, kann ich einfach nicht glauben, dass Eliza etwas damit zu tun gehabt haben soll. Rose und Eliza haben sich sehr nahegestanden. Sie waren eher Schwestern als Cousinen, die allerbesten Freundinnen.« Einen Augenblick lang schwieg sie nachdenklich, dann atmete sie entschlossen aus. »Nein, ich kann einfach nicht glauben, dass Eliza zu einem solchen Verrat fähig gewesen sein soll.«

Das war kein sachlicher Kommentar von jemandem, der eine historische Hypothese diskutiert; offenbar glaubte Julia fest an Elizas Unschuld. »Was macht Sie da so sicher?«

Julia wies auf zwei Korbstühle vor dem Erkerfenster. »Wollen wir uns einen Augenblick hinsetzen? Ich lasse uns von Samantha Tee bringen.«

Cassandra warf einen Blick auf ihre Uhr. Ihre Verabredung mit dem Gärtner rückte näher, aber die Leidenschaft, mit der Julia über Eliza und Rose sprach, als wären sie alte Freundinnen, hatte sie neugierig gemacht. Sie nahm auf dem angebotenen Stuhl Platz, während Julia bei Samantha Tee bestellte.

Nachdem Samantha sich wieder entfernt hatte, fuhr Julia fort: »Als wir Blackhurst damals gekauft haben, war es völlig heruntergekommen. Wir hatten schon immer von so einem Hotel geträumt, aber am Anfang ist es eher in einen Albtraum ausgeartet. Sie glauben ja gar nicht, wie viel bei einem Haus dieser Größe schiefgehen kann. Wir haben drei Jahre gebraucht, um überhaupt einen Fuß auf die Erde zu bekommen. Es war unglaublich harte Arbeit, und darüber wäre beinahe unsere Ehe in die Brüche gegangen. Nichts kann ein Paar so schnell entzweien wie feuchtes Gemäuer und zahllose Löcher im Dach.«

Cassandra lächelte. »Das kann ich mir lebhaft vorstellen.«

»Es ist wirklich traurig, die Familie Mountrachet hat das Haus so lange bewohnt und mit viel Liebe instand gehalten, aber seit dem Ersten Weltkrieg hat es nur noch leer gestanden. Vor die Fenster waren Bretter genagelt, die Kamine zugemauert, ganz zu schweigen von den Schäden, die die Soldaten angerichtet haben, die hier in den Vierzigerjahren gehaust haben.

Wir haben jeden Penny, den wir besaßen, in das Haus gesteckt. Damals war ich noch Schriftstellerin, in den Sechzigern habe ich eine Reihe Liebesromane geschrieben. Ich war zwar keine Jackie

Collins, aber ich habe gut verdient. Mein Mann war im Bankgeschäft tätig, und wir glaubten, über ausreichend Mittel zu verfügen, um das Haus renovieren und als Hotel betreiben zu können.« Sie lachte. »Wir haben es völlig unterschätzt. Total. Als das dritte Weihnachtsfest nahte, war uns das Geld fast ausgegangen, und wir hatten nicht viel mehr vorzuweisen als eine Ehe, die nur noch an einem seidenen Faden hing. Wir hatten bereits einen Großteil des Grundstücks verkauft, und am Heiligabend 1974 standen wir kurz davor, das Handtuch zu werfen und reumütig nach London zurückzukehren.«

Samantha erschien mit einem vollbeladenen Tablett, stellte es auf dem Tisch ab und schaute Julia zögernd an.

»Ich schenke uns ein, Sam«, sagte Julia lachend und verscheuchte sie mit einer Handbewegung. »Ich bin ja nicht die Queen. Noch nicht.« Sie zwinkerte Cassandra zu. »Zucker?«

»Danke, gern.«

Julia füllte zwei Tassen mit Tee, der kaum gezogen hatte, reichte Cassandra eine, trank einen Schluck aus ihrer Tasse und fuhr fort. »Es war bitterkalt an jenem Heiligabend. Ein Sturm fegte vom Meer her und wütete auf der Landzunge. Der Strom war ausgefallen, und unser Truthahn vergammelte im warmen Eisschrank. Wir konnten uns nicht erinnern, wo wir die Schachtel mit den frischen Kerzen hingelegt hatten, und waren gerade dabei, in einem der oberen Zimmer danach zu suchen. Plötzlich wurde das Zimmer von einem Blitz taghell erleuchtet – und da haben wir die Wand entdeckt.« Sie rieb sich die Lippen in Vorfreude auf die eigene Pointe. »In der Wand befand sich ein Loch.«

»Ein Mauseloch?«

»Nein, ein viereckiges Loch.«

Cassandra runzelte verständnislos die Stirn.

»Da fehlte ein Stein im Gemäuer«, erklärte Julia. »Ein Loch in der Wand, wie ich es mir als Kind immer erträumt habe, wenn mein Bruder mal wieder meine Tagebücher entdeckt hatte. Es war hinter der Tapete verborgen gewesen, die der Maler einige Tage zuvor abgerissen hatte.« Sie schlürfte an ihrem Tee. »Ich weiß, das klingt albern, aber dieses Versteck zu finden, wirkte wie ein Glücksbringer. So als hätte das Haus gesagt: ›Also gut, ihr habt euch hier lange genug abgerackert. Ihr habt bewiesen, dass ihr es ernst meint, ihr könnt bleiben.‹ Und ich sage Ihnen, von dem Zeitpunkt an ging alles viel leichter. Ihre Großmutter kam und wollte unbedingt das Cliff Cottage kaufen, ein Mann namens Bobby Blake brachte unsere Gartenanlage in Ordnung, und dann begannen einige Busunternehmen damit, uns Touristen zum Nachmittagstee zu bringen.«

Sie schwelgte lächelnd in der Erinnerung, sodass es Cassandra beinahe leidtat, sie zu unterbrechen. »Aber was haben Sie denn dort gefunden? Was befand sich in dem Versteck?«

Julia blinzelte.

»War es etwas, das Rose gehört hat?«

»Ja.« Julia schluckte vor Aufregung. »Ja, ganz genau. Eine Sammlung von Tagebüchern, mit einem Bändchen zusammengehalten. Eins für jedes Jahr von 1900 bis 1913.«

»Tagebücher?«

»Viele junge Mädchen führten damals Tagebuch. Ein Hobby, das von den Sittenwächtern der damaligen Zeit freimütig geduldet wurde – eins der wenigen! Es war eine Form der Selbstverwirklichung, die es einer jungen Dame erlaubte, ihren Gefühlen freien Lauf zu lassen, ohne dass man fürchten musste, dass sie ihre Seele an den Teufel verkaufte.« Sie schüttelte den Kopf. »Also, Roses Tagebücher unterscheiden sich nicht sonderlich von denen, die man im Museum oder auf Dachböden im ganzen Land findet – sie sind voll mit Stofffetzen, Zeichnungen, Bildchen, Einladungen, kleinen Anekdoten –, aber als ich sie fand, habe ich mich so sehr mit dieser jungen Frau identifiziert, die vor hundert Jahren hier gelebt hat, mit ihren Hoffnungen,

Träumen und Enttäuschungen, dass ich sie in mein Herz geschlossen habe. Für mich ist sie wie ein Schutzengel, der über uns wacht.«

»Sind die Tagebücher noch hier?«

Julia nickte schuldbewusst. »Eigentlich hätte ich sie längst einem Museum oder einem Heimatverein vermachen sollen, aber ich bin ziemlich abergläubisch und kann mich nicht davon trennen. Eine Zeit lang hatte ich sie in der Eingangshalle ausgestellt, in einer der Vitrinen, aber jedes Mal, wenn mein Blick darauf fiel, bekam ich ein schlechtes Gewissen, als hätte ich etwas ganz Persönliches öffentlich zugänglich gemacht. Jetzt befinden sie sich in einer Schachtel, die ich in meinem Zimmer aufbewahre, und warten auf eine bessere Verwendung.«

»Dürfte ich sie mir ansehen?«

»Selbstverständlich, meine Liebe. Sie werden sie zu sehen bekommen.« Julia schenkte Cassandra ein strahlendes Lächeln. »Ich erwarte eine Reisegruppe innerhalb der nächsten halben Stunde, und Robyn hat meinen Terminkalender für den Rest der Woche mit Festivalvorbereitungen gespickt. Wie wär's am Freitag mit einem Abendessen in meiner Wohnung? Danny wird in London sein, und wir machen uns einen gemütlichen Frauenabend. Dann können wir in Roses Tagebüchern schmökern und dabei jede Menge Tränen vergießen. Was halten Sie davon?«

»Großartig«, erwiderte Cassandra und lächelte ein wenig unsicher. Es war das erste Mal, dass jemand sie zum gemeinsamen Weinen einlud.

30 *Blackhurst Manor* *Cornwall, 1907*

Vorsichtig darauf bedacht, ihre Position nicht zu verändern und sich nicht den Zorn des Künstlers zuzuziehen, senkte Rose den Blick, sodass sie die jüngst begonnene Seite ihres Tagebuchs betrachten konnte. Sie hatte die ganze Woche lang daran gearbeitet, immer wenn Mr Sargent ihr eine Ruhepause vom Modellsitzen gönnte. Sie hatte ein Stückchen der blassrosa Seide von ihrem Geburtstagskleid und einen Schnipsel von ihrer Haarschleife eingeklebt, und darunter hatte sie in ihrer schönsten Handschrift die Zeilen aus einem Gedicht von Tennyson verewigt: *Wer sah das Winken ihrer Hand und wer, dass sie am Fenster stand? Ist sie denn überall bekannt? Die Dame von Shalott.*

Wie sehr sich Rose mit der Dame von Shalott identifizierte! Verdammt dazu, eine Ewigkeit in ihren Gemächern zu verbringen, immer dazu gezwungen, die Welt nur aus der Ferne zu erleben. War sie selbst, Rose, nicht auch fast ihr ganzes Leben eingesperrt gewesen?

Aber die Zeiten waren vorbei! Rose hatte einen Entschluss gefasst: Sie würde sich nicht länger von den düsteren Prognosen eines Dr. Matthews und der allgegenwärtigen Sorge ihrer Mutter ans Bett fesseln lassen. Zwar war sie nach wie vor anfällig, aber mittlerweile hatte sie begriffen, dass Schwäche krank machte, dass nichts so sehr zu Schwindel und Unwohlsein führte wie immerwährendes erstickendes Eingesperrtsein. Sie würde die Fenster öffnen, wenn ihr warm war – vielleicht würde sie sich erkälten, vielleicht aber auch nicht. Sie wollte ein normales Leben führen, heiraten, Kinder bekommen und alt werden. Und endlich, an ihrem achtzehnten Geburtstag, würde sie einen Blick auf ihr Camelot werfen können. Mehr noch: Sie würde Camelot erkunden. Denn nach jahrelangem Flehen und Betteln hatte Mama endlich nachgegeben. Heute, zum ersten Mal seit fünf Jahren, würde Rose Eliza in die Bucht von Blackhurst begleiten dürfen.

Seit sie vor sechs Jahren nach Blackhurst gekommen war, erzählte Eliza ihr Geschichten von der Bucht. Wenn Rose in ihrem warmen, dunklen Zimmer lag und die abgestandene Luft ihrer jüngsten Krankheit einatmete, platzte Eliza ins Zimmer, und Rose konnte beinahe das Meer auf ihrer Haut riechen. Dann legte sie sich neben Rose, drückte ihr eine Muschel, einen vertrockneten Tintenfisch oder einen Kieselstein in die Hand und fing an zu erzählen, bis Rose das blaue Meer vor sich sah, die warme Brise in ihren Haaren fühlte und den heißen Sand unter ihren Füßen spürte.

Manche der Geschichten dachte Eliza sich selbst aus, andere schnappte sie woanders auf. Das Dienstmädchen Mary hatte Brüder, die zur See fuhren, und Rose hatte den Verdacht, dass Mary lieber schwatzte anstatt zu arbeiten. Natürlich nicht mit Rose, aber bei Eliza war das etwas anderes. Alle Dienstboten behandelten Eliza anders. Ziemlich ungebührlich, fast so, als wähnten sie sich als ihre Freunde.

Seit einiger Zeit argwöhnte Rose, dass Eliza sich außerhalb des Anwesens herumtrieb, vielleicht sogar mit Fischern im Dorf sprach, denn ihre Geschichten hatten eine andere Färbung bekommen. In ihnen wimmelte es neuerdings von Schiffen und Reisen übers Meer, von Nixen und versunkenen Schätzen, von Abenteuern in fernen Ländern. Sie bediente sich nicht nur einer anschaulicheren Sprache, die Rose insgeheim genoss, sondern in ihren Augen lag ein überzeugenderer Ausdruck als zuvor, so als hätte sie die verruchten Begebenheiten, von denen sie berichtete, selbst erlebt.

Auf jeden Fall wäre Mama außer sich vor Wut, wenn sie erführe, dass Eliza im Dorf gewesen war und sich unter das gemeine Volk gemischt hatte. Es ärgerte Mama bereits genug, dass Eliza mit dem Dienstpersonal redete – schon allein deswegen war

Rose bereit, Elizas Freundschaft mit Mary zu ertragen. Käme Mama auf die Idee, Eliza zu fragen, wohin sie ginge, würde Eliza sicherlich nicht lügen, wobei fraglich blieb, was Mama tun konnte. Obwohl sie es seit sechs Jahren versuchte, hatte sie keine Strafe gefunden, die Eliza aufzuhalten vermochte.

Dass ihr Verhalten als ungehörig betrachtet wurde, konnte Eliza nicht beeindrucken. In den Wandschrank unter der Treppe gesperrt zu werden, verschaffte ihr lediglich Zeit und Ruhe, sich wieder neue Geschichten auszudenken. Ihr neue Kleider zu verweigern – was für Rose tatsächlich eine Strafe wäre –, würde Eliza nicht einmal ein Seufzen entlocken. Sie war vollkommen damit zufrieden, Roses abgelegte Kleider aufzutragen. In Bezug auf Strafen war sie wie die Heldin in einer ihrer Geschichten geschützt durch einen Feenzauber. Mamas vergebliche Bemühungen hinsichtlich der Bestrafungen mitzuerleben, verschaffte Rose klammheimliches Vergnügen. Jede Zurechtweisung wurde von Eliza mit einem unschuldigen Blick, einem sorglosen Achselzucken und einem ungerührten »Ja, Tante« quittiert. So als könnte sich Eliza tatsächlich nicht vorstellen, dass ihr Verhalten irgendwie anstößig war. Vor allem das Achselzucken trieb Mama zur Weißglut. Sie hatte längst jede Hoffnung aufgegeben, Rose könne Eliza zu einer jungen Dame erziehen, und war schon froh, dass es Rose gelungen war, ihre Cousine zu halbwegs angemessener Kleidung zu überreden. (Rose hatte Mamas Lob angenommen und ihre innere Stimme zum Schweigen gebracht, die ihr zuflüsterte, dass Eliza sich erst von ihrer schäbigen Hose getrennt hatte, als diese ihr nicht mehr passte.) Etwas in Eliza sei zerbrochen, meinte Mama, wie eine Spiegelscherbe in einem Teleskop, die ein korrektes Funktionieren unmöglich machte. Und Eliza davon abhielt, sich zu schämen, wie es sich gehörte. Elizas Gerede von Magie und Feengestalten war Öl auf Mamas Feuer: Sie sei ein gottloses Kind, schimpfte sie, was ja kein Wunder sei bei einem Mädchen, das in heidnischen Verhältnissen aufgewachsen sei.

Als hätte sie Roses Gedanken gelesen, bewegte sich Eliza neben ihr auf dem Sofa. Sie hatten fast eine Stunde still gesessen, und allmählich regte sich ihr Widerstand. Mehrere Male hatte Mr Sargent sie ermahnen müssen, nicht die Stirn zu runzeln und die Position beizubehalten, während er arbeitete. Rose hatte am Tag zuvor mitgehört, wie er sich bei Mama beklagt hatte, dass das Bild längst fertig wäre, wenn dieses Mädchen mit den roten Haaren lange genug still sitzen könnte.

Mama hatte sich angewidert geschüttelt, als er das sagte. Sie hätte lieber nur Rose porträtieren lassen, aber Rose hatte ihren Willen durchgesetzt: Eliza sei ihre Cousine, ihre einzige Freundin, selbstverständlich müsse sie mit auf das Porträt. Und dann hatte Rose noch ein bisschen gehustet, während sie Mama unter ihren Wimpern hindurch beobachtete, und das Thema war erledigt.

Rose genoss es, Mama zu ärgern, aber als sie darauf bestanden hatte, sich gemeinsam mit Eliza porträtieren zu lassen, war das tatsächlich ihr aufrichtiger Wunsch gewesen. Bevor ihre Cousine zu ihnen ins Haus kam, hatte sie nie eine Freundin gehabt. Es hatte sich keine Gelegenheit dazu geboten, und selbst wenn, was hätte ein Mädchen, das nicht mehr lange zu leben hatte, von Freundinnen gehabt? Wie die meisten Kinder, die an körperliches Leiden gewöhnt sind, war auch Rose der Auffassung, dass sie nur wenig mit anderen Mädchen ihres Alters gemein hatte. Sie hatte weder Interesse daran, mit Reifen zu spielen, noch Puppenhäuser einzurichten. Es langweilte sie, sich lang und breit über ihre Lieblingsfarbe, -zahl und -musik zu unterhalten.

Aber ihre Cousine Eliza war nicht wie die anderen Mädchen. Das hatte Rose sofort gemerkt, als sie sie kennenlernte. Eliza hatte eine Art, die Welt zu sehen, die Rose immer wieder verblüffte. Sie tat immer wieder völlig unerwartete Dinge. Dinge, die Mama auf die Palme brachten.

Das Beste an Eliza, noch besser als ihre Fähigkeit, Mama zu ärgern, war allerdings ihre Gabe zu erzählen. Sie kannte so viele wunderbare Geschichten, die Rose noch nie gehört hatte. Beängstigende Geschichten, die ihr heiße und kalte Schauer über die Haut jagten. Sie handelten von der anderen Cousine, dem Fluss in London und von einem bösen Mann mit einem blitzenden Messer. Und natürlich von dem schwarzen Schiff, das in der Bucht von Blackhurst sein Unwesen trieb. Auch wenn Rose wusste, dass Eliza sich das alles nur ausgedacht hatte, ließ sie sich diese Geschichte besonders gern erzählen. Das Phantomschiff, das manchmal am Horizont auftauchte, das Schiff, das Eliza angeblich mit eigenen Augen gesehen hatte und auf dessen Erscheinen sie an den vielen Sommertagen, die sie in der Bucht verbrachte, stundenlang wartete.

Das Einzige, was Rose Eliza nie hatte entlocken können, waren Geschichten über ihren Bruder Sammy. Ein einziges Mal war ihr der Name herausgerutscht, aber als Rose sie gedrängt hatte, mehr zu erzählen, war sie verstummt; Mama hatte ihr irgendwann erklärt, dass Eliza einmal einen Zwillingsbruder gehabt hatte, der auf tragische Weise ums Leben gekommen war.

Im Lauf der Jahre hatte Rose Gefallen daran gefunden, sich abends, wenn sie allein in ihrem Bett lag, seinen Tod vorzustellen, den Tod dieses Jungen, der das Unmögliche bewirkt hatte: Eliza, der Geschichtenerzählerin, die Worte zu rauben. »Sammys Tod« hatte »Georgianas Flucht« als Roses Lieblingstagtraum abgelöst. Mal stellte sie sich vor, wie er ertrank, ein andermal, wie er in einen Abgrund stürzte oder wie er langsam dahinsiechte, dieser arme kleine Junge, der den ersten Platz in Elizas Herzen einnahm.

»Sitz gefälligst still«, sagte Mr Sargent und zeigte mit dem Pinsel auf Eliza. »Hör auf herumzuzappeln. Du bist ja schlimmer als Lady Asquiths Hund.«

Rose blinzelte, bemüht, ihren Gesichtsausdruck nicht zu verändern, als sie merkte, dass ihr Vater das Zimmer betreten hatte.

Er stand hinter Mr Sargents Staffelei und sah dem Künstler gebannt bei der Arbeit zu. Die Stirn gerunzelt und den Kopf geneigt, um den Pinselstrichen folgen zu können. Rose wunderte sich, denn sie hätte nie gedacht, dass ihr Vater sich für die schönen Künste interessierte. Seine einzige Leidenschaft galt der Fotografie, und selbst das war bei ihm langweilig. Nie fotografierte er Menschen, immer nur Käfer und Pflanzen und Steine. Aber jetzt stand er dort, fasziniert vom Porträt seiner Tochter. Rose richtete sich etwas mehr auf.

Nur zweimal hatte Rose im Lauf ihrer Kindheit Gelegenheit gehabt, ihren Vater aus nächster Nähe zu betrachten. Das erste Mal, als sie den Fingerhut verschluckt hatte und man ihren Vater gerufen hatte, um das Foto für Dr. Matthews zu machen. Das zweite Mal hatte sie weniger angenehm in Erinnerung.

Sie war damals neun Jahre alt gewesen. Dr. Matthews wurde erwartet, und weil sie sich nicht schon wieder untersuchen lassen wollte, hatte sie sich versteckt. Und zwar an dem einzigen Ort, wo Mama sie nie suchen würde: in der Dunkelkammer ihres Vaters.

Rose hatte es sich mit einem Kissen unter dem großen Schreibtisch bequem gemacht. Und es wäre recht gemütlich gewesen, wenn es nur nicht so ekelhaft gestunken hätte, so ähnlich wie die Reinigungsmittel, die die Dienstboten für den Frühjahrsputz benutzten.

Sie befand sich seit ungefähr einer Viertelstunde in der Dunkelkammer, als die Tür geöffnet wurde. Ein dünner Lichtstrahl fiel durch ein winziges Astloch in der Rückwand des Schreibtischs. Rose hielt den Atem an und lugte durch das Loch, voller Angst, Mama und Dr. Matthews zu sehen, die sie holen kamen.

Aber weder Mama noch der Arzt erschienen in der Tür, sondern ihr Vater in seinem langen, schwarzen Reiseumhang.

Roses Kehle war wie zugeschnürt. Auch ohne dass man ihr das ausdrücklich gesagt hatte, wusste sie, dass die Schwelle zur Dunkelkammer ihres Vaters nicht übertreten werden durfte.

Ihr Vater blieb einen Moment lang stehen, seine schwarze Silhouette hob sich gegen den hellen Hintergrund ab. Dann kam er herein, legte seinen Umhang ab und hängte ihn über die Stuhllehne. Im selben Augenblick erschien Thomas, das Gesicht bleich vor Angst.

»Ihre Lordschaft«, sagte Thomas und atmete tief durch. »Wir haben Sie erst nächste ...«

»Meine Pläne haben sich geändert.«

»Das Mittagessen wird gerade zubereitet, Sir«, fuhr Thomas fort, während er die Gaslampen an der Wand entzündete. »Ich werde für zwei Personen decken und Lady Mountrachet darüber informieren, dass Sie zurückgekehrt sind.«

»Nein.«

Die Schärfe, mit der dieser Befehl ausgesprochen wurde, ließ Rose zusammenzucken.

Thomas drehte sich so abrupt zu ihrem Vater um, dass das Streichholz zwischen seinen behandschuhten Fingern erlosch.

»Nein«, wiederholte ihr Vater. »Ich habe eine lange Reise hinter mir, Thomas. Ich muss mich ausruhen.«

»Wünschen Sie Tee, Sir?«

»Ja, und eine Karaffe Sherry.«

»Sehr wohl, Sir.« Thomas nickte und verschwand durch die Tür. Seine Schritte verklangen.

Dann vernahm Rose ein leichtes Klopfgeräusch. Sie legte ihr Ohr an den Schreibtisch, fragte sich, ob irgendein rätselhafter Gegenstand, der ihrem Vater gehörte, in der Schublade tickte. Doch plötzlich wurde ihr klar, dass es ihr Herz war, das wie verrückt pochte. Als fürchtete es um sein Leben.

Aber es gab keinen Ausweg. Nicht, solange ihr Vater in seinem Sessel neben der Tür saß.

Und so blieb Rose, wo sie war, die Knie eng gegen das ängstliche Herz gedrückt, das sie zu verraten drohte.

Es war das erste Mal, soweit sie sich erinnern konnte, dass sie mit ihrem Vater allein war. Ihr fiel auf, dass seine Gegenwart den ganzen Raum ausfüllte und die Atmosphäre, die vorher so angenehm gewesen war, jetzt wie aufgeladen schien von Gefühlen und Emotionen, die Rose nicht verstand.

Schwere Schritte auf dem Teppich, dann ein schweres männliches Ausatmen, das ihr eine Gänsehaut verursachte.

»Wo bist du?«, fragte ihr Vater leise, dann noch einmal mit zusammengebissenen Zähnen. »Wo bist du nur?«

Rose hielt den Atem an und presste die Lippen zusammen. Sprach er mit ihr? Hatte ihr allwissender Vater irgendwie erraten, dass sie sich an einem Ort versteckt hielt, der ihr verboten war?

Ein Seufzen ihres Vaters – aus Kummer? Liebe? Müdigkeit? –, und dann sagte er: »Mein Püppchen.« So sanft, so ruhig, die gebrochene Stimme eines gebrochenen Mannes. »Mein Püppchen«, sagte ihr Vater noch einmal. »Wo bist du, meine Georgiana?«

Rose atmete aus. Erleichtert darüber, dass er ihre Anwesenheit nicht bemerkt hatte, und bekümmert, weil dieser sanfte Tonfall nicht ihr galt.

Und während sie die Wange gegen den Schreibtisch presste, schwor sie sich, dass eines Tages irgendjemand ihren Namen auf dieselbe Weise aussprechen würde …

»Nimm deine Hand herunter!« Mr Sargent war mit seiner Geduld am Ende. »Wenn du nicht endlich still hältst, dann verpasse ich dir drei Hände, und die Nachwelt wird dich so in Erinnerung behalten.«

Eliza stieß einen Seufzer aus, dann verschränkte sie die Hände hinter dem Rücken.

Rose brannten die Augen von der Anstrengung, denselben Blick beizubehalten, und sie blinzelte ein paar Mal. Ihr Vater hatte inzwischen das Zimmer verlassen, doch seine Anwesenheit lag noch in der Luft, die Aura des Leidens, die er immer hinterließ.

Rose lugte noch einmal nach ihrem Tagebuch. Das eingeklebte Stückchen Stoff hatte einen hübschen rosafarbenen Ton, der gut zu ihren dunklen Haaren passen würde.

Während all der Jahre, die sie krank in ihrem Zimmer verbracht hatte, hatte Rose sich immer nur eins gewünscht, nämlich erwachsen zu werden. Den Einschränkungen der Kindheit zu entfliehen und endlich zu leben, sei es noch so kurz und erbärmlich, wie Milly Theale es in dem Buch von Henry James ausgedrückt hatte. Sie sehnte sich danach, sich zu verlieben, zu heiraten und Kinder zu bekommen. Blackhurst zu verlassen und ein eigenes, selbstbestimmtes Leben zu führen. Weg von diesem Haus, weg von diesem Sofa, auf dem sie, weil Mama es so wollte, immer liegen musste, selbst wenn es ihr ganz gut ging. »Roses Sofa«, nannte Mama es. »Leg ein neue Decke auf Roses Sofa. Etwas, das sie etwas weniger blass aussehen lässt und den Glanz ihrer Haare mehr zur Geltung bringt.«

Und der Tag ihrer Flucht rückte immer näher, davon war Rose überzeugt. Endlich war Mama zu der Einsicht gelangt, dass Rose gesund genug war, Verehrer zu empfangen. Während der vergangenen Monate hatte Mama eine ganze Reihe infrage kommender junger (und auch weniger junger!) Männer nach Blackhurst eingeladen. Es waren durch die Bank Dummköpfe gewesen – Eliza hatte Rose nach jedem Besuch stundenlang damit unterhalten, die Charaktere nachzuahmen –, aber sie boten ihr Gelegenheit, ihrem Auftreten den letzten Schliff zu geben. Denn der perfekte Gentleman war irgendwo da draußen und wartete auf sie. Er würde ganz anders sein als ihr Vater, er würde ein Künstler sein, mit dem Gespür des Künstlers für Schönheit und Vielfalt, einer, dem Reichtum und Herkunft nichts bedeuteten. Der offen wäre und unkompliziert, und dessen Leidenschaften und Träume seine Augen zum Leuchten brächten. Und der sie lieben würde, nur sie allein.

Neben ihr schnaubte Eliza ungeduldig. »Wirklich, Mr Sargent«, sagte sie, »ich könnte mich selbst schneller porträtieren.«

Ihr Ehemann würde sein wie Eliza, dachte Rose, und ein Lächeln huschte über ihr entspanntes Gesicht. Der Gentleman, den sie suchte, wäre eine männliche Inkarnation ihrer Cousine.

Endlich ließ ihr Zuchtmeister sie frei. Tennyson hatte recht, schon in jungen Jahren zu rosten, war unvorstellbar langweilig. Eliza riss sich das lächerliche Kleid vom Leib, das ihr Tante Adeline für das Porträt aufgedrängt hatte. Es war eins von Roses Kleidern der vorigen Saison – Spitze, die kratzte, Satin, der an der Haut klebte, und ein Rotton, dass Eliza sich wie eine verpackte Erdbeere vorkam. Was für eine sinnlose Zeitverschwendung, einen ganzen Vormittag mit einem mürrischen alten Mann zu verbringen, der sie auf die Leinwand bannen wollte, nur damit sie wie all die anderen einsam an irgendeiner kühlen Wand aufgehängt werden konnte.

Eliza ließ sich auf Hände und Knie fallen und spähte unter ihr Bett. Hob die Ecke der Fußbodendiele an, die sie schon vor langer Zeit gelöst hatte. Langte in den Hohlraum und zog die Geschichte hervor: *Der goldene Käfig*. Ließ ihre Hand über den schwarz-weißen Umschlag gleiten und spürte die Abdrücke ihrer Handschrift unter ihren Fingerspitzen.

Davies hatte sie auf die Idee gebracht, ihre Geschichten aufzuschreiben. Sie hatte ihm dabei geholfen, neue Rosen zu pflanzen, als ein grau-weißer Vogel mit gestreiften Schwanzfedern sich auf einem niedrig hängenden Zweig in der Nähe niedergelassen hatte.

»Ein Kuckuck«, hatte Davies gesagt. »Der überwintert in Afrika und kehrt im Frühling hierher zurück.«

»Ich wünschte, ich wäre ein Vogel«, hatte Eliza erwidert. »Dann würde ich an der Klippe Anlauf nehmen und losfliegen. Nach Afrika oder Indien. Oder nach Australien.«

»Australien?«

Dieses Land beflügelte neuerdings ihre Fantasie. Marys ältester Bruder war kürzlich mit seiner jungen Familie dorthin ausgewandert. Sie wohnten jetzt in einem Ort namens Maryborough, wo ihre Tante Eleanor sich einige Jahre zuvor angesiedelt hatte. Mary gefiel die Vorstellung, dass über diese familiäre Verbindung hinaus auch der Name für die Wahl des Orts ausschlaggebend gewesen war, und sie ließ sich nicht zweimal bitten, Einzelheiten über dieses exotische Land zu erzählen, das in einem fernen Ozean auf der anderen Seite des Erdballs schwamm. Eliza hatte Australien im Unterrichtsraum auf einer Landkarte gefunden, ein merkwürdiger, riesiger Kontinent im Indischen Ozean mit zwei Ohren, einem aufgestellten und einem abgeknickten.

»Ich kenne einen, der nach Australien gegangen ist«, sagte Davies und unterbrach kurz seine Arbeit. »Hat sich eine Farm mit tausend Morgen Land gekauft, nur um dann festzustellen, dass auf dem Land da überhaupt nichts wächst.«

Eliza biss sich auf die Lippe, um ihre Erregung im Zaum zu halten. Diese Extreme passten zu ihrem Bild von dem Land. »Mary sagt, es gibt dort Riesenkarnickel. Sie heißen Kängurus und haben Füße so lang wie Männerbeine.«

»Ich weiß nicht, was Sie an einem solchen Ort anfangen würden, Miss Eliza. Und auch nicht in Afrika oder in Indien.«

Eliza wusste genau, was sie dort anfangen würde. »Ich werde Geschichten sammeln. Uralte Geschichten, von denen hier noch nie jemand etwas gehört hat. Ich werde es wie die Gebrüder Grimm machen, von denen ich Ihnen erzählt habe.«

Davies runzelte die Stirn. »Warum Sie unbedingt so sein wollen wie diese grimmigen alten Deutschen, geht mir über den Verstand. Sie sollten Ihre eigenen Geschichten aufschreiben, nicht die von anderen.«

Und das hatte sie getan. Als Erstes hatte sie eine Geschichte für Rose geschrieben, ein Geburtstagsgeschenk, ein Märchen über eine Prinzessin, die durch Zauberei in einen Vogel verwandelt worden war. Es war die erste Geschichte, die sie auf Papier festgehalten hatte, und es war ganz eigenartig gewesen, ihre Gedanken und Ideen in schriftlicher Form vor sich zu sehen. Ihre Haut fühlte sich plötzlich ungewöhnlich empfindlich an, irgendwie entblößt und verletzlich. Der Wind kam ihr kühler vor, die Strahlen der Sonne wärmer. Sie wusste nicht recht, ob ihr das Gefühl angenehm war oder ob es sie störte.

Aber Rose hatte Elizas Geschichten immer geliebt, und da ein Märchen das Beste war, was Eliza zu geben hatte, war es das perfekte Geschenk. Denn in den Jahren, seit man Eliza aus ihrem einsamen Leben in London herausgeholt und in das großartige und mysteriöse Blackhurst gebracht hatte, waren Rose und Eliza Seelenverwandte geworden. Sie hatten gemeinsam gelacht und geträumt, und nach und nach hatte Rose Sammys Platz eingenommen, hatte das tiefe, schwarze Loch ausgefüllt, das zurückbleibt, wenn ein Zwilling stirbt. Und es gab nichts, was Eliza nicht für Rose tun, was sie ihr nicht geben oder für sie schreiben würde.

Der goldene Käfig

Von Eliza Makepeace

Vor langer, langer Zeit, als die Welt noch von Magie erfüllt war, lebte einmal eine Königin, die sich sehnlichst ein Kind wünschte. Sie war eine traurige Königin, denn der König war oft auf Reisen und ließ sie allein zurück in ihrem riesigen Schloss, wo ihr nichts anderes übrig blieb, als über ihre Einsamkeit zu grübeln und sich zu fragen, wie ihr Ehemann, den sie so sehr liebte, es ertragen konnte, so häufig und für so lange Zeit von ihr getrennt zu sein.

Vor vielen Jahren hatte der König den Thron von seiner rechtmäßigen Eigentümerin, der Feenkönigin, gestohlen, und das schöne, friedliche Feenreich hatte sich über Nacht in ein freudloses Land verwandelt, wo Magie nicht länger blühte und das Lachen verstummt war. Darüber war der König so erzürnt, dass er kurzerhand beschloss, die Feenkönigin zu fangen und sie gewaltsam ins Königreich zurückzuholen. Ein goldener Käfig wurde gebaut, in den der König die Feenkönigin einsperren wollte, damit sie ihn mit ihrer Magie erfreute.

An einem Wintertag, als der König wieder einmal unterwegs war, saß die Königin mit ihrem Nähzeug am offenen Fenster und schaute auf die schneebedeckte Landschaft hinaus. Sie weinte bitterlich, denn der trostlose Winter erinnerte sie immer an ihre Einsamkeit. Während sie die karge Winterlandschaft betrachtete, dachte sie an ihren nutzlosen Schoß. »Ach, wie sehr ich mir ein Kind wünsche!«, rief sie aus. »Eine schöne Tochter mit einem aufrichtigen Herzen und Augen, die sich nie mit Tränen füllen. Dann werde ich nie wieder einsam sein.«

Der Winter verging, und die Welt erwachte wieder zu neuem Leben. Die Vögel kehrten ins Königreich zurück und bauten ihre Nester, Rehe grasten auf den Feldern an den Waldrändern, und an allen Bäumen des Königreichs zeigten sich zarte Knospen. Als die ersten Feldlerchen sich in die Lüfte erhoben, begann das Kleid der Königin um die Taille herum zu spannen, und da erkannte sie, dass sie ein Kind in sich trug. Der König war nicht im Schloss gewesen, und so wusste die Königin, dass es nur eine Fee gewesen sein konnte, die verborgen im winterlichen Garten ihr Weinen gehört und ihr durch Zauberkraft ihren innigsten Wunsch erfüllt hatte.

Der Bauch der Königin wurde immer runder, der nächste Winter kam, und als sich am Heiligabend eine dichte Schneedecke über das Land legte, wurde die Königin von starken Schmerzen gequält. Viele Stunden lag sie in den Wehen, und als die Uhr Mitternacht schlug, gebar sie eine Tochter. Endlich konnte die Königin das Gesicht ihres Kindes betrachten. Sie wollte es kaum glauben, dass dieses wunderschöne Kind mit der makellos weißen Haut, dem dunklen Haar und dem Mund wie eine rote Rosenknospe ganz ihr gehörte! »Rosalind«, sagte die Königin. »Ich werde sie Rosalind nennen.«

Die Königin liebte ihre Tochter über alles und ließ Prinzessin Rosalind nie mehr aus den Augen. Die Einsamkeit hatte die Königin verbittert gemacht, die Verbitterung hatte sie egoistisch gemacht, und ihr Egoismus hatte sie misstrauisch gemacht. Hinter jeder Ecke vermutete die Königin einen Bösewicht, der auf der Lauer lag, um ihre Tochter zu rauben. Sie hat mich gerettet, dachte die Königin, und deshalb soll sie für immer mir allein gehören.

An dem Tag, als Prinzessin Rosalind getauft werden sollte, waren die weisesten Frauen aus dem ganzen Land eingeladen, dem Kind ihren Segen zu geben. Viele Stunden lang sah die Königin zu, wie eine nach der anderen ihrer Tochter Anmut, Klugheit und Weisheit wünschte. Als schließlich die Nacht über dem Königreich heraufzog, entließ die Königin die weisen Frauen. Sie hatte sich nur kurz abgewandt, und als sie sich wieder zu ihrem Kind umdrehte, sah sie, dass ein Gast geblieben war. Eine Gestalt in einem langen Gewand stand am Bettchen und betrachtete die schlafende Prinzessin.

»Es ist schon spät, weise Frau«, sagte die Königin. »Die Prinzessin ist gesegnet worden und hat jetzt ihren Schlaf verdient.«

Als die Frau ihren Umhang zurückschlug, stockte der Königin der Atem, denn ihr Gesicht war nicht das einer schönen weisen Frau, sondern das eines alten Hutzelweibs mit einem zahnlosen Lächeln.

»Ich komme mit einer Botschaft von der Feenkönigin«, sagte das Hutzelweib. »Das Mädchen gehört uns, und deshalb muss ich es mitnehmen.«

»Nein«, schrie die Königin und stürzte zum Bettchen der Prinzessin. »Sie ist *meine* Tochter, *mein* kostbares kleines Mädchen.«

»*Deine* Tochter?«, entgegnete das alte Weib. »Dieses prächtige Kind?« Und sie stieß ein so grässliches Lachen aus, dass die Königin mit Entsetzen vor ihr zurückwich. »Sie gehörte dir nur so lange, wie wir es zugelassen haben. Tief in deinem Herzen hast du von Anfang an gewusst, dass sie aus Feenstaub geboren ist, und jetzt musst du sie hergeben.«

Die Königin begann zu weinen, denn die Worte des alten Weibs waren das, wovor sie sich immer am meisten gefürchtet hatte. »Ich kann sie nicht hergeben«, sagte sie. »Hab Mitleid mit mir, altes Weib, und lass sie mich noch eine Weile behalten.«

Aber dem alten Weib gefiel es, Unheil zu stiften, und bei den Worten der Königin breitete sich ein Lächeln auf ihrem Gesicht aus. »Du hast die Wahl«, sagte das Weib. »Gib das Kind jetzt heraus, dann wird es in der Obhut der Feenkönigin ein langes und glückliches Leben führen.«

»Oder?«, fragte die Königin.

»Oder du behältst sie bei dir. Aber nur bis zum Morgen ihres achtzehnten Geburtstags, wenn die Stunde ihrer wahren Bestimmung schlägt und sie dich für immer verlassen wird. Überleg es dir gut«, sagte sie, »denn je länger sie bei dir bleibt, desto mehr wirst du sie lieben.«

»Ich brauche nicht zu überlegen«, erwiderte die Königin. »Ich wähle die zweite Möglichkeit.«

Als die Alte lächelte, waren die dunklen Lücken zwischen ihren Zähnen deutlich zu sehen. »Dann gehört sie also dir, aber denk daran – nur bis zum Morgen ihres achtzehnten Geburtstags.«

In diesem Augenblick begann die Prinzessin zum ersten Mal zu weinen. Die Königin hob ihr Kind in die Arme, und als sie sich wieder umdrehte, war das Hutzelweib verschwunden.

Die Prinzessin wuchs zu einem schönen, heiteren Mädchen heran. Sie verzauberte das Meer mit ihrem Gesang und entlockte allen Menschen im Land ein Lächeln. Allen außer der Königin, denn vor lauter Angst um ihre Tochter konnte sie sich nicht an ihr erfreuen. Wenn das Mädchen sang, hörte die Königin es nicht, wenn sie tanzte, sah die Königin es nicht, und wenn ihre Tochter sie anfasste, spürte sie nichts, so sehr war sie damit beschäftigt, die verbleibende Zeit zu berechnen, bis ihr Kind ihr genommen würde.

Während die Jahre ins Land gingen, wuchs die Angst der Königin vor dem schrecklichen Ereignis, das ihr bevorstand. Ihr Mund vergaß, wie es war, zu lächeln, und Falten gruben sich immer tiefer in ihre Stirn. Eines Nachts hatte sie einen Traum, in dem ihr das Hutzelweib erschien. »Deine Tochter ist schon fast zehn«, sprach das Weib. »Vergiss nicht, dass sie an ihrem achtzehnten Geburtstag ihrer wahren Bestimmung zugeführt wird.«

»Ich habe es mir anders überlegt«, sagte die Königin. »Ich kann sie nicht gehen lassen und ich werde es auch nicht tun.«

»Du hast dein Wort gegeben«, erwiderte das alte Weib, »und zu deinem Wort musst du stehen.«

Am nächsten Morgen, nachdem sie sich vergewissert hatte, dass die Prinzessin in sicherer Obhut war, legte die Königin ihr Reitkostüm an und ließ ein Pferd satteln. Auch wenn die Magie aus dem Schloss vertrieben war, so gab es doch einen Ort, an dem Wunder und Zauberei vielleicht noch zu finden waren. In einer dunklen Höhle am Rand des verzauberten Meeres lebte eine Fee, die weder gut noch böse war. Sie war von der Feenkönigin bestraft worden, weil sie ihre Magie unklug angewendet hatte, und sie hatte sich dort versteckt, als alle anderen Feen geflohen waren. Die Königin wusste, dass es gefährlich war, von der Fee Hilfe zu erbitten, aber sie war ihre einzige Hoffnung.

Drei Tage und drei Nächte ritt die Königin, und als sie schließlich die Höhle erreichte, wurde sie schon von der Fee erwartet. »Komm«, sagte die Fee, »und lass mich wissen, was du begehrst.«

Die Königin berichtete getreulich von dem Besuch des Hutzelweibs, von seiner Drohung, am achtzehnten Geburtstag der Prinzessin zurückzukehren, und die Fee hörte ihr aufmerksam zu. Dann, als die Königin geendet hatte, sagte die Fee: »Ich kann den

Fluch des alten Weibs nicht rückgängig machen, aber ich kann dir vielleicht dennoch helfen.«

»Ich befehle es dir«, sagte die Königin.

»Ich muss dich warnen, meine Königin. Wenn du meinen Vorschlag hörst, wirst du mir vielleicht nicht dankbar sein für meine Hilfe.« Dann beugte die Fee sich vor und flüsterte der Königin etwas ins Ohr.

Die Königin zögerte nicht, denn gewiss war alles besser, als ihr Kind an das Hutzelweib zu verlieren. »So soll es also geschehen.«

Darauf reichte die Fee der Königin einen Zaubertrank und trug ihr auf, der Prinzessin an drei Abenden je drei Tropfen davon zu geben. »Alles wird so sein, wie ich es erklärt habe. Das alte Weiblein wird dich nie wieder belästigen, denn nur ihre wahre Bestimmung wird die Prinzessin finden.«

Die Königin eilte nach Hause, zum ersten Mal seit der Taufe ihrer Tochter war ihr leicht ums Herz, und an den nächsten drei Abenden gab sie heimlich jeweils drei Tropfen des Zaubertranks in die Milch des Mädchens. Als die Prinzessin am dritten Abend von ihrem Glas trank, begann sie zu würgen. Dann fiel sie vom Stuhl und verwandelte sich augenblicklich in einen schönen Vogel, genau wie die Fee es der Königin vorhergesagt hatte. Der Vogel flatterte im Zimmer umher, und die Königin rief nach ihrer Dienerin, um sich den goldenen Käfig aus dem Zimmer des Königs bringen zu lassen. Der Vogel wurde eingesperrt, die goldene Tür geschlossen, und die Königin atmete erleichtert auf. Denn der König war klug gewesen, und sein Käfig ließ sich, nachdem er einmal geschlossen worden war, nicht wieder öffnen.

»So, meine Schöne«, sagte die Königin. »Jetzt bist du in Sicherheit, und niemand wird dich mir wegnehmen.« Dann hängte die Königin den Käfig an einen Haken im höchsten Turmzimmer des Schlosses.

Aber nachdem die Prinzessin in ihrem Käfig gefangen war, wich alles Licht aus dem Königreich, ewiger Winter legte sich über das

Land und seine Bewohner, die Ernte verfaulte, und die Erde wurde unfruchtbar. Das Einzige, was die Menschen davon abhielt, in tiefe Verzweiflung zu verfallen, war der Gesang des Prinzessinnenvogels – traurig und wunderschön –, der aus dem Turmfenster drang und bis in den letzten Winkel des trostlosen Reiches zu hören war.

Die Zeit verging, und über die Jahre kamen Prinzen, angestachelt von ihrer Gier, von nah und fern, um die Prinzessin zu befreien. Denn es hieß, im ausgedorrten Feenreich gebe es einen goldenen Käfig von unermesslichem Wert, und in dem Käfig sei ein Vogel eingesperrt, bei dessen wunderschönem Gesang Goldstücke vom Himmel fielen. Doch alle, die versuchten, den Vogel zu befreien, fielen tot um, sobald sie den goldenen Käfig nur berührten. Die Königin, die Tag und Nacht in ihrem Schaukelstuhl saß und den Käfig bewachte, damit niemand ihren Schatz stehlen konnte, schüttelte sich beim Anblick der toten Prinzen vor Lachen, denn Angst und Misstrauen hatten ihr mittlerweile den Verstand geraubt.

Einige Jahre später kam der jüngste Sohn eines Holzfällers aus einem fernen Land in das Königreich. Während er im Wald arbeitete, trug der Wind eine Melodie an sein Ohr, die so lieblich klang, dass er nicht anders konnte als zu lauschen, und mitten in einem Axthieb innehielt, als wäre er zu Stein erstarrt. Und weil er dem Gesang nicht zu widerstehen vermochte, legte er seine Axt nieder und machte sich auf die Suche nach dem Vogel, der so traurig und so herrlich singen konnte. Auf seinem Weg durch den überwucherten Wald kamen ihm Vögel und andere Tiere zu Hilfe, und der Sohn des Holzfällers dankte ihnen dafür, denn er hatte ein sanftes Wesen und konnte sich mit allen Lebewesen verständigen. Er kletterte durch Brombeergestrüpp, lief über Felder, stieg auf Berge, schlief nachts in Baumhöhlen, ernährte sich von Beeren und Nüssen, bis er endlich vor den Schlossmauern stand.

»Wie bist du in dieses verlassene Land gekommen?«, fragte der Wächter.

»Ich bin dem Gesang eures wunderschönen Vogels gefolgt.«

»Kehr um, wenn dir dein Leben lieb ist«, sagte der Wächter. »Denn über diesem Königreich liegt ein Fluch, und wer auch immer den Käfig des traurigen Vogels berührt, ist verloren.«

»Ich besitze nichts und ich habe auch nichts zu verlieren«, erwiderte der Sohn des Holzfällers. »Und ich muss unbedingt mit eigenen Augen sehen, wer diesen wunderschönen Gesang hervorbringt.«

Just zu dieser Zeit war die Prinzessin achtzehn Jahre alt geworden und stimmte ihr traurigstes und schönstes Lied an, in dem sie den Verlust ihrer Jugend und ihrer Freiheit beklagte.

Der Wächter trat beiseite, und der junge Mann ging ins Schloss und stieg die Stufen in das oberste Turmzimmer hinauf.

Als der Sohn des Holzfällers den gefangenen Vogel in seinem Käfig erblickte, ging ihm das Herz über vor Mitleid, denn er konnte es nicht ertragen, einen Vogel oder ein anderes Lebewesen eingesperrt zu sehen. So groß war sein Mitgefühl, dass er nichts mehr sah als den Vogel hinter den Gitterstäben. Er streckte die Hand nach der Tür des Käfigs aus, und als er sie berührte, sprang sie auf, und der Vogel war frei.

Im selben Augenblick verwandelte sich der Vogel in eine wunderschöne Frau mit wallendem langem Haar und einer Krone aus glänzenden Muscheln auf dem Kopf. Von weit her kamen Vögel und überschütteten sie aus ihren Schnäbeln mit glitzerndem Feuerstein, bis sie ganz in Silber gekleidet war. Die Tiere kehrten ins Königreich zurück, und auf dem verdorrten Boden wuchsen wieder Pflanzen und Blumen.

Als am nächsten Tag die Sonne über dem Meer aufging, ertönte lautes Hufgetrappel, und vor dem Schlosstor erschienen sechs verzauberte Pferde, die eine goldene Kutsche zogen. Die Feenkönigin stieg aus der Kutsche, und alle Untertanen verbeugten sich.

Hinter ihr stand die Fee aus der Bucht, die sich als eine gute Fee erwiesen hatte, da sie die Bitten ihrer wahren Königin erfüllt und dafür gesorgt hatte, dass Prinzessin Rosalind bereit war, als sie ihrer wahren Bestimmung folgen musste.

Unter den wachsamen Augen der Feenkönigin heirateten die Prinzessin und der Sohn des Holzfällers, und die Freude des jungen Paars war so groß, dass die Magie ins Land zurückkehrte, und alle Bewohner des Feenreichs fortan frei und glücklich lebten.

Ausgenommen natürlich die Königin, die spurlos verschwunden war. An ihrer Stelle fand man einen großen, hässlichen Vogel, der so entsetzlich krächzte, dass allen, die ihn hörten, das Blut in den Adern gefror. Der Vogel wurde aus dem Land gejagt und flog in einen weit entfernten Wald, wo der König, den seine niederträchtige und fruchtlose Jagd nach der Feenkönigin in Wahnsinn und Verzweiflung getrieben hatte, ihn tötete und verspeiste.

31 *Blackhurst Manor* *Cornwall, 1907*

Als energisch an die Tür geklopft wurde, versteckte Eliza das Heft mit den Geschichten hinter ihrem Rücken. Sie spürte, wie sich ihre Wangen vor Aufregung röteten.

Mary stürmte herein, die Locken noch wilder um ihren Kopf tanzend als sonst. Am Zustand ihrer Haare ließ sich immer erkennen, in welcher Stimmung sie sich befand, und Eliza schlussfolgerte sofort, dass in der Küche die Geburtstagsvorbereitungen in vollem Gang waren.

»Mary! Ich hatte eigentlich mit Rose gerechnet.«

»Miss Eliza.« Mary presste die Lippen zusammen, ein untypisch affektierter Gesichtsausdruck, der Eliza zum Lachen brachte. »Seine Lordschaft wünscht Sie zu sprechen, Miss Eliza.«

»Mein Onkel wünscht mich zu sprechen?« Obwohl sie ständig kreuz und quer durch das Anwesen streifte, hatte Eliza in den sechs Jahren, seit sie auf Blackhurst lebte, ihren Onkel kaum zu Gesicht bekommen. Er war eine schattenhafte Gestalt und verbrachte die meiste Zeit auf dem Kontinent auf der Suche nach Insekten, deren Fotos er dann in seiner Dunkelkammer entwickelte.

»Kommen Sie schon, Miss Eliza«, drängte Mary. »Und geben Sie acht.«

Mary war so ernst, wie Eliza sie noch nie erlebt hatte. Eliza folgte ihr durch den schummrigen Korridor und die enge Hintertreppe hinunter. Am Fuß der Treppe angekommen, wandte Mary sich, anstatt nach links zum Hauptteil des Hauses weiterzugehen, nach rechts und eilte einen stillen Gang entlang, der spärlicher beleuchtet war als der Rest des Hauses. Eliza fiel auf, dass weder irgendein Bild noch sonst etwas die dunklen, kühlen Wände schmückte.

Vor der Tür am Ende des Gangs blieb Mary stehen. Sie warf einen kurzen Blick über die Schulter und drückte leicht Elizas Hand, eine völlig unerwartete Geste.

Ehe Eliza fragen konnte, was das alles zu bedeuten hatte, öffnete Mary die Tür und kündigte Eliza an.

»Miss Eliza, Euer Lordschaft.«

Dann war sie verschwunden, und Eliza stand allein auf der Schwelle zu den geheimen Gemächern ihres Onkels, aus denen ein äußerst sonderbarer Geruch drang.

Ihr Onkel saß am anderen Ende des Raums hinter einem riesigen Schreibtisch aus knorrigem Holz.

»Sie wünschen mich zu sprechen, Onkel?« Hinter Eliza fiel die Tür ins Schloss.

Onkel Linus sah sie über den Rand seiner Brille hinweg an. Nicht zum ersten Mal fragte sich Eliza, wie es sein konnte, dass dieser hässliche alte Mann mit ihrer wunderschönen Mutter verwandt war. Die Spitze seiner blassen Zunge erschien zwischen seinen Lippen. »Mir ist zu Ohren gekommen, dass du im Unterricht gute Leistungen erbracht hast.«

»Ja, Sir«, erwiderte Eliza.

»Und nach Einschätzung meines Gärtners Davies hast du eine Vorliebe für die Gartenarbeit.«

»Ja, Onkel.« Bereits am Tag ihrer Ankunft in Blackhurst hatte sich Eliza in das Anwesen verliebt. Inzwischen waren ihr die Pfade, die am Fuß der Klippen entlangführten, die Wege durch den freigelegten Teil des Labyrinths und die ausgedehnten Gartenanlagen ebenso vertraut wie es einst die nebligen Straßen von London gewesen waren. Und so weit sie das Gelände auch erkundete, der Garten wuchs und veränderte sich mit jeder Jahreszeit, sodass es immer etwas Neues zu entdecken gab.

»Das liegt in unserer Familie. Deine Mutter …« Ihm versagte die Stimme. »Deine Mutter war als kleines Mädchen auch ganz vernarrt in den Garten.«

Eliza versuchte, diese Information mit den eigenen Erinnerungen an ihre Mutter in Verbindung zu bringen. Durch den Zeittunnel erschienen Fragmente vor ihrem geistigen Auge: Mutter in dem fensterlosen Zimmer über dem Laden der Swindells; der kleine Blumentopf mit dem duftenden Kraut. Die Pflanze war bald eingegangen, denn in dem düsteren Loch konnte kaum etwas überleben.

»Tritt näher, mein Kind«, sagte der Onkel und winkte Eliza zu sich. »Komm ins Licht, damit ich dich ansehen kann.«

Eliza ging um den Schreibtisch herum und blieb neben ihm stehen. Der Geruch im Zimmer war intensiver geworden, beinahe als würde ihr Onkel selbst ihn ausdünsten.

Er streckte eine leicht zitternde Hand aus und streichelte Eliza über das lange rote Haar. Nur leicht, ganz zart. Dann zog er die Hand wieder zurück, als hätte er sich verbrannt.

Er schüttelte sich.

»Ist Ihnen nicht gut, Onkel? Solch ich jemanden zu Hilfe holen?«

»Nein«, erwiderte er hastig. »Nein.« Noch einmal streichelte er ihr das Haar, schloss die Augen. Eliza stand so nah bei ihm, dass sie die Bewegung der Augäpfel unter seinen Lidern sehen, die winzigen Schluckgeräusche in seiner Kehle hören konnte. »Wir haben so lange gesucht, überall, um deine Mutter ... um unsere Georgiana nach Hause holen zu können.«

»Ja, Sir.« Mary hatte ihr davon erzählt. Von Onkel Linus' Liebe zu seiner jüngeren Schwester, wie es ihm das Herz gebrochen hatte, als sie verschwand, von seinen häufigen Fahrten nach London. Von der Suche, die seine Jugend und seine ohnehin spärliche gute Laune verzehrt hatte, von dem Eifer, mit dem er jedes Mal von Blackhurst aufgebrochen war, und der unvermeidlichen Niedergeschlagenheit bei seiner Rückkehr. Wie er sich in die Dunkelkammer zurückgezogen, sich dem Sherry hingegeben und jeden guten Rat zurückgewiesen hatte, selbst den von Tante Adeline, bis Mr Mansell wieder einmal mit einer neuen Spur erschienen war.

»Wir sind zu spät gekommen.« Sein Streicheln wurde heftiger, er wickelte sich Elizas Haare wie ein Band um die Finger. Er zog so heftig an ihren Haaren, dass sie sich an der Schreibtischkante festhalten musste, um nicht umzufallen. Sein Gesicht zog sie völlig in seinen Bann, es war das Gesicht des verwundeten Märchenkönigs, den seine Untertanen verlassen hatten. »Wir sind zu spät gekommen. Aber jetzt bist du hier. Durch Gottes Gnade habe ich eine neue Chance erhalten.«

»Wie bitte?«

Ihr Onkel ließ seine Hand in den Schoß fallen, und seine Augenlider öffneten sich. Er deutete auf eine kleine, mit einem cremefarbenen Musselinteppich geschmückte Bank an der gegenüberliegenden Wand. »Setz dich«, sagte er.

Eliza blinzelte ihn verständnislos an.

»Setz dich.« Er humpelte zu einem schwarzen Stativ, das an der Wand stand. »Ich will dich fotografieren.«

Eliza war noch nie fotografiert worden, und sie war auch nicht interessiert daran. Sie war gerade im Begriff, ihm das zu sagen, als die Tür geöffnet wurde.

»Das Geburtstagsessen ist serv…« Tante Adelines Satz endete in einem schrillen Ton. Sie schlug sich die dürre Hand an die Brust. »Eliza!« Heftig atmend sagte sie: »Was denkst du dir eigentlich, Mädchen? Ab nach oben. Rose möchte dich sehen.«

Eliza nickte und eilte zur Tür.

»Und hör auf, deinen Onkel zu belästigen«, zischte Tante Adeline, als Eliza an ihr vorbeiging. »Siehst du nicht, dass er erschöpft ist von seiner Reise?«

Der Tag war also gekommen. Adeline hatte nicht gewusst, welche Form er annehmen würde, aber die Drohung hatte ständig in der Luft gelegen, an dunklen Orten gelauert und verhindert, dass sie sich jemals wirklich hatte entspannen können. Zähneknirschend unterdrückte sie ihre Wut, bis ihr der Hals schmerzte. Zwang sich, das Bild wieder zu verdrängen. Georgianas Tochter, das lange Haar offen, für jeden sichtbar ein Geist aus der Vergangenheit, und dazu der Ausdruck auf Linus' Gesicht, die alten Züge verzerrt vom Verlangen eines jungen Mannes. Unfassbar, dass er das Mädchen fotografieren wollte! Was er für Adeline nie getan hatte. Nicht einmal für Rose.

»Schließen Sie bitte die Augen, Lady Mountrachet«, sagte ihre Zofe. Adeline tat, wie ihr geheißen. Den warmen Atem der Frau zu spüren, die ihr die Augenbrauen kämmte, hatte etwas seltsam Tröstliches. Ach, wenn sie doch immer so dasitzen könnte, den warmen, süßen Atem dieser einfachen, fröhlichen jungen Frau im Gesicht und frei von all den quälenden Gedanken. »Sie können die Augen wieder aufmachen, Ma'am, ich hole Ihre Perlen.«

Die Zofe eilte davon, und Adeline war allein. Sie beugte sich vor. Ihre Brauen waren geglättet, ihr Haar war ordentlich frisiert. Sie zwickte sich in die Wangen, vielleicht heftiger, als notwendig war, dann lehnte sie sich wieder zurück, um das Gesamtergebnis zu begutachten. Wie grausam war es doch zu altern! Kleine Veränderungen, die unbemerkt eintraten und nicht aufzuhalten waren. Der Nektar der Jugend rann durch ein Sieb, dessen Löcher immer größer wurden. »Und so wurdest du vom Freund zum Feind«, flüsterte Adeline dem erbarmungslosen Spiegel zu.

»So, Ma'am«, sagte die Zofe. »Das Collier mit den Rubinen am Verschluss. Für diesen glücklichen Anlass genau das Richtige. Wer hätte das gedacht? Ein Festessen zu Miss Roses achtzehntem Geburtstag! Das nächste Fest wird bestimmt eine Hochzeit, glauben Sie mir ...«

Während ihre Zofe munter vor sich hin plapperte, wandte Adeline den Blick vom Spiegel ab, um nicht länger ihren eigenen Verfall betrachten zu müssen.

Das Foto hing an seinem angestammten Platz neben ihrem Frisiertisch. Wie gut sie in ihrem Brautkleid aussah, wie vollkommen. Niemand hätte angesichts dieses Fotos geahnt, wie viel Selbstbeherrschung es sie gekostet hatte, nach außen hin dieses Beispiel an Gelassenheit abzugeben. Linus seinerseits sah vom Scheitel bis zur Sohle wie der perfekte Bräutigam aus. Ein bisschen missmutig vielleicht, aber so wollte es nun einmal der Brauch.

Ein Jahr nach Georgianas Verschwinden hatten sie geheiratet. Vom Zeitpunkt ihrer Verlobung an hatte Adeline Langley hart daran gearbeitet, sich neu zu definieren. Sie war fest entschlossen, sich des großartigen, alten Namens Mountrachet als würdig zu erweisen: Sie hatte sich ihren Akzent aus dem Norden und ihre kleinstädtischen Eigenheiten abgewöhnt, Mrs Beetons Benimmregeln verschlungen und sich sowohl in den verwandten Künsten des Hochmuts und der Vornehmheit geschult. Wenn ihre Herkunft in Vergessenheit geraten sollte, das wusste Adeline, dann musste sie mehr als eine perfekte Dame werden.

»Hätten Sie gern Ihre grüne Haube, Lady Mountrachet?«, fragte die Zofe. »Sie passt einfach so gut zu Ihrem Kleid, und Sie werden einen Hut brauchen, wenn Sie sich auf den Weg in die Bucht machen.«

Ihre Hochzeitsnacht war nicht im Entferntesten so gewesen, wie Adeline es sich vorgestellt hatte. Sie war sich nicht ganz sicher, und danach zu fragen, war undenkbar, aber sie vermutete, dass Linus ebenfalls enttäuscht war. Danach hatten sie nur noch selten das Ehebett geteilt, und noch weniger, nachdem Linus damit begonnen hatte herumzureisen. Um zu fotografieren, hatte er gesagt, aber Adeline kannte die Wahrheit.

Wie wertlos sie sich fühlte. Wie gescheitert als Frau und als Gattin. Noch schlimmer, gescheitert als Dame der Gesellschaft. Denn trotz aller Bemühungen wurden sie nur selten eingeladen. Linus, wenn er sich einmal in Blackhurst aufhielt, war ein erbärmlicher Gesellschafter, blieb meist für sich und beantwortete Fragen nur, wenn es unumgänglich war, und auch nur mit feindseligen Bemerkungen. Als Adeline schließlich zu kränkeln begann und blass und erschöpft aussah, schrieb sie das ihrer Verzweiflung zu. Erst als ihr Bauch immer dicker wurde, begriff sie, dass sie schwanger war.

»So, Lady Mountrachet. Jetzt sind Sie bereit für das Fest.«

»Danke, Poppy.« Adeline rang sich ein schmallippiges Lächeln ab. »Ich brauche dich dann nicht mehr.«

Als sich die Tür schloss, legte Adeline ihr Lächeln ab und betrachtete sich erneut im Spiegel.

Rose war die rechtmäßige Erbin des Mountrachet-Ruhms. Dieses Mädchen, Georgianas Tochter, war nichts als ein Kuckuck, geschickt, um den Platz von Adelines Kind einzunehmen. Es aus dem Nest zu stoßen, das Adeline mit so viel Mühe zu ihrem eigenen gemacht hatte.

Eine Zeit lang hatte sich die Ordnung aufrechterhalten lassen. Adeline hatte Rose mit den neuesten Kleidern geschmückt und ihr Zimmer mit einem hübschen Sofa ausstatten lassen, während Eliza Roses abgelegte Kleider aus der Vorsaison tragen musste. Roses Umgangsformen und dazu ihr feminines Naturell waren perfekt, wohingegen Eliza sich allen Erziehungsbemühungen widersetzte. Adeline konnte beruhigt sein.

Aber als die Mädchen älter wurden und unaufhaltsam zu Frauen heranwuchsen, änderten sich die Dinge und entglitten Adelines Kontrolle. Elizas Fleiß beim Unterricht war eine Sache – niemand mochte eine intelligente Frau –, aber da sie sich häufig im Freien an der frischen Seeluft aufhielt, strotzte sie vor Gesundheit, ihr Haar, das verfluchte rote Haar, trug sie lang und offen, und sie besaß mittlerweile deutlich weibliche Formen.

Erst kürzlich hatte Adeline im Vorbeigehen eins der Dienstmädchen schwärmen hören, wie schön Miss Eliza sei, schöner noch als ihre Mutter. Adeline war vor Schreck erstarrt, als sie Georgianas Namen vernommen hatte. Nachdem sie jahrelang Ruhe davor gehabt hatte, lauerte der Name nun wieder hinter jeder Ecke. Verspottete sie und erinnerte sie an ihre eigene Minderwertigkeit, ihr eigenes Versagen, von der feinen Gesellschaft ganz akzeptiert zu werden, obwohl sie so viel härter daran gearbeitet hatte als Georgiana.

Adeline spürte ein dumpfes Pochen in ihren Schläfen. Sie drückte leicht mit der Hand dagegen. Irgendetwas stimmte nicht mit Rose. Diese Stelle an ihrer Schläfe war Adelines sechster Sinn. Seit Roses frühester Kindheit hatte Adeline die Krankheiten ihrer Tochter immer im Voraus erspüren können. Es war ein unzerstörbares Band, das Band zwischen Mutter und Tochter.

Und jetzt war da wieder dieses Pochen in der Schläfe. Entschlossen presste Adeline die Lippen zusammen. Sie betrachtete ihre strenge Stirn, als gehörte sie einer Fremden, der Dame eines vornehmen Hauses, einer Frau, die alles unter Kontrolle hatte.

Sie holte tief Luft und sog mit dem Atem Kraft in die Lunge dieser Frau. Rose musste beschützt werden, die arme Rose, die nicht einmal merkte, dass Eliza eine Gefahr für sie darstellte.

Eine Idee nahm in Adelines Kopf Gestalt an. Sie konnte Eliza nicht wegschicken, das würde Linus niemals zulassen, und Rose würde es viel zu großen Kummer bereiten. Außerdem war es besser, den Feind in der Nähe zu wissen, aber vielleicht würde es Adeline ja gelingen, unter irgendeinem Vorwand eine Zeit lang mit Rose ins Ausland zu reisen. Nach Paris oder vielleicht sogar nach New York? Ihr die Möglichkeit zu geben zu glänzen, ohne das störende grelle Licht, mit dem Eliza jedermanns Aufmerksamkeit auf sich zog und Rose damit aller Chancen beraubte ...

Adeline glättete ihren Rock und ging zur Tür. Eins war gewiss, es würde heute keinen Ausflug in die Bucht geben. Es war ein törichtes Versprechen, das sie in einem schwachen Augenblick gegeben hatte. Gott sei Dank blieb ihr noch Zeit, ihren Fehler zu korrigieren. Sie würde nicht zulassen, dass Elizas Verderbtheit auf Rose abfärbte.

Adeline schloss die Tür hinter sich und ging mit raschelnden Röcken den Korridor hinunter. Was Linus betraf, den würde sie schon beschäftigen. Sie war schließlich seine Frau, und es war ihre Pflicht, dafür zu sorgen, dass er keine Gelegenheit bekam, sich mit seiner Triebhaftigkeit selbst zu schaden. Er würde nach London verfrachtet werden, Adeline würde einige Ministerfrauen darum bitten, seine Dienste in Anspruch zu nehmen und ihn zu Fotoaufnahmen an abgelegene, exotische Orte zu schicken. Sie konnte nicht zulassen, dass durch Satans nutzlose Hände Unheil angerichtet wurde.

Linus lehnte sich auf seinem Gartenstuhl zurück und hakte seinen Spazierstock unter der verzierten Armlehne ein. Die Sonne ging unter, und die Dämmerung legte sich mit ihrem orange-

und rosafarbenen Licht über den westlichen Rand des Anwesens. Den ganzen Monat über hatte es viel geregnet, und der Garten glitzerte in all seiner Pracht. Aber Linus interessierte das alles nicht.

Seit Jahrhunderten hatten die Mountrachets sich als eifrige Gartengestalter hervorgetan. Linus' Vorfahren waren um die ganze Welt gereist auf der Suche nach exotischen Pflanzen, mit denen sie ihren Garten verschönern konnten. Linus hatte dieses gärtnerische Geschick nicht geerbt. Die Gärtnerin in der Familie war seine kleine Schwester gewesen …

Na ja, das war nicht die ganze Wahrheit.

Zwar lag es lange zurück, aber es hatte eine Zeit gegeben, da hatte er den Garten geliebt. Als Junge hatte er Davies bei seinen Runden begleitet, hatte die stachligen Blumen im Antipodengarten und die Ananasstauden im Gewächshaus bestaunt und voller Verwunderung die winzigen Pflänzchen betrachtet, die über Nacht an Stellen aufgetaucht waren, wo er zuvor mitgeholfen hatte, die Samen auszusäen.

Das Wunderbarste jedoch war gewesen, dass Linus in den Gartenanlagen gelernt hatte, sich nicht mehr zu schämen. Den Pflanzen, Bäumen und Blumen war es egal gewesen, dass sein linkes Bein zu früh aufgehört hatte zu wachsen und mehrere Zentimeter kürzer war als das rechte. Dass sein linker Fuß nur ein nutzloses Anhängsel war, verkümmert und krumm, absonderlich. In den Gartenanlangen von Blackhurst war Platz für alles und jeden.

Dann, im Alter von sieben Jahren, hatte Linus sich im Labyrinth verirrt. Davies hatte ihn davor gewarnt, allein hineinzugehen, ihm erklärt, dass der Weg lang und dunkel sei, voller Hindernisse, aber Linus war so stolz auf seine sieben Jahre gewesen, hatte sich groß und unverwundbar gefühlt. Das Labyrinth mit seinen dichten, üppigen Wänden, mit der Verheißung von Abenteuer, hatte ihn unwiderstehlich angelockt. Er war ein edler Ritter, bereit, es mit dem wildesten Drachen im ganzen Land aufzunehmen, und er würde triumphierend aus der Schlacht hervorgehen. Und den Weg zum Ausgang auf der anderen Seite finden.

Linus hatte nicht vorhersehen können, wie dunkel es im Labyrinth werden würde und wie schnell das ging. Im Dämmerlicht begannen die Umrisse ein Eigenleben zu entwickeln, grinsten ihn bösartig aus ihren Verstecken an, hohe Hecken verwandelten sich in hungrige Ungeheuer, niedrige Hecken führten ihn in die Irre: Sooft er glaubte, auf dem richtigen Weg zu sein, war er in Wirklichkeit im Kreis gelaufen. Oder doch nicht?

Bis zur Mitte war er gekommen, ehe die Verzweiflung ihn völlig übermannt hatte. Dann, als wäre alles noch nicht schlimm genug, war er über einen Messingring gestolpert, der auf einer Bodenplattform angebracht war, und so unglücklich gestürzt, dass er sich den gesunden Knöchel völlig verrenkt hatte. Ihm war nichts anderes übrig geblieben, als mit schmerzendem Knöchel dazusitzen, während ihm heiße Tränen der Wut über die Wangen liefen.

Linus hatte gewartet und gewartet. Aus der Dämmerung wurde Dunkelheit, aus Kühle Kälte, und seine Tränen trockneten. Später erfuhr er, dass sein Vater sich geweigert hatte, jemanden zu schicken, um ihn zu suchen. Er sei schließlich ein Junge, sagte sein Vater, und behindert oder nicht, ein richtiger Junge würde aus eigener Kraft den Weg aus dem Labyrinth herausfinden. Schließlich habe er selbst – Saintjohn Luke – es geschafft, als er gerade mal vier Jahre alt gewesen war. Sein Sohn solle gefälligst nicht so zimperlich sein.

Linus hatte die halbe Nacht vor Kälte gezittert, bis schließlich seine Mutter den Vater dazu überreden konnte, Davies nach Linus suchen zu lassen.

Es hatte eine Woche gedauert, bis Linus' Knöchel wieder verheilt war, aber danach hatte sein Vater ihn zwei Wochen lang jeden Tag ins Labyrinth geschickt. Hatte von ihm verlangt, seinen

Weg hindurchzufinden, und ihn jedes Mal für sein unvermeidliches Scheitern gescholten. Linus begann, nachts vom Labyrinth zu träumen und tagsüber aus dem Gedächtnis Lagepläne von dem Irrgarten zu zeichnen. Er arbeitete daran wie an einem mathematischen Problem, denn er wusste, es musste eine Lösung geben. Wenn er ein richtiger Junge war, dann würde er sie auch finden.

Nach zwei Wochen gab sein Vater auf. Am fünfzehnten Morgen, als Linus zu seinem Test erschien, ließ sein Vater nicht einmal die Zeitung sinken. »Du bist eine einzige Enttäuschung«, sagte er, »ein Dummkopf, der es nie zu etwas bringen wird.« Er blätterte eine Seite um, strich sie glatt und überflog die Überschrift. »Geh mir aus den Augen.«

Linus hatte sich nie wieder auch nur in die Nähe des Labyrinths begeben. Unfähig, seinen Eltern die Schuld an seinem schändlichen Versagen zu geben – sie hatten ja recht, welcher richtige Junge würde nicht seinen Weg durch ein Labyrinth finden? –, machte er den Garten verantwortlich. Er begann, kleine Äste von Sträuchern abzubrechen, Blumen auszurupfen und Schösslinge niederzutrampeln.

Jeder Mensch wird von Dingen geprägt, die außerhalb seines Einflusses liegen, von ererbten Charakterzügen und von erlernten Eigenschaften. Was Linus prägte, war das Bein, das nicht weiter wachsen wollte. Seine Behinderung ließ ihn schüchtern werden, aus Schüchternheit begann er zu stottern, und er wuchs zu einem unausstehlichen Jungen heran, der begriffen hatte, dass er nur Aufmerksamkeit auf sich lenken konnte, indem er sich schlecht benahm. Er weigerte sich, das Haus zu verlassen, was dazu führte, dass seine Haut blass wurde und sein gesundes Bein immer dünner. Er warf seiner Mutter Insekten in den Tee, steckte Dornen in die Hausschuhe seines Vaters und ließ ohne Murren jede Bestrafung über sich ergehen. Und so war der weitere Verlauf seines Lebens vorherbestimmt.

Als er zehn Jahre alt war, wurde seine kleine Schwester geboren.

Linus verachtete sie vom ersten Augenblick an. So weich und hübsch und gesund. Und, wie Linus bei einem Blick unter ihr langes Spitzenkleidchen entdeckte, perfekt ausgebildet. Beide Beine gleich lang. Hübsche kleine Füße, kein Stück nutzloses, verschrumpeltes Fleisch zu sehen.

Aber schlimmer noch als ihre körperliche Vollkommenheit war ihre gute Laune. Ihr rosiges Lächeln, ihr helles Lachen. Wie kam sie dazu, so glücklich zu sein, während er, Linus, sich so elend fühlte?

Linus beschloss, etwas dagegen zu unternehmen. Immer wenn er sich von seinem Kindermädchen entfernen konnte, schlich er sich ins Kinderzimmer und kniete sich vor das Bettchen. Wenn das Baby schlief, machte er unverhofft ein lautes Geräusch, um es zu erschrecken. Wenn es nach einem Spielzeug greifen wollte, brachte er es außer Reichweite. Wenn die Kleine die Arme ausbreitete, verschränkte er seine. Wenn sie lächelte, zog er eine fürchterliche Grimasse.

Sie ließ sich davon jedoch überhaupt nicht beeindrucken. Nichts, was Linus anstellte, brachte sie zum Weinen, nichts konnte ihr sonniges Gemüt beeinträchtigen. Das verwirrte ihn, und so begann er, heimtückische und besondere Bestrafungen für seine kleine Schwester zu erfinden.

Als Linus zum Jugendlichen heranwuchs, wurde er noch linkischer, seine Arme waren lang und schlaksig, und aus seinem pickligen Kinn sprossen merkwürdige rötliche Härchen. Georgiana erblühte zu einem hübschen Kind, das von allen geliebt wurde. Selbst den verbittertsten Pächtern entlockte sie ein Lächeln, Bauern, die seit Jahren kein freundliches Wort für die Familie Mountrachet übrig gehabt hatten, schickten körbeweise Äpfel in die Küche des Hauses, um Miss Georgiana zu erfreuen.

Eines Tages, als Linus auf der Fensterbank saß und mit seinem geliebten neuen Vergrößerungsglas Ameisen zu Asche verbrannte, rutschte er ab und fiel auf den Boden. Er selbst blieb unverletzt, doch sein kostbares Glas zersplitterte in hundert Teile. So wütend über den Verlust seines wertvollen Spielzeugs und so sehr daran gewöhnt, sich selbst zu enttäuschen, brach er trotz seiner dreizehn Jahre in Tränen aus und begann, hemmungslos zu schluchzen. Er erging sich in Selbstmitleid, hasste sich selbst dafür, dass er so ungeschickt gefallen war, dass er nicht klug genug war, keine Freunde hatte, nicht geliebt wurde und behindert auf die Welt gekommen war.

Blind vor Tränen hatte er nicht bemerkt, dass sein Sturz beobachtet worden war. Es wurde ihm erst klar, als er spürte, dass jemand seinen Arm berührte. Er blickte auf und sah seine kleine Schwester dort stehen, die ihm etwas entgegenhielt. Es war Claudine, ihre Lieblingspuppe.

»Linus traurig«, sagte sie. »Armer Linus. Claudine macht Linus glücklich.«

Linus verschlug es die Sprache, er nahm die Puppe und schaute seine kleine Schwester an, die sich neben ihn setzte.

Mit einem erst unsicheren, dann höhnischen Grinsen drückte er eins von Claudines Augen ein. Dann musterte er seine Schwester, um festzustellen, welche Wirkung seine Zerstörungswut auf sie hatte.

Sie nuckelte am Daumen, den Blick fest auf ihn gerichtet, die großen blauen Augen voller Mitgefühl. Nach einem Augenblick nahm sie die Puppe und drückte ihr das andere Auge ein.

Von dem Tag an waren sie ein Herz und eine Seele. Klaglos, ohne die Miene zu verziehen, nahm sie die Wutanfälle ihres Bruders hin, seinen grausamen Humor, die boshaften Charakterzüge, die er aufgrund des Mangels an Liebe entwickelt hatte. Sie ertrug seine Streitsucht, ließ sich von ihm beschimpfen und später auch liebkosen.

Wenn man sie nur damit in Ruhe gelassen hätte, hätte sich alles zum Guten wenden können. Aber weder der Vater noch die Mutter konnten es dulden, dass jemand Linus liebte. Er hörte sie tuscheln – zu viel Zeit zusammen, gehört sich nicht, schadet der Gesundheit –, und wenige Monate später wurde er in ein Internat abgeschoben.

Seine Noten waren katastrophal, dafür hatte Linus gesorgt, aber da sein Vater früher mit dem Leiter des Balliol-College auf die Jagd gegangen war, wurde schließlich für Linus ein Platz in Oxford gefunden. Das einzig positive Ergebnis seines Studiums war die Entdeckung der Fotografie. Ein einfühlsamer junger Englischlehrer hatte ihn seine Kamera benutzen lassen und ihn anschließend beim Kauf einer eigenen Kamera beraten.

Im Alter von dreiundzwanzig Jahren war Linus nach Blackhurst zurückgekehrt. Wie groß sein Püppchen geworden war! Erst dreizehn und so hochgewachsen. Das längste rote Haar, das er je gesehen hatte. Anfangs war er ihr gegenüber ganz schüchtern: Sie hatte sich sehr verändert, und er musste sie neu kennenlernen. Aber eines Tages, als er in der Nähe der Bucht Fotos machte, hatte er sie in seinem Sucher entdeckt. Sie saß oben auf dem schwarzen Felsen, das Gesicht dem Meer zugewandt. Die Meeresbrise wehte durch ihr Haar, sie hatte die Arme um die Knie geschlungen, und ihre Beine waren nackt.

Linus stockte der Atem. Er blinzelte und beobachtete, wie sie langsam den Kopf drehte und in seine Richtung schaute. Während andere Menschen, die fotografiert wurden, das Wissen um die Tatsache, dass sie beobachtet wurden, nicht aus ihrem Blick verbannen konnten, war Georgiana vollkommen unbefangen. Sie schien durch die Kamera hindurch direkt in seine Augen zu sehen. In ihrem Blick lag dasselbe Mitgefühl wie damals vor all den Jahren, als er so geweint hatte. Ohne nachzudenken, drückte er auf den Auslöser. Ihr Gesicht, dieses perfekte Gesicht, und nur er würde es mit der Kamera einfangen.

Vorsichtig nahm Linus das Foto aus seiner Manteltasche. Er berührte es ganz behutsam, denn es war mittlerweile alt, die Ränder brüchig. Die Sonne war zwar schon fast untergegangen, aber wenn er das Foto im richtigen Winkel hielt ...

Wie oft hatte er schon so dagesessen und es gedankenversunken betrachtet, nachdem sie verschwunden war? Es war der einzige Abzug, den er besaß, denn nachdem Georgiana fort war, hatte sich jemand – seine Mutter? Adeline? Oder einer ihrer Lakaien? – in seine Dunkelkammer geschlichen und die Negative entfernt. Es gab nur dieses eine Foto, und es war auch nur deshalb noch erhalten, weil Linus es immer bei sich trug.

Aber jetzt gab es diese zweite Chance, und die würde er sich nicht entgehen lassen. Er war kein Kind mehr, sondern der Herr von Blackhurst. Mutter und Vater lagen längst in ihren Gräbern. Nur seine Ehefrau, diese lästige Person, und ihre kränkelnde Tochter waren noch da, und von denen würde er sich keine Steine in den Weg legen lassen. Er hatte Adeline nur den Hof gemacht, um seine Eltern für Georgianas Flucht zu bestrafen, und die Verlobung war für die Eltern ein so brutaler, tödlicher Schlag gewesen, dass die ständige Unterbringung dieser Frau in seinem Haus ihm als ein vergleichsweise geringer Preis erschienen war. Und so war es gewesen. Sie ließ sich leicht ignorieren. Er war der Hausherr, und was er wollte, würde er bekommen.

Eliza. Sehnsüchtig flüsterte er ihren Namen und ließ ihn langsam verklingen. Seine Lippen zitterten so sehr, dass er sie fest zusammenpressen musste.

Er würde ihr ein Geschenk machen. Ein Geburtstagsgeschenk. Etwas, das ihm ihre Dankbarkeit sichern würde. Etwas, von dem er wusste, dass es ihr gefallen würde, und wie sollte es anders sein, wo es doch ihrer Mutter vor langer Zeit so sehr gefallen hatte?

32 *Cliff Cottage* *Cornwall, 2005*

Als Cassandra durch das Tor trat, war sie einmal mehr überwältigt von der seltsamen, schweren Stille, die über dem Haus und dem Garten lag. Und sie nahm noch etwas anderes wahr, etwas, das sie deutlich spürte, aber nicht benennen konnte. Ein merkwürdiges Gefühl von Verschwörung. Als würde sie sich, indem sie das Tor durchschritt, auf einen geheimen Pakt einlassen, dessen Regeln ihr unbekannt waren.

Diesmal war es früher am Tag als bei ihrem letzten Besuch, und der Garten war von Sonnenlicht gesprenkelt. Da der Gärtner erst in einer Viertelstunde eintreffen würde, steckte Cassandra den Schlüssel wieder in die Tasche und beschloss, sich ein bisschen umzusehen.

Ein schmaler Steinpfad, der fast gänzlich von Flechten überwuchert war, wand sich durch den Garten und führte seitlich ums Haus herum. Das Gestrüpp neben dem Haus war so dicht, dass sie sich erst den Weg freikämpfen musste.

Etwas hier erinnerte sie an Nells Garten in Brisbane. Weniger die Pflanzen als die Stimmung. Solange Cassandra sich erinnern konnte, war Nells Garten ein wilder, von schmalen, gewundenen Steinpfaden durchzogener Dschungel aus Stauden, Kräutern und einjährigen Blumen gewesen. So ganz anders als die anderen Vorortgärten mit ihren großen, gelblich verdorrten Rasenflächen und vereinzelten, halb vertrockneten Rosen in weiß gestrichenen Autoreifen.

Hinter dem Haus blieb Cassandra stehen. Ein dichtes Gewirr aus Brombeerranken hatte den Weg überwuchert, mindestens drei Meter hoch. Die Sträucher wuchsen in einer geraden Linie, so als hätten sie aus eigenem Antrieb eine Mauer gebildet.

Cassandra ging an der Hecke entlang, betastete hier und da

gezackte Efeublätter. Sie kam nur langsam voran, denn das Gestrüpp reichte ihr bis zu den Knien, und sie musste aufpassen, um nicht bei jedem Schritt zu stolpern. Auf halbem Weg entdeckte sie eine kleine Lücke in den Ranken, die aber groß genug war, um zu sehen, dass keinerlei Licht hindurchfiel, dass etwas Massives sich dahinter befinden musste. Vorsichtig, um sich nicht an den Dornen zu verletzen, langte Cassandra in die Lücke hinein, immer tiefer, bis die Hecke ihren Arm bis an die Schulter verschlungen hatte. Dann trafen ihre Finger auf etwas Hartes und Kaltes.

Eine Mauer, eine moosbedeckte Steinmauer, schloss sie, als sie ihre grün verschmierten Fingerspitzen betrachtete. Sie wischte sich die Hände an ihren Jeans ab, zog die Besitzurkunde aus der Tasche und faltete den Lageplan auseinander. Das Haus war deutlich eingezeichnet, ein kleines Quadrat am Ende des Grundstücks. Aber dem Plan war ebenfalls zu entnehmen, dass die hintere Grundstücksgrenze ein ganzes Stück weiter entfernt verlief. Cassandra faltete den Plan wieder zusammen und steckte ihn ein. Wenn der Plan stimmte, dann war diese Mauer Teil von Nells Besitz, nicht seine Begrenzung. Sie gehörte zum Haus, ebenso wie das, was auch immer sich dahinter befand.

Cassandra kämpfte sich weiter an der Mauer entlang in der Hoffnung, ein Tor oder eine Tür oder irgendeinen Durchgang zu finden. Die Sonne war höher gestiegen, und die Vögel zwitscherten weniger aufgeregt. In der Luft lag der schwere, süße Duft einer Kletterrose. Obwohl es Herbst war, begann Cassandra zu schwitzen, wunderte sich, dass sie sich England immer als kaltes Land vorgestellt hatte, das keine Sonne kannte. Als sie stehen blieb, um sich den Schweiß von der Stirn zu wischen, stieß sie sich an einem knorrigen, tief hängenden Ast den Kopf, der wie ein Arm über die Mauer ragte.

Ein Apfelbaum, stellte sie fest, als sie die glänzenden, goldenen Früchte sah, die der Ast trug. Sie waren so reif und dufteten so köstlich, dass sie nicht widerstehen konnte, einen zu pflücken.

Cassandra warf einen Blick auf ihre Uhr, betrachtete noch einmal sehnsüchtig die Brombeerhecke und machte sich auf den Rückweg. Später konnte sie ihre Suche nach einem Durchgang fortsetzen, aber sie wollte den Gärtner nicht verpassen. Das Gefühl der Abgeschiedenheit war so stark, dass sie fürchtete, ihn von hier aus nicht zu hören, wenn er nach ihr rief.

Sie schloss die Haustür auf und trat ein.

Das Haus schien zu lauschen, abzuwarten, was sie tun würde. Zärtlich fuhr sie mit der Hand über eine Wand. »Mein Haus«, flüsterte sie. »Das ist mein Haus.«

Ihre Worte drangen dumpf in die Wände ein. Wie seltsam, wie unerwartet. Sie ging in die Küche, an dem Spinnrad vorbei und in das kleine, nach vorn gelegene Wohnzimmer. Jetzt, wo sie allein war, machte das Haus einen ganz anderen Eindruck auf sie. Irgendwie vertrauter, wie ein Ort, an dem sie vor langer Zeit schon einmal gewesen war.

Sie setzte sich in einen alten Schaukelstuhl. Cassandra kannte sich mit alten Möbeln aus und wusste, dass er nicht zusammenbrechen würde, dennoch war sie vorsichtig. Als wäre der rechtmäßige Besitzer des Stuhls irgendwo in der Nähe und könnte jeden Augenblick auftauchen und einen Eindringling auf seinem Platz vorfinden.

Während sie den Apfel an ihrem T-Shirt blank rieb, schaute sie durch das staubige Fenster. Ranken hatten vor der Scheibe ein grünes Geflecht gebildet, aber durch die Lücken konnte sie in den verwilderten Garten sehen. Sie entdeckte eine kleine Skulptur, die ihr vorher gar nicht aufgefallen war, ein Kind, ein kleiner Junge, der auf einem Stein hockte und mit großen Augen das Haus betrachtete.

Cassandra biss in ihren Apfel und genoss den süßen Duft. Ein Apfel von einem Baum in ihrem eigenen Garten, einem vor langer, langer Zeit gepflanzten Baum, der immer noch Früchte trug. Jahrein, jahraus. Der Apfel schmeckte unglaublich süß. Schmeckten Äpfel immer so süß?

Sie gähnte. Die Sonne hatte sie schläfrig gemacht. Sie würde noch ein bisschen hier sitzen bleiben, nur ein Weilchen, bis der Gärtner kam. Sie nahm noch einen großen Bissen. Im Zimmer schien es jetzt wärmer zu sein als zuvor. Als würde ein Feuer im Herd brennen, als wäre jemand in der Küche und dabei, das Mittagessen zuzubereiten. Ihre Lider wurden schwer, und sie schloss die Augen. Irgendwo sang ein Vogel eine einsame, liebliche Melodie, vom Wind getriebene Blätter schlugen zart gegen die Fensterscheibe, und in der Ferne atmete das Meer in regelmäßigem Rhythmus, ein und aus, ein und aus …

… *ein und aus, ein und aus,* den ganzen Tag. Cassandra ging in der Küche auf und ab, blieb vor dem Fenster stehen, verbot sich jedoch einen weiteren Blick nach draußen. Schaute stattdessen noch einmal auf ihre Uhr. Er verspätete sich. Er hatte gesagt, um halb würde er da sein. Sie überlegte, ob seine Verspätung etwas zu bedeuten hatte, ob er aufgehalten worden war oder ob er es sich anders überlegt hatte. Ob er noch kommen würde.

Ihre Wangen glühten. Es war fürchterlich warm im Haus. Sie trat an den Herd und schaltete die Hitze herunter. Fragte sich, ob sie etwas hätte kochen sollen.

Ein Geräusch draußen vor dem Haus.

Ihre Ruhe war dahin. Er war eingetroffen.

Sie öffnete die Tür, und er trat wortlos ein.

Er wirkte so groß in dem engen Flur, und obwohl sie ihn gut kannte, war sie plötzlich ganz schüchtern und konnte ihm nicht in die Augen sehen.

Auch er war nervös, das war deutlich zu spüren, obgleich er sich alle Mühe gab, es sich nicht anmerken zu lassen.

Sie setzten sich einander gegenüber an den Küchentisch, die Lampe über ihnen flackerte. Ein seltsamer Ort, um an solch einem Abend zusammenzusitzen, aber so war es nun mal. Sie betrachtete ihre Hände, unsicher, wie sie sich verhalten sollte. Anfangs schien alles so einfach zu sein. Aber jetzt sah sie auf einmal lauter Fallstricke vor sich. Vielleicht verliefen solche Begegnungen immer so?

Er streckte eine Hand aus.

Sie erschrak, als er eine Strähne ihres Haars mit zwei Fingern nahm und sie, wie es ihr vorkam, eine Ewigkeit lang betrachtete. Dabei schien er sich weniger für ihre Haare zu interessieren als sich darüber zu wundern, dass er *ihre* Haare zwischen *seinen* Fingern hielt.

Schließlich hob er den Kopf, und ihre Blicke begegneten sich. Zärtlich legte er ihr seine Hand an die Wange. Dann lächelte er, und sie erwiderte sein Lächeln. Sie seufzte vor Erleichterung und noch aus einem anderen Grund. Er öffnete den Mund und sagte …

»Hallo?« Ein lautes Klopfen. »Hallo? Ist hier jemand?«

Cassandra öffnete die Augen. Der Apfel in ihrer Hand fiel zu Boden.

Sie hörte schwere Schritte, und dann stand plötzlich ein Mann in der Tür, groß, kräftig gebaut, etwa Mitte vierzig. Dunkles Haar, dunkle Augen, breites Lächeln.

»Hallo«, sagte der Mann und breitete die Hände mit einer Geste aus, als wollte er sich ergeben. »Sie machen ja ein Gesicht, als hätten Sie ein Gespenst gesehen.«

»Sie haben mich erschreckt«, sagte Cassandra verlegen und stand auf.

»Tut mir leid.« Er trat auf sie zu. »Die Tür war offen. Ich wusste nicht, dass Sie ein Nickerchen machen.«

»Hab ich auch nicht, ich meine, doch, hab ich, aber das war nicht vorgesehen. Ich wollte mich nur ein bisschen in dem Sessel ausruhen, und …« Cassandra ließ den Satz unvollendet, als ihr der Traum wieder einfiel. Es war sehr lange her, dass sie etwas auch nur entfernt Erotisches geträumt hatte. Seit Nicks Tod nicht mehr. Wo in aller Welt war das bloß auf einmal hergekommen?

Der Mann grinste und reichte ihr die Hand. »Ich bin Michael Blake, der berühmte Landschaftsgärtner. Und Sie sind sicherlich Cassandra.«

»Richtig.« Sie errötete, als seine große, warme Hand die ihre umschloss.

Er schüttelte lächelnd den Kopf. »Mein Kumpel behauptet, Australierinnen seien die schönsten Frauen der Welt, aber ich hab ihm nie geglaubt. Jetzt weiß ich, dass er recht hat.«

Cassandra wusste vor Verlegenheit gar nicht, wohin sie ihren Blick richten sollte, und entschied sich schließlich für einen Punkt jenseits seiner linken Schulter. Selbst wenn sie völlig entspannt war, machte es sie nervös, wenn jemand so offen mit ihr flirtete, aber ihr Traum hatte sie dazu noch völlig durcheinandergebracht. Sie spürte ihn immer noch, ihr war, als hockte er in den Zimmerecken.

»Ich hab gehört, Sie haben ein Problem mit einem Baum?«

»Ja.« Cassandra blinzelte und nickte, während sie den Traum verdrängte. »Ja, das ist richtig. Danke, dass Sie gekommen sind.«

»Wenn eine Frau in Not ist, bin ich sofort zur Stelle.« Wieder lächelte er sein breites, unbefangenes Lächeln.

Cassandra zog ihre Strickjacke fester um sich. Sie versuchte, sein Lächeln zu erwidern, kam sich dabei jedoch ziemlich steif vor. »Er ist da drüben. Auf der Treppe.«

Michael folgte ihr durch den Flur, stieg ein paar Stufen hinauf und beugte sich vor dem Absatz vor, um um die Ecke sehen zu können. Er pfiff leise durch die Zähne. »Eine von den alten Kiefern. Sieht so aus, als würde sie schon eine ganze Weile da liegen.

Ist wahrscheinlich bei dem schlimmen Sturm fünfundneunzig umgefallen.«

»Können Sie den Baum entfernen?«

»Aber sicher können wir das.« Michael schaute über die Schulter an Cassandra vorbei. »Chris, kannst du mir die Kettensäge holen?«

Cassandra drehte sich um. Sie hatte gar nicht bemerkt, dass sich noch jemand anders im Haus befand. Ein zweiter Mann stand hinter ihr, schmaler als der andere, ein bisschen jünger und mit aschblonden Locken, die seinen Nacken umspielten. »Christian«, sagte er. Er streckte die Hand aus, zögerte, wischte sie sich an seinen Jeans ab, streckte sie ihr erneut entgegen.

Cassandra schüttelte ihm die Hand.

»Die Kettensäge, Chris«, sagte Michael. »Los, beeil dich ein bisschen.«

Nachdem Chris gegangen war, sah Michael Cassandra mit hochgezogenen Brauen an. »Ich muss ungefähr in einer halben Stunde im Hotel sein, aber keine Sorge, ich werde das meiste schaffen, und mein zuverlässiger Gehilfe kann dann den Rest erledigen.« Er lächelte und schaute Cassandra so direkt an, dass sie sich abwenden musste. »Das Haus gehört also Ihnen. Ich wohne schon mein ganzes Leben hier im Dorf und hab nie gedacht, dass es jemandem gehört.«

»Ich muss mich selbst noch an die Vorstellung gewöhnen.«

Michael sah sich in dem baufälligen Haus um. »Was will denn eine nette Australierin wie Sie mit so einer Bruchbude?«

»Ich hab sie geerbt. Meine Großmutter hat sie mir hinterlassen.«

»Ihre Großmutter war Engländerin?«

»Australierin. Sie hat es in den Siebzigerjahren gekauft, als sie hier in Urlaub war.«

»Als Souvenir? Gab es denn kein besticktes Geschirrtuch, das ihr gefiel?«

Christian erschien mit einer großen Kettensäge in der Tür. »Ist das die richtige?«

»Es ist eine Säge mit einer Kette«, sagte Michael mit einem Augenzwinkern in Cassandras Richtung. »Ich würde sagen, es ist die richtige.«

Cassandra drückte sich gegen die Wand, um den Mann mit der Kettensäge in dem engen Flur vorbeizulassen. Anstatt ihn anzusehen, tat sie so, als interessierte sie sich für eine lose Fußleiste. Irgendetwas an der Art, wie Michael mit Christian redete, machte sie verlegen.

»Chris ist noch neu im Gewerbe«, bemerkte Michael, der von Cassandras Betretenheit nichts mitbekam. »Der kennt noch nicht den Unterschied zwischen einer Kettensäge und einer Kappsäge. Der Junge ist noch ziemlich feucht hinter den Ohren, aber wir werden schon noch einen ordentlichen Holzfäller aus ihm machen.« Er grinste. »Er ist schließlich ein Blake, das liegt bei uns im Blut.« Er knuffte seinen Bruder spielerisch in die Rippen, dann machten die beiden sich an die Arbeit.

Cassandra atmete erleichtert auf, als die Kettensäge angeworfen wurde und sie endlich in den Garten flüchten konnte. Eigentlich täte sie besser daran, die Efeuranken abzuschneiden, die ins Haus hineinwucherten, aber die Neugier war stärker. Sie war entschlossen, einen Durchgang durch diese Mauer zu finden, und wenn sie den ganzen Tag dafür brauchen würde.

Die Sonne stand inzwischen hoch am Himmel, und es gab kaum noch Schatten. Cassandra zog ihre Strickjacke aus und legte sie auf einem Felsbrocken ab. Sonnenstrahlen tanzten über ihre Haut, und schon bald fühlte sich ihr Haar ganz heiß an. Sie wünschte, sie hätte sich einen Hut mitgebracht.

Während sie die Brombeerhecke absuchte, ihre Hand vorsichtig in jede Öffnung schob, immer darauf bedacht, sich nicht an den Dornen zu stechen, musste sie wieder an ihren Traum denken. Er war ganz besonders deutlich gewesen, und sie konnte sich an jede Einzelheit erinnern – an die Bilder, die Gerüche, ja selbst an die unbestreitbar erotische Stimmung, das Gefühl der verbotenen Lust.

Cassandra schüttelte den Kopf, um die verwirrenden, unerwünschten Empfindungen loszuwerden, und konzentrierte sich auf Nells Geheimnis. Am Vorabend hatte sie noch bis in die Nacht hinein in ihrem Notizheft gelesen, nach wie vor ein schwieriges Unterfangen. Als hätte der Schimmel die Sache nicht schon schlimm genug gemacht, war Nells ohnehin schon schwer leserliche Schrift noch krakeliger geworden, als sie nach Cornwall gekommen war. Manches war kaum mehr als Kritzelei, wahrscheinlich in aller Hast aufs Papier geworfen.

Dennoch gelang es ihr, die Zeilen zu entziffern. Sie war völlig fasziniert gewesen von Nells wiederkehrenden Erinnerungen, ihrer Gewissheit, dass sie als kleines Mädchen schon einmal in dem Haus gewesen war. Cassandra konnte es kaum erwarten, die Notizhefte zu lesen, die Julia entdeckt hatte, die Tagebücher, denen Nells Mutter einst ihre geheimsten Gedanken anvertraut hatte. Darin würde sie garantiert etwas Erhellendes über Nells Kindheit finden und womöglich sogar Hinweise darauf, wie und warum Nell mit Eliza Makepeace zusammen verschwunden war.

Ein Pfeifen, laut und schrill. Cassandra blickte auf in der Erwartung, irgendeinen Vogel zu erblicken.

Michael stand an der Hausecke und beobachtete sie. Er deutete auf die Brombeerhecke. »Das ist ja ein eindrucksvolles Gestrüpp!«

»Ich schneide es ein bisschen runter, dann geht's schon«, sagte sie und richtete sich unbeholfen auf. Hatte er sie schon länger beobachtet?

»Wenn Sie dem Zeug beikommen wollen, müssen Sie ihm schon mit der Kettensäge zu Leibe rücken«, sagte er grinsend.

»Ich fahre jetzt zum Hotel.« Mit einer Kopfbewegung deutete er zum Haus hinüber. »Das Gröbste ist geschafft. Ich lasse Chris hier, der kann den Rest erledigen. Das kriegt er schon hin, aber vielleicht sollten Sie darauf achten, dass er alles so hinterlässt, wie Sie es gern hätten.« Er lächelte wieder auf seine unbefangene Art. »Sie haben doch meine Nummer, nicht wahr? Rufen Sie mich an, dann zeige ich Ihnen ein bisschen die Gegend, solange Sie hier sind.«

Es war keine Frage. Cassandra lächelte zaghaft und bereute es auf der Stelle. Sie hatte den Verdacht, dass Michael zu der Sorte Menschen gehörte, die jede Reaktion als Zustimmung auffasste. Prompt zwinkerte er ihr zu, als er zurück zum Haus ging.

Seufzend wandte sie sich wieder der Hecke zu. Christian war durch das Loch geklettert, das der Baum ins Dach geschlagen hatte, hockte auf dem Dach und war dabei, mit einer Handsäge die Äste zu zerkleinern. Während Michael völlig lässig war, strahlte Christian bei allem, was er tat und anfasste, eine unglaubliche Intensität aus. Als er seine Sitzposition veränderte, wandte Cassandra den Blick ab und tat, als würde sie sich nur für ihre Hecke interessieren.

So arbeiteten sie jeder für sich weiter, und die konzentrierte Stille, die sich über sie legte, verstärkte alle anderen Geräusche: das Schnarren von Christians Säge, das Trippeln der Vögel auf den Dachschindeln, das leise Plätschern eines entfernten Rinnsals. Normalerweise genoss Cassandra es, schweigend zu arbeiten, sie war es gewöhnt, allein zu sein, und bevorzugte es sogar meistens. Nur jetzt war sie nicht allein, und je länger sie so tat, als sei sie es doch, desto mehr Spannung schien in der Luft zu liegen.

Schließlich hielt sie es nicht länger aus. »Hinter dieser Hecke befindet sich eine Mauer«, sagte sie lauter und schärfer als beabsichtigt. »Ich hab sie heute Morgen entdeckt.«

Christian blickte von seiner Arbeit auf. Schaute Cassandra an, als hätte sie soeben das Periodensystem aufgesagt.

»Aber ich weiß nicht, was sich dahinter verbirgt«, fuhr sie hastig fort. »Ich kann keinen Durchgang finden, und auf dem Lageplan, den meine Großmutter beim Kauf des Grundstücks bekommen hat, ist nichts eingezeichnet. Es ist alles von Ranken überwuchert, aber vielleicht können Sie ja von da oben was sehen?«

Christian betrachtete seine Hände, schien etwas sagen zu wollen.

Cassandra dachte: Er hat schöne Hände. Dann schob sie den Gedanken gleich wieder beiseite. »Können Sie sehen, was sich hinter der Mauer befindet?«

Er presste die Lippen zusammen, wischte sich die Hände an seinen Jeans ab und nickte schüchtern.

»Wirklich?« Damit hatte sie nicht gerechnet. »Was ist denn da? Können Sie es mir beschreiben?«

»Ich hab eine bessere Idee«, sagte er und schickte sich an, vom Dach herunterzuklettern. »Kommen Sie, ich zeig's Ihnen.«

Das Loch war klein, ganz unten in der Mauer und hinter Gestrüpp verborgen, sodass Cassandra noch ein Jahr lang danach hätte suchen können, ohne es zu finden. Christian kniete auf dem Boden und legte den engen Durchgang frei. »Ladys first«, sagte er und machte ihr Platz.

Cassandra schaute ihn an. »Ich dachte, es gäbe vielleicht ein Tor.«

»Wenn Sie eins finden, komme ich mit.«

»Ich soll also …« Sie betrachtete das Loch in der Mauer. »Ich weiß nicht, ob ich das kann, ob ich überhaupt weiß, wie man das macht …«

»Auf dem Bauch. Es ist nicht so eng, wie es aussieht.«

Da war Cassandra sich nicht so sicher. Es sah ziemlich eng aus. Aber ihre vergebliche Suche hatte ihre Entschlossenheit verstärkt:

Sie musste einfach wissen, was hinter der Mauer lag. Sie ging auf die Knie, lugte durch das Loch, dann drehte sie sich noch einmal zu Christian um. »Sind Sie sicher, dass das ungefährlich ist? Sind Sie schon mal da durchgekrochen?«

»Mindestens hundertmal.« Er kratzte sich am Hals. »Na ja, damals war ich natürlich noch jünger und schmaler, aber …« Seine Mundwinkel zuckten. »Nein, das war ein Scherz, tut mir leid. Keine Angst, das geht schon.«

Als sie mit dem Kopf auf der anderen Seite war und erkannte, dass sie nicht mit den Schultern stecken bleiben würde – jedenfalls nicht beim Hineinkriechen –, fühlte sie sich schon etwas besser. So schnell wie möglich kroch sie ganz durch das Loch und richtete sich auf der anderen Seite wieder auf. Wischte sich den Dreck von den Händen und sah sich mit großen Augen um.

Sie befand sich in einem von einer Mauer umgebenen Garten. Einem vollkommen überwucherten Garten, dessen Strukturen jedoch noch erkennbar waren. Irgendwann einmal hatte jemand diesen Garten liebevoll gepflegt. Die Überreste von zwei schmalen Wegen schlängelten sich wie die ineinander verflochtenen Borten eines irischen Tanzschuhs durch Gras und Unkraut. An den Mauern entlang wuchs Spalierobst, und kreuz und quer über den Garten hinweg waren Drähte von Mauer zu Mauer gespannt, an denen sich hungrige Glyzinienranken entlangwanden und ein Laubdach gebildet hatten.

An einer Seite, direkt vor der Mauer, entdeckte Cassandra einen alten, knorrigen Baum. Als sie näherging, stellte sie fest, dass es sich um den Apfelbaum handelte, dessen Ast über die Mauer ragte. Sie berührte einen der goldenen Äpfel. Der Baum war etwa fünf Meter hoch und so geformt wie der japanische Bonsai, den Nell ihr zum zwölften Geburtstag geschenkt hatte. Der kurze Stamm hatte sich über die Jahre zur Seite geneigt, und jemand hatte sich die Mühe gemacht, ihn mit einer Art Krücke zu stützen. Eine Brandnarbe in der Mitte des Stammes ließ darauf schließen, dass irgendwann ein Blitz den Baum getroffen hatte. Cassandra betastete die schwarze Stelle.

»Dieser Platz hat etwas Magisches, nicht wahr?« Christian stand mitten im Garten neben einer verrosteten schmiedeeisernen Bank. »Das hab ich schon als Junge so empfunden.«

»Sind Sie öfter hierhergekommen?«

»So oft ich konnte. Das war mein Geheimnis, niemand sonst wusste davon.« Er zuckte die Achseln. »Na ja, jedenfalls kaum jemand.«

Hinter Christian, an der gegenüberliegenden Mauer, sah Cassandra etwas zwischen den Ranken hindurchschimmern. Sie ging näher heran, um es genauer in Augenschein zu nehmen. Metall, das in der Sonne glänzte. Ein Tor. Taudicke, ineinander verschlungene Ranken verdeckten es wie ein Spinnennetz den Eingang zum Schlupfwinkel der Spinne. Oder den Ausgang, je nachdem.

Gemeinsam mit Christian entfernte sie einen Teil der dornigen Ranken. An dem Tor befand sich eine über die Jahre schwarz angelaufene Messingklinke. Cassandra rüttelte daran. Das Tor war verriegelt.

»Möchte wissen, wohin es führt.«

»Dahinter liegt ein Labyrinth, das sich fast bis zum Hotel erstreckt«, sagte Christian. »Michael arbeitet schon seit ein paar Monaten daran, es wieder in Ordnung zu bringen.«

Das Labyrinth, natürlich. Wo hatte sie noch mal etwas darüber gelesen? In Nells Notizheft? In einem der Reiseprospekte im Hotel?

»Warum hat Ihre Großmutter das Haus gekauft?«, fragte Christian, während er ein vertrocknetes Blatt von seinem Ärmel klaubte.

»Sie ist hier in der Gegend geboren.«

»Im Dorf?«

Cassandra zögerte, unsicher, wie viel sie ihm erzählen konnte. »Nein, auf dem Anwesen. Blackhurst. Aber das hat sie erst mit Anfang sechzig erfahren, als ihr Adoptivvater gestorben ist. Ihre leiblichen Eltern waren Rose und Nathaniel Walker. Er war ...«

»Künstler, ich weiß. Ich habe ein Buch mit Illustrationen von ihm, ein Märchenbuch.«

»*Zauberhafte Märchen für Mädchen und Jungen?*«

»Ja, genau.« Er schaute sie überrascht an.

»Ich habe auch ein Exemplar.«

Er hob die Brauen. »Das war eine ganz kleine Auflage, wissen Sie, jedenfalls nach heutigen Maßstäben. Wussten Sie übrigens, dass Eliza Makepeace hier in diesem Haus gewohnt hat?«

Cassandra schüttelte den Kopf. »Ich wusste nur, dass sie auf dem Anwesen aufgewachsen ist ...«

»Sie hat die meisten ihrer Geschichten hier in diesem Garten geschrieben.«

»Sie scheinen ja eine ganze Menge über Eliza Makepeace zu wissen.«

»Ich habe neulich ihre Märchen noch einmal gelesen. Als Junge habe ich mir das Buch auf dem Wohltätigkeitsbasar der Gemeinde gekauft und die Märchen verschlungen. Sie hatten eine regelrecht magische Wirkung auf mich.« Er trat mit dem Fuß nach einem Erdklumpen. »Ziemlich merkwürdig, nicht? Ein erwachsener Mann, der Kindermärchen liest.«

»Nein, finde ich überhaupt nicht.« Cassandra sah, wie er, die Hände in den Hosentaschen, die Schultern kreisen ließ. Beinahe, als wäre er nervös. »Welches war denn Ihr Lieblingsmärchen?«

Er legte den Kopf schief und blinzelte in die Sonne. »*Die Augen des alten Weibleins.*«

»Wirklich? Warum?«

»Es kam mir immer anders vor als die anderen Märchen. Irgendwie bedeutungsvoller. Außerdem hab ich mich als Achtjähriger fürchterlich in die Prinzessin verliebt.« Er lächelte schüchtern. »Wie soll man auch ein Mädchen nicht mögen, dem das Schloss zerstört, die Untertanen abgeschlachtet und das Königreich verwüstet wurden und das trotz allem den Mut aufbringt, sich auf die Suche nach den Augen des alten Weibleins zu machen?«

Cassandra musste auch lächeln. Das Märchen von der tapferen Prinzessin, die nicht wusste, dass sie eine Prinzessin war, war das erste in Eliza Makepeaces Buch, das sie gelesen hatte. An jenem heißen Tag in Brisbane, als sie als Zehnjährige das Verbot ihrer Großmutter missachtet und den Koffer unter dem Bett entdeckt hatte.

Christian vergrub seine Hände noch tiefer in den Hosentaschen. »Ich nehme an, Sie werden versuchen, das Haus zu verkaufen?«

»Warum? Wären Sie daran interessiert?«

»Von dem Geld, das Mike mir zahlt?« Ihre Blicke begegneten sich ganz kurz. »Machen Sie sich lieber keine Hoffnungen.«

»Ich weiß nicht, wie ich es renovieren soll«, sagte Cassandra. »Ich hatte ja keine Ahnung, dass sich hier alles in einem derart desolaten Zustand befindet. Der Garten, das Haus selbst.« Sie zeigte über die Mauer hinweg. »Im Dach ist ein Riesenloch!«

»Wie lange sind Sie noch hier?«

»Ich habe im Hotel für zwei Wochen ein Zimmer gebucht.«

Er nickte. »Das dürfte reichen.«

»Meinen Sie?«

»Sicher.«

»Sie Optimist. Warten Sie ab, bis Sie mich mit einem Hammer hantieren sehen.«

Er reckte sich, um eine herabhängende Glyzinienranke zwischen die anderen zu flechten. »Ich helfe Ihnen.«

Cassandra wurde verlegen – anscheinend hatte er ihre Bemerkung als versteckte Aufforderung verstanden. »Ich meinte nicht … Ich wollte nicht …« Sie seufzte. »Ich habe überhaupt kein Geld für solche Restaurierungsarbeiten.«

Zum ersten Mal lächelte er übers ganze Gesicht. »Bei meinem Bruder verdiene ich auch fast nichts, da arbeite ich doch lieber für gar nichts an einem Haus, das mir am Herzen liegt.«

33 *Tregenna* *Cornwall, 1975*

Nell schaute auf das bewegte Meer hinaus. Es war der erste verhangene Tag, seit sie in Cornwall eingetroffen war. Die ganze Landschaft schien zu zittern, die weißen Häuser, die sich an die kalten Felsen duckten, die silbrigen Möwen, der graue Himmel über dem aufgewühlten Meer.

»Die beste Aussicht in ganz Cornwall«, verkündete die Immobilienmaklerin.

Nell würdigte die dumme Bemerkung keines Kommentars und schaute weiter aus dem kleinen Dachfenster.

»Nebenan ist noch ein Schlafzimmer. Kleiner, aber ein Bett passt rein.«

»Ich brauche noch ein bisschen länger, um mich umzusehen«, sagte Nell. »Wenn ich fertig bin, komme ich nach unten.«

Die Frau verzog sich, und eine Minute später sah Nell sie vor dem Haus, wo sie ihre Jacke fester um sich zog.

Nell beobachtete, wie die Frau sich abmühte, sich bei dem heftigen Wind eine Zigarette anzuzünden, dann ließ sie ihren Blick zum Garten hinüberwandern. Von dem Dachfenster aus war nicht viel zu sehen, weil alles von Ranken überwuchert war, aber sie konnte gerade eben noch den steinernen Kopf der Statue des kleinen Jungen erkennen.

Nell stützte sich auf die Fensterbank und spürte das vom Salz aufgeraute Holz unter ihren Händen. Inzwischen war sie sich ganz sicher, dass sie als Kind in diesem Haus gewesen war. Genau hier an dieser Stelle hatte sie schon gestanden, in diesem Zimmer, und hatte auf das Meer hinausgeschaut. Sie schloss die Augen und versuchte, ihre Erinnerungen deutlicher heraufzubeschwören.

Ein Bett hatte an der Stelle gestanden, wo sie sich jetzt befand, ein schmales, einfaches Bett mit Messingrahmen und Knöpfen an den Kopf- und Fußteilen, die lange nicht poliert worden waren. Von der Decke hing ein trichterförmiges Netz, weiß wie der Nebel am fernen Horizont, wenn ein Sturm das Meer aufpeitschte. Eine Steppdecke, kühl unter ihren Knien, Fischerboote, die auf den Wellen schaukelten, Blütenblätter im Gartenteich.

An dieser Dachgaube zu sitzen, war so, als würde man an einer hohen Klippe hängen, so wie die Prinzessin in einem ihrer Lieblingsmärchen, die in einen Vogel verwandelt worden war und in ihrem schaukelnden goldenen Käfig hockte …

Von unten drangen Stimmen zu ihr herauf, die lauter geworden waren. Ihr Papa und die Autorin.

Ihr Name, Ivory, scharf und kantig wie ein mit spitzer Schere aus Pappkarton ausgeschnittener Stern. Ihr Name als Waffe.

Böse Worte wurden hin und her geschleudert. Warum schrie Papa die Autorin an? Papa, der sonst nie ein lautes Wort von sich gab.

Das kleine Mädchen hatte Angst, wollte das alles nicht hören.

Aber Nell presste die Augen fester zu und versuchte die Worte zu verstehen.

Das kleine Mädchen hielt sich die Ohren zu, sang in Gedanken Lieder, erzählte Geschichten, dachte an den goldenen Käfig, der an der Klippe hing, an die Vogelprinzessin, die in dem Käfig hockte und wartete.

Nell bemühte sich, das Kinderlied auszublenden, das Bild von dem goldenen Käfig. In den kalten Tiefen ihrer Erinnerung lauerte die Wahrheit, wartete darauf, dass Nell sie zu packen bekam und ans Tageslicht zerrte …

Aber nicht heute. Sie öffnete die Augen. Der Tang war zu glitschig, das Wasser zu trüb.

Nell stieg über die enge Treppe wieder nach unten.

Die Maklerin verriegelte das Tor, dann gingen sie schweigend den Weg hinunter zu der Stelle, wo sie den Wagen geparkt hatten.

»Und? Wie gefällt es Ihnen?«, fragte die Frau beiläufig, als wüsste sie die Antwort auf die Frage im Voraus.

»Ich möchte es kaufen.«

»Vielleicht kann ich Ihnen noch ein anderes …« Die Frau, die gerade das Auto hatte aufschließen wollen, blickte verblüfft auf. »Sie wollen es kaufen?«

Nell schaute noch einmal auf das stürmische Meer hinaus, betrachtete den nebelverhangenen Horizont. Für ihren Geschmack konnte das Wetter ruhig ab und zu ein bisschen rau werden. Wenn die Wolken tief hingen und Regen drohte, fühlte sie sich geheilt. Dann konnte sie tiefer atmen, klarer denken.

Sie hatte keine Ahnung, wie sie das Haus bezahlen sollte, was sie würde verkaufen müssen, um den Kaufpreis aufzubringen. Aber sie zweifelte keinen Augenblick daran, dass sie es besitzen musste. Sie wusste es seit dem Moment, als sie sich an das kleine Mädchen am Fischteich erinnert hatte, an das kleine Mädchen, das sie in einem anderen Leben gewesen war.

Während der ganzen Fahrt zurück zum Tregenna Inn versicherte die Immobilienmaklerin ihr immer wieder atemlos, sie würde den Kaufvertrag bringen, sobald sie ihn aufgesetzt hatte. Sie konnte Nell auch einen guten Notar empfehlen. Nell schlug die Wagentür zu und betrat das Foyer. Sie war so sehr damit beschäftigt, die Zeitdifferenz auszurechnen – musste sie drei Stunden abziehen oder addieren? – und zu überlegen, wann sie bei ihrer Bank anrufen konnte, um ihrem Sachbearbeiter zu erklären, warum sie sich aus heiterem Himmel entschlossen hatte, in Cornwall ein Haus zu kaufen, dass sie die Person, die auf sie zukam, erst sah, als sie fast mit ihr zusammenstieß.

»Oh, Verzeihung«, sagte Nell und blieb wie angewurzelt stehen.

Robyn Martin blinzelte hinter ihrer Brille.

»Haben Sie auf mich gewartet?«, fragte Nell.

»Ich hab Ihnen was mitgebracht.« Robyn reichte Nell ein paar zusammengetackerte Blätter. »Das sind die Informationen, die ich für meinen Artikel über die Familie Mountrachet zusammengetragen habe.« Sie trat verlegen von einem Fuß auf den anderen. »Ich hab gehört, wie Sie Gump nach der Familie gefragt haben, und ich weiß, dass er Ihnen keine Antwort … Dass er Ihnen nicht weiterhelfen konnte.« Sie seufzte und glättete ihr bereits perfekt frisiertes Haar. »Es ist ein ungeordnetes Sammelsurium, aber ich dachte, es könnte von Interesse für Sie sein.«

»Danke«, sagte Nell und sie meinte es aufrichtig. »Und es tut mir leid, wenn ich …«

Robyn nickte.

»Ist Ihr Großvater …?«

»Er hat sich wieder beruhigt. Ich wollte Sie sogar fragen, ob Sie nicht nächste Woche noch mal zum Abendessen kommen wollen. Bei Gump.«

»Vielen Dank für die Einladung«, antwortete Nell, »aber ich glaube nicht, dass Ihr Großvater begeistert sein würde.«

Robyn schüttelte den Kopf, sodass ihre Haare mitschwangen. »Nein, nein, Sie haben mich nicht richtig verstanden.«

Nell hob die Brauen.

»Es war sein Vorschlag«, sagte Robyn. »Er meinte, er müsste Ihnen noch etwas erzählen. Über das Haus und über Eliza Makepeace.«

34

Miss Rose Mountrachet,
Lusitania, Reederei Cunard

Miss Eliza Mountrachet
Blackhurst Manor
Cornwall, England

9. September 1907

Meine liebste Eliza!

Ach, wie herrlich es ist auf der Lusitania! *Ich sitze auf dem Oberdeck, liebe Cousine – an einem zierlichen, kleinen Tisch im Veranda-Café –, und schaue auf den weiten, blauen Atlantik hinaus, während unser großartiges, schwimmendes Hotel uns wie auf magische Weise nach New York bringt.*

Auf dem ganzen Schiff herrscht eine festliche Stimmung, und alle hoffen inniglich, dass die Lusitania *den Deutschen das Blaue Band abjagen wird. Als das große Schiff in Liverpool ganz langsam von seinem Ankerplatz ablegte und zu seiner Jungfernfahrt aufbrach, haben alle am Kai »Britons never, never shall say die« gesungen und Fähnchen geschwungen, es waren so viele, dass ich sogar noch von Weitem, als die Menschen im Hafen nur noch als winzige Punkte zu erkennen waren, die wehenden Fahnen sehen konnte. Ich muss gestehen, als die Schiffe im Hafen zum Abschied ihre Hörner ertönen ließen, hat es mir eine Gänsehaut verursacht und mein Herz vor Stolz höher schlagen lassen. Was für ein Glück, an so einem bedeutsamen Ereignis teilnehmen zu dürfen! Ob die Geschichte sich wohl an uns erinnern wird? Ich hoffe es doch – ach, sich vorzustellen, dass man Teil eines solchen Ereignisses ist und dadurch die Grenzen eines einzelnen Menschenlebens überschreitet!*

Ich weiß, was Du in Bezug auf das Blaue Band sagen wirst – dass es ein törichtes Wettrennen ist, erfunden von törichten Männern, die nur beweisen wollen, dass ihr Schiff schneller ist als eins, das noch törichteren Männern gehört! Aber, liebste Eliza, dabei zu sein, die Aufregung und den Sportsgeist mitzuerleben – ich kann nur sagen, das ist äußerst anregend. So lebendig wie jetzt habe ich mich schon seit Ewigkeiten nicht mehr gefühlt, und auch wenn ich weiß, dass Du die Augen verdrehen wirst, musst Du mir gestatten, meinem tiefen Wunsch Ausdruck zu verleihen, dass wir diese Reise in Rekordzeit zurücklegen und den uns rechtmäßig zustehenden Platz zurückerobern werden.

Das ganze Schiff ist so großartig ausgestattet, dass man manchmal ganz vergisst, dass man sich auf dem Meer befindet. Mama und ich teilen uns eine der beiden »Königssuiten« an Bord, das heißt, wir haben zwei Schlafzimmer, ein Wohnzimmer, ein Speisezimmer, ein Bad, ein WC und eine Ankleidekammer. Und alles ist so wundervoll eingerichtet, es erinnert mich an die Bilder von Versailles in Miss Trantons Buch, das sie vor so vielen Jahren im Sommer mit ins Schulzimmer gebracht hat.

Neulich hörte ich eine elegant gekleidete Dame sagen, dass das Schiff mehr einem Hotel ähnelt als jedes andere, auf dem sie bisher gereist ist. Ich weiß nicht, wer die Dame war, aber ich bin davon überzeugt, dass sie eine sehr wichtige Persönlichkeit ist, denn Mama hat es tatsächlich die Sprache verschlagen, als wir feststellten, dass sie sich ebenfalls unter den Passagieren der ersten Klasse befindet. Aber keine Sorge, es hat nicht lange vorgehalten – niemand bringt Mama auf Dauer zum Schweigen. Sie hat ihre Sprache schnell wiedergefunden und macht seitdem mehr als wett, was sie versäumt hat. Unsere Mitreisenden stellen ein veritables Who's who der Londoner Gesellschaft dar, wie Mama mir versichert, und deswegen muss sie sich natürlich ganz besonders ins Zeug legen. Ich habe strikte Anweisung, mich stets von meiner allerbesten Seite zu zeigen – zum Glück habe ich zwei Schränke voller Rüstungen, mit denen ich in die Schlacht ziehen kann! Und ausnahmsweise sind Mama und ich mal einer Meinung, auch wenn wir keineswegs denselben Geschmack haben! Sie macht mich immer wieder auf einen bestimmten Gentleman aufmerksam, den sie für eine gute Partie hält, und bringt mich manchmal in eine ziemlich peinliche Lage. Aber genug – ich fürchte, ich strapaziere Deine Geduld, liebste Cousine, wenn ich mich zu lange mit solchen Themen aufhalte.

Also zurück zum Schiff. Ich unternehme immer wieder gewisse Erkundungstouren, die meine Eliza mit Stolz erfüllen würden. Gestern Morgen ist es mir gelungen, Mama für einen Augenblick zu entkommen und eine wunderbare Stunde im Dachgarten zu verbringen. Dort musste ich an Dich denken, meine Liebste. Wie würdest Du staunen, wenn Du sehen könntest, dass solche Pflanzen auf einem Schiff wachsen. Überall stehen Pflanzkübel mit Bäumen und wunderschönen Blumen. Es war ein beglückendes Gefühl, zwischen all dem Grün zu sitzen (niemand kennt die heilende Kraft eines Gartens besser als ich), und ich habe mich ganz selig meinen Tagträumen hingegeben. (Du wirst Dir sicherlich vorstellen können, auf welchen Traumpfaden ich gewandelt bin …)

Ach, und wie sehr wünschte ich mir, Du hättest nachgegeben und uns begleitet, Eliza. Ich erlaube mir, diesbezüglich einen kurzen, wenn auch liebevollen Tadel auszusprechen, denn ich kann es einfach nicht verstehen. Schließlich hast Du damals als Erste davon gesprochen, dass wir beide vielleicht eines Tages gemeinsam nach Amerika reisen würden, um die Wolkenkratzer von New York und die Freiheitsstatue mit eigenen Augen zu sehen. Ich begreife nicht, warum Du die Gelegenheit nicht beim Schopf gepackt, sondern Dich stattdessen entschieden hast, auf Blackhurst zu bleiben, wo nur Vater Dir Gesellschaft leistet. Du bist und bleibst mir ein Rätsel, meine Teuerste, aber ich kenne Dich zu gut, um mich noch mit Dir zu streiten, nachdem Du einmal einen Entschluss gefasst hast, meine liebe, dickköpfige Eliza. Ich möchte Dir nur sagen, dass Du mir jetzt schon fehlst und dass ich mir oft ausmale, was wir alles zusammen aushecken könnten, wenn Du hier bei mir wärst. (Die arme Mama würde einen Nervenzusammenbruch bekommen!) Es ist seltsam, mir vorzustellen, dass es einmal eine Zeit gegeben hat, als ich Dich noch nicht kannte, so sehr kommt es mir vor, als wären wir beide schon immer Freundinnen und die Zeit auf Blackhurst vor deiner Ankunft nicht mehr als eine schreckliche Wartezeit gewesen.

Ah, Mama ruft nach mir. Offenbar erwartet man uns mal wieder im Speisesaal. (Die Mahlzeiten, Eliza! Ich muss zwischen den Mahlzeiten jedes Mal einen Spaziergang an Deck machen, um mich zu erholen und mich für die nächste Sitzung zu wappnen!) Zweifellos ist es Mama gelungen, den Grafen von Soundso oder den Sohn eines reichen Industriellen für mich als Tischherrn zu angeln. Die Pflichten einer Tochter sind nie getan, und in einem Punkt muss ich ihr recht geben: Wenn ich mich nicht zeige, werde ich den mir von meinem Schicksal bestimmten Mann niemals finden.

Damit verabschiede ich mich also von Dir, meine liebste Eliza, und ich versichere Dir: Auch wenn Du nicht in Fleisch und Blut bei mir bist, so begleitest Du mich doch stets in meinem Herzen. Wenn ich die Freiheitsstatue zum ersten Mal sehe, die berühmte Dame, die über ihren Hafen wacht, dann werde ich die Stimme meiner Cousine Eliza hören, die mir zuruft: »Schau sie dir gut an und denk daran, was sie schon alles gesehen hat!«

Deine dich liebende Cousine Rose

Eliza umklammerte das in braunes Papier gewickelte Päckchen. Sie stand vor der Tür des Gemischtwarenladens in Tregenna und schaute zu, wie die dunkelgraue Wolkendecke sich über den Wasserspiegel legte. Nebel am Horizont kündete von einem Gewitter über dem Meer, und im Ort waren die ersten zaghaften Wassertröpfchen in der Luft zu spüren. Eliza hatte keine Tasche mitgenommen, denn beim Verlassen des Hauses hatte sie gar nicht vorgehabt, ins Dorf zu gehen. Erst im Laufe des Vormittags hatte die Geschichte sich ihr aufgedrängt und verlangt, niedergeschrieben zu werden. Die fünf letzten leeren Seiten in ihrem Notizbuch hatten dafür bei Weitem nicht ausgereicht, und so war sie ins Dorf gegangen, um sich ein neues zu kaufen.

Eliza betrachtete noch einmal den düsteren Himmel, dann machte sie sich eilig auf den Weg am Hafen entlang. Als sie die Stelle erreichte, wo die Straße sich gabelte, nahm sie den schmalen Küstenpfad. Davies hatte ihr einmal erzählt, dass es an der Küste entlang eine Abkürzung vom Dorf zum Landgut gab.

Der Weg war steil und das Gras hoch, aber Eliza schritt beherzt aus. Nur einmal blieb sie stehen, um auf das glatte, granitfarbene Meer hinauszuschauen, auf dem eine Flotte kleiner, weißer Fischkutter sich dem sicheren Hafen näherte. Eliza lächelte, als sie die Boote sah, sie erinnerten sie an junge Spatzen, die eilig ins warme Nest zurückkehrten, nachdem sie den ganzen Tag lang die große, weite Welt erkundet hatten.

Eines Tages würde sie dieses Meer überqueren, bis ans andere Ende der Welt würde sie fahren, genau wie ihr Vater. Hinter dem Horizont warteten so viele Welten. Afrika, Indien, der Nahe Osten, die Antipoden. Und an diesen fernen Orten würde sie lauter neue Geschichten und uralte Märchen entdecken.

Davies hatte ihr vorgeschlagen, ihre Märchen und Geschichten aufzuschreiben, und das hatte sie getan. Zwölf Notizhefte hatte sie schon gefüllt und konnte nicht aufhören. Im Gegenteil, je mehr sie schrieb, desto lauter schwirrten die Geschichten ihr im Kopf herum und drängten darauf, freigelassen zu werden. Sie wusste nicht, ob sie etwas taugten, und eigentlich war ihr das auch egal. Sie gehörten ihr, und indem sie sie niederschrieb, wurden sie wirklich. Figuren, die in ihrem Kopf herumgespukt waren, wurden deutlicher, wenn sie sie zu Papier brachte. Sie bekamen Charakterzüge, die Eliza ihnen gar nicht gegeben hatte, sagten Dinge, von denen sie gar nicht wusste, dass sie sie dachten, benahmen sich unvorhersehbar.

Ihre Märchen hatten ein kleines, aber aufmerksames Publikum. Jeden Abend nach dem Essen kroch Eliza genau wie früher, als sie noch klein gewesen waren, zu Rose ins Bett und erzählte ihrer Cousine ihr neuestes Märchen. Rose lauschte mit großen Augen, stöhnte und seufzte immer an den richtigen Stellen und lachte schadenfroh, wenn etwas Gruseliges passierte.

Es war Rose gewesen, die Eliza dazu überredet hatte, eine ihrer Geschichten nach London an die Zeitschrift *Children's Storytime* zu schicken.

»Wäre es nicht großartig, wenn sie sie druckten? Dann wären es echte Geschichten, und du wärst eine richtige Schriftstellerin.«

»Es sind auch jetzt schon echte Geschichten.«

Rose hatte eine verschwörerische Miene aufgesetzt. »Aber wenn sie veröffentlicht würden, hättest du ein kleines Einkommen.«

Ein eigenes Einkommen. Das war ein Thema, das Eliza brennend interessierte, und Rose wusste es genau. Bisher war Eliza völlig abhängig von der Großzügigkeit ihres Onkels und ihrer Tante, und sie zerbrach sich schon seit einer ganzen Weile den Kopf darüber, wie sie die Reisen und Abenteuer finanzieren sollte, die die Zukunft zweifellos für sie bereithielt.

»Und es würde Mama gewiss nicht gefallen«, sagte Rose, stützte das Kinn in die Hände und biss sich auf die Lippe, um ein Grinsen zu unterdrücken. »Eine Mountrachet, die sich ihren Lebensunterhalt mit Arbeit verdient!«

Tante Adelines Meinung hatte Eliza noch nie etwas bedeutet, aber die Vorstellung, dass andere Menschen ihre Geschichten lesen würden … Seit sie das Märchenbuch in der Pfandleihe der Swindells entdeckt hatte und in seine vergilbten Seiten eingetaucht war, kannte Eliza die Macht von Märchen. Ihre magische Fähigkeit, die Wunden der Menschen zu heilen.

Das Nieseln ging allmählich in leichten Regen über, und Eliza begann zu laufen, das Notizbuch an die Brust gedrückt, während das hohe Gras ihr den Rocksaum durchnässte. Was würde Rose sagen, wenn Eliza ihr erzählte, dass die Kinderzeitschrift ihr Märchen *Der goldene Käfig* abdrucken würde und dass man sie sogar um weitere Geschichten gebeten hatte? Im Laufen lächelte Eliza vor sich hin.

Nur noch zwei Wochen bis zu Roses Rückkehr, Eliza konnte es kaum erwarten. Wie ihre Cousine ihr fehlte! Was das Schreiben anging, war Rose ziemlich nachlässig. Sie hatte während der Überfahrt nach Amerika einen Brief geschrieben, aber danach war nichts mehr gekommen, und Eliza wartete ungeduldig auf Neuigkeiten aus der großen Stadt. Sie hätte sie so gern mit eigenen Augen gesehen, aber Tante Adeline hatte sich klipp und klar ausgedrückt.

»Wenn du deine eigenen Zukunftsaussichten zunichtemachen willst, bitte sehr«, hatte sie eines Abends gesagt, als Rose schon zu Bett gegangen war. »Aber ich lasse nicht zu, dass du Roses Zukunft mit deinem unzivilisierten Benehmen ruinierst. Sie wird nie den ihr vom Schicksal bestimmten Mann finden, wenn sie keine Gelegenheit bekommt, sich in all ihrem Glanz zu zeigen.« Dann hatte Tante Adeline sich zu voller Größe aufgerichtet. »Ich habe zwei Überfahrten nach New York gebucht. Eine für Rose und eine für mich. Ich möchte jede Missstimmung vermeiden, daher wäre es das Beste, sie in dem Glauben zu lassen, es wäre deine eigene Entscheidung gewesen.«

»*Aber warum sollte* ich Rose belügen?«

Tante Adeline atmete so tief durch die Nase ein, dass ihre Wangen nach innen gezogen wurden. »Um sie glücklich zu machen natürlich. Möchtest du etwa nicht, dass sie glücklich ist? Hat Rose es nicht verdient, glücklich zu sein, nach allem, was sie durchgemacht hat?«

Ein Donnerschlag hallte zwischen den Klippenwänden wider, als Eliza oben ankam. Der Himmel wurde immer dunkler, und der Regen nahm zu. Auf der Lichtung stand ein kleines Haus, und Eliza erkannte sofort, dass es das Haus hinter dem von einer Mauer umgebenen Garten war, den zu bepflanzen Onkel Linus ihr erlaubt hatte. Sie brachte sich unter dem kleinen Vordach in Sicherheit, drückte sich gegen die Haustür, während der Regen um sie herum immer heftiger herunterprasselte.

Es war zwei Monate her, dass Rose und Tante Adeline zu ihrer Reise nach New York aufgebrochen waren, und obwohl ihr die Zeit jetzt lang wurde, war der erste Monat wie im Flug vergangen. Das Wetter war herrlich gewesen, und Eliza hatte sich spannende neue Geschichten ausgedacht. Sie hatte ihre Tage jeweils zur Hälfte an ihren beiden Lieblingsorten verbracht: auf dem schwarzen Felsen unten in der Bucht, auf dessen Spitze die Gezeiten über die Jahrhunderte hinweg ein zum Sitzen geeignetes Plateau ausgewaschen hatten, und in dem ummauerten Garten, ihrem Garten am Ende des Labyrinths. Was für eine Wonne es war, einen Ort für sich allein zu haben, einen ganzen Garten, in dem man sein konnte, wie man wollte. Manchmal saß Eliza stundenlang still auf der schmiedeeisernen Bank und lauschte den Geräuschen um sich herum: das Rascheln der Blätter, wenn der Wind durchs Laub fuhr, das ferne Ein- und Ausatmen des Meers, das Zwitschern der Vögel, die ihre Geschichten trällerten. Manchmal, wenn sie mucksmäuschenstill war, meinte sie beinahe zu hören, wie die Blumen der Sonne wohlig ihren Dank entgegenseufzten.

Aber heute war alles anders. Die Sonne war verschwunden, und jenseits der Klippe verschwammen Himmel und Meer zu einer grauen aufgewühlten Masse. Der Regen ließ nicht nach, und Eliza sagte sich seufzend, dass es im Moment keinen Zweck hatte, durch den Garten und das Labyrinth nach Hause zu laufen, wenn sie nicht bis auf die Haut durchnässt und mit einem aufgeweichten Notizbuch dort ankommen wollte. Wenn sie nur einen hohlen Baum finden könnte, um darin Schutz zu suchen! Eine Geschichte flackerte in Elizas Fantasie auf. Sie versuchte, sie zu fassen zu bekommen, sie festzuhalten, bis sie Gestalt annahm.

Sie zog den Bleistift heraus, den sie immer unter ihrem Leibchen versteckt bei sich trug, riss das braune Packpapier auf, legte das Notizbuch auf ihren Oberschenkel und begann zu schreiben.

Der Wind blies kräftiger hier oben im Reich der Vögel, und der Regen, der seinen Weg in ihr Versteck gefunden hatte, spuckte dicke Tropfen auf die jungfräulichen Seiten. Eliza drehte sich zur Tür hin, doch der Regen fand sie auch dort.

Das war ja furchtbar! Wo sollte sie bloß schreiben, wenn erst das für die Jahreszeit typische nasse Wetter einsetzte? Die Bucht und der Garten würden ihr dann keinen Schutz mehr bieten. Natürlich war da noch das Haus ihres Onkels mit seinen vielen Zimmern, aber Eliza fiel es schwer zu schreiben, wenn sich ständig jemand in der Nähe aufhielt. Manchmal wähnte man sich allein, nur um plötzlich festzustellen, dass ein Dienstmädchen vor dem Kamin hockte und das Feuer schürte. Oder ihr Onkel, der stumm in einer dunklen Ecke in einem Sessel saß.

Regen klatschte auf Elizas Füße. Sie schlug ihr Notizheft zu und stampfte ärgerlich auf dem Steinboden auf. Sie musste einen geschützteren Ort finden. Sie betrachtete die rote Haustür hinter ihr. Wieso war es ihr nicht schon eher aufgefallen? Im Türschloss steckte ein großer, kunstvoll gefertigter Messingschlüssel. Ohne zu zögern, drehte Eliza ihn um. Das Schloss reagierte. Sie ergriff den Türknauf, der sich weich und seltsamerweise ganz warm anfühlte, und drehte ihn. Ein Klicken, und die Tür öffnete sich wie durch Zauberhand.

Eliza trat über die Schwelle in das dunkle, trockene Haus.

Linus saß unter einem schwarzen Regenschirm und wartete. Er hatte Eliza den ganzen Tag nicht gesehen und wurde zunehmend nervös. Aber sie würde kommen, daran bestand kein Zweifel. Davies hatte gesagt, sie habe in den Garten gehen wollen, und von dort führte nur ein Weg zurück. Linus schloss die Augen und gab sich der Erinnerung an eine Zeit hin, als Georgiana jeden Tag im Garten verschwunden war. Immer und immer wieder hatte sie ihn gebeten, mitzukommen und sich anzusehen, was sie alles gepflanzt hatte, doch er hatte ihr den Wunsch jedes Mal abgeschlagen. Aber er hatte auf sie gewartet, hatte Wache gehalten, bis sein Püppchen wieder aus den Hecken aufgetaucht war. Was für eine köstliche Empfindung war es doch gewesen, diese seltsame Mischung aus Schamgefühl und Freude, wenn seine Schwester aus den Hecken auftauchte.

Er öffnete die Augen und holte tief Luft. Dachte zuerst, er wäre Opfer seines eigenen Wunschdenkens geworden, doch nein, es war Eliza, die, tief in Gedanken versunken, auf ihn zukam. Sie hatte ihn noch nicht bemerkt. Seine trockenen Lippen hatten Schwierigkeiten, das Wort zu formen, das er aussprechen wollte. »Kind«, rief er.

Sie blickte verwundert auf. »Onkel«, sagte sie mit einem zaghaften Lächeln. Sie ließ die Arme hängen, in einer Hand hielt sie ein braunes Päckchen. »Es hat ganz plötzlich angefangen zu regnen.«

Ihr Rock war nass, und der durchsichtige Saum klebte ihr an den Unterschenkeln. Linus konnte sich von dem Anblick nicht losreißen. »Ich – ich hatte schon befürchtet, du wärst von dem Unwetter überrascht worden.«

»Das wäre auch um ein Haar passiert. Aber ich konnte mich in dem kleinen Haus in Sicherheit bringen, in dem Haus am anderen Ende des Labyrinths.«

Nasses Haar, nasser Rock, nasse Knöchel. Linus schluckte, stemmte seinen Gehstock in die feuchte Erde und erhob sich.

»Wohnt jemand in dem kleinen Haus, Onkel?« Eliza trat näher. »Es wirkte so unbewohnt.«

Sie duftete nach Regen, Salz und Erde. Er musste sich auf seinen Stock lehnen, um nicht zu stürzen. Sie stützte ihn. »Der Garten, mein Kind, erzähl mir vom Garten.«

»Ach, Onkel, wie dort alles wächst und gedeiht! Du musst demnächst einmal mitkommen und dich auf die Bank zwischen den Blumen setzen. Dann kannst du sehen, was ich alles gepflanzt habe.«

Ihre Hände an seinem Arm waren warm, ihr Griff fest. Er würde den Rest seines Lebens dafür hergeben, wenn er diesen Augenblick für immer anhalten könnte, er und seine Georgiana …

»Lord Mountrachet!« Thomas kam aufgeregt aus dem Haus gelaufen. »Seine Lordschaft hätten mir sagen sollen, dass Sie Hilfe brauchen!«

Dann war es nicht länger Eliza, die ihn stützte, sondern Thomas. Und Linus konnte nur zusehen, wie sie die Stufen erklomm und die Eingangshalle betrat, kurz stehen blieb, um die Morgenpost durchzusehen, und dann in seinem Haus verschwand.

Miss Rose Mountrachet
Lusitania, Reederei Cunard

Miss Eliza Mountrachet
Blackhurst Manor
Cornwall, England

7. November 1907

Meine liebste Eliza!

Was für aufregende Zeiten! Es ist so viel passiert, seit wir uns zuletzt gesehen haben, dass ich gar nicht weiß, wo ich anfangen soll. Als Erstes möchte ich dich bitten, mir zu verzeihen, dass ich in den vergangenen Wochen so wenig geschrieben habe. Der Monat, den wir in New York verbracht haben, ist vorübergegangen wie im Flug, und nachdem ich Dir kurz nach unserer Abreise geschrieben habe, sind wir von einem solchen Sturm überrascht worden, dass ich mich beinahe wieder zu Hause in Cornwall wähnte. Der Donner und der heftige Regen! Ich war zwei Tage lang in unserer Kabine ans Bett gefesselt, selbst Mama war ganz grün im Gesicht und brauchte ständig Pflege. Stell dir das bloß vor, was für eine verkehrte Welt: Mama liegt danieder, und die kränkliche Rose muss sie pflegen.

Nachdem der Sturm sich endlich gelegt hatte, herrschte tagelang Nebel, der um das Schiff herumwaberte wie ein riesiges Meeresungeheuer. Ich musste die ganze Zeit an Dich denken, liebste Eliza, und an die Geschichten, die Du Dir immer ausgedacht hast, als wir Kinder waren, Geschichten von Meerjungfrauen und versunkenen Schiffen.

Jetzt, wo wir uns England nähern, hat der Himmel sich aufgehellt.

Aber nein. Warum schreibe ich einen Wetterbericht, wenn es doch so viel anderes zu erzählen gibt? Die Frage kann ich beantworten: Ich schreibe um den heißen Brei herum, zögere, Dir die große Neuigkeit zu offenbaren. Aber ach, wo soll ich bloß anfangen …

Du erinnerst Dich vielleicht, liebe Eliza, aus meinem letzten Brief, dass Mama und ich die Bekanntschaft gewisser bedeutender Persönlichkeiten gemacht haben? Eine, Lady Dudmore, hat sich tatsächlich als wichtig für uns entpuppt, ja, sie hat einen richtigen Narren an mir gefressen. Sie hat Mama und mir eine Reihe von Empfehlungsschreiben mitgegeben, und so wurden wir in die feinsten Kreise der New Yorker Gesellschaft eingeführt. Du ahnst ja nicht, was für schillernde Schmetterlinge wir waren und wie wir von einer Party zur anderen geflattert sind …

Aber ich schweife schon wieder ab – ich brauche Dich weiß Gott nicht mit Berichten über jede Soiree und jede Bridgepartie zu lang-

weilen! Eliza, meine Teuerste, ich werde es ohne weitere Umschweife zu Papier bringen: Ich bin verlobt! Und, liebste Eliza, vor lauter Glückseligkeit wage ich es kaum, den Mund zu öffnen, vor lauter Angst, dass mir nichts Besseres einfällt, als von meiner Liebe zu schwärmen. Und das werde ich nicht tun – nicht hier, nicht jetzt. Ich werde meine tiefen Gefühle nicht mindern, indem ich versuche, sie mit unzureichenden Worten zu beschreiben. Nein, lieber werde ich warten, bis wir uns wiedersehen, und dann werde ich Dir alles erzählen. Möge es Dir vorerst reichen, wenn ich Dir versichere, liebe Cousine, dass ich auf einer großen, glitzernden Wolke des Glücks schwebe.

Noch nie in meinem Leben habe ich mich so großartig gefühlt, und das habe ich Dir zu verdanken, meine liebste Eliza – von Cornwall aus hast Du Deinen Zauberstab geschwenkt und mir meinen innigsten Wunsch erfüllt! Denn mein Verlobter (wie aufregend, diese beiden Worte niederzuschreiben: mein Verlobter!) ist vielleicht kein Mann, wie Du ihn Dir vorstellst. Zwar ist er gut aussehend, klug und gütig, aber in finanzieller Hinsicht ist er mittellos. (Jetzt wirst Du schon ahnen, warum ich Dich für eine Hellseherin halte …) Er ist genauso wie der Mann, den Du in dem Märchen Der goldene Käfig *für mich ersonnen hast! Woher hast Du bloß gewusst, dass mir einmal ein solcher Mann den Kopf verdrehen würde?*

Die arme Mama befindet sich in einem Schockzustand (auch wenn sie bereits dabei ist, sich zu erholen). Nachdem ich ihr von meiner Verlobung berichtet habe, hat sie mehrere Tage lang kein Wort mehr mit mir gesprochen. Natürlich hatte sie einen Mann für mich ins Auge gefasst, der eine viel bessere Partie gewesen wäre, und sie will nicht einsehen, dass ich weder auf Geld noch auf einen Adelstitel Wert lege. Das sind Dinge, die sie sich für mich wünscht, und auch wenn ich gestehen muss, dass ich ihre Träume einst geteilt habe, so tue ich das heute nicht mehr. Wie soll ich auch, wenn mein Prinz zu mir gekommen ist und die Tür zu meinem goldenen Käfig geöffnet hat?

Ich sehne mich danach, Dich wiederzusehen, Eliza, und mein Glück mit Dir zu teilen. Du fehlst mir schrecklich.

Deine Dich ewig liebende Cousine Rose

Im Grunde ihres Herzens gab Adeline sich selbst die Schuld an allem. Denn war sie nicht bei jeder glanzvollen Party, die sie in New York besucht hatten, an Roses Seite gewesen? Hatte sie nicht persönlich die Anstandsdame gegeben auf dem Ball in Mr und Mrs Irvings Villa an der Fifth Avenue? Schlimmer noch, war sie es nicht selbst gewesen, die Rose aufmunternd zugenickt hatte, als dieser fesche junge Mann mit dem dunklen Haar und den vollen Lippen sie um einen Tanz bat?

»Ihre Tochter ist wirklich eine Schönheit«, hatte Mrs Frank Hastings Adeline ins Ohr geflüstert. »Die bei Weitem Attraktivste von allen heute Abend.«

Adeline hatte stolz gelächelt. (War das der Augenblick ihres Untergangs gewesen? Hatte der Herrgott ihren falschen Stolz durchschaut?) »Ihr reines Herz steht ihrer Schönheit in nichts nach.«

»Und Nathaniel Walker ist so ein gut aussehender junger Mann.«

Nathaniel Walker. Da hatte sie den Namen zum ersten Mal gehört. »Walker«, sagte sie nachdenklich. Der Name klang seriös, sie meinte, schon einmal von einer Familie gehört zu haben, die mit Öl reich geworden war. Neureiche, sicher, aber die Zeiten änderten sich, es war längst keine Schande mehr, wenn Adel sich mit Geld vermählte. »Aus was für einer Familie stammt er?«

War über Mrs Hastings' ausdrucksloses Gesicht ein schadenfrohes Lächeln gehuscht, oder hatte Adeline sich das nur eingebildet? »Ach, er gehört keiner bedeutenden Familie an.« Mrs Hastings hob eine ihrer gezupften Brauen. »Er ist Künstler, wissen

Sie, und, kaum zu glauben, ein enger Freund eines der jüngeren Söhne der Irvings.«

Adeline hatte Mühe, ihr Lächeln aufrechtzuerhalten. Noch war nicht alles verloren, die Malerei war durchaus ein nobles Hobby …

Mrs Hastings setzte zum entscheidenden Schlag an: »Es heißt, der junge Irving hätte ihn auf der Straße kennengelernt! Er ist der Sohn von Einwanderern, noch dazu aus Polen. Er mag sich vielleicht Walker nennen, aber ich bezweifle, dass dieser Name in seinen Papieren steht. Ich habe gehört, er verdient seinen Lebensunterhalt mit Bildern.«

»Mit Ölporträts?«

»Ach, woher, nichts dergleichen. Hingekritzelte Kohlezeichnungen, soweit ich weiß.« Sie musste sich sichtlich beherrschen, um sich ihre Schadenfreude nicht anmerken zu lassen. »Ein beachtlicher gesellschaftlicher Aufstieg. Die Eltern sind katholisch, sein Vater war Hafenarbeiter.«

Adeline hätte am liebsten laut geschrien. Mrs Hastings lehnte sich auf ihrem vergoldeten Stuhl zurück und lächelte voller Genugtuung. »Aber es kann doch nichts schaden, wenn ein junges Ding mal mit einem gut aussehenden Mann tanzt, oder?«

Adeline verbarg ihre Panik unter einem geübten Lächeln. »Nein, ganz und gar nicht«, erwiderte sie.

Aber wie sollte sie das glauben, wo ihr doch schon jetzt die Erinnerung an eine junge Frau deutlich vor Augen stand, die auf einer Klippe in Cornwall mit großen Augen und überquellendem Herzen einen jungen Mann anschaute, der ihr so viel zu versprechen schien? Oh, es konnte durchaus großer Schaden entstehen, wenn eine junge Frau sich von den oberflächlichen Aufmerksamkeiten eines attraktiven jungen Mannes betören ließ.

Die Woche verging, mehr war dazu nicht zu sagen. Abend für Abend begleitete Adeline ihre Tochter zu Partys und Empfängen, wo sie geeigneten jungen Gentlemen vorgestellt wurde. Sie wartete und hoffte sehnsüchtig darauf, einen Funken von Interesse in Roses Augen aufblitzen zu sehen. Aber jeden Abend wurde sie enttäuscht. Rose hatte nur noch Augen für Nathaniel, und er, wie es schien, nur für sie. Wie eine Frau in den Klauen einer gefährlichen Hysterie war Rose gefangen und unerreichbar. Adeline musste sich zusammenreißen, um ihr nicht mit der flachen Hand auf die Wangen zu schlagen, Wangen, die auf eine Weise glühten, wie es sich für eine anständige junge Dame einfach nicht gehörte.

Auch Adeline fühlte sich regelrecht verfolgt von Nathaniels Gesicht. Bei jedem Dinner, jeder Lesung und auf jeder Party, an der sie teilnahmen, schaute sie sich als Allererstes unter den Anwesenden nach ihm um. Die Angst hatte in ihrem Kopf eine Schablone entstehen lassen, in der nur sein Gesicht deutlich zu erkennen war, während alle anderen verschwammen. Manchmal sah sie ihn sogar, wenn er gar nicht da war. Nachts träumte sie von Werften und Schiffen und armen Familien. Manchmal spielten die Träume in Yorkshire, und ihre eigenen Eltern traten darin in der Rolle von Nathaniels Eltern auf. Ach, wie schrecklich verwirrt sie war. Wer hätte gedacht, dass ihr so etwas jemals widerfahren würde?

Dann, eines Abends, geschah die Katastrophe. Sie hatten einen Ball besucht, und während der ganzen Fahrt mit der Kutsche zurück zum Hotel war Rose ungewöhnlich schweigsam gewesen. Es war das typische Schweigen, an dem man erkennt, dass jemand im Begriff steht, einen wichtigen Entschluss zu fassen, sich über etwas Klarheit zu verschaffen. Oder aber über ein lange gehütetes Geheimnis nachgrübelt, ehe er es in die Welt entlässt, wo es dann großen Schaden anrichtet.

Der schreckliche Augenblick kam, als Rose sich zum Zubettgehen bereit machte.

»Mama«, sagte sie, während sie sich das Haar bürstete, »ich möchte dir etwas mitteilen.« Dann die Worte, die gefürchteten Worte. Unsterbliche Liebe … Schicksal … für immer und ewig …

»Du bist noch jung«, fiel Adeline Rose hastig ins Wort. »Es ist verständlich, dass du eine herzliche Freundschaft für Liebe hältst.«

»Ich empfinde nicht nur Freundschaft, Mama.«

Adeline brach der Schweiß aus. »Das kann nur in einer Katastrophe enden. Er bringt nichts mit in die …«

»Er bringt sich selbst mit in die Ehe, und das ist alles, was ich brauche.«

Diese Beharrlichkeit, diese unfassbare Zuversicht. »Ein Beweis für deine Naivität, meine liebe Rose, und für dein jugendliches Alter.«

»Ich bin nicht zu jung, um zu wissen, was ich will, Mama. Ich bin inzwischen neunzehn. Hast du mich nicht mit nach New York genommen, damit ich den Mann finde, den das Schicksal für mich bestimmt hat?«

»Dieser Mann ist dir nicht vom Schicksal bestimmt«, erwiderte Adeline gepresst.

»Woher willst du das wissen?«

»Ich bin deine Mutter.« Wie kläglich das klang. »Du bist eine solche Schönheit, stammst aus einer angesehenen Familie, und doch gibst du dich freiwillig mit so wenig zufrieden?«

Rose seufzte leise, und es klang, als wolle sie das Gespräch damit beenden. »Ich liebe ihn, Mama.«

Adeline schloss die Augen. Die Jugend! Was konnten die vernünftigsten Argumente gegen die Macht dieser drei Worte ausrichten? Dass ihre Tochter, ihr kostbarster Trumpf, sie so leicht aussprechen konnte, noch dazu in Bezug auf einen derartigen Mann!

»Und er liebt mich auch, Mama. Er hat es mir gesagt.«

Adeline blieb vor Schreck beinahe das Herz stehen. Die über alles geliebte Tochter, geblendet von törichter Leidenschaft. Wie sollte sie ihr beibringen, dass man das Herz eines Mannes nicht so leicht gewinnen und erst recht nicht leicht behalten konnte?

»Du wirst schon sehen«, sagte Rose. »Ich werde bis an mein Lebensende glücklich und zufrieden leben, genau wie die Prinzessin in Elizas Märchen. Sie hat es aufgeschrieben, weißt du, fast als hätte sie geahnt, dass es so kommen würde.«

Eliza! Adeline kochte vor Wut. Selbst hier, so weit weg von England, stellte das Mädchen noch eine Gefahr dar. Ihr Einfluss reichte bis über den Ozean hinaus, ihre bösen Einflüsterungen ruinierten Roses Zukunft und verleiteten sie dazu, den größten Fehler ihres Lebens zu begehen.

Adeline presste die Lippen zusammen. Sie hatte ihrer Tochter nicht zahllose Male bei der Genesung von allen möglichen Krankheiten beigestanden, nur um jetzt tatenlos mit anzusehen, wie Rose sich für eine Ehe mit einem mittellosen Mann wegwarf. »Du musst die Beziehung aufgeben. Er wird das verstehen. Er muss von Anfang an gewusst haben, dass wir das nie und nimmer gestatten würden.«

»Wir sind verlobt, Mama. Er hat um meine Hand angehalten, und ich habe Ja gesagt.«

»Du wirst die Verlobung lösen.«

»Nein, das werde ich nicht.«

Adeline musste sich gegen die Wand lehnen. »Du wirst von der Gesellschaft gemieden werden und im Haus deines Vaters nicht mehr willkommen sein.«

»Dann bleibe ich eben hier, wo ich willkommen bin. Im Haus von Nathaniels Familie.«

Wie hatte es so weit kommen können, dass ihre Rose solche Dinge sagte? Dinge, die ihrer Mutter das Herz brachen. In Adelines Kopf drehte sich alles, und sie musste sich hinsetzen.

»Tut mir leid, Mama«, sagte Rose ruhig, »aber ich werde meinen Entschluss nicht rückgängig machen. Ich kann es nicht. Bitte, verlang das nicht von mir.«

Danach hatten sie tagelang kein Wort miteinander gewechselt, bis auf kleine höfliche Floskeln, die zu unterlassen für sie beide undenkbar gewesen wäre. Rose glaubte, Adeline würde schmollen, aber das war nicht der Fall. Vielmehr war sie tief in Gedanken versunken. Adeline war schon immer in der Lage gewesen, ihren Gefühlen mit Logik beizukommen.

Die Gleichung, mit der sie es hier zu tun hatte, war nicht lösbar, und deshalb musste irgendein Faktor geändert werden. Wenn das nicht Roses Entschluss war – und das erschien ihr zunehmend unwahrscheinlich –, dann musste es der Verlobte sein. Er musste in einen Mann verwandelt werden, der die Hand ihrer Tochter verdiente, in jemanden, von dem die Leute mit Bewunderung sprachen und möglichst sogar mit Neid. Und Adeline hatte das Gefühl, dass sie genau wusste, wie sie das bewerkstelligen konnte.

Im Herzen jedes Mannes befindet sich eine Schwachstelle, ein Abgrund des Begehrens, und der Drang, dieses Verlangen zu stillen, ist so übermächtig, dass er alles andere im Leben eines Mannes überlagert. Adeline vermutete, dass Nathaniel Walkers Schwachstelle der Stolz war, und zwar von der gefährlichsten Sorte, es war der Stolz des armen Mannes. Der Ehrgeiz, sich selbst zu beweisen, nach Höherem zu streben und etwas Besseres zu werden als sein Vater. Auch ohne die Angaben über seine Lebensgeschichte, die Mrs Hastings ihr so süffisant unterbreitet hatte, war sich Adeline mit jedem Tag, an dem sie Nathaniel Walker erlebte, sicherer, dass sie mit ihrer Vermutung richtig lag. Sie sah es an seinem Gang, an seinen sorgfältig blank gewienerten Schuhen, seinem eilfertigen Lächeln und seinem lauten Lachen. Es waren untrügliche Zeichen, die ihn als einen Mann verrieten, der aus kleinen Verhältnissen stammte und an der glitzernden Welt der besseren Kreise geschnuppert hatte. Einen Mann, dessen elegante Kleidung die Haut der Armut verbarg.

Adeline durchschaute ihn so gut, weil sie dieselbe Schwachstelle besaß wie er. Und sie wusste genau, was sie zu tun hatte. Sie musste dafür sorgen, dass er jede nur erdenkliche Möglichkeit erhielt. Sie würde seine glühendste Fürsprecherin werden, sie würde ihn in die höchsten Kreise der Gesellschaft einführen und seine Kunst anpreisen, bis er zum offiziellen Porträtmaler der Elite aufstieg. Mit ihrer leidenschaftlichen Unterstützung, seinem Charme und seinem guten Aussehen – ganz zu schweigen von seiner Ehefrau Rose – würde er zweifellos Eindruck machen.

Und Adeline würde ihn nie vergessen lassen, in wessen Händen sein Glück lag.

Eliza ließ den Brief neben sich aufs Bett fallen. Rose war verlobt, würde bald heiraten. Eigentlich hätte sie die Nachricht nicht besonders überraschen sollen. Rose hatte oft von ihren Zukunftsträumen gesprochen, ihrem Wunsch zu heiraten und eine Familie zu gründen, ein eigenes Haus und eine eigene Kutsche zu besitzen. Und dennoch überkam Eliza ein merkwürdiges Gefühl.

Sie schlug ihr neues Notizbuch auf und fuhr mit den Fingerspitzen leicht über die erste Seite, die im Regen nass geworden war und sich gewellt hatte. Mit dem Bleistift zeichnete sie eine Linie quer über das Blatt und beobachtete abwesend, wie sie dunkel wurde an den Stellen, wo das Papier feucht war, und hell, wo es trocken war. Sie begann, eine Geschichte zu schreiben, doch nach einer Weile legte sie ihr Heft wieder weg.

Schließlich lehnte sie sich zurück. Es hatte keinen Zweck, es zu leugnen, sie hatte ein merkwürdiges Gefühl: Etwas lag ihr im Magen, kantig und schwer und bitter. Sie fragte sich, ob sie sich vielleicht eine Krankheit eingefangen hatte. Vielleicht lag es am Regen? Mary hatte sie schon oft davor gewarnt, zu lange im feuchten Wetter draußen zu bleiben.

Eliza starrte die Wand an. Rose, ihre Cousine, ihre Spielkameradin, ihre Mitverschwörerin, würde heiraten. Wer würde Eliza in ihrem geheimen Garten Gesellschaft leisten? Wem würde sie ihre Geschichten erzählen? Mit wem würde sie ihr Leben teilen? Wie konnte es sein, dass eine Zukunft, die sie sich so lebhaft ausgemalt hatten – Jahre des gemeinsamen Reisens, erfüllt von Abenteuern und Geschichtenschreiben –, sich so plötzlich und unwiderruflich als Trugbild entpuppte? Wie das Sonnenlicht in der Abenddämmerung hatte sich ihre Zukunft mit einem leisen Seufzer einfach in Wohlgefallen aufgelöst.

Ihr Blick fiel auf den kühlen Spiegel über der Frisierkommode. Eliza schaute nicht oft in den Spiegel, und seit sie ihr Ebenbild das letzte Mal betrachtet hatte, war etwas verloren gegangen. Sie setzte sich auf und beugte sich vor. Musterte sich.

Dann plötzlich wurde ihr alles klar. Sie wusste, was ihr abhanden gekommen war. Das Spiegelbild gehörte einer Erwachsenen, in ihren Zügen konnte Sammy sich nirgendwo mehr verstecken. Er war fort.

Und jetzt würde Rose sie auch verlassen. Wer war dieser Mann, der ihr im Handumdrehen die beste Freundin gestohlen hatte?

Schlimmer hätte Eliza sich nicht fühlen können, wenn sie eine von den mit Gewürznelken gespickten Apfelsinen geschluckt hätte, die Mary immer als Weihnachtsschmuck herstellte.

Neid war der Name des Klumpens in ihrem Magen. Sie beneidete den Mann, der Rose so glücklich machte, dem mühelos gelungen war, worum sich Eliza so verzweifelt bemühte, der es fertiggebracht hatte, dass ihre Rose sich plötzlich und gänzlich von ihr ab- und ihm zugewandt hatte. *Neid.* Eliza flüsterte das Wort vor sich hin und spürte sein Gift in ihrem Mund.

Sie wandte sich wieder vom Spiegel ab, schloss die Augen und versuchte mit aller Kraft, den Brief und die schreckliche Nachricht, die er enthielt, zu vergessen. Sie wollte nicht neidisch sein, wollte diesen kantigen Klumpen nicht ständig in sich spüren. Denn Eliza wusste aus ihren eigenen Märchen, welches Schicksal neidische Schwestern erwartete.

35 *Hotel Blackhurst* *Cornwall, 2005*

Julias Wohnung lag unterm Dach und war über eine unglaublich enge Treppe am Ende des Flurs im zweiten Stock zu erreichen. Als Cassandra ihr Zimmer verlassen hatte, war die Sonne schon fast am Horizont verschwunden, und im Flur war es dunkel. Sie klopfte an die Tür und umklammerte die Flasche, die sie mitgebracht hatte. Den Wein zu kaufen, war ihr in letzter Minute eingefallen, als sie mit Christian durchs Dorf zurückgegangen war.

Die Tür ging auf, und Julia erschien in einem glänzenden, pinkfarbenen Kimono. »Kommen Sie rein«, sagte sie mit einer einladenden Geste und ging voraus. »Ich bin gerade dabei, das Essen aufzutischen. Ich hoffe, Sie mögen italienische Küche.«

»Und wie«, erwiderte Cassandra und folgte ihrer Gastgeberin in die Wohnung.

Das Dachgeschoss, das einmal ein Labyrinth aus winzigen Mansardenzimmern für eine Armee von Hausmädchen beherbergt hatte, war in ein riesiges, sonniges Apartment im Stil eines Lofts umgewandelt worden. An beiden Seiten befanden sich große Gauben, die bei Tageslicht eine großartige Aussicht auf das Anwesen bieten mussten.

Cassandra blieb in der Küchentür stehen. Auf jeder verfügbaren Fläche standen Schüsseln, Messbecher, offene Konservendosen, kleine Schalen mit Olivenöl und Zitronensaft und anderen geheimnisvollen Zutaten. Da sie nicht wusste, wo sie ihre Weinflasche abstellen sollte, hielt sie sie Julia hin.

»Ach, wie aufmerksam von Ihnen!« Julia entkorkte die Flasche, angelte ein Glas von einem Regal über der Anrichte und füllte es mit einer theatralischen Geste aus großer Höhe. Sie leckte einen Tropfen Wein von ihrem Finger. »Ich persönlich trinke eigentlich nichts anderes als Gin«, sagte sie mit einem Augenzwinkern. »Das ist reines Zeug, hält einen jung, wissen Sie.« Sie reichte Cassandra das Glas mit der sündhaft roten Flüssigkeit und verließ die Küche. »Kommen Sie, machen Sie es sich bequem.«

Julia deutete auf einen Sessel in der Mitte des Lofts, und Cassandra setzte sich. Vor ihr stand eine hölzerne Seekiste, die als Tisch diente, und darauf lag ein Stapel alter, in abgegriffenes Leder gebundene Notizhefte.

Vor lauter Aufregung schoss Cassandra eine heiße Welle durch den Körper, und es juckte sie in den Fingern, sofort nach den Heften zu greifen. Das waren die Tagebücher ihrer Urgroßmutter, der Mutter von Nell, in denen sie ihre jugendlichen Gedanken und Gefühle festgehalten hatte.

»Während ich mich um das Essen kümmere, können Sie schon mal in aller Ruhe einen Blick hineinwerfen.«

Das ließ Cassandra sich nicht zweimal sagen. Sie nahm das oberste Heft und fuhr ganz sanft mit der Hand über den Einband, dessen Leder vom vielen Anfassen schon ganz dunkel war und sich so weich und glatt wie Samt anfühlte.

Mit angehaltenem Atem schlug Cassandra das Heft auf. In einer hübschen, sauberen Handschrift stand auf der ersten Seite: *Rose Elizabeth Mountrachet Walker, 1909*. Vorsichtig strich sie mit dem Finger über die einzelnen Worte, spürte die kaum wahrnehmbaren Erhebungen auf dem Papier. Stellte sich die spitze Feder vor, mit der sie geschrieben worden waren. Langsam blätterte sie die Seite um und las den ersten Eintrag.

Ein neues Jahr. Und eins, das so viele großartige Ereignisse verspricht. Ich kann mich kaum konzentrieren, seit Dr. Matthews hier war und mir seine Diagnose verkündet hat. Ich muss gestehen, dass ich wegen der gehäuft auftretenden Ohnmachtsanfälle in letzter Zeit ziemlich beunruhigt war – und nicht nur ich allein. Mama stand die Sorge ins

Gesicht geschrieben. Während Dr. Matthews mich untersuchte, habe ich ganz still dagelegen und an die Decke geschaut, habe meine Angst bekämpft, indem ich mir die glücklichsten Momente meines Lebens in Erinnerung gerufen habe. Meine Hochzeit natürlich, meine Reise nach New York, den Sommer, in dem Eliza nach Blackhurst gekommen ist … Wie strahlend solche Erinnerungen einem erscheinen, wenn das Leben, dessen Bestandteile sie sind, in Gefahr zu sein scheint!

Später, als Mama und ich nebeneinander auf dem Sofa saßen und auf Dr. Matthews' Diagnose warteten, hat sie meine Hand genommen. Ihre Finger waren ganz kalt. Ich habe Mama angesehen, aber sie ist meinem Blick ausgewichen. Und da habe ich wirklich Angst bekommen. Während all der Krankheiten, die ich als Kind durchgemacht habe, war Mama immer voller Zuversicht. Ich fragte mich, warum sie jetzt so verzagt wirkte, welche Befürchtungen sie so ängstigten. Als Dr. Matthews sich räusperte, habe ich Mamas Hand fest gedrückt. Aber was er dann sagte, war so unfassbar, das ich es kaum mit Worten beschreiben kann.

»Sie sind schwanger, meine Liebe. So Gott will, werden Sie im August niederkommen.«

Ach, wie soll ich nur das Glück beschreiben, das diese Worte auslösten? Nach so langer vergeblicher Hoffnung, nach all den schrecklichen Monaten der Enttäuschung. Ein Baby, das ich lieben kann. Ein Erbe für Nathaniel, ein Enkel für Mama und ein Patenkind für Eliza.

Cassandra brannten die Augen. Sich vorzustellen, dass das Kind, dessen Zeugung Rose bejubelte, Nell gewesen war. Dieses so inniglich herbeigesehnte Kind war Cassandras geliebte, verloren gegangene Großmutter. Roses hoffnungsvolle Gefühle waren umso rührender, als sie beim Niederschreiben natürlich nicht hatte ahnen können, was die Zukunft für sie bereithielt.

Hastig blätterte Cassandra weiter in dem Tagebuch, überschlug Seiten, in denen kleine Stückchen Spitze und Seidenband eingeklebt waren, die kurze Bemerkungen über die Besuche des Arztes enthielten, über Einladungen zu allen möglichen Dinners und Bällen im ganzen County, bis sie schließlich unter dem Datum November 1909 fand, was sie suchte.

Sie ist da! – Ich schreibe diese Zeilen etwas später als erwartet. Die vergangenen Monate waren doch schwieriger als gedacht, aber es war die Mühe wert. Nach der langen Zeit der vergeblichen Hoffnung, nach all den Monaten der Krankheit und Sorge und Bettlägerigkeit halte ich mein geliebtes Kind in den Armen, und das lässt mich alles vergangene Elend vergessen. Sie ist perfekt. Ihre Haut ist so cremig zart, ihre Lippen so voll und rosig. Ihre Augen schimmern hellblau, aber der Arzt sagt, alle Neugeborenen haben blaue Augen, und es kann sein, dass sie später dunkel werden. Insgeheim hoffe ich, dass er sich irrt. Ich wünsche mir, dass sie eine echte Mountrachet wird wie Vater und Eliza: blaue Augen und rotes Haar. Wir haben uns entschlossen, sie Ivory zu nennen, Elfenbein. Es ist die Farbe ihrer Haut und, wie sich mit der Zeit sicherlich herausstellen wird, ihrer Seele.

»*So, das Essen ist fertig.*« Julia kam mit zwei Tellern voll dampfender Nudeln aus der Küche, unter dem Arm eine riesige Pfeffermühle. »Ravioli mit Pinienkernen und Gorgonzola.« Sie reichte Cassandra einen Teller. »Vorsicht, heiß.«

Cassandra legte das Tagebuch zur Seite und nahm den Teller entgegen. »Das duftet ja köstlich.«

»Wenn ich nicht Schriftstellerin, dann Dekorateurin und schließlich Hotelbesitzerin geworden wäre, dann wäre ich mit Sicherheit Köchin geworden. Prost.« Julia hob ihr Glas mit Gin, trank einen Schluck und seufzte. »Manchmal habe ich das Gefühl, dass mein ganzes Leben aus einer Reihe von Zufällen besteht – nicht dass ich mich beklage, man kann durchaus glücklich werden, auch wenn man nicht immer alles unter Kontrolle hat.« Sie spießte zwei Ravioli auf ihre Gabel. »Aber ich will Sie nicht mit meiner Lebensgeschichte langweilen. Wie läuft's denn im Cliff Cottage?«

»Sehr gut«, antwortete Cassandra. »Aber je mehr ich in Ordnung bringe, desto mehr sehe ich, was alles noch getan werden muss. Der Garten ist völlig verwildert, und das Haus selbst befindet sich in einem bedauernswerten Zustand. Ich bin mir noch nicht mal sicher, ob die Bausubstanz noch in Ordnung ist oder nicht. Wahrscheinlich sollte ich einen Statiker kommen lassen, aber dazu bin ich noch nicht gekommen, ich habe so viel um die Ohren. Es ist alles ziemlich …«

»Überwältigend?«

»Ja, überwältigend, sogar noch mehr als das.« Cassandra suchte nach dem passenden Wort und war selbst überrascht, als es ihr wie von selbst über die Lippen kam. »… Aufregend. Ich habe dort nämlich etwas gefunden.«

»Etwas gefunden?« Julia hob die Brauen. »Einen verborgenen Schatz oder so was?«

»Wenn Sie Schätze mögen, die grün und fruchtbar sind.« Cassandra biss sich auf die Unterlippe. »Es ist ein verborgener Garten, ein von einer Mauer umgebener Garten hinter dem Haus. Ich glaube, dass schon seit Jahrzehnten niemand mehr in diesem Garten gewesen ist, was kein Wunder ist bei der hohen Mauer, die noch dazu völlig überwuchert ist mit Brombeerranken. Man würde nie vermuten, dass er sich überhaupt an dieser Stelle befindet.«

»Und wie haben Sie ihn entdeckt?«

»Eigentlich per Zufall.«

Julia schüttelte den Kopf. »Es gibt keine Zufälle.«

»Ich hatte ehrlich keine Ahnung, dass es diesen Garten gibt.«

»Das wollte ich damit auch nicht andeuten. Ich denke nur, dass der Garten sich vielleicht vor denjenigen versteckt hat, von denen er nicht gefunden werden wollte.«

»Also ich bin jedenfalls froh, dass er sich mir gezeigt hat. Dieser Garten ist wirklich unglaublich. Er ist völlig verwildert und zugewuchert, aber unter den Brombeerranken haben alle möglichen Pflanzen überlebt. Es gibt schmale, mit Steinen gepflasterte Wege, Gartenbänke und Vogeltränken.«

»Er hat viele Jahre lang einen Dornröschenschlaf geschlafen, bis jemand kam, der den Bann gebrochen hat.«

»Aber das ist es ja gerade: Er hat gar nicht geschlafen. Die Bäume sind weitergewachsen und tragen jede Menge Früchte, obwohl niemand da ist, der sich daran erfreuen kann. Sie müssten den Apfelbaum mal sehen, der sieht aus, als wäre er hundert Jahre alt.«

»Ist er auch«, sagte Julia und setzte sich plötzlich kerzengerade auf. Sie stellte ihren Teller ab. »Oder zumindest fast.« Sie blätterte in den Tagebüchern, offenbar auf der Suche nach einer bestimmten Stelle. »Ah«, sagte sie und klopfte mit dem Finger auf eine Seite. »Da ist es ja. Kurz nach Roses achtzehntem Geburtstag, vor ihrer Reise nach New York, wo sie Nathaniel kennengelernt hat.« Julia setzte sich eine Brille mit türkisfarbenem Perlmuttgestell auf die Nasenspitze und las laut vor.

21. April 1906. Was für ein Tag! Und als er anfing, dachte ich, ich würde wieder endlose Stunden im Haus verbringen müssen! (Nachdem Dr. Matthews erwähnt hat, dass im Dorf ein paar Leute einen Schnupfen haben, macht Mama sich verrückt vor Angst, ich könnte mich erkälten und die für nächstes Wochenende geplante Landpartie gefährden.) Aber wie immer hatte Eliza eine bessere Idee. Kaum war Mama in ihrer Kutsche zu Lady Phillimores Lunchparty aufgebrochen, da erschien sie auch schon mit glühenden Wangen in meinem Zimmer (Gott, wie ich sie um die viele Zeit beneide, die sie im Frei-

en verbringt!) und bestand darauf, dass ich mein Heft weglegte (denn ich war gerade dabei, deine Seiten zu füllen, liebes Tagebuch) und mit ihr einen Spaziergang durchs Labyrinth machte. Sie wollte mir unbedingt etwas zeigen.

Zuerst wollte ich ablehnen – ich fürchtete, jemand vom Dienstpersonal könnte mich bei Mama verpetzen, und ich streite mich so ungern mit ihr, erst recht nicht so kurz vor unserer Reise nach New York – aber dann ist mir aufgefallen, dass Eliza wieder diesen »Blick« hatte, den sie jedes Mal bekommt, wenn sie einen Plan ausgeheckt hat und keinen Widerspruch duldet, den »Blick«, der mich in den vergangenen sechs Jahren häufiger in Schwierigkeiten gebracht hat, als mir lieb ist …

Meine liebe Cousine war so aufgeregt, dass es mir unmöglich war, mich von ihrer Begeisterung nicht anstecken zu lassen. Manchmal habe ich das Gefühl, dass sie genug Tatendrang für uns beide zusammen besitzt, was andererseits ein Glück ist, da ich so häufig krank bin. Ehe ich wusste, wie mir geschah, hatte sie mich untergehakt, und wir liefen kichernd aus dem Haus. Davies wartete schon auf uns am Eingang zum Labyrinth. Er schleppte einen riesigen Topf mit einer Pflanze darin, und Eliza lief immer wieder zurück, um ihm ihre Hilfe anzubieten, die er jedes Mal ablehnte, woraufhin sie wieder zu mir zurückgeeilt kam, meine Hand nahm und mich weiterzog. So ging es den ganzen Weg durch das Labyrinth (in dem Eliza sich inzwischen auskennt wie in ihrer Westentasche), vorbei an der kleinen Sitzecke in der Mitte, an dem Messingring, von dem Eliza behauptet, er würde zu dem schauderhaften, düsteren Hohlweg führen, bis wir schließlich vor einem eisernen Tor mit einem Messingschloss standen. Mit einer theatralischen Geste zog Eliza einen Schlüssel aus ihrer Rocktasche, und ehe ich dazu kam, sie zu fragen, wo in aller Welt sie ihn gefunden hatte, hatte sie ihn schon ins Schloss gesteckt. Sie drehte den Schlüssel um, und langsam öffnete sich das Tor.

Hinter dem Tor befand sich ein Garten. Er war auf den ersten Blick ähnlich wie die anderen Gärten auf dem Anwesen, und doch so ganz anders. Erstens war er rundum von einer hohen Steinmauer umgeben, in der sich zwei einander gegenüberliegende eiserne Tore befanden –

»*Es gibt also noch ein Tor*«, unterbrach sie Cassandra. »Ich habe es gar nicht gesehen.«

Julia schaute sie über ihre Brille hinweg an. »Etwa 1912 oder 1913 wurden Renovierungsarbeiten durchgeführt. Zum Beispiel wurde eine der vier Steinmauern erneuert. Vielleicht hat man dabei das Tor entfernt? Warten Sie. Hören Sie sich das an.«

Der Garten war sehr ordentlich gepflegt und nur spärlich bepflanzt. Er wirkte ein bisschen wie ein Brachfeld, das nach dem Winter darauf wartet, wieder bestellt zu werden. In der Mitte stand neben einer steinernen Vogeltränke eine reich verzierte schmiedeeiserne Gartenbank, und daneben waren mehrere Holzkisten aufgereiht, die Töpfe mit kleinen Pflanzen enthielten.

Eliza rannte wild herum wie ein Schuljunge.

»Wo sind wir hier?«, fragte ich.

»In einem Garten. Den habe ich angelegt. Du hättest mal das ganze Unkraut sehen sollen, als ich angefangen habe mit dem Bepflanzen. Wir haben hier richtig geschuftet, stimmt's, Davies?«

»Das stimmt allerdings, Miss Eliza«, sagte Davies und stellte den Topf mit der Pflanze an der Gartenmauer ab.

»Das wird unser Garten, Rose, er wird dir und mir gehören. Ein geheimer Ort, wo wir zu zweit ungestört sein können, genauso, wie wir es uns als kleine Mädchen immer erträumt haben. Eine Mauer rundherum, zwei Tore mit dicken Schlössern, unser eigenes kleines Paradies. Selbst wenn du krank bist, kannst du herkommen, Rose. Die Mauer schützt vor dem rauen Seewind, und dann kannst du die Vö-

gel zwitschern hören, den Duft der Blumen schnuppern und die Sonne im Gesicht spüren.«

Ihre Begeisterung war so ansteckend, dass ich unwillkürlich anfing, mich nach einem solchen Garten zu sehnen. Als ich die sorgfältig angelegten Beete betrachtete und die Pflanzen, die gerade angefangen hatten zu knospen, konnte ich mir das Paradies, das Eliza mir ausmalte, genau vorstellen. »Als ich noch ganz klein war, habe ich manchmal Leute von einem geheimen Garten auf dem Anwesen reden hören«, sagte ich, »aber ich habe das immer für ein Märchen gehalten.«

»Es ist kein Märchen«, erwiderte Eliza mit leuchtenden Augen. »Er ist immer da gewesen, und jetzt werden wir ihn zu neuem Leben erwecken.«

Die beiden mussten tatsächlich hart gearbeitet haben. Wenn sich wirklich niemand um den Garten gekümmert hatte, wenn er seit … Dann fiel mir wieder ein, was ich als Kind über den Garten gehört hatte, und plötzlich wusste ich genau, wessen Garten das gewesen war.

»Ach, Eliza«, sagte ich hastig. »Du musst vorsichtig sein, wir beide müssen vorsichtig sein. Lass uns ganz schnell von hier verschwinden und nie wieder herkommen. Wenn Vater erfährt, dass …«

»Der weiß doch längst Bescheid«, fiel Eliza mir ins Wort.

Ich war völlig entgeistert und habe sie wohl etwas schärfer angesehen als beabsichtigt. »Was willst du damit sagen?«

»Onkel Linus persönlich hat Davies angewiesen, mir den Garten zu überlassen. Er hat Davies gebeten, das Gestrüpp vor dem Tor zu entfernen, damit wir uns an die Arbeit machen konnten.«

»Aber Vater hat jedem im Haus verboten, den Garten hinter der Mauer zu betreten.«

Eliza zuckte die Achseln, diese Geste, die so typisch für sie ist und die Mama so verabscheut. »Dann hat er eben seinem Herzen einen Ruck gegeben und es sich anders überlegt.«

Seinem Herzen einen Ruck gegeben. *Wie merkwürdig das klang im Zusammenhang mit Vater. Es war das Wort Herz. Bis auf das eine Mal, als ich mich unter seinem Schreibtisch versteckt hatte und hörte, wie er um seine Schwester, um sein Püppchen weinte, kann ich mich nicht erinnern, Vater auch nur ein einziges Mal in einer Verfassung erlebt zu haben, die darauf schließen ließe, dass er ein Herz besitzt. Dann wurde mir auf einmal alles klar, und ich spürte einen seltsamen Klumpen im Magen. »Weil du ihre Tochter bist.«*

Aber Eliza hat mich gar nicht gehört. Sie war bereits dabei, den großen Blumentopf auf ein Loch zuzuschieben, das sie vor der Mauer ausgehoben hatte.

»Das hier ist unser erster Baum«, rief sie mir zu. »Wir werden das Ereignis mit einer Zeremonie begehen. Deswegen war es mir so wichtig, dass du heute hier bist. Dieser Baum wird immer weiterwachsen, egal, wo das Leben uns hinführt, und er wird uns nie vergessen: Rose und Eliza.«

Davies kam und reichte mir einen kleinen Spaten. »Es ist Miss Elizas Wunsch, dass Sie als Erste einen Spaten voll Erde auf die Wurzeln des Baums werfen, Miss Rose.«

Miss Elizas Wunsch. Wie hätte ich mich einer solchen Macht widersetzen sollen?

»Was für ein Baum ist es denn überhaupt?«, fragte ich.

»Ein Apfelbaum.«

Ich hätte es mir denken können. Eliza hat schon immer etwas für Symbole übrig gehabt, und Äpfel sind schließlich die ersten Früchte des Paradieses.

Julia blickte auf, und eine Träne lief ihr über die Wange. Sie schniefte lächelnd. »Ich habe Rose so in mein Herz geschlossen. Geht es Ihnen nicht auch so, dass Sie ihre Gegenwart spüren?«

Cassandra erwiderte das Lächeln. Sie hatte einen Apfel von dem Baum gegessen, den ihre Urgroßmutter vor fast hundert Jahren zusammen mit Eliza Makepeace gepflanzt hatte. Sie errötete leicht, als der Gedanke an den Apfel ihre Erinnerung an den seltsamen Traum wieder weckte. Die ganze Woche über, während sie Seite an Seite mit Christian gearbeitet hatte, war es ihr gelungen, den Traum zu verdrängen, und sie hatte schon geglaubt, sie wäre ihn losgeworden.

»Und jetzt sind Sie diejenige, die den Garten wieder in Ordnung bringt. Wie wunderbar. Was Rose wohl sagen würde, wenn sie das wüsste?« Julia zog ein Papiertaschentuch aus einer Schachtel neben dem Sessel und schnäuzte sich die Nase. »Verzeihen Sie«, sagte sie, während sie sich die Augen wischte. »Es ist einfach alles so romantisch.« Sie musste lachen. »Schade, dass Sie nicht auch einen Davies haben, der Ihnen bei der Arbeit hilft.«

»Er ist zwar kein Davies, aber es gibt jemanden, der mir hilft«, sagte Cassandra. »Seit einer Woche kommt er jeden Nachmittag und packt mit an. Ich habe ihn und seinen Bruder Michael kennengelernt, als sie einen umgestürzten Baum weggeschafft haben. Ich glaube, sie kennen die beiden. Robyn Jameson meinte, die Brüder würden auch Ihre Gartenanlagen pflegen.«

»Ach, die Brüder Blake. Ja, das stimmt allerdings, und ich muss gestehen, es ist eine Freude, ihnen bei der Arbeit zuzusehen. Dieser Michael ist ein ziemlicher Charmeur, nicht wahr? Wenn ich nicht aufgehört hätte, Bücher zu schreiben, würde Michael mir als Vorbild für einen Frauenheld dienen.«

»Und Christian?« Obwohl sie sich sehr bemühte, die Frage ganz beiläufig klingen zu lassen, spürte Cassandra, wie sie errötete.

»Der wäre in meinem Roman auf jeden Fall der jüngere, klügere, stillere Bruder, der am Ende alle mit seinem Mut überrascht und das Herz der Heldin gewinnt.«

Cassandra lächelte. »Welche Rolle ich in Ihrem Buch spielen würde, frage ich lieber erst gar nicht.«

»Dafür sage ich Ihnen, welche Rolle mir zufallen würde.« Julia stieß einen tiefen Seufzer aus. »Ich wäre die alternde Schönheit, die sowieso keine Chance hat, den Helden für sich zu gewinnen, und deshalb der Heldin zu ihrem Glück verhilft.«

»Das Leben wäre so viel einfacher, wenn alles wie im Märchen verlaufen würde«, sagte Cassandra, »und jeder seine festgelegte Rolle hätte.«

»Aber genauso ist es doch, wir *glauben* nur alle, es wäre nicht so. Selbst wer steif und fest behauptet, dass so etwas wie eine festgelegte Rolle nicht existiert, entspricht einem Klischee: dem des trockenen Pedanten, der auf seine Einzigartigkeit pocht!«

Cassandra trank einen Schluck Wein. »Sie glauben also nicht, dass es so etwas wie Einzigartigkeit gibt?«

»Jeder ist einzigartig, nur auf andere Weise, als wir uns das vorstellen.« Julia lächelte und machte eine Handbewegung, die ihre Armbänder zum Klimpern brachte. »Gott, wenn man mich reden hört – natürlich gibt es unterschiedliche Charaktere. Christian Blake zum Beispiel, der ist gar nicht Gärtner von Beruf, wissen Sie. Er arbeitet in Oxford im Krankenhaus. Hat er jedenfalls bis vor Kurzem. Er ist Arzt, mit welchem Fachgebiet, hab ich vergessen. Die Bezeichnungen für die einzelnen Fachärzte sind so kompliziert, dass man sie sich kaum merken kann, nicht wahr?«

Cassandra richtete sich auf. »Wie kommt denn ein Arzt dazu, Bäume zu fällen?«

»Genau das frage ich mich auch. Als Michael mir mitteilte, dass sein Bruder neuerdings für ihn arbeiten würde, habe ich keine Fragen gestellt, aber neugierig hat es mich schon gemacht. Was bringt einen jungen Mann dazu, so mir nichts dir nichts den Beruf zu wechseln?«

Cassandra schüttelte den Kopf. »Vielleicht hat er es sich einfach anders überlegt?«

Julia legte den Kopf schief. »Ziemlich extreme Entscheidung, würde ich sagen.«

»Vielleicht ist ihm irgendwann klar geworden, dass ihm der Arztberuf keinen Spaß macht.«

»Möglich, aber darauf hätte er doch in all den Jahren des Studiums schon kommen können.« Julia lächelte hintersinnig. »Ich glaube, sein Berufswechsel hat einen ganz anderen Grund. Allerdings war ich mal Schriftstellerin, und alte Angewohnheiten sind hartnäckig. Ich kann nicht verhindern, dass meine Fantasie immer wieder mit mir durchgeht.« Sie zeigte auf Cassandra, ohne ihr Ginglas abzustellen. »Geheimnisse, meine Liebe, machen einen Menschen interessant.«

Cassandra musste an Nell denken und an die Geheimnisse, die sie gewahrt hatte. Wie hatte sie das aushalten können, endlich herauszufinden, wer sie war, und keiner Menschenseele davon zu erzählen? »Ich wünschte, meine Großmutter hätte die Tagebücher lesen können, bevor sie starb. Sie hätten ihr so viel bedeutet, es wäre für sie bestimmt beinahe so gewesen, als könnte sie die Stimme ihrer Mutter hören.«

»Ich denke schon die ganze Woche über Ihre Großmutter nach«, sagte Julia. »Seit Sie mir diese Geschichte erzählt haben, frage ich mich, was Eliza dazu gebracht haben kann, die kleine Ivory zu entführen.«

»Und? Zu welchem Schluss sind Sie gekommen?«

»Neid«, sagte Julia. »Je länger ich mir den Kopf darüber zerbreche, umso mehr bin ich davon überzeugt. Neid ist ein sehr überzeugendes Motiv, und Eliza hatte weiß Gott genug Gründe, auf Rose neidisch zu sein: Roses Schönheit, ihr talentierter Ehemann, ihr Geburtsrecht. Ihre ganze Kindheit über muss Eliza Rose als ein Mädchen erlebt haben, das alles besaß, was sie selbst nicht hatte: wohlhabende Eltern, ein großartiges Haus, eine Liebenswürdigkeit, für die sie von den Leuten verehrt wurde. Und dann zu erleben, wie Rose, kaum dass sie erwachsen ist, so plötzlich heiratet, noch dazu einen Mann, der äußerst attraktiv gewesen sein muss, und schließlich eine süße kleine Tochter zur Welt bringt … Lieber Himmel, selbst ich könnte auf Rose neidisch werden! Stellen Sie sich bloß mal vor, wie das für Eliza gewesen sein muss – die nach allem, was man über sie weiß, wohl ein ziemlich schräger Vogel war.« Sie trank ihr Glas aus und stellte es mit Nachdruck ab. »Ich versuche nicht zu rechtfertigen, was sie getan hat, ganz und gar nicht, ich sage nur, dass es mich nicht wundert.«

»Es ist zumindest die nächstliegende Antwort, nicht wahr?«

»Und die nächstliegende Antwort ist gewöhnlich die richtige. Es steht alles in den Tagebüchern – na ja, man kann es finden, wenn man weiß, wonach man sucht. Von dem Augenblick an, als Rose erfahren hat, dass sie schwanger ist, hat Eliza sich immer mehr von ihr zurückgezogen. Und nach Ivorys Geburt erwähnt Rose Eliza kaum noch. Es muss Rose sehr bedrückt haben – Eliza war für sie wie eine Schwester, und plötzlich, in einer Zeit, die für Rose so etwas ganz Besonderes ist, zieht sie sich zurück. Packt ihre Sachen und verschwindet.«

»Wohin denn?«, fragte Cassandra verwundert.

»Irgendwo nach Übersee, glaube ich.« Julia runzelte die Stirn. »Obwohl ich mir jetzt, wo Sie danach fragen, nicht mehr ganz sicher bin, dass Rose ausdrücklich schreibt …« Sie machte eine wegwerfende Handbewegung. »Aber das ist eigentlich auch egal. Tatsache ist, dass sie fortging, als Rose schwanger war, und erst nach Ivorys Geburt zurückgekehrt ist. Die Freundschaft zwischen den beiden Frauen war nie wieder wie früher.«

Cassandra gähnte und rückte ihr Kopfkissen noch einmal zurecht. Ihre Augen schmerzten vor Müdigkeit, aber sie war fast am Ende des Jahres 1907 angelangt und wollte das Tagebuch nicht weglegen, wo doch nur noch wenige Seiten zu lesen blieben. Außerdem, je eher sie sie las, desto besser. Zwar war Julia freundlicherweise bereit gewesen, ihr die Hefte auszuleihen, aber sie wusste nicht, für wie lange. Zum Glück war Roses Handschrift im Gegensatz zu Nells gleichmäßig und deutlich. Cassandra trank einen Schluck von ihrem mittlerweile nur noch lauwarmen Tee, überschlug ein paar Seiten, die nur eingeklebte Stückchen Stoff, Seidenband und Tüll und schwungvolle Unterschriftsproben enthielten: *Mrs Rose Mountrachet Walker, Mrs Walker, Mrs Rose Walker.* Cassandra musste lächeln – manche Dinge änderten sich nie – und nahm sich die letzte Seite vor.

Ich habe gerade Tess von den d'Urbervilles *noch einmal gelesen. Es ist ein verwirrender Roman, von dem ich nicht behaupten kann, dass er mir wirklich gefällt. Hardys Bücher enthalten so brutale Stellen, das ist für meinen Geschmack einfach zu viel: Letztlich bin ich trotz bester Absichten die Tochter meiner Mutter. Dass Angel zum Christentum konvertiert, seine Heirat mit Liza-Lu, der Tod des armen kleinen Sorrow – diese Dinge irritieren mich alle. Warum bekommt Sorrow kein christliches Begräbnis? Kinder müssen doch nicht für die Sünden ihrer Eltern büßen, oder? Findet Hardy Angels Konversion richtig oder hat er seine Zweifel? Und wie ist es möglich, dass Angel plötzlich nicht mehr Tess, sondern ihre Schwester liebt?*

Na ja, diese Dinge haben schon größere Geister ins Grübeln gebracht, und ich habe die tragische Geschichte von der traurigen Tess nicht noch einmal gelesen, um Literaturkritik zu üben. Ich muss gestehen, dass ich den guten Mr Thomas Hardy zurate gezogen habe in der Hoffnung, etwas darüber zu erfahren, was mich erwartet, wenn Nathaniel und ich verheiratet sind. Genauer gesagt, was wohl von mir erwartet wird. Ach, wie mir die Wangen glühen, wenn ich an solche Fragen nur denke! Niemals würde ich es wagen, sie auszusprechen. (Wenn ich mir vorstelle, was Mama für ein Gesicht machen würde!)

Leider habe ich bei Mr Hardy nicht die erhofften Antworten gefunden. Ich hatte die Stelle falsch in Erinnerung – Tess' Entehrung wird nicht sehr detailreich beschrieben. Es ist also nicht zu ändern. Wenn mir kein anderer einfällt, an den ich mich Rat suchend wenden kann (weder Mr James noch Mr Dickens werden mir helfen können), bleibt mir nichts anderes übrig, als mich blind in diesen dunklen Abgrund zu stürzen. Meine größte Angst ist, dass Nathaniel Grund haben könnte, meinen Bauch zu betrachten. Ich kann nur hoffen, dass das nicht der Fall ist. Eitelkeit ist eine Sünde, ich weiß, aber ich kann mir nicht helfen. Denn meine Male sind so hässlich, und er liebt doch meine helle Haut so sehr.

Cassandra las die letzten Zeilen noch einmal. Was konnten das für Male sein, von denen Rose schrieb? Muttermale vielleicht? Oder Narben? Hatte irgendetwas anderes in dem Tagebuch gestanden, das einen Hinweis darauf geben konnte? Sosehr sie sich auch den Kopf zerbrach, sie konnte sich einfach nicht erinnern. Es war zu spät am Abend, und sie war inzwischen so müde, dass sie kaum noch einen klaren Gedanken fassen konnte.

Sie gähnte, rieb sich die Augen und schlug das Tagebuch zu. Wahrscheinlich würde sie es nie erfahren, und vielleicht spielte es auch gar keine Rolle. Noch einmal befühlte Cassandra den weichen Ledereinband, genau wie Rose es sicherlich immer wieder getan hatte, dann legte sie das Tagebuch auf ihrem Nachttisch ab und schaltete das Licht aus. Schloss die Augen und glitt in einen vertrauten Traum über hohes Gras, eine endlose Wiese und plötzlich, unerwartet, ein Haus auf einer Klippe am Meer.

36 *Pilchard Cottage* *Tregenna, 1975*

Nell wartete vor der Tür, überlegte, ob sie noch einmal klopfen sollte. Sie stand jetzt schon seit fünf Minuten hier, und allmählich kam ihr der Verdacht, dass William Martin nichts von ihrer bevorstehenden Anwesenheit an seinem Abendbrottisch ahnte, dass die Einladung nichts weiter war als eine List von Robyn, mit der sie wiedergutmachen wollte, was bei der letzten Begegnung schiefgelaufen war. Sie konnte sich gut vorstellen, dass Robyn zu der Sorte Menschen gehörte, die Missstimmungen, egal, welche Ursache sie haben mochten, einfach nicht ertragen konnten.

Nell klopfte noch einmal. Setzte eine unbekümmerte Miene auf für den Fall, dass irgendeiner von Williams Nachbarn sich über diese merkwürdige Frau wundern sollte, die den ganzen Abend lang vor der Tür stand und klopfte.

Schließlich machte William selbst ihr auf. Mit einem Küchentuch über der Schulter und einem hölzernen Kochlöffel in der Hand sagte er: »Ich habe gehört, Sie haben das Cottage gekauft.«

»Gute Nachrichten verbreiten sich schnell.«

Er musterte sie mit zusammengekniffenen Lippen. »Sie sind verdammt stur, das hab ich meilenweit gegen den Wind gerochen.«

»So hat der Herrgott mich nun mal gemacht.«

Er nickte und schnaubte. »Also, dann kommen Sie mal rein, sonst erfrieren Sie mir noch.«

Nell schälte sich aus ihrer regendichten Jacke und hängte sie an einen Haken. Dann folgte sie William ins Wohnzimmer.

Küchendämpfe erfüllten das ganze Haus, und es roch zugleich appetitlich und widerlich. Nach Fisch und Salz und noch irgendetwas.

»Ich habe einen Topf Fischsuppe auf dem Herd stehen«, sagte William und schlurfte in die Küche. »Hab Sie bei all dem Blubbern und Brutzeln nicht klopfen hören.« Lautes Klappern von Töpfen und Pfannen, dann ein Fluchen. »Robyn wird gleich hier sein.« Erneutes Geklapper. »Hat sich von diesem Kerl aufhalten lassen.«

Die letzten Worte kamen ziemlich verächtlich. Nell ging in die

Küche und sah ihm zu, wie er in der dicken Suppe rührte. »Sie mögen Robyns Verlobten nicht besonders?«

Er legte den Rührlöffel ab, tat den Deckel auf den Topf und nahm seine Pfeife. Klaubte ein Stückchen Tabak vom Rand des Pfeifenkopfs. »Nein, an dem Mann ist nichts auszusetzen. Außer dass er nicht vollkommen ist.« Während er mit einer Hand seinen gekrümmten Rücken stützte, ging er ins Wohnzimmer. »Haben Sie Kinder? Enkelkinder?«, fragte er, als er sich an Nell vorbeischob.

»Eine Tochter, eine Enkelin.«

»Na, dann wissen Sie ja, wovon ich rede.«

Nell lächelte düster vor sich hin. Zwölf Tage waren vergangen, seit sie aus Australien aufgebrochen war; sie fragte sich, ob Lesley überhaupt schon bemerkt hatte, dass sie fort war. Wahrscheinlich nicht. Trotzdem nahm sie sich vor, ihr eine Postkarte zu schicken. Die kleine Cassandra würde sich freuen. Kinder konnten sich für solche Dinge begeistern.

»Kommen Sie, Mädel«, rief William aus dem Wohnzimmer. »Leisten Sie einem alten Mann ein bisschen Gesellschaft.«

Nell, ein Gewohnheitstier, wählte denselben Sessel, in dem sie beim letzten Mal gesessen hatte. Sie nickte William zu.

Er erwiderte ihr Nicken.

Eine Weile saßen sie in freundschaftlichem Schweigen da. Der Wind war stärker geworden und rüttelte an den Fenstern, wie um die Stille im Raum zu unterstreichen. Nell zeigte auf das Gemälde über dem offenen Kamin, ein Bild von einem Fischerboot mit einem rot-weiß gestreiften Rumpf und dem Namen in schwarzen Lettern auf der Seite. »Ist das Ihr Boot? Die *Piskie Queen*?«

»Allerdings«, sagte William. »Die Liebe meines Lebens, denke ich manchmal. Wir beide haben einige schlimme Stürme gemeinsam durchgestanden.«

»Haben Sie das Boot immer noch?«

»Nein, seit ein paar Jahren nicht mehr.«

Wieder legte sich Schweigen über sie. William tätschelte seine Brusttasche, dann zog er einen Beutel mit Tabak heraus und begann, seine Pfeife zu stopfen.

»Mein Vater war Hafenmeister«, sagte Nell. »Ich bin mit Schiffen aufgewachsen.« Plötzlich sah sie Haim vor sich, wie er kurz nach dem Krieg in Brisbane am Kai stand, die Sonne im Rücken, sodass seine Gestalt vor dem hellen Hintergrund wie ein Schattenriss erschien mit seinen langen, irischen Beinen, den großen, kräftigen Händen. »Das hat man irgendwann im Blut, nicht wahr?«

»Ja, da haben Sie recht.«

Die Fensterscheiben klapperten, und Nell seufzte. Genug ist genug, jetzt oder nie und ähnliche Redewendungen kamen ihr in den Sinn: Sie mussten reinen Tisch machen, und diese Aufgabe würde Nell zufallen, denn sie konnte sich nicht weiter mit solch belanglosem Geplauder begnügen. »William«, sagte sie und beugte sich vor. »Was ich neulich abends gesagt habe. Ich wollte Ihnen nicht …«

Er hob eine schwielige Hand, die leicht zitterte. »Kein Problem.«

»Aber ich hätte nicht …«

»Nichts passiert.« Er klemmte sich die Pfeife zwischen die Zähne, und damit war das Thema erledigt. Dann zündete er ein Streichholz an.

Nell lehnte sich wieder in ihrem Sessel zurück: Wenn er es so wollte, bitte sehr, aber sie war fest entschlossen, diesmal nicht zu gehen, ohne ein weiteres Stück des Puzzles ergattert zu haben. »Robyn meinte, Sie wollten mir etwas sagen.«

Der süße Duft des Pfeifentabaks breitete sich aus, als William seine Pfeife anzündete. Er nickte. »Ich hätte es Ihnen schon letztes Mal sagen sollen.« Sein Blick ruhte auf einem Punkt hinter Nell, und sie musste sich beherrschen, um sich nicht umzudrehen und nachzuschauen, was es war. »Aber Sie haben mich so überrumpelt. Es ist schon lange her, dass jemand ihren Namen ausgesprochen hat.«

Eliza Makepeace. Die unausgesprochenen Laute schwebten wie auf silbernen Flügeln zwischen ihnen.

»Es ist mehr als sechzig Jahre her, aber ich sehe sie heute noch von dem Haus da oben herunterkommen und mit entschlossenen Schritten ins Dorf gehen, das offene Haar im Wind.« Er hatte die Lider beim Sprechen geschlossen, doch jetzt öffnete er die Augen wieder und schaute Nell an. »Ich nehme an, das sagt Ihnen nicht viel, aber damals – na ja, es kam nicht oft vor, dass jemand aus dem Herrenhaus sich in die Niederungen des Dorfs begab. Aber Eliza«, er räusperte sich. »Eliza benahm sich, als wäre es das Natürlichste auf der Welt. Die war nicht wie die anderen da oben.«

»Sie haben sie also gekannt?«

»Ich habe sie gut gekannt, zumindest so gut, wie man ihresgleichen kennen konnte. Ich habe sie kennengelernt, als sie gerade siebzehn war. Meine kleine Schwester Mary arbeitete damals oben im Herrenhaus und hat Eliza einmal, als sie ihren freien Nachmittag hatte, mitgebracht.«

Nell musste sich sehr beherrschen, um sich ihre Aufregung nicht anmerken zu lassen. Endlich mit jemandem zu sprechen, der Eliza persönlich gekannt hatte. Der ihr sogar eine Beschreibung von ihr geben konnte, die das heimliche Gefühl bestätigte, das nur verschwommen in ihrer Erinnerung existierte. »Wie war sie denn so, William?«

Er kratzte sich am Kinn, und das Geräusch, als er sich durch seinen Bart strich, berührte etwas in Nell. Für den Bruchteil einer Sekunde war sie wieder fünf Jahre alt und saß auf Haims Schoß, den Kopf an sein stacheliges Kinn gelehnt. William lächelte und zeigte dabei seine großen, vom Tabak gebräunten Zähne. »Anders als alles, was man kannte. Sie war einzigartig. Wir alle hier im Dorf erzählen gern Geschichten, aber die Geschichten, die sie sich immer ausdachte, waren einfach unglaublich. Sie war lustig, mutig, überraschend.«

»War sie schön?«

»Ja, und schön war sie auch.« Ihre Blicke begegneten sich flüchtig. »Sie hatte rotes Haar, so lang, dass es ihr bis zur Taille reichte.« Er zeigte es mit seiner Pfeife an. »Sie saß gern auf dem großen, schwarzen Felsen in der Bucht und schaute aufs Meer hinaus. An klaren Tagen konnten wir sie dort sitzen sehen, wenn wir in den Hafen zurückkehrten. Dann hat sie uns immer zugewinkt und sah wahrhaftig aus wie die Königin der Kobolde.«

Nell lächelte. »Die Königin der Kobolde – Die *Piskie Queen*.«

William tat, als interessierte er sich intensiv für die Rillen im Stoff seiner Cordhose und grunzte vor sich hin.

Plötzlich wurde Nell klar: Das war kein Zufall.

»Robyn müsste jeden Augenblick hier sein«, sagte William, ohne zur Tür zu sehen. »Dann trinken wir eine Tasse Tee.«

»Haben Sie Ihr Boot nach ihr benannt?«

Williams Mund öffnete sich und schloss sich wieder. Er seufzte. Es war der Seufzer eines jungen Mannes.

»Sie waren in sie verliebt.«

Er ließ die Schultern hängen. »Sicher war ich in sie verliebt«, antwortete er trocken. »Wie jeder junge Mann, der sie je zu Gesicht bekommen hat. Ich sagte ja bereits, sie war anders als alle anderen. Die Regeln, die für uns normale Menschen galten, interessierten sie nicht die Bohne. Sie hat immer nach dem gehandelt, was ihre Gefühle ihr sagten – und sie hatte eine Menge Gefühle.«

»Und war sie, ich meine, waren Sie mit ihr …«

»Ich war mit einer anderen verlobt.« Sein Blick wanderte zu einem gerahmten Foto an der Wand, einem Bild von einem jungen Paar in Hochzeitskleidung, sie sitzend, er hinter ihr stehend. »Cecily und ich waren damals schon seit mehreren Jahren ein Paar. So ist das halt auf dem Dorf. Man wächst neben einem Mädchen auf, man spielt zusammen auf den Klippen, und ehe man sich's versieht, ist man schon drei Jahre verheiratet, und das zweite Kind ist unterwegs.« Er stieß einen tiefen Seufzer aus, der seine Schultern zusammensacken und seinen Pullover plötzlich zu groß aussehen ließ. »Als ich Eliza kennenlernte, geriet für mich die Welt aus den Angeln. Besser kann ich es nicht beschreiben. Es war, als hätte sie mich verhext, ich konnte an nichts anderes mehr denken.« Er schüttelte den Kopf. »Ich hatte Cecily wirklich sehr lieb, aber für Eliza hätte ich sie auf der Stelle verlassen.« Er schaute Nell kurz an, wandte sich dann wieder ab. »Ich bin nicht stolz darauf, es klingt verdammt treulos. Und das war es auch, ja, das war es.« Er wandte sich Nell wieder zu. »Aber man kann einem jungen Mann seine Gefühle nicht vorwerfen, oder?«

Als er sie mit seinem Blick durchbohrte, spürte Nell, dass sich etwas in ihr sträubte. Sie verstand: Er sehnte sich schon so lange nach einer Absolution. »Nein«, sagte sie. »Nein, das kann man nicht.«

William seufzte erneut und sagte so leise, dass Nell sich vorbeugen musste, um ihn zu verstehen: »Manchmal will der Körper Dinge, die der Verstand nicht erklären, sich nicht einmal bewusst machen kann. Ich habe nur noch an Eliza gedacht, ich konnte nicht anders. Es war wie, es war wie eine …«

»Sucht?«

»Ja, genau. Ich hatte das Gefühl, nur mit ihr glücklich werden zu können.«

»Hat sie dasselbe für Sie empfunden?«

Er hob die Brauen und lächelte wehmütig. »Wissen Sie, eine Zeit lang dachte ich tatsächlich, es wäre so. Sie hatte so eine gewisse Art, so eine intensive Ausstrahlung, und wenn man mit ihr zusammen war, gab sie einem das Gefühl, dass es keinen Ort auf der ganzen Welt gab, an dem sie sich in dem Moment lieber aufhalten würde, und niemanden, mit dem sie lieber zusammen gewesen wäre.« Er lachte, und es klang ein wenig bitter. »Ich habe meinen Irrtum schon bald einsehen müssen.«

»Was ist passiert?«

Er schürzte die Lippen, und eine Schrecksekunde lang fürchtete Nell schon, er würde nichts mehr preisgeben. Als er fortfuhr, atmete sie erleichtert auf. »Es war an einem Winterabend. Muss 1908 oder 1909 gewesen sein. Ich hatte einen harten Tag auf dem Kutter hinter mir, hatte einen großen Fang eingefahren und anschließend mit ein paar Kumpels ordentlich gefeiert. Der Alkohol hatte mich mutig gemacht, und dann bin ich auf die Klippe rauf. Ziemlich riskant, der Weg war verdammt schmal damals. Das war noch keine Straße und eigentlich nur was für eine Bergziege, aber das war mir egal. Ich hatte mir in den Kopf gesetzt, ihr einen Heiratsantrag zu machen.« Seine Stimme zitterte. »Aber als ich beim Haus ankam, sah ich durchs Fenster ...«

Nell beugte sich vor.

Er lehnte sich zurück. »Na ja, die Geschichte werden Sie ja kennen.«

»Jemand anders war bei ihr?«

»Und zwar nicht irgendjemand anders.« Er brachte die Worte nur schwer heraus. »Es war ein Verwandter von ihr.« William rieb sich ein Auge, betrachtete seinen Finger, als suchte er nach einem Staubkörnchen. »Sie waren gerade dabei ...« Er schaute Nell an. »Sie können sich schon denken, was ich meine.«

Ein Geräusch von draußen, gefolgt von einem kühlen Luftzug. Dann ertönte Robyns Stimme von der Tür her: »Es wird allmählich richtig kalt draußen.« Sie betrat das Wohnzimmer. »Tut mir leid, dass ich so spät dran bin.« Erwartungsvoll schaute sie erst William, dann Nell an, während sie sich mit der Hand über ihr vom Nebel feuchtes Haar fuhr. »Alles in Ordnung hier?«

»Könnte nicht besser sein, meine Liebe«, sagte William mit einem kurzen Seitenblick in Nells Richtung.

Nell nickte. Sie hatte nicht die Absicht, das Geheimnis eines alten Mannes auszuplaudern.

»Ich wollte gerade die Suppe auftragen«, verkündete William. »Komm und lass dich mal von dem alten Gump ansehen.«

»Gump! Ich hatte dir doch gesagt, dass ich den Tee machen würde. Ich hab alles mitgebracht.«

Gump knurrte etwas in seinen Bart und stand ächzend auf. »Wenn du erst mal mit diesem Kerl zugange bist, weiß man doch nie, wann der alte Gump dir wieder in den Sinn kommt. Ich hab mir gesagt, wenn ich mich nicht selbst um alles kümmere, krieg ich heute Abend womöglich überhaupt nichts zwischen die Zähne.«

»Ach, Gump«, schalt Robyn ihn liebevoll, als sie ihre Tasche mit den Einkäufen in die Küche trug. »Du bist vielleicht eine Marke. Wann hätte ich dich denn jemals vergessen?«

»Du nicht, mein Kind.« Er schlurfte hinter ihr her. »Aber dein Verehrer. Der ist ein Schaumschläger wie alle Anwälte.«

Während die beiden sich über Henrys Tauglichkeit als Robyns Verlobter kabbelten und darüber, ob William noch rüstig genug war, um sich selbst eine Fischsuppe zu kochen, ging Nell noch einmal alles durch, was der alte Mann ihr erzählt hatte. Inzwischen begriff sie, warum er behauptete, das Haus sei irgendwie mit einem Makel behaftet, denn für ihn verhielt es sich zweifellos so. Aber sein Geständnis hatte William von seiner Geschichte abgebracht, und Nell musste ihn irgendwie wieder auf den richtigen Pfad lenken. Dabei spielte es eigentlich gar keine Rolle, mit wem genau Eliza an jenem Abend zusammen gewesen war, so neugierig Nell auch sein mochte, es zu erfahren. Wenn sie William zu sehr drängte, würde er sich nur sperren. Das durfte sie auf keinen Fall riskieren, nicht ehe sie in Erfahrung gebracht hatte, was Eliza dazu veranlasst haben könnte, Rose und Nathaniel Walker ihr Kind – nämlich sie, Nell – wegzunehmen und nach Australien in ein völlig anderes Leben zu schicken.

»So, jetzt gibt's was zu essen.« Robyn erschien mit drei dampfenden Suppentellern auf einem Tablett.

William folgte ihr leicht verlegen und ließ sich in seinen Sessel sinken. »Ich mache immer noch die beste Fischsuppe diesseits von Polperro.«

Robyn sah Nell mit hochgezogenen Brauen an. »Niemand hat je daran gezweifelt, Gump«, sagte sie, während sie Nell einen Teller reichte.

»Nur an meiner Fähigkeit, sie von der Küche ins Wohnzimmer zu tragen«, knurrte er.

Robyn seufzte theatralisch. »Mensch, Gump, wir wollen dir doch nur ein bisschen helfen.«

Nell knirschte mit den Zähnen. Sie musste unbedingt verhindern, dass es zu einem richtigen Streit zwischen den beiden kam und William sich wieder zurückzog. »Köstlich«, sagte sie laut, nachdem sie einen Löffel von der Suppe probiert hatte. »Die perfekte Menge an Worcestershiresoße.«

William und Robyn starrten sie an, die Löffel halb gehoben.

»Was ist?« Nell blickte von einem zum anderen. »Was ist los?«

Robyn öffnete und schloss den Mund wie ein Fisch. »Die Worcestershiresoße.«

»Das ist unsere geheime Zutat«, sagte William. »Schon seit Generationen ein Familiengeheimnis.«

Nell hob entschuldigend die Schultern. »Meine Mutter hat Fischsuppe gekocht und meine Großmutter ebenfalls, und da gehörte immer Worcestershiresoße hinein. Wahrscheinlich war es auch unsere geheime Zutat.«

William atmete langsam und geräuschvoll ein, und Robyn biss sich auf die Lippe.

»Aber die Suppe schmeckt köstlich«, sagte Nell und nahm noch einen Löffel. »Der Trick besteht darin, genau die richtige Menge zu treffen.«

»Sagen Sie mal, Nell«, fragte Robyn und räusperte sich, bemüht, Williams Blick auszuweichen. »Haben Sie in den Unterlagen, die ich Ihnen gegeben habe, irgendwas Brauchbares gefunden?«

Nell lächelte dankbar. Robyn hatte sie gerettet. »Sie waren sehr interessant. Vor allem der Zeitungsartikel über den Stapellauf der *Lusitania* hat mir gefallen.«

Robyn strahlte. »Es muss ja so aufregend gewesen sein, auf so einem wichtigen Dampfer mitzufahren. Sich vorzustellen, was mit dem prächtigen Schiff passiert ist, einfach schrecklich.«

»Die Deutschen«, knurrte Gump mit vollem Mund. »Das war ein Sakrileg, eine verdammte Barbarei.«

Nell konnte sich vorstellen, dass die Deutschen dasselbe über die Bombardierung von Dresden sagen würden, aber das war weder der richtige Ort noch der angemessene Zeitpunkt, um eine solche Diskussion vom Zaun zu brechen. Also biss sie sich auf die Zunge und unterhielt sich höflich mit Robyn über die Geschichte des Dorfs und des Herrensitzes, bis Robyn sich entschuldigte, den Tisch abräumte und in die Küche ging, um das Dessert zu holen.

Nell sagte sich, dass dies ihre letzte Chance sein würde, mit William allein zu reden, und nachdem Robyn außer Hörweite war, ergriff sie die Gelegenheit beim Schopf. »William«, sagte sie. »Ich muss Sie noch etwas fragen.«

»Schießen Sie los.«

»Sie haben Eliza doch gekannt ...«

Er zog an seiner Pfeife, nickte kurz.

»Haben Sie irgendeine Erklärung dafür, warum sie mich entführt hat? Hat sie sich selbst ein Kind gewünscht? Was meinen Sie?«

William blies eine Rauchwolke aus, dann klemmte er sich die Pfeife zwischen die Backenzähne. »Kann ich mir nicht vorstellen. Sie war ein Freigeist. Nicht der Typ Frau, der von häuslichem

Glück mit Mann und Kind träumt, ganz zu schweigen davon, eines zu stehlen.«

»Wurde im Dorf darüber geredet? Hatte irgendjemand eine Theorie?«

Er zuckte die Achseln. »Wir haben alle geglaubt, das Kind – äh, Sie – wären an Scharlach gestorben. Das hat überhaupt niemand jemals infrage gestellt.« Er zog an seiner Pfeife. »Und was Elizas Verschwinden angeht, dabei hat sich auch niemand groß was gedacht. Es war schließlich nicht das erste Mal.«

»Nicht?«

»Sie war ein paar Jahre zuvor schon mal abgehauen.« Er schüttelte den Kopf, schaute kurz zur Küche hinüber und flüsterte, ohne Nell anzusehen: »Hab mir immer ein bisschen die Schuld daran gegeben. Es war kurz nach – kurz nach dem, was ich Ihnen eben erzählt habe. Ich habe sie zur Rede gestellt, ihr gesagt, was ich gesehen hatte, sie beschimpft. Sie hat mich schwören lassen, niemandem davon zu erzählen, hat mir gesagt, ich würde das nicht verstehen, es wäre nicht so, wie es ausgesehen hätte.« Er lachte verbittert. »Das Übliche, was Frauen halt behaupten, wenn man sie in flagranti erwischt.«

Nell nickte.

»Aber ich habe mein Versprechen gehalten und das Geheimnis gewahrt. Kurz darauf hab ich dann im Dorf gehört, dass sie fortgegangen war.«

»Wohin denn?«

Er hob die Schultern. »Als sie schließlich zurückkam – ungefähr ein Jahr später –, hab ich sie immer wieder danach gefragt, aber sie wollte es mir nicht sagen.«

»Es gibt gleich Nachtisch!«, rief Robyn aus der Küche.

William beugte sich vor, nahm die Pfeife aus dem Mund und zeigte damit auf Nell. »Deswegen habe ich Robyn gebeten, Sie heute Abend hierher einzuladen, das wollte ich Ihnen sagen: Finden Sie raus, wo Eliza war, ich schätze, dann werden Sie der Lösung des Rätsels ein ganzes Stück näher kommen. Denn eins kann ich Ihnen versichern: Wo auch immer sie gewesen ist, als sie zurückkam, war sie ein anderer Mensch.«

»Inwiefern?«

Er schüttelte den Kopf. »Einfach anders, nicht mehr sie selbst.« Er atmete aus, die Pfeife zwischen den Zähnen. »Irgendwas an ihr war verloren gegangen, und sie ist nie wieder dieselbe gewesen wie zuvor.«

Teil drei

37 *Blackhurst Manor* *Cornwall, 1907*

An dem Morgen, an dem Rose von ihrer New-York-Reise zurückerwartet wurde, ging Eliza schon früh in den geheimen Garten. Die Novembersonne war noch nicht vollständig erwacht, und es war noch dämmrig, gerade hell genug, dass man das vom Tau silbrige Gras erkennen konnte. Sie ging schnell, die Arme gegen die Kälte vor der Brust gekreuzt. Es hatte in der Nacht geregnet, und die Wege waren voll tiefer Pfützen, die sie mied, so gut es ging. Sie öffnete das quietschende Tor zum Labyrinth und schlüpfte hindurch. Zwischen den hohen Hecken war es noch dunkler, aber Eliza hätte sich selbst im Schlaf noch in dem Labyrinth zurechtgefunden. Normalerweise liebte sie die Stunde des Zwielichts, wenn die Nacht der Dämmerung wich, aber diesmal war sie zu sehr in Gedanken vertieft, um darauf zu achten. Seit Rose ihr in ihrem letzten Brief von ihrer Verlobung berichtet hatte, kämpfte Eliza mit ihren Gefühlen. Ein Stachel der Eifersucht saß in ihrem Inneren und ließ sie keine Ruhe mehr finden. Jeden Tag, wenn sie an Rose dachte, wenn sie den Brief wieder und wieder las und sich die Zukunft ausmalte, kam die Angst und erfüllte sie mit ihrem Gift.

Denn mit Roses Brief hatte Elizas Welt eine andere Farbe angenommen. Wie in dem Kaleidoskop im Kinderzimmer, das sie einst so entzückt hatte, hatten all die bunten Splitter sich mit einer einzigen Drehung zu einem völlig neuen Bild zusammengesetzt. Hatte sie sich eine Woche zuvor noch ganz sicher gefühlt, eingebettet in die Gewissheit, dass sie und Rose unzertrennlich waren, fürchtete sie jetzt, wieder ganz allein zu sein.

Als sie den Garten erreichte, sickerte das erste Licht durch das herbstlich dünne Laubdach. Eliza holte tief Luft. Sie war in den Garten gekommen, weil sie sich hier beruhigen konnte, und an diesem Tag hoffte sie mehr denn je, dass er diesen Zauber auf sie ausüben würde.

Sie wischte mit der Hand über die kleine, noch regennasse Gartenbank und setzte sich auf die Kante. Der Apfelbaum hing voll mit glänzenden, orangeroten Früchten. Sie könnte ein paar Äpfel für die Köchin pflücken, vielleicht auch Unkraut jäten oder die Wicken hochbinden. Sich mit irgendetwas beschäftigen, das sie von Roses Ankunft ablenken, ihr die nagende Angst nehmen könnte, dass Rose bei ihrer Rückkehr nicht mehr dieselbe sein würde.

Denn seit Roses Brief angekommen war und Eliza mit ihrer Eifersucht gerungen hatte, war ihr bewusst geworden, dass es nicht der Mann war, Nathaniel Walker, den sie fürchtete, nein, es war Roses Liebe zu ihm. Dass Rose heiraten würde, konnte sie ertragen, aber nicht die Vorstellung, dass Rose ihre Liebe von nun an Nathaniel schenken würde. Elizas größte Angst war, dass Rose, die sie immer geliebt hatte, einen Ersatz für sie gefunden hatte und keine Cousine mehr brauchte.

Sie zwang sich, durch den Garten zu schlendern und ihre Pflanzen zu begutachten. Die Glyzinie warf ihre Blätter ab, der Jasmin war verblüht, aber der Herbst war mild, und die rosafarbenen Rosen standen noch immer in voller Blüte. Eliza trat näher, nahm eine halb geöffnete Rose zwischen die Finger und betrachtete lächelnd den Regentropfen, der zwischen den Blütenblättern hängen geblieben war.

Plötzlich kam ihr ein Gedanke. Sie musste einen Strauß pflücken, ein Willkommensgeschenk für Rose. Ihre Cousine liebte Blumen, aber vor allem würde Eliza Blumen aussuchen, die ihre Freundschaft symbolisierten. Die eichblättrige Geranie für Freundschaft, rosafarbene Rosen für Glück, Vergissmeinnicht für gemeinsame Erinnerungen …

Eliza wählte jede Blume mit großer Sorgfalt aus, achtete darauf, nur solche zu pflücken, die einen tadellosen Stängel und eine perfekte Blüte besaßen, dann band sie den kleinen Strauß mit einem rosafarbenen Seidenfaden zusammen, den sie aus ihrem Rocksaum gezogen hatte. Sie war gerade dabei, den Strauß noch einmal zurechtzuzupfen, als sie das vertraute Geräusch von metallbeschlagenen Rädern auf dem mit Steinen gepflasterten Weg zum Haus hörte.

Sie waren wieder da. Rose war nach Hause zurückgekehrt.

Das Herz im Hals klopfend, raffte Eliza mit der freien Hand ihre am Saum feuchten Röcke und rannte los. Lief im Zickzack durch das Labyrinth, trat in ihrer Hast in Pfützen, während ihr Puls im Rhythmus mit den Pferdehufen hämmerte.

Sie kam gerade rechtzeitig durch das Tor, um die Kutsche auf dem Wendekreis vor dem Haus anhalten zu sehen. Einen Moment lang blieb sie stehen, um Atem zu schöpfen. Onkel Linus saß wie immer auf der Gartenbank neben dem Tor zum Labyrinth, neben sich die kleine, braune Kamera. Er rief sie, doch Eliza tat, als hörte sie ihn nicht.

Als sie den Wendekreis erreichte, war Newton gerade dabei, die Kutschentüren zu öffnen. Er zwinkerte ihr zu, und Eliza winkte ihm zum Gruß. Wartete mit zusammengepressten Lippen.

Seit sie Roses Brief erhalten hatte, waren die langen Tage in endlose Nächte übergegangen, und jetzt war es endlich so weit. Die Zeit schien beinahe stillzustehen: Eliza hörte ihren keuchenden Atem, spürte ihren rasenden Puls in den Ohren rauschen.

Bildete sie sich die Veränderung in Roses Gesichtsausdruck, in ihrer Haltung nur ein?

Der Strauß rutschte Eliza aus den Fingern, und sie hob ihn vom nassen Rasen auf.

Sie mussten die Bewegung aus dem Augenwinkel wahrgenommen haben, denn Rose und Adeline drehten sich gleichzeitig um. Die eine lächelte, die andere nicht.

Langsam hob Eliza die Hand und winkte. Ließ sie wieder sinken.

Rose hob verblüfft die Brauen. »Na, willst du mich denn gar nicht begrüßen, liebe Cousine?«

Erleichterung durchflutete Eliza. Ihre Rose war heimgekehrt, und alles würde gut werden. Sie breitete die Arme aus und rannte ihr entgegen. Umschlang sie und drückte sie an sich.

»Lass das, Eliza!«, fauchte Tante Adeline. »Du bist ja völlig verdreckt, du wirst Roses Kleid noch ruinieren.«

Als Rose lächelte, spürte Eliza, wie ihre Angst nachließ. Natürlich war Rose immer noch ganz die Alte. Schließlich war sie nur zweieinhalb Monate fort gewesen. Eliza war das Opfer ihrer eigenen Ängste geworden und hatte eine Veränderung in Roses Gesicht entdeckt, wo gar keine war.

»Cousine Eliza! Wie sehr ich mich freue, dich wiederzusehen!«

»Und ich erst!« Eliza reichte ihr die Blumen. »Die habe ich für dich gepflückt.«

»Wie wunderschön!« Rose hob den Strauß an ihre Nase. »Aus deinem Garten?«

»Vergissmeinnicht für die Erinnerungen, eichblättrige Geranien für Freundschaft …«

»Ja, ja, und Rosen, natürlich. Wie liebenswürdig von dir, Eliza.« Rose drückte Newton die Blumen in die Hand. »Sagen Sie Mrs Hopkins, sie soll sie in eine Vase stellen, ja?«

»Ich muss dir so viel erzählen, Rose«, sagte Eliza. »Du wirst nie erraten, was passiert ist. Eine von meinen Geschichten wurde …«

»Lieber Himmel!« Rose lachte. »Ich habe noch nicht mal die Haustür erreicht, und meine Eliza fängt schon an, mir Märchen zu erzählen.«

»Hör auf, deine Cousine zu belästigen«, sagte Tante Adeline herrisch. »Rose muss sich ausruhen.« Als sie ihre Tochter anschaute, schlich sich eine leichte Verunsicherung in ihre Stimme. »Du solltest in Erwägung ziehen, dich eine Weile hinzulegen.«

»Selbstverständlich, Mama. Ich werde mich sofort auf mein Zimmer zurückziehen.«

Die Veränderung war kaum wahrnehmbar, doch Eliza fiel sie sofort auf. In Tante Adelines Vorschlag hatte etwas ungewöhnlich Vorsichtiges gelegen, und Roses Reaktion war einen Hauch weniger nachgiebig gewesen als sonst.

Eliza grübelte immer noch über ihre Beobachtung nach, als Tante Adeline im Haus verschwand, und Rose ihr im Vorbeigehen zuflüsterte: »Komm nach oben Liebste. *Ich* muss *dir* so viel erzählen.«

Und Rose erzählte. Beschrieb detailreich jeden Augenblick, den sie in Nathaniel Walkers Gesellschaft verbracht hatte, und noch ausführlicher die qualvollen Zeiten, in denen sie sehnsüchtig auf ihn gewartet hatte. Das Epos begann an jenem Nachmittag und wurde tage- und nächtelang fortgeführt. Anfangs gelang es Eliza noch, Interesse vorzutäuschen – zu Beginn hatte sie tatsächlich interessiert zugehört, denn die Gefühle, die Rose beschrieb, hatte sie selbst noch nie erlebt –, aber mit der Zeit, als die Tage zu Wochen wurden, begann sie, sich zu langweilen. Vergeblich versuchte sie, Rose für andere Dinge zu begeistern – einen Besuch in ihrem Garten, die neueste Geschichte, die sie geschrieben hatte, einen Ausflug in die Bucht –, aber Rose hatte nur noch Ohren für Geschichten über Liebe und Duldsamkeit und große Gefühle. Vor allem ihre eigenen.

Und so kam es, dass Eliza, als die Tage kälter wurden und der Winter einzog, immer häufiger die Bucht, den geheimen Garten, das Cottage aufsuchte. Orte, an denen sie sich verstecken konnte, wo die Diener sie nicht mit den gefürchteten Nachrichten aufzuschrecken vermochten, die immer gleich lauteten: Miss Rose wünscht Miss Eliza in einer äußerst dringenden Angelegenheit zu sprechen. Denn obwohl es Eliza nicht im Geringsten gelang,

Begeisterung für die Auswahl eines Brautkleids zu heucheln, wurde Rose nicht müde, sie mit solchen Dingen zu quälen.

Eliza redete sich ein, dass sich das alles wieder geben würde, dass Rose einfach nur aufgeregt war: Sie hatte schon immer ein ausgesprochenes Faible für Mode und Putz besessen, und jetzt bot sich ihr die Gelegenheit, die Märchenprinzessin zu spielen. Wenn Eliza nur genug Geduld aufbrachte, würde es irgendwann zwischen ihnen wieder so werden, wie es einmal war.

Dann kam das neue Jahr und mit ihm der Frühling. Die Vögel kehrten zurück, Nathaniel traf aus New York ein, es wurde Hochzeit gefeiert, und ehe Eliza sich versah, winkte sie einer Kutsche zum Abschied, die das frischvermählte Paar nach London und auf ein Schiff nach Europa brachte.

Als sie an jenem Abend in dem stillen Haus im Bett lag, vermisste Eliza ihre Cousine schmerzlich. Eins wusste sie inzwischen mit Bestimmtheit: Rose würde nie wieder nachts zu ihr ins Zimmer kommen, und Eliza würde nie wieder Roses Zimmer aufsuchen. Sie würden nie wieder gemeinsam unter die Decke kriechen und kichern und einander Geschichten erzählen, während alle anderen im Haus schliefen. In einem abgelegenen Flügel des Herrenhauses wurde gerade ein Zimmer für das junge Paar hergerichtet. Eliza drehte sich auf die Seite. In der Dunkelheit wurde ihr ganz deutlich bewusst, wie unerträglich es sein würde, mit Rose unter einem Dach zu wohnen und nicht in ihrer Nähe sein zu dürfen.

Am nächsten Tag suchte Eliza ihre Tante auf. Sie saß im Wintergarten an ihrem kleinen Schreibtisch und erledigte ihre Korrespondenz. Obwohl Tante Adeline sie nicht zur Kenntnis nahm, ergriff Eliza das Wort. »Wäre es vielleicht möglich, mir ein paar von den Sachen auf dem Dachboden zu überlassen?«

»Welche Sachen?«, fragte Tante Adeline, ohne von ihrem Brief aufzublicken.

»Ich brauche nur einen Schreibtisch, einen Stuhl und ein Bett.«

»Ein Bett?« Adelines dunkle Augen verengten sich zu Schlitzen, als sie Eliza schließlich von der Seite anschaute.

In der vergangenen Nacht war Eliza klar geworden, dass es besser war, selbst für Veränderung zu sorgen, anstatt Schäden reparieren zu wollen, die durch die Entscheidungen anderer entstanden waren. »Jetzt, wo Rose verheiratet ist, habe ich den Eindruck, dass meine Anwesenheit hier im Haus nicht mehr so wichtig ist. Deswegen würde ich gern ins Cliff Cottage ziehen.«

Eliza machte sich keine großen Hoffnungen. Tante Adeline bereitete es immer eine ganz besondere Genugtuung, anderen etwas zu verweigern. Sie sah zu, wie ihre Tante einen Brief mit ihrer sorgfältigen Unterschrift versah und ihrem Windhund mit spitzen Fingernägeln den Kopf kraulte. Dann verzog Adeline ihren Mund zu einem schmallippigen Lächeln, stand auf und läutete dem Butler.

Am ersten Abend in ihrem neuen Heim saß Eliza am Fenster im ersten Stock und betrachtete das Meer, das wie ein riesiger Tropfen Quecksilber im Mondlicht auf und ab wogte. Rose befand sich irgendwo jenseits dieses Ozeans. Zum zweiten Mal hatte ihre Cousine eine Seereise angetreten und Eliza zurückgelassen. Aber eines Tages würde sie selbst auch zu einer großen Reise aufbrechen. Die Zeitschrift zahlte ihr nicht viel für ihre Märchen, aber wenn sie fleißig schrieb und die Honorare ein Jahr lang zurücklegte, würde sie sich die Reise irgendwann leisten können. Dann war da natürlich noch die mit Edelsteinen besetzte Brosche ihrer Mutter. Eliza hatte die Brosche, die sie im Kamin der Swindells zurückgelassen hatte, nie vergessen. Eines Tages würde sie dorthin fahren und sie aus ihrem Versteck holen.

Sie dachte an die Anzeige, die sie eine Woche zuvor in der Zeitung entdeckt hatte. *Schiffspassagen nach Queensland*, hatte dort gestanden. *Kommen Sie und beginnen Sie ein neues Leben.* Mary erzählte Eliza oft von den Abenteuern ihres Bruders in einer Stadt namens Maryborough. So wie Mary es beschrieb, musste Australien ein großes, weites, von gleißender Sonne beschienenes Land sein, wo kaum jemand sich um die Regeln der Gesellschaft scherte und sich für alle, die einen Neuanfang machen wollten, die Gelegenheit dazu bot. Eliza hatte sich immer vorgestellt, dass sie und Rose eines Tage gemeinsam nach Australien reisen würden, sie hatten doch oft davon gesprochen. Oder nicht? Im Nachhinein wurde Eliza bewusst, dass Rose immer sehr schweigsam geworden war, wenn sie ihr ausgemalt hatte, was sie auf solchen Reiseabenteuern erleben würden.

Von nun an schlief Eliza nur noch in ihrem kleinen Haus. Sie kaufte sich Lebensmittel auf dem Markt im Dorf, ihr Freund, der junge Fischer William, versorgte sie immer mit frischem Fisch, und Mary brachte ihr fast jeden Abend auf dem Heimweg von Blackhurst eine Portion Suppe oder ein paar Reste kaltes Fleisch und Neuigkeiten von der Familie mit.

Abgesehen von diesen kurzen Besuchen, war Eliza zum ersten Mal in ihrem Leben wirklich allein. Anfangs irritierten sie die fremdartigen nächtlichen Geräusche, aber mit der Zeit wurden sie ihr immer vertrauter: das Tappen von weichen Pfoten auf dem Dach, das Knistern im Herd, das Knarren der Bodendielen in der kühlen Nachtluft. Ihr einsames Leben brachte ihr sogar unerwarteten Gewinn: Eliza stellte fest, dass die Figuren ihrer Geschichten mutiger wurden, wenn sie allein in ihrem Haus war. Feen spielten in den Spinnweben, Insekten flüsterten einander auf den Fensterbänken Zaubersprüche zu, Feuerkobolde spuckten und zischten im Kamin. Manchmal saß Eliza ganze Nachmittage lang in ihrem Schaukelstuhl und lauschte all diesen Wesen. Und spätabends, wenn sie alle schliefen, spann sie das Gehörte in ihre Geschichten ein.

An einem Morgen in der vierten Woche nahm Eliza ihr Schreibheft mit in den Garten und setzte sich an ihre Lieblingsstelle, das kleine Fleckchen Gras unter dem Apfelbaum. Die Idee für ein Märchen hatte sie gepackt, und sie begann, die Geschichte aufzuschreiben: von einer tapferen Prinzessin, die auf ihr Geburtsrecht verzichtete und ihre Gefährtin auf eine lange, beschwerliche Reise in ein wildes, verwunschenes Land begleitete, wo überall Gefahren lauerten. Eliza wollte ihre Heldin gerade in die von Spinnweben verhangene Höhle eines besonders boshaften Kobolds schicken, als ein Vogel sich auf einem Zweig über ihr niederließ und zu singen begann.

»Ach, wirklich?«, fragte Eliza und legte ihren Stift weg.

Der Vogel zwitscherte.

»Stimmt, ich habe auch großen Hunger.« Sie pflückte einen Apfel aus dem Baum, rieb ihn an ihrem Kleid blank und biss hinein. »Köstlich«, sagte sie, als der Vogel aufflog. »Du darfst gern auch einen probieren.«

»Darauf komme ich vielleicht einmal zurück.«

Eliza hielt mitten im Kauen inne und starrte auf die Stelle, wo der Vogel gesessen hatte.

»Ich hätte mir einen Apfel mitbringen sollen, aber ich hatte eigentlich gar nicht vor, mich so lange hier aufzuhalten.«

Eliza schaute sich im Garten um und blinzelte, als sie einen Mann auf der kleinen Bank sitzen sah. Er wirkte so vollkommen fehl am Platz, dass sie ihn im ersten Augenblick nicht einordnen konnte. Das dunkle Haar, die dunklen Augen, das freundliche Lächeln … Eliza atmete erschrocken ein. Das war Nathaniel Walker, der Mann, der Rose geheiratet hatte. Saß einfach in *ihrem* Garten.

»Der Apfel scheint dir ja sehr gut zu schmecken«, sagte er. »Dir zuzusehen ist beinahe so, als würde ich selbst einen essen.«

»Ich mag es nicht, wenn man mich beobachtet.«

Er lächelte. »Dann werde ich meine Augen abwenden.«

»Was machst du hier?«

Nathaniel hielt einen nagelneuen Roman hoch. »*Der kleine Lord*. Schon gelesen?«

Sie schüttelte den Kopf.

»Ich auch nicht, obwohl ich es schon seit Stunden versuche – leider vergeblich. Und dafür mache ich dich zum Teil verantwortlich, Cousine Eliza. Dein Garten lenkt mich einfach zu sehr ab. Ich sitze jetzt schon den ganzen Vormittag hier und bin noch nicht einmal über das erste Kapitel hinausgekommen.«

»Ich dachte, ihr wärt in Italien.«

»Waren wir auch. Wir sind eine Woche früher als geplant zurückgekommen.«

Ein kühler Schatten legte sich über Elizas Haut. »Rose ist wieder zu Hause?«

»Natürlich.« Nathaniel lächelte sie unbekümmert an. »Oder hast du vielleicht gedacht, ich hätte meine Frau an die Italiener verloren?«

»Aber wann ist sie …« Eliza schob sich ein paar Haarsträhnen aus der Stirn, versuchte zu begreifen. »Wann seid ihr denn zurückgekommen?«

»Montagnachmittag. Nach einer ziemlich turbulenten Überfahrt.«

Drei Tage. Sie waren schon seit drei Tagen wieder da, und Rose hatte ihr keine Nachricht zukommen lassen. Elizas Magen krampfte sich zusammen. »Und Rose? Geht es ihr gut?«

»So gut wie nie. Das Mittelmeerklima hat ihr gutgetan. Wir wären noch eine Woche geblieben, aber sie wollte sich die Gartenparty nicht entgehen lassen.« Er hob theatralisch die Brauen. »Wenn ich Rose und ihre Mutter höre, muss das ja ein fantastisches Ereignis werden.«

Eliza biss noch einmal in ihren Apfel, um ihre Verwirrung zu überspielen, dann warf sie den Rest weg. Sie hatte von einer geplanten Gartenparty gehört, jedoch angenommen, es handle sich um eine von Adelines gesellschaftlichen Veranstaltungen, nichts, womit Rose etwas zu tun hatte.

Nathaniel hob sein Buch. »Daher die Wahl meiner Lektüre. Mrs Hodgson Burnett wird unter den Gästen sein.« Seine Augen weiteten sich. »Ich nehme an, du kannst es kaum erwarten, sie kennenzulernen. Es wird doch bestimmt interessant für dich sein, dich mit einer Schriftstellerkollegin zu unterhalten.«

Eliza fuhr nervös mit den Fingern über die Seite ihres Notizhefts, auf der sie ihr Märchen angefangen hatte, und sagte, ohne Nathaniel dabei anzusehen: »Ja … das wäre sicherlich interessant.«

Zögernd erwiderte er: »Du kommst doch zu dem Fest, oder? Ich bin mir ganz sicher, gehört zu haben, wie Rose davon gesprochen hat. Die Party wird am Sonntagmorgen um zehn auf dem ovalen Rasen stattfinden.«

Eliza zeichnete mit fahrigen Strichen eine Efeuranke an den Rand ihrer Heftseite. Rose wusste, dass sie sich nicht für Partys interessierte, wahrscheinlich war das die Erklärung. Rücksichtsvoll, wie sie war, wollte sie Eliza das Theater um Tante Adelines Gesellschaft ersparen.

»Rose spricht oft von dir, Cousine Eliza«, sagte Nathaniel sanft. »Es kommt mir schon fast so vor, als würde ich dich gut kennen.« Er machte eine Handbewegung. »Sie hat mir von deinem Garten erzählt, deswegen bin ich heute hergekommen. Ich wollte mit eigenen Augen sehen, ob er wirklich so wunderschön ist, wie sie ihn mir beschrieben hat.«

Ihre Blicke begegneten sich kurz. »Und?«

»Er übertrifft meine Erwartungen bei Weitem. Wie gesagt, der Garten ist schuld daran, dass ich mit dem Lesen nicht vorankomme. Die Art, wie das Licht hier einfällt, ist so wunderbar, dass ich es am liebsten gleich auf dem Papier festhalten würde. Ich habe schon die ganze Titelseite vollgekritzelt.« Er lächelte. »Aber bitte Mrs Hodgson Burnett nichts verraten.«

»Ich habe den Garten für Rose und mich angelegt.« Elizas Stimme klang merkwürdig in ihren Ohren, so sehr hatte sie sich daran gewöhnt, hier allein zu sein. Und sie schämte sich für die Gefühle, die sie so offen zeigte, und konnte sie doch nicht verbergen. »Es sollte ein geheimer Ort für uns beide sein, ein Ort, wo uns niemand findet. Wo Rose sich im Freien aufhalten kann, auch wenn sie sich krank fühlt.«

»Rose kann sich wirklich glücklich schätzen, eine Cousine zu haben, die sich so um sie sorgt. Ich werde dir ewig dankbar dafür sein, dass du sie so gut für mich gepflegt hast. In gewisser Weise sind wir beide ein Team, du und ich, meinst du nicht?«

Nein, dachte Eliza, das sind wir nicht. Rose und ich sind ein Paar, ein Team. Du bist nur dazugestoßen. Vorübergehend.

Nathaniel stand auf, klopfte sich etwas Staub von der Hose und drückte das Buch an die Brust. »Jetzt muss ich mich verabschieden. Roses Mutter ist sehr streng, was ihre Regeln betrifft, und ich fürchte, sie würde es mir sehr übel nehmen, wenn ich mich zum Abendessen verspätete.«

Eliza begleitete ihn zum Tor und schaute ihm nach. Dann setzte sie sich auf die Kante der Gartenbank, darauf bedacht, nicht die Stelle zu berühren, die er mit seinem Körper angewärmt hatte. Es gab keinerlei Grund, Nathaniel nicht zu mögen, und genau deshalb konnte sie ihn nicht leiden. Das Gespräch mit ihm lag ihr wie Blei auf der Brust. Die Unbefangenheit, mit der er über die Gartenparty gesprochen hatte und über Rose und deren Gefühle für Eliza, an denen er offenbar nicht den geringsten Zweifel hegte. Die Dankbarkeit, die er ihr gegenüber ausgesprochen hatte, schürte, auch wenn sie von Herzen kam, in Eliza den Verdacht, dass er sie als Anhängsel betrachtete. Und dass er in ihren Garten eingedrungen war, so leicht den Weg durch das Labyrinth gefunden hatte – Eliza schüttelte den Gedanken ab. Sie würde sich wieder ihrem Märchen zuwenden. Die Prinzessin war gerade drauf und dran, ihrer treuen Dienerin in die Höhle des Kobolds zu folgen. Wenn Eliza sich wieder in ihre Geschichte vertiefte, würde sie die beunruhigende Begegnung mit Nathaniel schon bald vergessen haben.

Aber sosehr sie sich auch bemühte, ihre Begeisterung war verflogen und mit ihr die Inspiration. Die Handlung, die sie anfangs mit freudiger Ungeduld erfüllt hatte, erwies sich plötzlich als dürftig und durchsichtig. Eliza strich alles aus, was sie geschrieben hatte. Es taugte nichts. Egal, wie sie ihre Handlung drehte und wendete, es kam einfach keine sinnvolle Geschichte heraus, denn welcher Prinzessin würde ihre Dienerin schon wichtiger sein als ihr Prinz?

Die Sonne schien so herrlich, als hätte Adeline das schöne Wetter beim Herrgott persönlich bestellt. Die Lilien waren rechtzeitig eingetroffen, und Davies hatte die Arrangements mit exotischen Blumen aus den Gartenanlagen vervollständigt. Der Regenschauer am Vorabend, der Adeline beinahe um den Schlaf gebracht hätte, verhalf dem Garten zu zusätzlichem Glanz, jedes Blatt sah aus, als wäre es extra poliert worden. Auf dem frisch gemähten Rasen waren Stühle mit weichen Sitzkissen geschickt angeordnet. Speziell für den Anlass angestellte Kellner standen in einer Reihe neben der Treppe, wahre Muster an Ruhe und Gelassenheit, während in der Küche, verborgen vor den Blicken der Gäste, mit Hochdruck gearbeitet wurde.

Seit einer Viertelstunde trafen nach und nach die Gäste ein, die von Adeline persönlich begrüßt und in Richtung Rasen dirigiert wurden. Wie großartig die Damen aussahen mit ihren eleganten Hüten – wobei natürlich keiner davon auch nur annähernd so extravagant war wie der, den Adeline für Rose aus Mailand hatte kommen lassen.

Von ihrer Stelle in der Einfahrt aus, gut verborgen hinter einem riesigen Rhododendron, ließ Adeline den Blick über ihre

Gäste schweifen. Lord und Lady Ashfield saßen mit Lord Irving-Brown zusammen, Sir Mornington nippte an seinem Tee und sah den jungen Churchills beim Krocketspielen zu, Lady Susan Heuser war im vertrauten Gespräch mit Lady Caroline Aspley vertieft.

Adeline lächelte vor sich hin. Sie hatte alles richtig gemacht. Die Gartenparty war nicht nur ein passender Anlass, die Frischvermählten nach ihrer Hochzeitsreise willkommen zu heißen, sondern bot darüber hinaus auch eine gute Gelegenheit, unter den sorgfältig ausgewählten Kunstkennern, Klatschmäulern und Aufsteigern die Nachricht zu verbreiten, dass Roses Ehemann ein hervorragender Porträtmaler war. Sie hatte Thomas damit beauftragt, Nathaniels beste Werke in der Eingangshalle aufzuhängen, und nach dem Tee würde sie ihre Gäste nach und nach durchs Haus führen. Auf diese Weise würde ihr Schwiegersohn für die Federn der eifrigen Kunstkritiker und für die Gespräche der Trendsetter der Gesellschaft zum Thema werden.

Und Nathaniel brauchte nichts weiter zu tun, als den Charme, mit dem er Roses Herz erobert hatte, unter den Gästen zu versprühen. Adeline entdeckte ihre Tochter zusammen mit Nathaniel und dieser Amerikanerin, Mrs Hodgson Burnett. Die Entscheidung, Mrs Hodgson Burnett einzuladen, war ihr wirklich schwergefallen, denn eine Scheidung war schon traurig genug, aber danach noch einmal eine Ehe einzugehen, war geradezu skandalös. Andererseits verfügte die Schriftstellerin zweifellos über sehr gute Beziehungen auf dem Kontinent, und so hatte Adeline sich schließlich gesagt, dass ihre potenzielle Unterstützung wichtig genug war, um über ihre Gottlosigkeit hinwegzusehen.

Ihre Tochter jetzt über etwas lachen zu hören, was die Frau gesagt hatte, erfüllte Adeline mit tiefer Genugtuung. Rose war eine strahlende Schönheit, so prächtig wie die üppige Rosenhecke, vor der sie saß. Sie wirkt glücklich, dachte Adeline, so wie es sich für eine junge Frau gehört, die erst vor wenigen Wochen ihr Ehegelübde abgelegt hat.

Ihre Tochter lachte erneut, und Nathaniel zeigte auf das Labyrinth. Adeline hoffte inständig, dass sie keine wertvolle Zeit mit Plaudereien über den geheimen Garten oder irgendwelche anderen von Elizas Flausen vergeudeten, anstatt mit Mrs Hodgsen Burnett über Nathaniels Porträtkunst zu sprechen. Welch glückliche Fügung war Elizas unerwarteter Umzug ins Cliff Cottage gewesen! Während der wochenlangen Planung und Vorbereitung der Gartenparty hatte Adeline viele Nächte wach gelegen und sich den Kopf darüber zerbrochen, wie sie verhindern konnte, dass ihre Nichte ihr diesen wichtigen Tag verdarb.

Sie hatte ihr Glück kaum fassen können, als Eliza eines Morgens an ihrem Schreibtisch erschienen war und darum gebeten hatte, sich in dem weit abgelegenen Cottage einrichten zu dürfen. Gott sei Dank war es ihr gelungen, ihre Erleichterung vor ihrer Nichte zu verbergen. Elizas Unterbringung in dem alten Haus war eine bessere Lösung, als Adeline sie sich je hätte ersinnen können, und der Auszug aus dem Herrenhaus war komplett vollzogen worden. Sie hatte nicht die geringste Spur hinterlassen, das ganze Haus wirkte mit einem Mal viel sonniger und weitläufiger. Endlich, nach acht endlos langen Jahren, fühlte Adeline sich befreit von der erstickenden Gegenwart dieses Mädchens.

Die größte Hürde war gewesen, Rose davon zu überzeugen, dass Elizas Ausschluss von dem Fest für alle das Beste war. Die arme Rose hatte sich von Anfang an von ihrer Cousine blenden lassen und nie die Gefahr gespürt, die von ihr ausging. Tatsächlich hatte sie sich nach ihrer Rückkehr von der Hochzeitsreise als Erstes danach erkundigt, warum Eliza fort war. Auf Adelines wohlüberlegte Erklärung für Elizas Umzug ins Cottage hatte Rose die Stirn gerunzelt – das komme so plötzlich und unerwartet, hatte sie gemurmelt – und sich dann vorgenommen, Eliza gleich am nächsten Vormittag einen Besuch abzustatten.

Das musste natürlich unter allen Umständen verhindert werden, wenn Adelines kleine Täuschung aufgehen sollte. Und so begab sich Adeline am Morgen gleich nach dem Frühstück zu Rose in ihr neues Zimmer. Ihre Tochter war gerade dabei, ein hübsches Blumengesteck zu arrangieren, und während sie eine cremefarbene Clematis auswählte, bemerkte Adeline betont beiläufig: »Meinst du, wir sollten Eliza auch zu der Gartenparty einladen?«

Rose drehte sich um, vom Stängel der Clematis tropfte Wasser. »Natürlich muss sie dabei sein, Mama. Eliza ist meine liebste Freundin.«

Adeline presste die Lippen zusammen. Es war die Antwort, mit der sie gerechnet hatte und auf die sie vorbereitet war. Der Anschein von Nachgiebigkeit ist ein kalkuliertes Risiko, das Adeline geschickt einsetzte. Sie hatte sich ihre Worte vorher genau zurechtgelegt und so oft vor sich hin geflüstert, dass sie ihr ganz natürlich über die Lippen kamen. »Selbstverständlich, meine Liebe. Und wenn du ihre Anwesenheit wünschst, dann soll es so sein. Wir werden kein Wort mehr darüber verlieren.« Erst nach diesem großzügigen Zugeständnis hatte sie sich einen wehmütigen kleinen Seufzer erlaubt.

Rose stand mit dem Rücken zu ihr, in der Hand einen Zweig Jasmin. »Was ist los, Mama?«

»Ach nichts, mein Kind.«

»Bitte, Mama.«

Zögernd antwortete Adeline: »Ich habe nur gerade an Nathaniel gedacht.«

Daraufhin drehte Rose sich zu ihr um, die Wangen gerötet. »Was ist denn mit Nathaniel, Mama?«

Adeline stand auf, glättete ihren Rock und lächelte ihre Tochter an. »Ach, nichts. Ich bin sicher, dass sich für ihn alles zum Besten ergeben wird, auch wenn Eliza anwesend ist.«

»Selbstverständlich.« Rose zögerte kurz, ehe sie den Jasminzweig in das Gesteck einfügte. Sie wandte sich ihrer Mutter nicht zu, aber das brauchte sie auch nicht. Adeline konnte sich genau vorstellen, wie sie verunsichert die Brauen zusammenzog. Und wie erwartet kam die vorsichtige Frage: »Inwiefern sollte Elizas Abwesenheit Nathaniel von Nutzen sein?«

»Ich hatte nur gehofft, Nathaniel und seine Kunst in den Mittelpunkt rücken zu können, und die gute Eliza versteht es immer, die Aufmerksamkeit aller auf sich zu lenken. Ich hätte mir gewünscht, dass der Tag Nathaniel und dir gehört, mein Schatz. Aber wenn es dir ein Anliegen ist, werden wir Eliza natürlich einladen.« Dann hatte sie gelacht, ein leichtes, bis zur Perfektion einstudiertes Lachen. »Außerdem wird Eliza, sobald sie erfährt, dass ihr eine Woche eher als geplant zurückgekehrt seid, sowieso jeden Tag hier sein, und früher oder später wird irgendein Hausmädchen eine Bemerkung über die bevorstehende Gartenparty machen. Und auch wenn sie solche gesellschaftlichen Anlässe verabscheut, ist sie dir so ergeben, meine Liebe, dass sie auf einer Einladung bestehen wird.«

Dann hatte Adeline ihre Tochter allein gelassen, ein triumphierendes Lächeln auf den Lippen. Ihr war nicht entgangen, wie Rose die Schultern gestrafft hatte, ein eindeutiges Zeichen, dass ihre Worte den gewünschten Erfolg gehabt hatten.

Wie erwartet, war Rose am Nachmittag in Adelines Boudoir erschienen. Da Eliza sich nichts aus Partys mache, hatte sie gesagt, sei es vielleicht angebracht, ihr die Teilnahme an diesem gesellschaftlichen Ereignis zu ersparen. Dann, etwas bedrückter, hatte sie hinzugefügt, sie habe sich entschlossen, ihren Besuch bei ihrer Cousine auf den Tag nach der Gartenparty zu verschieben, wenn wieder Ruhe eingekehrt war und sie sich mehr Zeit nehmen könne.

»Gute Entscheidung, mein Schatz«, sagte Adeline. »Sehr rücksichtsvoll von dir. Die Entscheidung einer liebevollen, treu sorgenden Ehefrau. So ist es für alle Beteiligten das Beste.«

Gelächter auf dem Krocketrasen erregte Adelines Aufmerksamkeit. Sie klatschte in die behandschuhten Hände, setzte ein geselliges Lächeln auf und überquerte den Rasen. Als sie sich der Gartenbank näherte, stand Mrs Hodgson Burnett gerade auf und spannte einen weißen Sonnenschirm auf. Sie nickte Rose und Nathaniel zum Abschied zu und ging in Richtung Labyrinth. Adeline konnte nur hoffen, dass sie nicht versuchen würde hineinzugehen. Sie hatte das Tor zum Labyrinth schließen lassen, um ihre Gäste von einer Erkundungstour abzuhalten, aber Amerikaner scherten sich häufig nicht um Umgangsformen. Sie beschleunigte ihre Schritte ein wenig – es fehlte ihr gerade noch, dass man einen Gast suchen musste, der sich zwischen den Hecken verirrt hatte – und fing Mrs Hodgson Burnett gerade rechtzeitig ab. Sie setzte ein strahlendes Lächeln auf. »Guten Tag, Mrs Hodgson Burnett!«

»Ach, guten Tag, Lady Mountrachet. Und was für ein wundervoller Tag in der Tat.«

Dieser Akzent! Adeline lächelte nachsichtig. »Einen schöneren Tag hätten wir uns für unsere Party nicht wünschen können. Sie haben sich bereits mit dem glücklichen Paar unterhalten?«

»Ich habe die beiden wohl eher vollgequasselt. Ihre Tochter ist ein göttliches Geschöpf!«

»Danke. Sie liegt mir sehr am Herzen.«

Höfliches Lachen auf beiden Seiten.

»Und ihr Mann ist ja völlig in sie vernarrt«, sagte Mrs Hodgson Burnett. »Ist junge Liebe nicht etwas Wunderbares?«

Adeline lächelte. »Ich bin entzückt über ihre Wahl. So ein talentierter junger Gentleman. Nathaniel hat doch sicherlich mit Ihnen über seine Porträts gesprochen?«

»Nein, hat er nicht. Aber ich fürchte, ich habe ihm auch keine Chance dazu gelassen, denn ich habe ihn mit Fragen nach dem geheimen Garten gelöchert, der sich angeblich auf Ihrem Anwesen befindet.«

»Ach, der ist nicht der Rede wert. Ein paar von einer Mauer umgebene Blumenbeete, weiter nichts. So einen Garten gibt es auf jedem Anwesen in England.«

»Aber garantiert keinen, um den sich solche romantischen Geschichten ranken. Ein Garten, der aus Ruinen geschaffen wurde, um einem kränklichen jungen Mädchen zur Gesundung zu verhelfen!«

Adeline lachte gekünstelt. »Ach, du liebe Güte! Meine Tochter und ihr Mann haben Ihnen ja ein richtiges Märchen erzählt! Rose verdankt ihre Gesundheit den Bemühungen eines fähigen jungen Arztes, und ich versichere Ihnen, der Garten stellt wirklich nichts Besonderes dar. Nathaniels Porträts dagegen …«

»Trotzdem würde ich ihn mir liebend gern ansehen. Den Garten, meine ich. Was die beiden mir erzählt haben, hat mich neugierig gemacht.«

»Das wird leider nicht möglich sein, fürchte ich.« Adeline gelang es nur noch mit äußerster Mühe, die Form zu wahren. »Der einzige Weg zu dem Garten führt durch das Labyrinth, und mein Mann hat heute das Tor schließen lassen, weil der derzeitige Zustand der Hecken zu wünschen übrig lässt.«

»Ach, wie schade«, antwortete Mrs Hodgson Burnett. »Na, dann werde ich eben vom Tor aus einen Blick riskieren.«

Dagegen konnte Adeline kaum etwas einwenden. Sie rang sich ein Lächeln ab, während sie insgeheim fluchte.

Adeline wollte gerade zu Rose und Nathaniel gehen, um ihnen eine ordentliche Standpauke zu halten, als sie aus dem Augenwinkel wahrnahm, wie etwas Weißes durch das Tor des Labyrinths huschte. Sie drehte sich um und sah, wie Eliza in dem Augenblick, als Mrs Hodgson Burnett sich näherte, das Tor öffnete.

Adeline schlug sich mit der Hand vor den Mund und schaffte

es gerade noch, einen Schrei zu unterdrücken. Ausgerechnet an einem solchen Tag. Dieses Mädchen – stets in Eile, stets schlecht gekleidet, stets unwillkommen. Wie immer unverschämt gesund, mit geröteten Wangen, offenem Haar, einem hässlichen Hut und, wie Adeline entsetzt bemerkte, ohne Handschuhe. Zum Glück trug sie wenigstens Schuhe an den Füßen.

Adelines Mund verzog sich zu einer dünnen Linie wie auf dem Gesicht einer hölzernen Puppe. Hastig blickte sie sich um, versuchte das Ausmaß des Zwischenfalls einzuschätzen. Ein Diener war Mrs Hodgson Burnett zur Seite geeilt und bot ihr einen Stuhl an. Ansonsten wirkte alles ruhig, noch war der Tag nicht ruiniert. In der Tat hatte nur Linus, der unter dem alten Ahornbaum saß und Lord Applebys Redefluss über sich ergehen ließ, Elizas Auftritt Beachtung geschenkt. Eliza schaute konsterniert in Roses Richtung. Zweifellos war sie überrascht, ihre Cousine zu sehen, die sie noch auf Hochzeitsreise wähnte.

Adeline fuhr herum, entschlossen, ihre Tochter vor Ungemach zu bewahren.

Doch Rose und Nathaniel waren so sehr miteinander beschäftigt, dass sie den Eindringling noch gar nicht bemerkt hatten. Nathaniel war auf seinem Stuhl nach vorn gerückt, sodass seine Knie beinahe die von Rose berührten (oder konnte es sein, dass sie es tatsächlich taten?). Zwischen Daumen und Zeigefinger hielt er eine Erdbeere am Stängel und drehte sie vor Roses Lippen hin und her, zog sie wieder zurück, um sie ihr gleich wieder vor den Mund zu halten. Jedes Mal lachte Rose laut auf und warf den Kopf in den Nacken, wodurch das Sonnenlicht auf ihren nackten Hals fiel.

Adeline brach der Schweiß aus. Sie hielt sich den Fächer vors Gesicht, um ihr Entsetzen zu verbergen. Wie äußerst unschicklich! Was würden die Leute denken? Wahrscheinlich würde dieses Klatschweib Caroline Aspley das zu Papier bringen, sobald sie wieder zu Hause war.

Es war ihre Pflicht, dieses ungehörige Verhalten zu unterbinden, und dennoch ... Sie senkte den Fächer ein wenig. Sosehr sie sich auch bemühte, sie konnte sich von dem Anblick nicht losreißen. Solche Verliebtheit! Das Bild zog sie völlig in seinen Bann. Obwohl sie wusste, dass Eliza hinter ihrem Rücken Chaos stiftete, und obwohl Roses Ehemann vor ihren Augen auf sträfliche Weise jeden Anstand vergaß, war es Adeline, als würde die Welt sich plötzlich langsamer drehen und sie allein stünde mit klopfendem Herzen in der Mitte. Ihre Haut kribbelte, ihre Beine schienen unter ihr nachzugeben, ihr Atem wurde flach. Der Gedanke war da, ehe sie ihn unterdrücken konnte: Wie musste es sich anfühlen, so sehr geliebt zu werden?

Der Geruch nach Quecksilberdampf drang in seine Nase, und Linus atmete ihn tief ein. Hielt die Luft an, spürte das Dröhnen im Kopf, das Brennen in den Ohren, atmete aus. Allein in seiner Dunkelkammer war Linus der Mann, der er sein wollte: groß und mit zwei langen, gesunden Beinen. Mit seiner silbernen Pinzette schob er das Fotopapier in der Lösung hin und her und beobachtete, wie das Bild langsam Gestalt annahm.

Sie würde sich nie darauf einlassen, für ein Foto zu posieren. Anfangs hatte er insistiert, dann sie angefleht, doch schließlich hatte er das Spiel begriffen. Sie genoss es, gejagt zu werden, und es war nun an Linus, sich eine andere Taktik auszudenken.

Und das hatte er getan. Er hatte Mansell nach London geschickt, um ihm eine Eastman Kodak-Brownie zu besorgen, ein hässlicher, kleiner Apparat, den Amateure benutzten und dessen fotografische Möglichkeiten nicht an seine Camera obscura heranreichten. Aber der Apparat war leicht und tragbar, und allein darauf kam es an. Solange Eliza mit ihm Fangen spielte, war das seine einzige Möglichkeit, sie zu erwischen.

Ihr Umzug ins Cottage war ein mutiger Schritt gewesen, für

den Linus sie bewunderte. Er hatte ihr den Garten überlassen in der Hoffnung, dass sie ihn genauso lieben würde, wie ihre Mutter ihn einst geliebt hatte – nichts hatte die Augen seines Püppchens so zum Leuchten bringen können wie dieser von Mauern umgebene Garten –, aber dass der Garten sie so vollkommen vereinnahmen würde, damit hatte Linus nicht gerechnet. Seit Wochen war Eliza nicht mehr in der Nähe des großen Hauses gesehen worden. Tag für Tag wartete Linus am Tor zum Labyrinth, doch sie quälte ihn unentwegt mit ihrer Abwesenheit.

Und jetzt, als wäre alles nicht schon kompliziert genug, musste Linus feststellen, dass er einen Gegner hatte. Als er vor drei Tagen wie üblich am Tor gesessen und gewartet hatte, hatte sich ihm ein höchst unangenehmer Anblick geboten. Wer war anstelle seiner geliebten Eliza aus dem Labyrinth geschlendert? Dieser Maler, Roses junger Ehemann. Linus war schockiert. Was fiel dem Mann ein, durch dieses Tor zu gehen? Keck einen Weg zu beschreiten, den Linus sich selbst verbot? Tausend Fragen gingen Linus durch den Kopf. Hatte er sie getroffen? Mit ihr gesprochen? Ihr in die Augen gesehen? Unvorstellbar, dass dieser Maler seiner Prinzessin hinterherschnüffelte.

Aber am Ende hatte Linus gewonnen. Heute hatte seine Geduld sich endlich ausgezahlt.

Er atmete tief ein. Die Konturen des Bilds traten deutlicher hervor. Er beugte sich vor, um bei dem schummrigen Rotlicht besser sehen zu können. Dunkler Hintergrund – die Hecken des Labyrinths –, aber in der Mitte, wo sie vor seine Linse gestolpert war, eine hellere Stelle. Sie hatte ihn sofort bemerkt, und Linus war ganz warm ums Herz geworden. Ihre großen Augen, ihre leicht geöffneten Lippen, wie ein Tier, dem plötzlich der Fluchtweg abgeschnitten ist.

Mit zusammengekniffenen Augen betrachtete Linus das Foto in der Entwicklerflüssigkeit. Da war sie. Ihr weißes Kleid, die schmale Taille – ach, wie sehnte er sich danach, seine Hände um ihre Taille zu legen, ihren ängstlich flatternden Atem unter den Rippenbögen zu spüren. Und dieser Hals, der blasse Hals, unter dessen zarter Haut ihr Blut sichtbar pulsierte, ganz wie bei ihrer Mutter. Linus schloss die Augen und dachte an den Hals seiner Schwester mit der schmalen roten Narbe. Auch sie hatte versucht, ihn zu verlassen.

Als sie ihn damals zum letzten Mal aufgesucht hatte, war er in der Dunkelkammer gewesen. Er war gerade dabei, Passepartouts für seine neueste Fotosammlung zu schneiden: Grashüpfer aus den westlichen Grafschaften. Die Fotos hatten ihn begeistert, er hatte sogar überlegt, seinen Vater zu fragen, ob er ihm eine kleine Ausstellung gestatten würde, und er war so in seine Arbeit vertieft, dass er normalerweise keine Störung geduldet hätte. Aber für Georgiana hatte er immer Zeit.

Wie ätherisch, wie vollkommen sie aussah, als sie plötzlich in der Tür stand, das Gesicht vom Schein der Gaslampe beleuchtet. Sie legte einen Finger an die Lippen, zum Zeichen, dass er schweigen möge, dann zog sie leise die Tür hinter sich zu. Langsam kam sie auf ihn zu, ein leichtes Lächeln auf den Lippen. Die Heimlichkeit erregte ihn zutiefst, allein mit seiner Schwester zu sein, gab ihm ein aufreizendes Gefühl von Verschwörung, außergewöhnlich für Linus, der kaum Zeit für andere hatte. Für den andere kaum Zeit hatten.

»Du wirst mir doch helfen, Linus, nicht wahr?«, fragte sie ihn mit großen Augen, ohne zu ahnen, wie sehr sie ihn quälte. Dann erzählte sie ihm von einem Mann, den sie kennengelernt hatte, einem Seemann. Sie liebten sich, sagte sie, würden heimlich zusammen fortgehen, er würde ihr doch ganz bestimmt helfen? Diese flehenden Augen, unfähig, seinen Schmerz zu erfassen. Ihm war, als würde die Zeit stehen bleiben, ihre Worte drehten sich in seinem Kopf, dehnten sich aus und zogen sich wieder zusammen, wurden lauter und wieder leiser, ein ganzes Leben in Einsamkeit tat sich vor ihm auf.

Ohne nachzudenken, hob er die Hand mit dem Federmesser, zog es über ihre milchweiße Haut, ließ sie seinen Schmerz spüren …

Mit einer Pinzette hielt Linus den Abzug unters Licht. Kniff die Augen zusammen, blinzelte. Verflucht! Wo Elizas Gesicht hätte sein sollen, war nur ein verschwommener, grau-weißer Fleck zu sehen. Sie hatte sich genau in dem Augenblick bewegt, als er den Auslöser betätigte. Er war nicht schnell genug gewesen, und sie war ihm unter der Fingerspitze entwischt. Linus ballte die Faust. Erinnerte sich wie immer in Momenten extremer Frustration an das kleine Mädchen, das in der Bibliothek auf dem Fußboden gesessen und ihm seine Puppe und damit die Verheißung ihres eigenen Körpers dargeboten hatte. Und das ihn dann enttäuscht hatte.

Egal. Es war ein kleiner Rückschlag, weiter nichts, eine vorübergehende Komplikation in dem Spiel, das sie miteinander spielten, dem Spiel, das er schon mit ihrer Mutter gespielt hatte. Damals hatte er verloren. Nach dem Vorfall mit dem Federmesser war seine Georgiana verschwunden und nie wieder zurückgekehrt. Aber diesmal würde er umsichtiger vorgehen.

Was auch immer es ihn kosten würde, wie lange er auch würde warten müssen, diesmal würde Linus sein Ziel erreichen.

Rose zupfte nacheinander alle weißen Blütenblätter von einem Gänseblümchen: Junge, Mädchen, Junge, Mädchen, Junge, Mädchen. Lächelnd umschloss sie das goldene Herz des Gänseblümchens mit der Hand. Eine kleine Tochter für sie und Nathaniel, und später vielleicht noch ein Sohn und noch eine Tochter und noch ein Sohn.

Seit sie denken konnte, wünschte Rose sich eine eigene Familie. Eine ganz andere als die von Kälte und Einsamkeit bestimmte Familie, die sie als Kind gekannt hatte, bis Eliza nach Blackhurst gekommen war. Das Verhältnis zwischen den Eltern würde von Nähe geprägt sein und, ja, auch von Liebe, und ihre vielen Kinder würden sich gut miteinander vertragen und aufeinander aufpassen.

Das alles wünschte sie sich, aber sie hatte auch schon genug Gespräche unter erwachsenen Damen mitbekommen, um zu wissen, dass Kinder ein Segen waren, ihre Zeugung hingegen eine unangenehme Prozedur sein konnte. Folglich hatte sie in ihrer Hochzeitsnacht mit dem Schlimmsten gerechnet. Als Nathaniel ihr das Hochzeitskleid ausgezogen hatte, das mit der Spitze, die Mama extra aus Brüssel hatte kommen lassen, hatte Rose mit angehaltenem Atem sein Gesicht beobachtet. Sie war schrecklich nervös. Die Angst vor dem Unbekannten und die Furcht, Nathaniel könnte ihre Male sehen, hatten sie völlig erstarren lassen. Reglos wartete sie darauf, dass er etwas sagte, und fürchtete sich zugleich davor. Schweigend legte er erst ihr Kleid beiseite, dann den Unterrock. Wich ihrem Blick aus. Betrachtete sie langsam und eingehend wie ein Kunstwerk, von dem man sich schon immer gewünscht hat, es einmal zu Gesicht zu bekommen. Seine dunklen Augen waren konzentriert, seine Lippen leicht geöffnet. Als er eine Hand hob, begann Rose zu zittern. Mit einer Fingerspitze fuhr er ganz langsam über das größere Mal. Die Berührung jagte Schauer über ihren Bauch und über die Innenseite ihrer Schenkel.

Als sie sich später liebten, stellte Rose fest, dass die Damen recht gehabt hatten. Es tat weh. Aber Schmerzen waren Rose vertraut, sie hatte gelernt, in solchen Situationen aus sich herauszutreten, sodass sie zur Beobachterin wurde und den Schmerz kaum noch spürte. Sie konzentrierte sich auf Nathaniels Gesicht, so dicht über ihrem – seine geschlossenen Augen, die dunklen

Wimpern. Sein Atem ging schneller und schwerer, und Rose entdeckte, dass sie Macht besaß. In all den Jahren, die sie mit Krankheiten verbracht hatte, hatte sie sich nie als einen Menschen wahrgenommen, der in irgendeiner Form Macht hatte. Sie war immer nur die arme, zarte, schwache Rose gewesen. Aber in Nathaniels Gesicht sah sie Verlangen, und dieses Verlangen verlieh ihr Macht.

Auf ihrer Hochzeitsreise war es ihr vorgekommen, als spielte die Zeit gar keine Rolle mehr. Minuten und Stunden existierten nicht länger, nur noch Tage und Nächte, Sonne und Mond. Es war ein Schock, als sie nach England zurückkehrten und feststellten, dass die Verbindlichkeiten der Zeit sie dort erwarteten. Und das Leben auf Blackhurst wieder aufzunehmen, war ebenfalls ein Schock. In Italien hatte Rose sich daran gewöhnt, ein Privatleben zu haben, und mit einem Mal fühlte sie sich von der Anwesenheit anderer gestört. Immer war jemand in der Nähe – die Diener, Mama, ja selbst Eliza. Ständig musste sie damit rechnen, dass jemand um die Ecke kam und ihre Aufmerksamkeit von Nathaniel ablenkte. Rose hätte gern ein eigenes Haus gehabt, wo sie niemand stören würde, aber sie wusste, dass das noch Zeit brauchte. Und Mama hatte recht: Auf Blackhurst hatte Nathaniel bessere Gelegenheiten, die richtigen Leute kennenzulernen, und zudem war das Haus so groß, dass zwanzig Menschen bequem dort leben konnten.

Sei's drum. Rose legte zärtlich eine Hand auf ihren Bauch. Sie hatte das Gefühl, dass sie, ehe das neue Jahr begann, ein Kinderzimmer brauchen würden. Den ganzen Morgen fühlte sie sich schon so seltsam, wie jemand, der ein ganz besonderes Geheimnis hütet. Sie war sich ganz sicher, dass ein solch bedeutsames Ereignis sich so anfühlte, dass eine Frau sofort um das Wunder eines neuen Lebens in ihrem Körper wusste. Das goldene Herz ihres Gänseblümchens fest in der Hand ging Rose zum Haus zurück, spürte die Sonnenwärme im Rücken. Sie fragte sich, wann sie Nathaniel die frohe Botschaft verkünden sollte. Lächelte bei dem Gedanken. Wie er sich freuen würde! Denn erst mit einem Kind würden sie wirklich ganz sein.

38 *Cliff Cottage* *Cornwall, 2005*

Endlich schien der Herbst bemerkt zu haben, dass es bereits September war. Die letzten saumseligen Sommertage waren von der Bühne gescheucht worden, und im geheimen Garten streckten sich die langen Schatten dem Winter entgegen. Herbstlich bunt gefärbtes Laub bedeckte den Boden, und Kastanien in stacheligen Hüllen hockten stolz an den Fingerspitzen kahler Zweige.

Cassandra und Christian hatten die ganze Woche am Haus gearbeitet – die Fenster von Ranken befreit, Schimmelflecken von den Wänden im Haus geschrubbt und morsche Dielenbretter ausgetauscht. Aber jetzt war Freitag, und weil sie beide begeisterte Gärtner waren, hatten sie beschlossen, sich nun dem Garten zuzuwenden.

Christian war dabei, an der Stelle, wo sich das zweite Tor befunden hatte, mit dem Spaten nach dem Fundament zu graben, das aus einem riesigen Sandsteinblock bestand, und Cassandra riss seit zwei Stunden vor der gegenüberliegenden Mauer Farnkraut aus, wo sich einmal ein Blumenbeet befunden hatte. Die Arbeit hatte etwas Vertrautes und Beruhigendes, denn sie erinnerte sie daran, wie sie als Kind die Wochenenden in Paddington verbracht und Nell beim Unkrautjäten geholfen hatte. Hinter ihr hatte sich schon ein ordentlicher Haufen Farnwedel und Wurzelwerk angesammelt, aber allmählich kam sie immer langsamer voran. In dem geheimen Garten fiel es ihr schwer, sich nicht ablenken zu lassen, denn hier fühlte sie sich wie an einem Ort außerhalb der Zeit. Wahrscheinlich lag das an den hohen Mauern, dachte sie, andererseits war das Gefühl des Eingeschlossenseins eine mehr als nur körperliche Empfindung. Die Geräusche klangen hier anders, die Vögel sangen lauter, und das Laub schien im Wind zu flüstern. Die Gerüche waren intensiver – die feuchte Fruchtbarkeit des Bodens, die süßen Äpfel –, und die Luft war klarer. Je mehr Zeit sie in dem Garten verbrachte, desto mehr gelangte sie zu der Überzeugung, dass sie recht hatte: Dieser Garten schlief nicht, er war im Gegenteil sehr lebendig.

Die Sonne kam wieder hinter den Wolken hervor, warf Lichtstreifen durch die Zweige über ihr, und von einem Baum ganz in der Nähe regnete ein Schauer gelbes Konfettilaub. Als sie die Blätter im goldenen Licht zu Boden rieseln sah, überkam Cassandra ein unwiderstehlicher Drang zu zeichnen, diesen zauberhaften Kontrast zwischen Hell und Dunkel auf dem Papier festzuhalten. Es juckte sie in den Fingern, die Lichtstreifen mit dem Kohlestift nachzuziehen, die Schatten so zu schraffieren, dass die Transparenz sichtbar wurde. Sie konnte an nichts anderes mehr denken.

»Teepause?« Christian rammte seinen Spaten in den Boden, hob den Saum seines T-Shirts an und wischte sich mit einem Zipfel den Schweiß von der Stirn.

»Gute Idee.« Cassandra klopfte sich die behandschuhten Hände an den Jeans ab, um sie von Erdkrumen und Farnstückchen zu befreien, und bemühte sich, nicht auf Christians nackten Bauch zu starren. »Wer ist dran mit Teeaufsetzen?«

»Ich.« An der Stelle in der Mitte des Gartens, die sie freigeräumt hatten, kniete Christian sich vor den Campingkocher und füllte einen kleinen Topf mit Wasser aus seiner Trinkflasche.

Cassandra setzte sich vorsichtig auf die Gartenbank. Nach all der schweren körperlichen Arbeit waren ihre Muskeln steif. Nicht, dass ihr das etwas ausgemacht hätte, im Gegenteil, ihre schmerzenden Glieder verschafften ihr Genugtuung, denn sie machten ihr ihre Körperlichkeit bewusst. Sie besaß Muskeln, die ihr wehtaten, weil sie zum Einsatz gekommen waren. Sie fühlte sich nicht mehr unsichtbar oder zerbrechlich, sie spürte wieder ihr Gewicht und fürchtete nicht länger, von jedem Windstoß davongetragen zu werden. Abends schlief sie schnell ein, und wenn sie morgens aufwachte, fühlte sie sich frisch und frei von Albträumen.

»Wie geht's denn mit dem Labyrinth voran?«, fragte sie, nachdem Christian den Topf auf den Campingkocher gestellt hatte. »Drüben beim Hotel?«

»Ganz gut. Mike meint, bis zum Winter müssten wir damit fertig sein.«

»Auch wenn Sie so viel Zeit hier verbringen?«

Christian lächelte. »Wie Sie sich denken können, ist Michael davon nicht gerade begeistert.« Er schüttete die Teereste weg, die noch vom Morgen in den Tassen waren, und hängte in jede einen frischen Beutel.

»Ich hoffe, Sie bekommen keinen Ärger, weil Sie mir helfen?«

»Jetzt fangen Sie bloß nicht an, sich meinen Kopf zu zerbrechen.«

»Ich bin Ihnen wirklich dankbar für alles, was Sie für mich getan haben, Christian.«

»Ach, nicht der Rede wert. Ich habe versprochen, Ihnen zu helfen, und das war ernst gemeint.«

»Das weiß ich und ich bin froh darüber.« Sie zog ihre Handschuhe aus. »Aber ich könnte es verstehen, wenn Sie wichtigere Dinge zu tun hätten.«

»Sie meinen, bei meinem eigentlichen Job?« Er lachte. »Keine Sorge, Michael kommt schon nicht zu kurz.«

Sein eigentlicher Job. Plötzlich war das Thema da, über das Cassandra sich schon den Kopf zerbrochen, das anzusprechen sie bisher jedoch nicht gewagt hatte. Aber irgendwie hatte die Gartenarbeit sie in eine Stimmung versetzt, die sie an Nells direkte

Wesensart erinnerte. Mit dem Absatz zog sie einen Bogen in den Boden. »Christian?«

»Ja?«

»Es gibt etwas«, sagte sie, während sie einen zweiten, spiegelbildlich geformten Bogen zog, »wonach ich Sie schon immer fragen wollte, etwas, das Julia Bennett erwähnt hat.« Einen kurzen Moment lang begegneten sich ihre Blicke, dann schaute sie zu Boden. »Warum arbeiten Sie hier in Tregenna für Michael, anstatt in Oxford als Arzt tätig zu sein?«

Als Christian nicht gleich antwortete, traute sie sich, ihn wieder anzuschauen. Sein Gesichtsausdruck war schwer zu durchschauen. Er zuckte die Achseln, lächelte zaghaft. »Warum sind Sie hier in Tregenna und renovieren ohne Ihren Mann ein Haus?«

Cassandra fuhr erschrocken zusammen. Unwillkürlich begann sie, ihren Ehering zu befingern. »Ich ... Ich bin ...« Alle möglichen ausweichenden Antworten lagen ihr auf der Zunge, doch dann hörte sie sich sagen, in einer Stimme, die ihr selbst fremd klang: »Ich habe keinen Mann. Ich hatte mal einen, aber ich ... Es hat einen Unfall gegeben, und Nick wurde ...«

»Verzeihen Sie. Sie müssen meine Frage nicht beantworten, ich wollte Sie nicht ...«

»Ist schon in Ordnung, ich ...«

»Nein, ist es nicht.« Christian fuhr sich durch das Haar, dann hob er eine Hand. »Ich hätte nicht fragen dürfen.«

»Es ist in Ordnung. Ich hab zuerst gefragt.« Und seltsamerweise, auch wenn sie sich das nicht erklären konnte, war sie froh, dass sie versucht hatte, Christians Frage zu beantworten. Nicks Namen auszusprechen, erleichterte sie, irgendwie nahm es ihr dieses Gefühl von Schuld, weil sie immer noch lebte und er nicht. Dass sie jetzt mit Christian in diesem Garten saß.

Der Topf wackelte auf dem Campingkocher, das Wasser brodelte. Christian füllte ihre Henkeltassen, gab in jede einen Löffel Zucker und rührte um. Dann reichte er Cassandra ihren Tee.

»Danke.« Sie umfasste die heiße Tasse mit beiden Händen und pustete über den Tee.

Christian trank einen Schluck, verzog das Gesicht, als er sich die Zunge verbrannte.

Schwer breitete sich das Schweigen zwischen ihnen aus, und Cassandra suchte vergeblich nach einem Gesprächsfaden, um die Unterhaltung wieder aufzunehmen.

Schließlich sagte Christian: »Ich glaube, für Ihre Großmutter war es ein Glück, dass sie nichts von ihrer Vergangenheit wusste.«

Mit dem kleinen Finger fischte Cassandra ein Stück eines heruntergefallenen Blatts aus ihrem Tee.

»Meinen Sie nicht, dass es ein Geschenk ist, wenn man nur nach vorn und nie zurückschauen kann?«

Sie tat, als untersuchte sie das gerettete Blatt. »In manchen Fällen ja.«

»In den meisten Fällen.«

»Aber gar nichts über seine Vergangenheit zu wissen, ist doch schrecklich, oder?«

»Warum?«

Verstohlen schielte sie zu ihm hinüber, um festzustellen, ob er das wohl ernst meinte. Aber sein Gesichtsausdruck war ernst. »Weil es dann so wäre, als hätte es die Vergangenheit gar nicht gegeben.«

»Aber es hat sie gegeben, daran kann man nichts ändern.«

»Richtig, aber man würde sich nicht daran erinnern.«

»Na und?«

»Na ja …« Cassandra warf das Blatt weg und zuckte die Achseln. »Man braucht doch Erinnerungen, um die Vergangenheit am Leben zu halten.«

»Genau das sage ich ja: Ohne Erinnerungen könnte man einfach sein Leben genießen.«

Cassandras Wangen wurden ganz heiß, was sie zu verbergen suchte, indem sie einen Schluck Tee trank. Dann noch einen.

Wollte Christian ihr nahelegen, die Vergangenheit zu vergessen? Dass Nell und Ben das taten, daran hatte sie sich inzwischen gewöhnt, sie hatte gelernt, ernst zu nicken, wenn eine der Tanten ähnliche Überlegungen äußerte, aber das hier war etwas anderes. Sie hatte sich so gut gefühlt, so viel leichter als gewöhnlich, klarer und weniger verwirrt. Sie hatte sich wohlgefühlt. Sie fragte sich, wann genau er sie als hoffnungslosen Fall eingestuft hatte, der Hilfe brauchte. Die ganze Situation war ihr peinlich, und irgendwie war sie enttäuscht.

Sie trank noch einen Schluck Tee und schaute Christian aus dem Augenwinkel an. Er war damit beschäftigt, welke Blätter mit einem spitzen Stöckchen aufzuspießen. Cassandra beobachtete ihn. Sie konnte seinen Gesichtsausdruck nicht deuten. Er wirkte gedankenverloren, mehr noch, er erschien ihr irgendwie abwesend und einsam.

»Christian …«

»Ich bin Nell einmal begegnet, wissen Sie?«

Cassandra war wie vom Donner gerührt. »Meiner Großmutter Nell?«

»Ich nehme an, dass sie es war. Jedenfalls wüsste ich nicht, wer es sonst gewesen sein sollte, und das Datum kommt ungefähr hin. Damals war ich elf, es muss also 1975 gewesen sein. Ich war hierhergekommen, um allein zu sein, und wollte gerade durch das Loch in der Mauer kriechen, als mich jemand am Fuß packte. Erst dachte ich, dass meine Brüder recht gehabt hatten, als sie mir erzählten, hier würde es spuken, und ich fürchtete schon, ein Geist oder eine Hexe hätte mich erwischt und würde mich in einen Giftpilz verwandeln.« Seine Lippen verzogen sich zu einem angedeuteten Lächeln, während er ein trockenes Blatt in der Faust zerdrückte und die Krümel auf den Boden streute. »Aber es war kein Geist, sondern eine alte Frau mit einem seltsamen Akzent und einem traurigen Gesicht.«

Cassandra stellte sich Nells Gesicht vor. War es traurig gewesen? Eindrucksvoll, ja, und eher hart, aber traurig? Sie wusste es nicht, Nells Gesicht war ihr einfach zu vertraut, um das wirklich beurteilen zu können.

»Sie hatte silbergraues Haar«, sagte Christian, »und sie trug es hochgesteckt.«

»Zu einem Knoten.«

Er nickte lächelnd, dann schüttete er den Rest seines Tees weg. Warf das Stöckchen mit den aufgespießten Blättern fort. »Sind Sie dem Geheimnis Ihrer Großmutter inzwischen auf die Spur gekommen?«

Cassandra seufzte. Diesmal brachte Christian sie wirklich ganz durcheinander. Seine Stimmung erinnerte sie an die flimmernden Lichtstreifen, die durch die Ranken fielen, sie war irgendwie nicht greifbar, wechselhaft, sprang von einem Punkt zum anderen. »Eigentlich nicht. In Roses Tagebüchern habe ich nichts Aufschlussreiches finden können.«

»Kein Kapitel mit der Überschrift: ›Warum Eliza eines Tages mein Kind entführen könnte‹?« Er lächelte.

»Leider nicht.«

»Zumindest hatten Sie eine interessante Bettlektüre.«

»Wenn ich nur nicht immer gleich einschlafen würde, sobald mein Kopf auf dem Kissen liegt.«

»Das macht die Meeresluft«, sagte Christian, stand auf und nahm seinen Spaten. »Die tut der Seele gut.«

Ja, den Eindruck hatte Cassandra tatsächlich. Sie stand ebenfalls auf. »Christian«, sagte sie, während sie sich die Handschuhe anzog. »Was diese Tagebücher betrifft.«

»Ja?«

»Ich bin da auf etwas gestoßen, bei dem Sie mir vielleicht weiterhelfen können.«

»Ach?«

Unsicher, weil er dem Thema vorhin ausgewichen war, schaute sie ihn an. »Es geht um etwas Medizinisches.«

»Okay.«

Cassandra atmete aus. »Rose erwähnt irgendwelche Male an ihrem Bauch. Sie müssen ziemlich groß gewesen sein, jedenfalls hat sie sich dafür geschämt, und ganz zu Anfang berichtet sie, dass ihr Arzt Ebenezer Matthews sie mehrmals deswegen aufgesucht hat.«

Christian hob bedauernd die Schultern. »Haut war eigentlich nicht mein Spezialgebiet.«

»Sondern?«

»Onkologie. Macht Rose denn noch irgendwelche näheren Angaben zu den Malen? Farbe, Größe, Art, Anzahl?«

Cassandra schüttelte den Kopf. »Sie beschränkt sich meist auf sehr vage Umschreibungen.«

»Typisch viktorianische Prüderie.« Nachdenklich klopfte er mit dem Spaten auf den Boden. »Es kann sich um alles Mögliche gehandelt haben. Narben, Pigmentstörungen – erwähnt sie etwas von einer Operation?«

»Soweit ich mich erinnere, nicht. Um was für eine Operation könnte es sich denn gehandelt haben?«

Christian hob eine Hand. »Tja, so ad hoc würde ich sagen, es käme eine Blinddarmentfernung infrage oder eine Operation an Nieren oder Lunge.« Er hob die Brauen. »Womöglich litt sie auch an Wasserbläschen. Kann es sein, dass sie sich häufiger in der Nähe von Bauernhöfen aufgehalten hat?«

»Es hat zumindest Bauernhöfe auf dem Anwesen gegeben.«

»Wasserbläschen waren jedenfalls der häufigste Grund für Operationen bei Kindern in der viktorianischen Zeit.«

»Was genau ist das denn?«

»Eine Infektionskrankheit, die durch die Finnen eines Bandwurms ausgelöst wird. Der Parasit befällt normalerweise Hunde, manchmal auch Schafe, kann aber auch auf den Menschen übertragen werden und in verschiedene Organe gelangen, meist in die Nieren oder die Leber, seltener sogar in die Lunge.« Er schaute sie an. »Es würde passen, aber ich fürchte, wenn Sie nicht mehr Informationen in den Tagebüchern finden, werden Sie es wohl nie erfahren.«

»Ich kann heute Nachmittag noch mal einen Blick hineinwerfen. Vielleicht habe ich ja etwas übersehen.«

»Ich werde auch noch ein bisschen darüber nachdenken.«

»Danke. Aber machen Sie sich nicht zu viel Mühe, es ist wirklich bloß reine Neugier.« Sie zog ihre Handschuhe wieder an und schob die Finger ineinander, damit sie sich dichter anlegten.

Christian stieß den Spaten mehrmals ins Erdreich. »Es war zu viel Tod um mich herum.«

Cassandra schaute ihn fragend an.

»Bei meinem Job. Onkologie. Es war einfach so gnadenlos. Die Patienten, die Angehörigen, all das Leid. Anfangs dachte ich, ich könnte damit umgehen, aber es wurde immer schlimmer.«

Cassandra musste an Nells letzte Tage denken, an den scheußlichen Krankenhausgeruch, die kahlen, trostlosen Wände.

»Ich war der Aufgabe nie gewachsen. Eigentlich ist mir das schon während des Studiums klar geworden.«

»Haben Sie nie überlegt, Ihr Studienfach zu wechseln?«

»Ich wollte meine Mutter nicht enttäuschen.«

»Wollte sie denn unbedingt, dass Sie Arzt werden?«

»Das weiß ich nicht.« Ihre Blicke begegneten sich. »Sie ist gestorben, als ich noch klein war.«

Cassandra verstand. »Krebs.« Begriff jetzt auch, warum er die Vergangenheit so gern hinter sich lassen wollte. »Das tut mir leid, Christian.«

Er nickte und schaute nach oben, als ein schwarzer Vogel über sie hinwegflog. »Sieht nach schlechtem Wetter aus. Wenn die Krähen solche Sturzflüge machen, gibt es bald Regen.« Er lächelte verlegen, wie um sich für den abrupten Themenwechsel zu entschuldigen. »Unsere Bauernregeln sind wesentlich zuverlässiger als die Meteorologie.«

Cassandra nahm ihre Harke. »Ich würde sagen, wir arbeiten noch eine halbe Stunde, dann machen wir Feierabend.«

Plötzlich senkte Christian den Blick und trat mit der Fußspitze nach einem Erdklumpen. »Ich wollte auf dem Heimweg noch auf ein Bier in den Pub gehen.« Er sah sie schüchtern an. »Ich dachte ... Ich meine, hätten Sie vielleicht Lust, mitzukommen?«

»Sicher«, hörte sie sich sagen. »Warum nicht?«

Christian lächelte und er schien sich zu entspannen. »Großartig.«

Ein Windstoß brachte feuchte, salzige Luft mit sich und ließ ein großes Ahornblatt auf Cassandras Kopf landen. Sie schlug es fort und wandte sich wieder ihrem Farnbeet zu, hieb ihre Harke in den Boden und kämpfte mit einer langen, dünnen Wurzel. Und lächelte in sich hinein, ohne recht zu wissen, warum.

Im Pub hatte eine Band gespielt, deshalb waren sie länger geblieben und hatten sich etwas zu essen bestellt. Christian erzählte selbstironisch davon, wie es war, wieder mit seinem Vater und seiner Stiefmutter zusammenzuleben, und Cassandra beschrieb einige von Nells Schrullen: dass sie sich geweigert hatte, einen Kartoffelschäler zu benutzen, weil man damit die Kartoffeln nicht so dünn schälen konnte wie mit einem Messer, dass sie die Angewohnheit hatte, die Katzen anderer Leute zu adoptieren, und dass sie Cassandras Weisheitszähne in Silber einfassen ließ und dann an einer Halskette trug. Christian hatte herzhaft gelacht, und sie war spontan eingefallen.

Als er sie schließlich vor dem Hotel absetzte, war es schon dunkel und so neblig, dass seine Scheinwerfer gelb schimmerten.

»Danke«, sagte Cassandra und stieg aus dem Wagen. »Das hat Spaß gemacht.« Es stimmte. Sie hatte sich amüsiert und wohlgefühlt. Ihre Geister waren zwar wie immer bei ihr gewesen, aber nicht ganz so nah wie sonst.

»Ich bin froh, dass Sie mitgekommen sind.«

»Ich auch.« Cassandra lächelte ihn an, dann schlug sie die Tür zu. Winkte ihm nach, als das Auto im Nebel verschwand.

»Jemand hat für Sie angerufen«, sagte Samantha und wedelte mit einem Zettel, als Cassandra die Eingangshalle betrat. »Waren Sie aus?«

»Ja, im Pub.« Ohne Samanthas hochgezogene Brauen zu beachten, nahm Cassandra den Zettel entgegen.

Anruf von Ruby Davies, stand darauf. *Komme am Montag nach Cornwall. Habe im Hotel Blackhurst ein Zimmer gebucht. Erwarte Erfolgsbericht!*

Cassandra wurde ganz warm ums Herz. Sie würde Ruby das Haus und die Tagebücher und den geheimen Garten zeigen. Ruby würde verstehen, was ihr all dies bedeutete. Und Christian würde ihr auch gefallen.

»Jemand hat sie hergefahren, was? Sah aus wie der Wagen von Christian Blake.«

»Danke für die Nachricht«, sagte Cassandra lächelnd.

»Genau konnte ich es natürlich nicht erkennen«, rief Samantha ihr nach, als sie die Treppe hochging. »Ich habe ja schließlich nicht auf der Lauer gelegen.«

Cassandra ging auf ihr Zimmer, ließ sich ein heißes Bad einlaufen und gab etwas von dem Lavendelbadesalz zu, das Julia ihr gegen ihren Muskelkater besorgt hatte. Dann breitete sie ein trockenes Handtuch auf dem Boden neben der Wanne aus und legte die Tagebücher darauf. Vorsichtig darauf bedacht, sich die Hände nicht nass zu machen, damit sie die Seiten umblättern konnte, ließ sie sich ins heiße Wasser gleiten und stieß einen wohligen Seufzer aus. Dann lehnte sie sich zurück und schlug das erste Tagebuch auf in der Hoffnung, einen Hinweis zu entdecken, der ihr Aufschluss über Roses geheimnisvolle Male geben konnte.

Selbst als das Wasser sich nur noch lauwarm anfühlte und ihre Füße schon halb aufgeweicht waren, hatte Cassandra noch nichts Brauchbares gefunden. Immer nur Roses verschleierte Hinweise auf Male, für die sie sich schämte.

Aber etwas anderes Interessantes war Cassandra aufgefallen. Es hatte zwar nichts mit den Malen zu tun, war aber dennoch sonderbar. Es waren nicht nur die Worte, sondern die Ausdrucksweise, die Cassandras Aufmerksamkeit geweckt hatte. Sie wurde das Gefühl nicht los, dass irgendetwas Bedeutsames zwischen den Zeilen stand.

März 1909. Die Arbeiten an der Gartenmauer haben begonnen. Zu Recht meinte Mama, dass man es am besten machen lässt, solange Eliza fort ist. Das Cottage ist zu ungeschützt. Früher, als es schändlichen Zwecken diente, machte das nichts, aber heute muss man es nicht mehr vom Meer aus sehen können. Im Gegenteil: Niemand hier möchte, dass etwas bemerkt wird. Und man kann gar nicht vorsichtig genug sein: Wo viel zu gewinnen ist, da ist auch viel zu verlieren.

39 *Blackhurst Manor* *Cornwall, 1909*

Rose weinte. Ihre Wangen glühten, und ihr Kopfkissen war nass, doch sie konnte einfach nicht aufhören. Sie schloss die Augen gegen das fahle Winterlicht und weinte, wie sie es nicht mehr getan hatte, seit sie ein Kind gewesen war. Warum musste es Morgen werden? Wie konnte die Sonne es wagen, einfach so schadenfroh aufzugehen, wo sie sich doch so elend fühlte? Wie konnten andere Leute ganz normal ihren Alltagsgeschäften nachgehen, wenn Rose aufwachen musste, nur um das Ende ihrer

Hoffnungen in Blut geschrieben zu sehen? Wie lange noch, fragte sie sich, wie oft noch würde sie diese monatliche Verzweiflung durchleben müssen?

Natürlich war es besser, Gewissheit zu haben, mochte diese noch so grausam sein, denn das Schlimmste waren die langen Tage dazwischen. Die langen Tage, an denen Rose sich ihren Träumen und Hoffnungen hingab. Hoffnung, wie sehr sie allein das Wort inzwischen verabscheute. Es war ein heimtückisches Samenkorn, das, einmal in die Seele eines Menschen gepflanzt, mit wenig Pflege gedieh und dann so herrlich blühte, dass man nicht anders konnte, als es zu lieben. Die Hoffnung hinderte einen auch daran, aus Erfahrung klug zu werden. Denn jeden Monat nach ihrer Blutung spürte Rose, wie das gemeine Geschöpf erneut auftauchte und all ihre Erfahrung vom Tisch fegte. Egal, wie oft sie sich schwor, diesmal nicht darauf hereinzufallen, diesmal den grausamen, schmeichlerischen Einflüsterungen nicht zu erliegen, sie wurde immer wieder schwach. Weil Verzweifelte sich an die Hoffnung klammern wie Matrosen an ihr Wrack.

Im Lauf des Jahres war ihr eine kleine Atempause von dem fürchterlichen Kreislauf vergönnt gewesen. Einen Monat lang, als die Blutung ausgeblieben war. Dr. Matthews war sofort gerufen worden, er hatte eine Untersuchung durchgeführt und die ersehnten Worte ausgesprochen: Sie war schwanger. Was für ein Segen, die Erfüllung des sehnlichsten Wunschs so ruhig ausgesprochen zu hören, ohne einen Gedanken an die Monate der Enttäuschung, die diesem Augenblick vorangegangen waren, mit fester Stimme und voller Überzeugung, dass alles gut werden würde. Ihr Bauch würde anschwellen, und ein Kind würde geboren werden. Acht Tage lang hatte sie die wunderbare Gewissheit genossen, hatte ihren flachen Bauch gestreichelt und Liebkosungen geflüstert, war anders gegangen, hatte anders gesprochen und anders geträumt. Und dann, am neunten Tag …

Es klopfte an der Tür, doch Rose rührte sich nicht. Geh weg, dachte sie. Geh weg und lass mich in Ruhe.

Die Tür quietschte, und jemand trat ein, auf nervtötende Weise darum bemüht, möglichst kein Geräusch zu machen. Etwas wurde auf dem Nachttisch abgestellt – dann eine sanfte Stimme ganz dich an ihrem Ohr. »Ich habe Ihnen Ihr Frühstück gebracht …«

Mary schon wieder. Als würde es nicht reichen, dass Mary die mit dem blutigen Beweis befleckten Laken gesehen hatte.

»Sie dürfen nicht den Mut verlieren, Mrs Walker.«

Mrs Walker. Bei diesen Worten zog sich Rose der Magen zusammen. Wie sehr hatte sie sich danach gesehnt, Mrs Walker zu sein. Nachdem sie Nathaniel in New York kennengelernt hatte, nachdem sie mit klopfendem Herzen von einem Ball zum anderen gegangen war, den Saal nach ihm abgesucht, den Atem angehalten hatte, bis ihre Blicke sich endlich begegneten und seine Lippen sich zu einem Lächeln öffneten, für sie ganz allein.

Nun gehörte ihr der Name, doch sie hatte sich als unwürdig erwiesen, ihn zu tragen. Eine Frau, die nicht einmal die grundlegendste eheliche Pflicht erfüllen konnte, die ihrem Mann nicht das geben konnte, was er von einer guten Ehefrau erwartete: Kinder. Gesunde, glückliche Kinder, die in den Gartenanlagen herumtollen, am Strand Sandburgen bauen, sich vor ihren Kindermädchen verstecken würden.

»Sie dürfen nicht weinen, Mrs Walker. Irgendwann wird es auch bei Ihnen klappen.«

Jedes wohlmeinende Wort traf sie bis ins Mark. »Meinst du wirklich, Mary?«

»Aber selbstverständlich, Ma'am.«

»Wie kannst du dir da so sicher sein?«

»Irgendwann muss es doch passieren, oder? Es bleibt doch keine Frau davon verschont. Jedenfalls nicht lange. Ich kenne genug

Frauen, die was darum geben würden, wenn sie wüssten, wie sie es vermeiden könnten.«

»Undankbare Geschöpfe«, sagte Rose, die Wangen heiß und nass. »Solche Frauen haben es nicht verdient, ein Kind zu bekommen.«

Marys Augen verdunkelten sich, aus Mitleid, wie Rose annahm. Anstatt dem pausbäckigen Dienstmädchen eine Ohrfeige zu verpassen, wandte Rose sich ab und verkroch sich unter ihrer Decke. Suhlte sich in ihrem Kummer. Umgab sich mit der dunklen, leeren Wolke ihres Verlusts.

»Vielleicht haben Sie recht, Mrs Walker«, sagte Mary und fuhr zögernd fort: »Und jetzt essen Sie ein bisschen was zum Frühstück, Ma'am. Sie sollten wirklich dafür sorgen, dass Sie bei Kräften bleiben.«

Nathaniel hätte es im Schlaf zeichnen können. Das Gesicht seiner Frau war ihm so vertraut, dass er manchmal das Gefühl hatte, es besser zu kennen als seine eigene Hand. Er zog eine Linie und verwischte sie leicht mit dem Daumen. Kniff die Augen zusammen und legte den Kopf schräg. Sie war schön, daran bestand kein Zweifel. Das dunkle Haar, die blasse Haut, der rote Mund. Und doch bereitete ihre Schönheit ihm keine Freude.

Er schob die Porträtskizze in seine Mappe. Rose würde sich darüber freuen wie jedes Mal. Sie drängte ihn immer so sehr, noch ein Porträt von ihr zu zeichnen, dass er ihr die Bitte nie abschlagen konnte. Wenn er ihr nicht alle paar Tage ein neues Bild präsentierte, brach sie meist in Tränen aus und flehte ihn an, ihr seine Liebe zu versichern. Inzwischen zeichnete er sie fast nur noch aus dem Gedächtnis. Sie für ihn Modell sitzen zu lassen, war zu quälend. Seine Rose hatte sich in ihren Schmerz zurückgezogen. Die junge Frau, die er in New York kennengelernt hatte, war vor Kummer vergangen, und geblieben war dieser Schatten von Rose mit vom Schlafmangel dunkel geränderten Augen, bleicher Haut und nervösen Händen. Hatte jemals ein Dichter auf adäquate Weise die erbärmliche Hässlichkeit einer geliebten Frau beschrieben, deren Gesicht von Kummer gezeichnet war?

Nacht für Nacht gab sie sich ihm hin, und er ließ sich darauf ein. Aber Nathaniels Begierde war verflogen. Was ihn einst erregt hatte, erfüllte ihn jetzt mit Angst und, schlimmer noch, mit Schuldgefühlen. Schuldgefühle, weil er sie beim Liebesakt nicht mehr ansehen konnte. Schuldgefühle, weil er ihr nicht geben konnte, was sie sich wünschte. Schuldgefühle, weil er ihre Sehnsucht nach einem Kind nicht teilte. Nicht dass Rose ihm das glauben würde. Egal, wie oft Nathaniel ihr versicherte, dass sie ihm genug war, sie ließ sich nicht überzeugen.

Und als wäre das alles nicht schon schlimm genug, war schließlich auch noch ihre Mutter in sein Atelier gekommen. Hatte auf ihre steife Art seine Porträts unter die Lupe genommen und sich dann in den Sessel neben seiner Staffelei gesetzt, um ihm einen Vortrag zu halten. Rose sei sehr zart, hatte sie gesagt, sie sei schon als Kind kränklich gewesen. Die animalischen Gelüste eines Ehemannes könnten ihr großen Schaden zufügen, und es wäre für alle das Beste, wenn er sich eine Weile zurückhalten könnte. Ein solches Gespräch mit seiner Schwiegermutter zu führen, hatte ihn dermaßen irritiert, dass er keine Worte gefunden hatte, ihr seine Situation zu erläutern.

Er hatte nur stumm genickt und sich seitdem angewöhnt, sich in die Abgeschiedenheit des Gartens zurückzuziehen, anstatt in seinem Atelier zu arbeiten. Die Gartenlaube war jetzt sein Arbeitsplatz. Es war März und immer noch ziemlich kühl, aber Nathaniel war gern bereit, auf Annehmlichkeiten zu verzichten. Bei dem Wetter war es umso unwahrscheinlicher, dass jemand auf die Idee kam, ihn hier aufzusuchen. Endlich konnte er frei atmen. Der Winter im Haus mit Roses Eltern und der Bedürftigkeit seiner Frau, die ihm schier die Luft zum Atmen raubte, war erdrückend gewesen. Ihr Kummer und ihre Enttäuschung hatten die Wände, die Teppiche, die Stores durchdrungen. Es war ein Totenhaus: Linus, der sich in seiner Dunkelkammer einschloss, Rose, die sich in ihrem Schlafzimmer verkroch, Adeline, die in den Korridoren lauerte.

Nathaniel beugte sich vor, betrachtete das fahle Sonnenlicht, das durch das Laub des Rhododendronbuschs fiel. Es juckte ihn in den Fingern, am liebsten hätte er gleich versucht, das faszinierende Spiel von Licht und Schatten einzufangen. Aber er hatte keine Zeit. Vor ihm auf der Staffelei stand das unfertige Porträt von Lord Mackelby, der Bart war fertig, die geröteten Wangen, die gefurchte Stirn, nur die Augen fehlten noch. An der Aufgabe, Augen in Öl zu malen, scheiterte Nathaniel jedes Mal.

Er wählte einen Pinsel aus und entfernte ein loses Haar. Als er gerade die Farbe auftragen wollte, spürte er ein Kribbeln im Arm, sein merkwürdiger sechster Sinn, der ihm sagte, dass es aus war mit der Einsamkeit. Er blickte sich um. Siehe da, ein Diener stand hinter ihm. Nathaniels Nackenhaare sträubten sich.

»Himmelherrgott, Mann«, sagte er. »Schleichen Sie sich gefälligst nicht so an. Wenn Sie mir etwas zu sagen haben, treten Sie vor mich hin. Was soll diese Heimlichtuerei?«

»Lady Mountrachet lässt ausrichten, dass die Kutsche nach Tremayne Hall heute Nachmittag um zwei Uhr abfährt, Sir.«

Nathaniel fluchte innerlich. Tremayne Hall hatte er ganz vergessen. Schon wieder irgendwelche von Adelines reichen Freunden, die ihre Wände mit dem eigenen Abbild zu schmücken wünschten. Wenn er richtig Glück hatte, wurde womöglich auch noch gewünscht, dass er ein Porträt der drei kleinen, putzigen Hunde der Hausherrin malte!

Wenn er nur daran zurückdachte, wie begeistert er anfangs gewesen war, wenn Adeline ihn wieder einmal in ein Haus eingeführt hatte, wie er es genossen hatte, dass sein Status stieg wie das

Segel an einem neuen Schiff. Er war ein blinder Narr gewesen, hatte nicht geahnt, welchen Preis er für diese Art von Erfolg würde zahlen müssen. Er bekam zwar immer mehr Aufträge, aber seine Kreativität hatte in gleichem Maß nachgelassen. Er produzierte Porträts mit einer Zuverlässigkeit wie diese neuen Massenproduktionsfabriken, von denen die Geschäftsleute immer sprachen und sich dabei vergnügt die Hände rieben. Keine Zeit, um Luft zu holen, seine Technik zu verbessern, neue Methoden auszuprobieren. Seine Werke waren nicht die eines Künstlers, seine Pinselstriche drückten weder Würde noch Menschlichkeit aus.

Das Schlimmste war, dass er bei all der Porträtmalerei gar nicht mehr dazu kam, sich seiner wahren Leidenschaft, dem Zeichnen, zu widmen. Seit er auf Blackhurst lebte, hatte er nur eine einzige Zeichnung angefertigt und ein paar Skizzen des Hauses und seiner Bewohner. Seine Hände, sein Geschick, seine Inspiration, alles war verkümmert.

Inzwischen war ihm klar, dass er die falsche Entscheidung getroffen hatte. Wenn er nur auf Rose gehört und nach der Hochzeit ein eigenes Haus für sie beide gesucht hätte, wäre vielleicht alles anders gekommen. Dann wären sie inzwischen womöglich eine glückliche und zufriedene kleine Familie, und seine Fingerspitzen wären bereit für kreatives Schaffen.

Vielleicht wäre aber auch alles genauso wie jetzt. Sie würden dieselben Qualen erleiden, nur unter weniger erdrückenden Umständen. Und das war der Haken. Wie konnte man von einem Mann, der als Junge in Armut gelebt hatte, erwarten, dass er sich für den weniger glanzvollen Weg entschied?

Und jetzt hatte Adeline wie Eva im Paradies angefangen, von der Möglichkeit zu flüstern, den König persönlich zu porträtieren. Obwohl er das Porträtieren leid war, obwohl er sich selbst dafür verabscheute, seine Leidenschaft so verraten zu haben, lief ihm allein bei dem Gedanken ein Schauer über den Rücken.

Er legte seinen Pinsel beiseite und rieb einen Farbfleck von seinem Daumen. Wollte sich gerade zum Mittagessen begeben, als sein Blick auf seine Mappe fiel. Er warf einen kurzen Blick in Richtung Haus, dann nahm er die geheimen Zeichnungen heraus. Seit zwei Wochen, seit er unter Roses Sachen die Märchen ihrer Cousine Eliza entdeckt hatte, arbeitete er nun schon in unregelmäßigen Abständen daran. Obwohl die Märchen für Kinder geschrieben waren, einfache Erzählungen von Tapferkeit und Tugend, hatten sie ihn nicht mehr losgelassen. Die Figuren hatten sich in seine Gedanken geschlichen, waren dort zum Leben erwacht, und ihre einfache Weisheit war Balsam für seine gequälte Seele, für seine hässlichen Erwachsenensorgen. Unwillkürlich hatte er angefangen, Linien zu zeichnen, aus denen wie von selbst ein altes Weiblein an einem Spinnrad geworden war, eine Feenkönigin mit langem, dickem Zopf, eine in einen Vogel verhexte Prinzessin in ihrem goldenen Käfig.

Und aus den anfänglichen Kritzeleien fertigte er jetzt Zeichnungen an. Fügte Schattierungen ein, verstärkte die Linien, arbeitete die Gesichtszüge deutlicher heraus. Er betrachtete die Zeichnungen noch einmal, darauf bedacht, nicht auf das Wasserzeichen in dem Papier zu achten, das Rose ihm kurz nach der Hochzeit geschenkt hatte, und versuchte, nicht an diese glücklicheren Zeiten zurückzudenken.

Die Zeichnungen waren noch nicht ganz fertig, doch sie gefielen ihm. Es war in der Tat das einzige Projekt, das ihm noch Freude bereitete, das ihm half, die Heimsuchung zu vergessen, zu der sein Leben sich entwickelt hatte. Mit klopfendem Herzen befestigte Nathaniel die Pergamentblätter am oberen Rand seiner Staffelei. Nach dem Mittagessen würde er es sich herausnehmen, ein bisschen zu zeichnen, einfach so, ohne Ziel, wie er es als Junge getan hatte. Lord Mackelbys düstere Augen konnten warten.

Endlich, mit Marys Hilfe, war Rose angezogen. Sie hatte den ganzen Morgen in ihrem Sessel gesessen, sich aber schließlich doch entschlossen, ihr Zimmer zu verlassen. Wie lange hatte sie in diesen vier Wänden gehockt? Zwei Tage? Drei? Als sie aufstand, wurde ihr so schwindlig und so flau im Magen, dass sie beinahe umgefallen wäre, ein Gefühl, das ihr aus ihrer Kindheit vertraut war. Damals hatte Eliza sie mit ihren Märchen aufgemuntert, die sie sich in der Bucht ausgedacht hatte. Wenn es doch nur eine solch simple Medizin für Erwachsenenleiden gäbe.

Rose hatte Eliza schon eine ganze Weile nicht mehr gesehen. Hin und wieder erblickte sie sie flüchtig vom Fenster aus, sah sie durch den Garten streifen oder auf der Klippe stehen, ein ferner Punkt mit wehendem rotem Haar. Ein paarmal hatte Mary an die Tür geklopft und ihr ausgerichtet, Miss Eliza sei unten und wünsche sie zu sprechen, aber Rose hatte jedes Mal abgelehnt. Sie liebte ihre Cousine, aber der Kampf, den sie gegen Kummer und Hoffnung führte, raubte ihr alle Energie. Und Eliza war so temperamentvoll, so sprühend vor Leben und Gesundheit. Das war mehr, als Rose ertragen konnte.

Leicht wie ein Geist schwebte Rose durch den mit Teppich ausgelegten Flur, eine Hand auf dem Handlauf, um ihr Gleichgewicht zu halten. Am Nachmittag, wenn Nathaniel von Tremayne Hall zurückkehrte, würde sie ihn in seiner Laube aufsuchen. Zwar war es kühl draußen, aber sie würde sich von Mary warm einpacken lassen, und Thomas konnte ihr einen Sessel und eine Decke bringen. Nathaniel musste sich einsam fühlen dort im Garten und er würde sich freuen, sie endlich wieder an seiner Seite zu haben. Sie würde sich zurücklehnen und sich von ihm zeichnen lassen. Er liebte es so sehr, sie zu porträtieren, und es war ihre Pflicht als Ehefrau, ihrem Mann Trost zu spenden.

Kurz bevor sie die Treppe erreichte, hörte Rose Stimmen von unten.

»Sie will es nicht melden, sie sagt, das geht nur sie was an.« Die

Worte wurden begleitet vom regelmäßigen Klopfen eines Besens gegen die Fußleiste.

»Die Mistress wird nicht begeistert sein, wenn sie davon erfährt.«

»Sie wird es nicht erfahren.«

»Die Mistress hat doch Augen im Kopf. Es ist schließlich nicht zu übersehen, wenn ein Mädchen einen dicken Bauch kriegt.«

Rose schlug sich die kalte Hand vor den Mund, schlich auf Zehenspitzen weiter, strengte die Ohren an, um mehr zu hören.

»Also, sie sagt, die Frauen in ihrer Familie bekämen keinen dicken Bauch. Deswegen meint sie, sie kann es unter ihren Kleidern verbergen.«

»Dann hoffen wir mal für sie, dass sie recht behält, denn wenn nicht, ist sie schneller hier raus, als sie gucken kann.«

Rose erreichte den Treppenabsatz gerade rechtzeitig, um zu sehen, wie Daisy im Dienstbotentrakt verschwand. Sally dagegen hatte weniger Glück.

Das Dienstmädchen schrak zusammen, und auf ihren Wangen bildeten sich hässliche rote Flecken. »Verzeihen Sie, Ma'am.« Sie machte einen unbeholfenen Knicks, bei dem sich der Besen in ihrem Rock verfing. »Ich habe Sie gar nicht kommen sehen.«

»Von wem habt ihr gesprochen, Sally?«

Die roten Flecken breiteten sich bis zu den Ohren der jungen Frau aus.

»Sally«, sagte Rose. »Ich verlange eine Antwort. Wer ist schwanger?«

»Mary, Ma'am«, flüsterte Sally.

»Mary?«

»Ja, Ma'am.«

»Mary ist schwanger?«

Sally nickte hastig, und es war ihr anzusehen, dass sie es kaum erwarten konnte, die Flucht zu ergreifen.

»Verstehe.« Ein bodenloses, schwarzes Loch hatte sich in

Roses Bauch aufgetan und drohte, sie in die Tiefe zu reißen. Diese dumme Gans mit ihrer widerlichen, billigen Fruchtbarkeit. Die sie auch noch unverschämt zur Schau stellte. Tat so, als wollte sie Rose trösten, versicherte ihr, alles würde gut werden, nur um hinter ihrem Rücken über sie zu spotten. Und sie war noch nicht einmal verheiratet! Das würde in diesem Haus nicht geduldet werden. Blackhurst Manor war seit Generationen ein moralisch untadeliges Haus, und Rose würde dafür sorgen, dass das so blieb. Vorsichtig atmete sie aus. »Danke, Sally. Du kannst gehen.«

Adeline ließ die Bürste durch ihr Haar gleiten, immer und immer wieder. Mary war entlassen. Zwar bedeutete das, dass ihnen für die Party am kommenden Wochenende Personal fehlte, aber dafür mussten sie eben eine Lösung finden. Normalerweise sah sie es nicht gern, wenn Rose ohne Rücksprache mit ihr Entscheidungen in Bezug auf das Dienstpersonal traf, aber sie befand sich in einer außergewöhnlichen Lage, und Mary war ein kleines Biest. Dazu unverheiratet, was die ganze Sache noch skandalöser machte. Nein, Rose hatte instinktiv richtig gehandelt, auch wenn sie nicht die beste Methode gewählt hatte.

Die arme Rose. Dr. Matthews hatte Adeline Anfang der Woche um ein Gespräch gebeten. Er hatte ihr im Wintergarten gegenübergesessen und wie immer, wenn es um etwas Besorgniserregendes ging, sehr leise gesprochen. Rose gehe es nicht gut, hatte er gesagt (als wüsste Adeline das nicht selbst), und er mache sich große Sorgen.

»Leider beschränken sich meine Befürchtungen nicht allein auf ihren körperlichen Zustand, Lady Mountrachet. Es gibt ...« Er hüstelte in seine kleine Faust. »... noch andere Gründe.«

»Andere Gründe, Doktor Matthews?« Adeline reichte ihm eine Tasse Tee.

»Emotionale Probleme, Lady Mountrachet.« Dr. Matthews lächelte schmallippig und nippte an seinem Tee. »Als ich sie zu den körperlichen Aspekten ihres Ehelebens befragte, beschrieb mir Mrs Walker eine Neigung zu fleischlichen Gelüsten, die ich aus meiner Sicht als Arzt als ungesund bezeichnen muss.«

Adeline spürte, wie sich ihre Lunge ausdehnte, sie hielt den Atem an und zwang sich, langsam und ruhig auszuatmen. Da ihr die Worte fehlten, gab sie einen weiteren Zuckerwürfel in ihren Tee und rührte um. Ohne Dr. Matthews anzusehen, bat sie ihn fortzufahren.

»Seien Sie getrost, Lady Mountrachet. Auch wenn es sich um ein merkwürdiges Phänomen handelt, ist Ihre Tochter nicht die Einzige, die davon betroffen ist. Derzeit treten unter den jungen Damen gehäuft Fälle von erhöhter fleischlicher Begierde auf, und ich bin mir sicher, dass sie das mit der Zeit überwinden wird. Allerdings mache ich mir Sorgen, dass ihre Veranlagung zu ihren wiederholten Fehlschlägen beiträgt.«

Adeline räusperte sich. »Fahren Sie fort, Doktor Matthews.«

»Als Arzt bin ich der Meinung, dass Ihre Tochter vorübergehend auf die geschlechtliche Vereinigung mit ihrem Ehemann verzichten sollte, damit ihr armer Körper sich erholen kann. Denn es hängt alles miteinander zusammen, Lady Mountrachet, es hängt alles zusammen.«

Adeline hob ihre Tasse an die Lippen und schmeckte die Bitterkeit des feinen Porzellans. Sie nickte kaum merklich.

»Die Wege des Herrn sind unergründlich, und das gilt auch für den menschlichen Körper, den er erschaffen hat. Man kann mit Recht von der Hypothese ausgehen, dass eine junge Dame mit erhöhtem … fleischlichem Verlangen«, er lächelte um Entschuldigung heischend, die Augen zusammengekniffen, »kaum der Idealvorstellung einer Mutter entspricht. Der Körper weiß diese Dinge, Lady Mountrachet.«

»Wollen Sie damit sagen, Doktor Matthews, dass meine Tochter eine größere Chance hätte, wenn sie weniger Versuche unternähme?«

»Es ist zumindest eine Überlegung wert, Lady Mountrachet. Ganz abgesehen davon, dass Enthaltsamkeit sich ganz allgemein positiv auf ihren Gesundheitszustand und ihr Wohlbefinden auswirken würde. Stellen Sie sich beispielsweise einen Windsack vor.«

Adeline hob die Brauen und fragte sich nicht zum ersten Mal, warum sie Dr. Matthews all die Jahre über die Treue gehalten hatte.

»Wenn man einen Windsack jahrelang am Mast hängen lässt, ohne ihn ausruhen zu lassen oder ihn zu reparieren, werden die rauen Winde unweigerlich Löcher ins Gewebe reißen. Auch Ihre Tochter, Lady Mountrachet, braucht Zeit, um sich zu erholen. Man muss sie vor den rauen Winden schützen, die drohen, ihre Gesundheit gänzlich zu ruinieren.«

Windsack hin oder her, Dr. Matthews' Worte enthielten eine gewisse Logik. Rose war schwach und kränklich, und wenn man ihr keine Zeit gönnte, in der sie wieder zu Kräften kommen konnte, war nicht zu erwarten, dass sie jemals vollständig genas. Doch ihre heftige Sehnsucht nach einem Kind zehrte sie auf. Adeline hatte sich lange den Kopf darüber zerbrochen, wie sie ihre Tochter davon überzeugen konnte, dass ihrer eigenen Gesundheit Vorrang gebührte, und schließlich war sie zu dem Schluss gekommen, dass sie Nathaniel in die Sache mit einbeziehen musste. So peinlich ihr ein solches Gespräch mit ihrem Schwiegersohn auch sein mochte, sie konnte sich darauf verlassen, dass er auf sie hörte. Im Verlauf der vergangenen zwölf Monate hatte Nathaniel gelernt, sich Adelines Wünschen zu fügen, und jetzt, wo die Aussicht bestand, den König porträtieren zu dürfen, bestand kaum ein Zweifel, dass er ihr beipflichten würde.

Obwohl es Adeline gelang, sich äußerlich gelassen zu geben, kochte sie innerlich vor Wut. Warum sollte es anderen jungen

Frauen vergönnt sein, Kinder zu gebären, wenn Rose keines bekommen konnte? Warum war sie kränklich, während andere vor Gesundheit strotzten? Wie viele Qualen würde Roses schwacher Körper noch erleiden müssen? In ihren düstersten Momenten fragte sich Adeline, ob sie selbst womöglich an allem schuld war. Ob Gott sie womöglich bestrafte. War sie zu stolz gewesen, hatte sie zu häufig mit Roses Schönheit, ihren tadellosen Umgangsformen, ihrem Liebreiz geprahlt? Denn welche Strafe konnte schlimmer sein, als mit ansehen zu müssen, wie das geliebte Kind Qualen litt?

Sich vorzustellen, dass Mary, dieses unverschämt gesunde Weibsbild mit ihrem breiten, strahlenden Gesicht und ihrem ungekämmten Haar, schwanger war! Noch dazu ungewollt schwanger, während anderen, die sich sehnlichst ein Baby wünschten, dieses Glück versagt blieb. Es war einfach ungerecht. Kein Wunder, dass Rose die Nerven verloren hatte: *Sie* war jetzt an der Reihe. Die frohe Botschaft, dass sie schwanger war, müsste Rose gelten, nicht Mary.

Wenn es bloß eine Möglichkeit gäbe, Rose ein Kind zu schenken, ohne dass sie körperliche Strapazen durchmachen musste. Das war natürlich unmöglich. Wenn es eine solche Lösung gäbe, würden die Frauen Schlange stehen.

Adeline hielt mitten im Haarebürsten inne. Schaute ihr Spiegelbild an, ohne etwas zu erkennen. Sie war mit ihren Gedanken woanders, sah eine achtlose junge Frau ohne mütterlichen Instinkt neben einer zarten jungen Dame, deren Körper sich ihrer Sehnsucht nach Mutterschaft verweigerte …

Sie legte die Haarbürste zur Seite, verkrampfte die kalten Hände in ihrem Schoß.

War es möglich, sich eine solche Widersprüchlichkeit zunutze zu machen?

Es würde nicht einfach sein. Als Erstes müsste man Rose davon überzeugen, dass es das Beste für sie war. Dann würde man das

Mädchen zu der Einsicht bringen müssen, dass es ihre Pflicht war. Dass sie der Familie Mountrachet nach so vielen Jahren guten Willens diesen Dienst schuldig war.

Schwierig, aber nicht unmöglich.

Langsam erhob sich Adeline. Sie machte sich auf den Weg in Roses Zimmer, während ihr Plan in ihrem Kopf immer deutlicher Gestalt annahm.

Das wichtigste Werkzeug zum Veredeln von Rosen war das Messer. Rasiermesserscharf müsse es sein, sagte Davies, so scharf, dass sie sich damit die Haare von den Armen rasieren könne. Eliza hatte ihn im Gewächshaus angetroffen, und er war sofort bereit gewesen, ihr dabei zu helfen, für ihren Garten eine Hybride zu züchten. Er hatte ihr gezeigt, wo sie den Schnitt ansetzen musste, wie man dafür sorgte, dass keine Splitter oder Knoten oder Verunstaltungen entstanden, die verhindern könnten, dass das Pfropfreis an dem neuen Stamm anwuchs. Sie war den ganzen Vormittag geblieben und hatte Davies dabei geholfen, die Pflanzen für den Frühling umzutopfen. Es war ein Genuss, die Hände in die warme Erde zu tauchen, die Verheißungen einer neuen Jahreszeit an den Fingerspitzen zu spüren.

Danach war sie den ganzen langen Weg zurückgegangen. Es war ein kühler Tag, dünne Wolken zogen in den höheren Luftschichten ihre schnelle Bahn, und nach der feuchten Wärme im Gewächshaus fühlte die frische Brise sich angenehm an im Gesicht. In der Nähe des Hauses musste sie wie immer an ihre Cousine denken. Mary hatte ihr berichtet, dass Rose in letzter Zeit sehr niedergeschlagen war, und obwohl Eliza nicht damit rechnete, zu ihr vorgelassen zu werden, konnte sie nicht umhin, es wenigstens zu versuchen. Sie klopfte an die Dienstbotentür und wartete, bis jemand öffnete.

»Guten Tag, Sally. Ich bin gekommen, um Rose zu besuchen.«

»Das geht nicht, Miss Eliza«, sagte Sally mit einem mürrischen Gesicht. »Mrs Walker ist gerade sehr beschäftigt und für Gäste nicht zu sprechen.« Wie mechanisch leierte sie die Worte herunter.

»Komm schon, Sally«, sagte Eliza mit einem gequälten Lächeln. »Ich bin doch kein Gast. Wenn du Rose Bescheid sagst, dass ich hier bin …«

Aus dem Hausinneren ertönte Tante Adelines Stimme: »Sally hat vollkommen recht. Mrs Walker ist beschäftigt.« Die wie eine dunkle Sanduhr geformte Gestalt tauchte aus dem Schatten auf. »Wir werden in Kürze zu Mittag essen. Wenn du eine Visitenkarte hinterlassen möchtest, wird Sally Mrs Walker ausrichten, dass du um einen Gesprächstermin gebeten hast.«

Sally senkte den Kopf, ihre Wangen waren gerötet. Zweifellos war irgendetwas vorgefallen, und Eliza würde später von Mary die Einzelheiten erfahren. Ohne Mary und deren regelmäßige Berichte würde Eliza kaum noch etwas von dem mitbekommen, was im Haus vor sich ging.

»Ich habe keine Visitenkarten«, erwiderte Eliza. »Würdest du Rose bitte ausrichten, dass ich hier war, Sally? Sie weiß, wo sie mich finden kann.«

Mit einem Nicken in Richtung ihrer Tante wandte Eliza sich zum Gehen. Als sie den großen Rasen überquerte, drehte sie sich noch einmal kurz um und schaute zum Fenster von Roses neuem Schlafzimmer hinauf, das im Licht der Frühlingssonne weißlich glänzte. Mit einem Mal musste sie wieder an Davies' Messer denken, und ein Schauer lief ihr über den Rücken: Wie mühelos man mithilfe eines hinreichend scharfen Messers Teile von einer Pflanze abschneiden konnte, ohne dass auch nur der kleinste Hinweis auf die frühere Verbindung blieb …

Eliza ging am Springbrunnen vorbei und weiter, bis sie die Gartenlaube erreichte. Wie so häufig neuerdings waren Nathaniels Malutensilien dort aufgebaut. Er selbst war nirgendwo zu sehen, wahrscheinlich war er zum Mittagessen ins Haus gegangen, aber er hatte ein paar Blätter mit Zeichnungen an der Staffelei befestigt.

Eliza erstarrte.

Die Zeichnungen waren unverkennbar.

Betroffen erkannte sie, dass auf dem Zeichenpapier die Produkte ihrer eigenen Fantasie Gestalt angenommen hatten. Figuren, die bisher nur in ihrem Kopf herumgespukt waren, hatten sich wie durch Zauberhand in gezeichnete Bilder verwandelt. Eliza lief es zugleich heiß und kalt über den Rücken.

Sie trat näher an die Staffelei heran. Ließ ihren Blick über die Zeichnungen wandern. Unwillkürlich musste sie lächeln. Es war, als würde einem ein eingebildeter Freund plötzlich leibhaftig gegenüberstehen. Die Gestalten waren denen in ihrer Vorstellung so ähnlich, dass sie sie auf der Stelle erkannte, und dennoch sahen sie irgendwie anders aus. Die von seiner Hand geschaffenen Figuren wirkten düsterer als in ihrer Fantasie, stellte sie fest, und das gefiel ihr. Ohne nachzudenken, löste sie die Blätter von der Staffelei.

Dann eilte sie nach Hause – durchs Labyrinth, durch den geheimen Garten, durch das Tor in der Mauer –, konnte an nichts anderes denken als an die Bilder. Wann hatte er sie gezeichnet? Warum? Was hatte er damit vor? Erst als sie ihre Jacke und ihren Hut im kleinen Flur des Cottage an die Garderobe hängte, fiel ihr der Brief wieder ein, den sie kürzlich von dem Londoner Verleger erhalten hatte. Mr Hobbins hatte sein Schreiben mit einem großen Lob für ihre Geschichten begonnen. Er habe eine kleine Tochter, schrieb er, die stets mit angehaltenem Atem auf das nächste Märchen von Eliza Makepeace wartete. Schließlich hatte er ihr nahegelegt, doch eine mit Illustrationen versehene Sammlung herauszugeben, und sie gebeten, sich an ihn zu wenden, wenn es so weit war.

Zwar hatte Eliza sich geschmeichelt gefühlt, aber sie war dennoch nicht gänzlich überzeugt gewesen. Aus irgendeinem Grund war die Idee ein abstraktes Konzept in ihrem Kopf geblieben. Aber nachdem sie jetzt Nathaniels Zeichnungen gesehen hatte, konnte sie sich mit einem Mal ein solches Buch vorstellen, konnte beinahe schon sein Gewicht in ihren Händen spüren. Eine gebundene Ausgabe ihrer Lieblingsmärchen, ein Buch, das Kinder faszinieren würde. Genauso ein Buch wie jenes, das sie vor all den Jahren in Mrs Swindells Pfandleihhaus entdeckt hatte.

Zum Honorar hatte Mr Hobbins sich nicht geäußert, aber sicherlich konnte Eliza mit einem etwas höheren Betrag rechnen als bisher. Ein ganzes Buch war zweifellos viel mehr wert als eine einzelne Geschichte. Vielleicht würde Eliza endlich genug Geld für ihre ersehnte Reise übers Meer zusammenbekommen …

Ein lautes Klopfen an der Tür riss sie aus ihren Gedanken.

Nathaniel, schoss es ihr durch den Kopf, der kam, um sich seine Zeichnungen zurückzuholen, doch dann schob sie diesen irrationalen Gedanken wieder beiseite. Natürlich war er das nicht. Er kam nie zum Cottage, außerdem würde es noch Stunden dauern, ehe er merkte, dass seine Bilder verschwunden waren.

Trotzdem rollte Eliza die Blätter vorsichtshalber zusammen und verstaute sie in ihrer Jackentasche.

Sie öffnete die Tür. Vor ihr stand Mary mit tränenüberströmtem Gesicht.

»Bitte, Miss Eliza, helfen Sie mir.«

»Mary! Was ist passiert?« Eliza ließ die junge Frau eintreten und warf noch einen kurzen Blick nach draußen, ehe sie die Tür wieder schloss. »Bist du verletzt?«

»Nein, Miss Eliza«, schluchzte Mary. »Es ist was ganz anderes.«

»Erzähl mir, was los ist.«

»Es geht um Mrs Walker.«

»Rose?« Eliza schlug das Herz bis zum Hals.

»Sie hat mich entlassen«, sagte Mary mit bebender Stimme. »Sie hat mir gesagt, ich soll auf der Stelle meine Sachen packen.«

In die Erleichterung darüber, dass Rose nichts zugestoßen war, mischte sich Verwunderung. »Aber warum denn, Mary?«

Mary ließ sich auf einen Stuhl sinken und wischte sich mit dem Handrücken die Tränen fort. »Ich weiß nicht, wie ich es ausdrücken soll, Miss Eliza.«

»Dann sag es mit ganz einfachen Worten, Mary, ich bitte dich, und erzähl mir, was in aller Welt passiert ist.«

Erneut brach Mary in Tränen aus. »Ich bin schwanger. Ich kriege ein Kind. Ich dachte, ich könnte es geheim halten, aber Mrs Walker hat es rausgefunden, und jetzt sagt sie, sie will mich nie wieder in ihrem Haus sehen.«

»Ach Mary.« Eliza setzte sich auf den Stuhl neben Mary und nahm ihre Hand. »Bist du dir ganz sicher, dass du ein Kind erwartest?«

»Ja, ganz sicher, Miss Eliza. Ich wollte es nicht, aber es ist einfach passiert.«

»Und wer ist der Vater?«

»Ein junger Mann aus der Nachbarschaft. Bitte, Miss Eliza, er ist kein schlechter Kerl, und er sagt, er will mich heiraten, aber zuerst muss ich ein bisschen Geld verdienen, sonst haben wir nichts, um eine Wohnung zu bezahlen und dem Kind was zu essen zu geben. Ich darf meine Stellung nicht verlieren, Miss Eliza, noch nicht, und ich kann immer noch gut arbeiten.«

Mary wirkte so verzweifelt, dass Eliza nicht anders konnte, als zu sagen: »Ich werde mal sehen, was ich tun kann.«

»Werden Sie mit Mrs Walker sprechen?«

Eliza füllte ein Glas mit Wasser und reichte es Mary. »Ich werde es zumindest versuchen. Aber du weißt ja selbst, dass es nicht leicht ist, zu einem Gespräch mit Rose vorgelassen zu werden.«

»Bitte, Miss Eliza, Sie sind meine einzige Hoffnung.«

Eliza nickte und lächelte mit einem Ausdruck von Zuversicht, die sie in Wahrheit nicht empfand. »Ich werde ein paar Tage abwarten, bis Rose sich wieder beruhigt hat, dann spreche ich mit ihr. Ich bin mir sicher, dass ich sie zur Einsicht bringen kann.«

»Vielen Dank, Miss Eliza. Sie wissen, dass ich das nicht gewollt habe, ich habe mir alles selbst vermasselt. Ich wünschte, ich könnte es alles ungeschehen machen.«

»So etwas hat sich jeder irgendwann schon mal gewünscht«, sagte Eliza. »Und jetzt geh nach Hause und versuche, dir keine allzu großen Sorgen zu machen. Es wird alles gut werden, daran glaube ich ganz fest. Ich gebe dir Bescheid, sobald ich mit Rose gesprochen habe.«

Adeline klopfte sachte an die Tür und öffnete sie dann. Rose saß in ihrem Sessel am Fenster und starrte nach draußen. Ihre Arme waren so dünn, ihr Gesicht so hager. Das ganze Zimmer schien vor lauter Mitgefühl in Apathie verfallen zu sein – die Kissen waren lustlos eingesunken, die Vorhänge hingen starr und mutlos. Selbst die von fahlem Sonnenlicht gestreifte Luft wirkte abgestanden.

Rose ließ nicht erkennen, ob sie Adelines Kommen bemerkt hatte oder sich dadurch gestört fühlte, und so trat Adeline hinter sie und schaute aus dem Fenster, um zu sehen, was ihre Tochter so faszinierte.

Nathaniel saß in der Laube vor seiner Staffelei und ging die Blätter in seiner Mappe durch. Er wirkte hektisch, als hätte er ein wichtiges Werkzeug verlegt.

»Er wird mich verlassen, Mama.« Rose' Stimme klang so matt wie das Sonnenlicht. »Warum sollte er bei mir bleiben?«

Dann drehte sie sich um und schaute Adeline an, die sich alle Mühe gab, sich nicht anmerken zu lassen, welchen Eindruck der beklagenswerte Zustand ihrer Tochter auf sie machte. Sie legte eine Hand auf Roses knochige Schulter. »Es wird alles gut, mein Kind.«

»Ach, wirklich?«

Sie klang so verbittert, dass Adeline zusammenzuckte. »Selbstverständlich.«

»Ich weiß nicht, wie das möglich sein soll, denn offenbar bin ich nicht in der Lage, ihn zum Mann zu machen. Ich kann ihm keinen Erben schenken, ein eigenes Kind.« Rose wandte sich wieder dem Fenster zu. »Deswegen wird er mich verlassen. Und ohne ihn werde ich dahinsiechen.«

»Ich habe mit Nathaniel gesprochen, Rose.«

»Ach, Mama ...«

Adeline legte Rose einen Finger auf die Lippen. »Ich habe mit Nathaniel gesprochen, und ich bin davon überzeugt, dass er sich, ebenso wie ich, nichts anderes wünscht, als dass du wieder gesund wirst. Kinder werden kommen, wenn du wieder bei Kräften bist, aber du musst Geduld haben. Nimm dir Zeit, dich zu erholen.«

Rose schüttelte den Kopf, ihr Hals war so dünn, dass Adeline ihr am liebsten den Kopf gestützt hätte. »Ich kann nicht warten, Mama. Ohne Kind kann ich nicht weiterleben. Ich würde alles geben für ein Kind, selbst meine Gesundheit. Eher würde ich sterben, als noch lange zu warten.«

Adeline setzte sich neben ihre Tochter und nahm ihre Hand. »So weit muss es nicht kommen.«

In Roses großen, traurigen Augen flackerte Hoffnung auf. Die Hoffnung, die ein Kind nie ganz aufgibt, das Vertrauen, dass eine Mutter oder ein Vater helfen kann.

»Ich bin deine Mutter, und ich muss auf deine Gesundheit achten, auch wenn du selbst nicht dazu bereit bist, und deswegen habe ich lange und gründlich über deine Zwangslage nachgedacht. Es könnte eine Möglichkeit für dich geben, ein Kind zu bekommen, ohne dadurch deine Gesundheit in Gefahr zu bringen.«

»Aber wie denn, Mama?«

»Du wirst dich vielleicht zunächst dagegen sträuben, aber ich bitte dich, deine Vorbehalte beiseitezulassen.« Sie senkte die Stimme. »Hör gut zu, Rose, hör dir an, was ich dir zu sagen habe.«

Schließlich war es Rose, die den Kontakt zu Eliza aufnahm. Fünf Tage nach Marys Besuch ließ Rose ihr einen Brief zukommen. Noch verblüffender war, dass sie Eliza in dem geheimen Garten zu treffen wünschte.

Als sie ihre Cousine erblickte, war Eliza froh, dass sie daran gedacht hatte, ein paar Kissen auf die schmiedeeiserne Gartenbank zu legen, denn die liebe Rose war nur noch ein Schatten ihrer selbst. Mary hatte Andeutungen über ihren geschwächten Zustand gemacht, aber damit hatte Eliza nicht gerechnet, und offenbar war es ihr nicht gelungen, ihr Entsetzen zu verbergen.

»Du wunderst dich über mein Erscheinungsbild, liebe Cousine«, sagte Rose mit einem Lächeln, das ihre Wangenknochen spitz hervortreten ließ.

»Nein, ganz und gar nicht«, log Eliza. »Ich dachte nur, ich …«

»Ich kenne dich zu gut, Eliza, ich kann deine Gedanken lesen als wären es meine eigenen. Es stimmt, mir geht es nicht gut. Ich fühle mich schwach. Aber wie immer werde ich mich wieder erholen.«

Eliza nickte. Sie spürte, wie ihre Augen brannten.

Rose lächelte erneut, aber sosehr sie sich auch bemühte, Zuversicht auszustrahlen, wirkte sie doch nur traurig. »Komm«, sagte sie, »setz dich zu mir. Ich möchte meine liebe Cousine an meiner Seite haben. Erinnerst du dich noch, wie du mich zum ersten Mal mit hierher in den Garten genommen hast? Wie wir gemeinsam den Apfelbaum gepflanzt haben?«

Eliza nahm Roses magere, kalte Hand. »Natürlich erinnere ich mich. Und sieh dir unseren Baum nur an!« Der Apfelbaum war so gut gediehen, dass er schon fast so hoch war wie die Gartenmauer. Nackte Äste breiteten sich nach allen Seiten aus, und frische Zweige reckten sich gen Himmel.

»Wie schön er ist«, seufzte Rose. »Wenn man sich vorstellt, dass wir ihn nur in die Erde zu setzen brauchten, und er wusste genau, was er zu tun hatte.«

Eliza lächelte. »Er hat nur getan, wofür die Natur ihn geschaffen hat.«

Rose biss sich so heftig auf die Lippe, dass ein kleiner, dunkler Fleck zurückblieb. »Wenn ich hier sitze, fühle ich mich beinahe wieder, als wäre ich siebzehn, kurz vor meiner Reise nach New York, voller Aufregung und freudiger Erwartung.« Sie schaute Eliza an. »Es kommt mir vor, als wäre es eine Ewigkeit her, dass wir beide allein hier gesessen haben, so wie früher, als wir noch halbe Kinder waren.«

Eine Welle der Wehmut ließ Eliza alle Eifersucht und Enttäuschung vergessen. Sie drückte Roses Hand. »Ja, das stimmt.«

Rose hustete, und ihr zerbrechlicher Körper krümmte sich bei der Anstrengung. Als Eliza ihr gerade anbieten wollte, ihr eine Stola zu holen, sagte Rose: »Hast du in letzter Zeit Neuigkeiten aus dem Haus erfahren?«

Verwundert über den abrupten Themenwechsel antwortete Eliza vorsichtig: »Ich habe mit Mary gesprochen.«

»Dann weißt du es also.« Ihre Blicke begegneten sich, und nach einer Weile schüttelte Rose traurig den Kopf. »Sie hat mir keine Wahl gelassen, Eliza. Ich weiß, dass ihr beide euch immer gemocht habt, aber in einem solchen Zustand konnten wir sie unmöglich auf Blackhurst Manor behalten. Das wirst du doch verstehen, oder?«

»Mary ist zuverlässig und loyal, Rose«, entgegnete Eliza sanft. »Sie hat sich unbesonnen verhalten, kein Zweifel, aber du könntest doch noch einmal einlenken, oder? Sie verdient jetzt kein Geld mehr, aber das Kind, das in ihrem Bauch wächst, wird sie irgendwann ernähren müssen. Bitte, denk noch einmal darüber nach, Rose. Stell dir mal ihre Notlage vor.«

»Ich versichere dir, dass ich in den letzten Tagen an kaum etwas anderes gedacht habe.«

»Dann siehst du ja vielleicht ein …«

»Hast du je von etwas geträumt, Eliza, dich nach etwas so sehr gesehnt, dass du ohne es nicht mehr würdest leben können?«

Eliza dachte an die Seereise, von der sie träumte. Ihre Liebe zu Sammy. Ihre Zuneigung zu Rose. Aber sie schwieg.

»Es gibt nichts auf der Welt, was ich mir so sehr wünsche wie ein Kind. Mein Herz verzehrt sich ebenso danach, wie meine Arme es tun. Manchmal habe ich das Gefühl, als könnte ich das Gewicht des Kindes, nach dem ich mich sehne, in meinen Armen spüren, das warme Köpfchen, das sich an meinen Busen schmiegt, wenn ich es wiege.«

»Bestimmt wirst du eines Tages …«

»Ja, ja. Eines Tages.« Roses schwaches Lächeln strafte ihre optimistischen Worte Lügen. »Aber ich kämpfe schon so lange darum. Seit dreizehn Monaten, Eliza, und ich erlebe nur Enttäuschung und Verzweiflung. Jetzt erklärt mir Doktor Matthews, dass ich zu schwach bin. Du kannst dir sicherlich vorstellen, wie ich mich gefühlt habe, als Marys kleines Geheimnis herausgekommen ist. Dass sie durch ein Malheur mit dem beglückt wird, wonach ich mich vergeblich sehne. Dass sie, die nichts zu geben hat, bekommen soll, was mir, die ich bereit bin, alles zu geben, versagt bleibt. Du wirst doch begreifen, dass das ungerecht ist, oder? So etwas kann Gott doch nicht wollen!«

Roses Verzweiflung war so groß, und ihre geschwächte Erscheinung stand so im Widerspruch zu ihrem leidenschaftlichen Kinderwunsch, dass Marys Wohlergehen plötzlich für Eliza nur noch eine nebensächliche Rolle spielte. »Wie kann ich dir helfen, Rose? Sag mir, was kann ich für dich tun?«

»Es gibt tatsächlich etwas, das du für mich tun könntest, liebe

Cousine. Ich brauche deine Hilfe, um etwas zu tun, das letztlich auch das Beste für Mary sein wird.«

Endlich. Eliza hatte immer gewusst, dass es eines Tages so weit sein würde. Endlich hatte Rose begriffen, dass sie Eliza brauchte. Dass nur Eliza ihr helfen konnte. »Selbstverständlich, Rose«, sagte sie. »Ich tue alles für dich. Sag mir einfach, worum es sich handelt, und ich werde es tun.«

40 *Tregenna* *Cornwall, 2005*

Am späten Freitagabend schlug das Wetter um, und das ganze Wochenende über lag mürrischer Nebel über dem Dorf. Angesichts solcher Trübsal kam Cassandra zu dem Schluss, dass ihre müden Knochen ein bisschen Ruhe gebrauchen konnten, und gönnte sich eine wohlverdiente Pause. Den ganzen Samstag verbrachte sie mit heißem Tee und Nells Notizheften in ihrem Zimmer, fasziniert von Nells Bericht über den Detektiv, den sie in Truro aufgesucht hatte, ein Mann namens Ned Morrish. Den Namen hatte sie sich aus dem örtlichen Telefonbuch herausgesucht, nachdem William Martin ihr prophezeit hatte, dass sie der Lösung ihres Rätsels einen großen Schritt näher kommen würde, wenn sie herausfand, wohin Eliza im Jahr 1909 verschwunden war.

Am Sonntag traf Cassandra sich nachmittags mit Julia zum Tee. Es hatte den ganzen Vormittag geregnet, aber am späten Nachmittag nieselte es nur noch leicht. Durch die zweiflügeligen Fenster konnte Cassandra nur das Grün des durchweichten Rasens erkennen, alles andere war vom Nebel eingehüllt, aus dem nur hier und da ein paar nackte Zweige herausragten wie Haarrisse in einer weißen Wand. Ein Tag, wie Nell ihn geliebt hatte. Bei der Erinnerung daran, wie ihre Großmutter regelmäßig aufgelebt war, wenn sie sich einen Regenmantel und Gummistiefel anzog, musste Cassandra lächeln. Vielleicht hatten sich da jedes Mal Nells Gene von tief drinnen gemeldet.

Cassandra lehnte sich in ihrem Sessel zurück und betrachtete das Feuer im offenen Kamin. Überall im Aufenthaltsraum des Hotels saßen Leute zusammen – manche vertrieben sich die Zeit mit Brettspielen, andere lasen oder speisten – und genossen es, im Trockenen zu sitzen und sich am Feuer zu wärmen.

Julia tat einen Löffel Sahne auf ihren dick mit Marmelade bestrichenen Scone. »Woher das plötzliche Interesse an der Gartenmauer?«

Cassandra legte ihre Finger um ihre warme Henkeltasse. »Nell glaubte, dass sie die Lösung ihres eigenen Rätsels finden würde, wenn sie herausbekam, wohin Eliza 1909 verschwunden ist.«

»Und was hat das mit der Gartenmauer zu tun?«

»Das weiß ich nicht, vielleicht überhaupt nichts. Aber etwas in Roses Tagebuch hat mich nachdenklich gemacht.«

»Was denn?«

»Aus einem Eintrag vom März 1909 scheint mir hervorzugehen, dass sie Elizas Reise mit dem Bau der Gartenmauer in Zusammenhang bringt.«

Julia leckte etwas Sahne von ihrem Finger. »Ja, ich erinnere mich«, sagte sie. »Das ist die Stelle, wo sie schreibt, dass man vorsichtig sein muss, denn wo es viel zu gewinnen gibt, da gibt es auch viel zu verlieren.«

»Genau. Ich wünschte bloß, ich wüsste, was sie damit meint.«

Julia biss sich auf die Unterlippe. »Wie dumm von ihr, dass sie sich nicht für uns, die wir neunzig Jahre später ihre Aufzeichnungen lesen, deutlicher ausgedrückt hat.«

Cassandra lächelte und spielte abwesend an einem Faden, der sich aus dem Bezugstoff an der Sessellehne gelöst hatte. »Aber warum hat sie das geschrieben? Was gab es zu gewinnen und was zu verlieren? Und was hat die Sicherheit des Cottages damit zu tun?«

Julia biss ein Stück von ihrem Scone ab und kaute langsam und nachdenklich. Dann wischte sie sich mit einer Hotelserviette über die Lippen. »Rose war doch damals schwanger, nicht wahr?«

»Das geht jedenfalls aus dem Eintrag in Nells Buch hervor.«

»Dann waren es vielleicht einfach die Hormone. So was kommt doch vor, oder? Dass Frauen in der Schwangerschaft gefühlsmäßig überreagieren? Vielleicht hat Eliza ihr gefehlt, und sie hat sich gesorgt, dass jemand ins Cottage einbrechen könnte. Vielleicht fühlte sie sich verantwortlich. Die beiden standen sich damals immer noch sehr nahe.«

Cassandra dachte darüber nach. Schwangere Frauen unterlagen manchmal ziemlich krassen Stimmungsschwankungen, aber war das wirklich die Antwort? Selbst wenn man einen Aufruhr der Hormone in Betracht zog, hatte der Eintrag etwas sehr Merkwürdiges. Was ging im Cottage vor sich, dass Rose sich so bedroht fühlte?

»Morgen soll das Wetter wieder besser werden«, bemerkte Julia und legte ihr Messer auf dem mit Krümeln übersäten Teller ab. Sie lehnte sich in ihrem Sessel zurück, schob den Vorhang ein wenig zur Seite und schaute in den Nebel hinaus. »Sie werden wahrscheinlich die Arbeiten am Cottage fortsetzen?«

»Nein, im Moment nicht. Eine Freundin kommt mich besuchen.«

»Hier im Hotel?«

Cassandra nickte.

»Das ist großartig! Sagen Sie mir einfach Bescheid, wenn Sie etwas brauchen.«

Julia behielt recht. Am Montagnachmittag verzog sich der Nebel, und eine zaghafte Sonne schickte sich an, durch die Wolken zu brechen. Cassandra wartete im Aufenthaltsraum, als Rubys Auto auf dem Parkplatz vor dem Hotel hielt. Sie lächelte, als sie den kleinen weißen Wagen sah, sammelte die Notizhefte ein und eilte in die Eingangshalle.

»Puh!« Ruby trat durch die Tür, ließ ihre Taschen fallen, nahm ihren Regenhut ab und schüttelte den Kopf. »Das nenne ich einen Empfang in Cornwall – kein Tropfen Regen, und ich bin trotzdem klatschnass.« Plötzlich blieb sie wie angewurzelt stehen und schaute Cassandra an. »Sieh mal einer unsere Cassandra an!«

»Wieso?« Cassandra glättete ihr Haar. »Stimmt was nicht mit mir?«

Ruby grinste so breit, dass sich lauter kleine Fältchen um ihre Augen bildeten. »Ganz im Gegenteil! Du siehst großartig aus!«

»Äh … danke.«

»Die Luft in Cornwall tut dir offenbar gut. Du bist ja kaum noch wiederzuerkennen.«

Cassandra musste so laut lachen, dass Samantha, die am Empfangstresen stand und lauschte, sich wunderte. »Schön, dich zu sehen, Ruby«, sagte Cassandra und nahm einen Koffer. »Lass uns dein Gepäck raufbringen und einen Spaziergang machen. Ich bin gespannt, wie es nach all dem Regen in der Bucht aussieht.«

Cassandra schloss die Augen, legte den Kopf in den Nacken und genoss die Meeresbrise. In einiger Entfernung krächzten ein paar Möwen, ein Insekt summte an ihrem Ohr vorbei, Wellen schlugen sanft an den Strand. Eine unglaubliche Ruhe überkam sie, als sie ihren Atem dem Rhythmus der Wellen anpasste: ein und aus, ein und aus, ein und aus. Der Regen hatte das Meer aufgewühlt, und der Wind trug einen intensiven Geruch vor sich her. Cassandra öffnete die Augen wieder und ließ ihren Blick langsam durch die Bucht schweifen, über die Reihe der uralten Bäume entlang dem Klippenrand, über den schwarzen Felsen und die grasbewachsenen Hügel, hinter denen das Cottage lag. Sie atmete tief und genüsslich aus.

»Ich komme mir vor wie in dem Buch *Die Schmugglerbande*«, rief Ruby, die ein Stück den Strand hinuntergegangen war. »Als könnte jeden Augenblick Timmy der Hund mit einer Flaschenpost im Maul angelaufen kommen oder mit einem menschlichen Knochen oder sonst irgendwas Gruseligem, was er ausgebuddelt hat.«

Cassandra lächelte. »Das Buch hab ich verschlungen.« Sie ging über den Kiesstrand auf Ruby und den schwarzen Felsen zu. »Als ich es als Kind in der Hitze von Brisbane gelesen habe, hätte ich sonst was dafür gegeben, an einer nebligen Küste mit Schmugglerhöhlen aufzuwachsen.«

Am Ende des Kiesstrands, wo das Grasland begann, erhob sich vor ihnen die Steilküste, die die Bucht umschloss.

»Liebe Güte!« Ruby legte den Kopf in den Nacken. »Du willst also im Ernst, dass wir da raufklettern?«

»Es ist nicht so steil, wie es aussieht, ehrlich.«

Der kaum noch benutzte schmale Pfad war in dem hohen, silbrigen Gras und den kleinen, gelben Blumen nur schwer zu finden. Sie gingen langsam und blieben immer wieder stehen, damit Ruby verschnaufen konnte.

Jeder Windstoß brachte feuchte Luft vom Meer her, die ihnen im Gesicht prickelte. Im Gehen berührte Cassandra die langen Grashalme, spürte, wie sie durch ihre Finger glitten. »Wir haben's fast geschafft«, rief sie Ruby zu. »Es liegt gleich hinter der Kuppe.«

»Ich komme mir vor wie die Mutter der Trapp-Familie«, keuchte Ruby. »Bloß dass mir die Luft zum Singen fehlt.«

Oben angekommen, betrachtete Cassandra die dünnen Wolken, die der Wind über den Himmel trieb. Dann trat sie an den Klippenrand und schaute auf das launenhafte Meer hinaus.

»Gott sei Dank, ich lebe noch«, stöhnte Ruby hinter ihr. Sie stand vornübergebeugt, die Hände auf den Knien. »Soll ich dir mal was verraten? Ich hatte meine Zweifel, dass ich es je bis hier oben schaffen würde.«

Sie richtete sich langsam auf, rieb sich das Kreuz und trat neben Cassandra. Ihre Augen begannen zu leuchten, als ihr Blick zum Horizont wanderte.

»Schön, nicht wahr?«, sagte Cassandra.

»Überwältigend. So müssen die Vögel sich fühlen, wenn sie in ihrem Nest sitzen.« Ruby machte einen Schritt weg vom Klippenrand. »Nur dass sie keine Angst haben müssen, weil sie sich auf ihre Flügel verlassen können, falls sie abstürzen.«

»Das Cottage hat früher, zu Zeiten der Schmuggler, als Ausguck gedient.«

Ruby nickte. »Das kann ich mir gut vorstellen. Von hier oben würde einem nicht viel entgehen.« Sie drehte sich um in der Erwartung, das Haus zu sehen. Runzelte die Stirn. »Schade, dass es von so einer hohen Mauer umgeben ist. Die verbaut einem ja die ganze Sicht.«

»Ja, zumindest im Erdgeschoss. Aber die Mauer war nicht immer da, sie wurde erst 1909 errichtet.«

Ruby ging auf das Tor zu. »Aber warum in aller Welt?«

»Zum Schutz.«

»Wogegen denn?«

Cassandra folgte Ruby. »Glaub mir, das wüsste ich auch gern.« Sie drückte das quietschende Tor auf.

»Wie freundlich.« Ruby zeigte auf das Schild, das vor dem Betreten des Grundstücks warnte.

Cassandra lächelte nachdenklich. *Betreten auf eigene Gefahr.* Sie war in der letzten Zeit so oft an dem Schild vorbeigekommen, dass sie es schon gar nicht mehr wahrnahm. Jetzt, im Zusammenhang mit Roses Tagebucheintrag, bekam es plötzlich eine ganz andere Bedeutung.

»Komm, Cass.« Ruby stand schon vor der Haustür und stampfte mit den Füßen. »Die Kletterpartie hab ich ja ohne Murren mitgemacht, aber ich hoffe, du erwartest jetzt nicht auch noch von mir, dass ich über eine Mauer klettere und mir ein Fenster suche, durch das ich ins Haus einsteigen kann.«

Lächelnd hielt Cassandra den großen Messingschlüssel hoch. »Keine Sorge. Es gibt keine weiteren körperlichen Herausforderungen. Jedenfalls nicht heute. Den geheimen Garten sparen wir uns für morgen auf.« Sie steckte den Schlüssel ins Schloss, drehte ihn nach links, bis es laut klickte, und öffnete die Tür.

Ruby trat über die Schwelle und ging in Richtung Küche. Nachdem Cassandra und Christian die Ranken vor den Fenstern entfernt und den Schmutz eines ganzen Jahrhunderts von den Scheiben gewaschen hatten, war es viel heller im Haus.

»Ich werd verrückt«, flüsterte Ruby, als sie ihren Blick durch die Küche wandern ließ. »Die ist ja noch ganz im Originalzustand.«

»So kann man es auch ausdrücken.«

»Niemand hat versucht, hier etwas zu modernisieren. Was für eine Seltenheit.« Sie drehte sich zu Cassandra um. »Das Haus hat so eine angenehme Atmosphäre, nicht wahr? Warm und gemütlich. Mir ist beinahe, als könnte ich die Geister der Vergangenheit spüren.«

Cassandra lächelte. Sie hatte gewusst, dass es Ruby genauso ergehen würde wie ihr. »Ich bin so froh, dass du kommen konntest.«

»Das hätte ich mir doch nicht entgehen lassen«, sagte Ruby, während sie das Wohnzimmer durchquerte. »Ich hab Grey so viel von deinem Haus in Cornwall erzählt, dass er schon drauf und dran war, sich Ohrstöpsel zu kaufen, um sich das nicht länger anhören zu müssen. Außerdem hatte ich sowieso geschäftlich in Polperro zu tun, es hätte also gar nicht besser kommen können.«

Ruby stützte sich auf den Schaukelstuhl und spähte aus dem Fenster. »Ist das da ein Gartenteich?«

»Ja, aber nur ein kleiner.«

»Was für eine hübsche Skulptur. Ob der Kleine da draußen wohl friert?« Als sie den Schaukelstuhl losließ, wippte er leise quietschend weiter. Ruby setzte ihren Rundgang durch das Haus fort. In der Küche fuhr sie leicht mit den Fingerspitzen über den alten Herd.

»Was hattest du denn in Polperro zu tun?«, wollte Cassandra wissen, die im Schneidersitz auf dem Küchentisch hockte.

»Meine Ausstellung ist letzte Woche zu Ende gegangen, und ich hab die Walker-Zeichnungen zu ihrer Eigentümerin zurückgebracht. Es hat mir fast das Herz gebrochen, mich davon zu trennen, das kann ich dir sagen.«

»Besteht denn keine Chance, dass die Frau sie dem Museum als Dauerleihgabe überlässt?«

»Großartige Idee.« Rubys Kopf war in der Herdnische verschwunden, und ihre Stimme klang gedämpft. »Vielleicht kannst du sie ja dazu überreden.«

»Ich? Ich kenne sie doch gar nicht.«

»Noch nicht. Aber ich habe mit ihr über dich gesprochen. Hab ihr alles über deine Großmutter erzählt, dass sie mit den Mountrachets verwandt war und hier in Blackhurst geboren wurde, und wie sie aus Australien hergekommen ist und das Cottage gekauft hat. Clara fand das alles äußerst spannend.«

»Wirklich? Warum sollte sie sich dafür interessieren?«

Als Ruby sich aufrichtete, stieß sie sich den Kopf. »Aua!« Sie rieb sich die schmerzende Stelle. »Verdammter Mist.«

»Alles in Ordnung?«

»Ja, ja, nichts passiert. Ich halte eine Menge aus.« Sie blinzelte. »Claras Mutter hat als Dienstmädchen auf Blackhurst gearbeitet, erinnerst du dich? Das war diese Mary, die später einen Metzger geheiratet hat.«

»Ja, stimmt, jetzt erinnere ich mich wieder. Und wie kommst du darauf, dass Clara sich für Nell interessiert? Was hat sie gesagt?«

Ruby öffnete die Ofenklappe. »Sie meinte, es gibt etwas, worüber sie mit dir reden möchte. Etwas, das ihre Mutter ihr kurz vor ihrem Tod gesagt hat.«

Cassandra spürte ein Prickeln auf der Haut. »Was denn? Hat sie dir gesagt, worum es geht?«

»Nein, und mach dir keine allzu großen Hoffnungen. So wie die ihre Mutter verehrt hat, erzählt sie dir womöglich, die Jahre, die Mary als Dienstmädchen auf Blackhurst verbracht hat, wären die besten ihres Lebens gewesen, oder dass Rose sie mal dafür gelobt hat, wie schön sie das Silber polieren konnte.« Ruby machte die Ofenklappe zu und schaute Cassandra an. »Ich nehme nicht an, dass der Herd noch funktioniert, oder?«

»Doch, das tut er. Wir konnten es auch nicht glauben.«

»Wir?«

»Christian und ich.«

»Und wer ist Christian?«

Cassandra fuhr mit der Hand über die Tischplatte. »Ach, ein Freund. Jemand aus dem Dorf, der mir hier beim Aufräumen hilft.«

Ruby hob die Brauen. »Ach, ein Freund? So so.«

»Ja«, antwortete Cassandra so beiläufig wie möglich und zuckte die Achseln.

Ruby grinste. »Wie schön, wenn man gute Freunde hat.« Sie ging an dem Fenster mit der kaputten Scheibe vorbei zu dem alten Spinnrad. »Wirst du ihn mir vorstellen?« Sie drehte an dem Rad.

»Pass auf«, sagte Cassandra, »dass du dir nicht in den Finger stichst.«

»Ich werd mich hüten.« Ruby fuhr fort, das Spinnrad zu inspizieren. »Nachher bin ich schuld, wenn wir beide in einen hundertjährigen Schlaf sinken.« Sie schaute Cassandra mit funkelnden Augen an. »Aber dann hätte dein Freund Gelegenheit, uns zu retten.«

Cassandra spürte, wie sie errötete. Sie versuchte, sich möglichst gelassen zu geben, während Ruby die Deckenbalken, die blauweißen Fliesen um den Herd und die breiten Bodendielen begutachtete. »Und?«, fragte sie schließlich. »Was sagst du zu dem Haus?«

Ruby verdrehte die Augen. »Das weißt du doch ganz genau – ich bin grün vor Neid! Es ist großartig!« Sie stützte sich mit den Händen auf dem Tisch ab. »Hast du immer noch vor, es zu verkaufen?«

»Eigentlich ja.«

»Du bist stärker als ich.« Ruby schüttelte den Kopf. »Ich könnte mich niemals von so was trennen.«

Wie aus dem Nichts meldete sich bei Cassandra der Besitzerstolz, den sie sofort unterdrückte. »Mir bleibt nichts anderes übrig. Ich kann mir nicht leisten, es zu unterhalten, vor allem, wo ich am anderen Ende der Welt lebe.«

»Du könntest es als Ferienhaus behalten und vermieten, wenn du nicht hier bist. Dann hätten wir immer ein schönes Plätzchen an der Küste, wenn wir ein bisschen Meerluft schnuppern wollen.« Ruby lachte. »Ich meine natürlich, *du* hättest ein schönes Plätzchen.« Sie knuffte Cassandra in die Rippen. »Komm, zeig mir, wie es oben aussieht. Ich wette, von da aus hat man einen bombenmäßigen Ausblick.«

Sie stiegen die schmale Treppe hoch. Im Schlafzimmer lehnte Ruby sich auf die Fensterbank und schaute aufs Meer hinaus. »Mensch, Cass«, sagte sie. »Die Leute würden Schlange stehen, um hier Urlaub machen zu dürfen. Ein Haus in unberührter Natur, nah genug am Dorf, um sich mit allem versorgen zu können, weit genug weg, um sich ungestört zu fühlen. Wie schön muss es sein, von hier aus einen Sonnenuntergang zu beobachten oder nachts die Fischerboote wie kleine Sterne auf dem Meer funkeln zu sehen.«

Rubys Worte freuten Cassandra und machten ihr zugleich Angst, denn sie entsprachen einem geheimen Wunsch, dessen sie sich bisher gar nicht bewusst gewesen war. Sie würde das Cottage tatsächlich am liebsten behalten, auch wenn ihr natürlich klar war, dass es vernünftiger wäre, es zu verkaufen. Die Atmosphäre des Hauses hatte es ihr angetan. Und es war mehr als nur die Verbindung zu Nell. Wenn sie sich in dem Haus oder im Garten aufhielt, kam es ihr vor, als wäre alles gut. Sie fühlte sich im Frieden mit der Welt und mit sich selbst. Zum ersten Mal seit zehn Jahren fühlte sie sich ganz und stabil, wie ein geschlossener Kreis, wie ein klarer Gedanke.

»Genau!« Ruby drehte sich um und packte Cassandras Handgelenk.

»Was ist?«, fragte Cassandra entgeistert. »Was ist passiert?«

»Mir ist gerade eine fantastische Idee gekommen!« Sie schluckte und gestikulierte mit der Hand, während sie nach Luft schnappte. »Wir übernachten hier!«, stieß sie schließlich hervor. »Du und ich, wir beide schlafen heute Nacht hier im Cottage!«

Cassandra hatte ihre Einkäufe auf dem Markt erledigt und trat gerade aus einem Laden, wo sie Kerzen und Streichhölzer erstanden hatte, als ihr Christian über den Weg lief. Seit ihrem gemeinsamen Abendessen im Pub waren drei Tage vergangen, und seitdem hatten sie sich nicht wiedergesehen oder gesprochen. Es hatte das ganze Wochenende über geregnet, und an die Fortsetzung der Arbeiten im geheimen Garten war nicht zu denken gewesen. Sie war plötzlich nervös, spürte, wie ihre Wangen schon wieder heiß wurden.

»Fahren Sie ins Zeltlager?«

»So was Ähnliches. Eine Freundin von mir ist zu Besuch, und sie will unbedingt im Cottage übernachten.«

Er hob die Brauen. »Dann lassen Sie sich mal nicht von den Gespenstern beißen!«

»Ich werd mir Mühe geben.«

»Oder von den Ratten.« Er lächelte verlegen.

Sie erwiderte sein Lächeln, wusste aber nicht, was sie ihm entgegnen sollte. Das Schweigen dehnte sich wie ein Gummiband und drohte zu zerreißen. Schüchtern sagte sie: »Hören Sie, äh … Hätten Sie nicht Lust, mit uns zu Abend zu essen? Es gibt nichts Besonderes, aber es macht bestimmt Spaß. Ich meine, wenn Sie Zeit haben. Ruby würde Sie sicher gern kennenlernen.« Cassandra schluckte. »Das könnte doch ein lustiger Abend werden.«

Er nickte und schien über ihren Vorschlag nachzudenken. »Ja«, sagte er schließlich. »Sicher. Klingt gut.«

»Super.« Cassandra spürte ihr Herz pochen. »Sagen wir, so gegen sieben? Und Sie brauchen nichts mitzubringen – wie Sie sehen, habe ich mich mit allem Nötigen eingedeckt.«

»Kommen Sie, geben Sie mir das.« Christian nahm Cassandra den Karton mit den Kerzen und den Streichhölzern ab. Sie ließ die Griffe ihrer schweren Einkaufstüte in seine Hand gleiten und rieb sich die rote Stelle am Handgelenk, die sie hinterlassen hatten. »Ich fahre Sie eben zum Haus rauf«, sagte er.

»Ich möchte Ihnen keine Umstände machen.«

»Das tun Sie nicht. Ich war sowieso auf dem Weg zu Ihnen, um über die Male an Roses Bauch zu sprechen.«

»Ich habe leider keine weiteren Hinweise in den Tagebüchern …«

»Macht nichts. Ich weiß jetzt, worum es sich handelt und wo Rose diese Male her hatte.« Er zeigte auf seinen Wagen. »Kommen Sie, wir können uns im Auto unterhalten.«

Christian manövrierte den Wagen aus der engen Parklücke in der Nähe des Hafens und bog auf die Hauptstraße ein.

»Und?«, fragte Cassandra, während sie sich die Einkaufstüte zwischen die Beine klemmte, um zu verhindern, dass die Suppendosen das Brot zerdrückten. »Was haben Sie rausgefunden?«

Christian wischte mit der Handfläche über die beschlagene Windschutzscheibe. »Als Sie mir neulich von Rose erzählt haben, kam mir irgendwas bekannt vor. Es war der Name des Arztes, Ebenezer Matthews. Ich konnte mich beim besten Willen nicht erinnern, wo ich den Namen schon mal gehört hatte, aber am Samstagmorgen ist es mir plötzlich eingefallen. An der Uni habe ich mal ein Seminar über medizinische Ethik belegt, und um einen Schein zu bekommen, mussten wir eine Arbeit über den Einsatz neuer Technologien im Lauf der Geschichte schreiben.«

Kurz vor einer Kreuzung drosselte Christian das Tempo und fummelte an der Heizung herum. »Tut mir leid, die spinnt manchmal. Aber es müsste gleich warm werden.« Er schaltete den Blinker ein und bog nach links in die steile Küstenstraße. »Dass ich wieder in meinem Elternhaus wohne, hat den Vorteil, dass ich leicht an die Kisten rankomme, in denen meine Stiefmutter meine Vergangenheit verstaut hat, als sie mein Zimmer in einen Gymnastikraum umgemodelt hat.«

Cassandra lächelte und musste an die Kisten voller peinlicher Highschool-Erinnerungen denken, die sie vorgefunden hatte, als sie nach dem Unfall wieder zu Nell gezogen war.

»Ich hab eine ganze Weile gebraucht, aber schließlich habe ich die Seminararbeit gefunden, und wie erwartet tauchte der Name Ebenezer Matthews darin auf. Ich hatte ihn in die Untersuchung einbezogen, weil er aus dem Dorf stammte, in dem ich aufgewachsen bin.«

»Und? Stand auch was über Rose in der Arbeit?«

»Nein, nein, aber nachdem ich wusste, wer dieser Doktor Matthews war, der Rose behandelt hat, habe ich einer Freundin in Oxford, die in der Bibliothek der medizinischen Fakultät arbeitet, eine E-Mail geschickt. Sie war mir einen Gefallen schuldig und hat mir alles zukommen lassen, was sie über Matthews' Patienten in den Jahren 1888 bis 1913, also von Roses Geburt bis zu ihrem Tod, in Erfahrung bringen konnte.«

Eine Freundin. Ein unerwartetes Gefühl der Eifersucht versetzte Cassandra einen Stich. Sie schob den Gedanken sofort beiseite. »Und?«

»Der gute Doc war ein ziemlich umtriebiger Bursche. Anfangs nicht, er stammte aus sehr einfachen Verhältnissen und machte in einer kleinen Stadt in Cornwall das, was man als junger Arzt eben so tut. Sein großer Durchbruch kam offenbar, als er Adeline Mountrachet kennenlernte. Ich habe keine Ahnung, warum sie, als ihre kleine Tochter krank wurde, ausgerechnet einen jungen Dorfarzt zurate gezogen hat. Normalerweise haben die Adligen damals denselben alten Knacker konsultiert, der schon Großonkel Finnegan als Kind behandelt hatte, aber aus irgendeinem Grund hat Adeline Ebenezer Matthews ans Krankenbett ihrer Tochter gerufen. Der Doc muss sich von Anfang an gut mit Adeline verstanden haben, denn von da an hat er Rose immer behandelt, und zwar sogar noch, nachdem sie schon verheiratet war.«

»Aber woher wissen Sie das? Wie ist Ihre Freundin an diese Informationen gekommen?«

»Damals haben die meisten Ärzte darüber Buch geführt, wen sie behandelt haben, wer ihnen Geld schuldete, über die Medikamente, die sie verschrieben, Artikel, die sie veröffentlicht haben und so weiter. Viele von diesen mit Aufzeichnungen gefüllten Büchern wurden später von den Nachkommen der Ärzte an Bibliotheken verschenkt oder verkauft.«

Sie hatten das Ende der Straße erreicht, wo der Schotter dem Grasland wich, und Christian hielt auf dem schmalen Parkstreifen am Aussichtspunkt. Der Wind hatte zugenommen, und kleine Wasservögel kauerten verdrießlich auf den Vorsprüngen der Klippe. Christian schaltete den Motor ab und schaute Cassandra an. »In den letzten zehn Jahren des neunzehnten Jahrhunderts ist Doktor Matthews zu einigem Ansehen gekommen. Anscheinend war er mit seiner Rolle als Landarzt nicht zufrieden, obwohl seine Patientenkartei das reinste *Who's who* der gehobenen Kreise hier in der Gegend war. Er hat angefangen, zu verschiedenen medizinischen Themen Aufsätze zu veröffentlichen. Ich brauchte diese Aufsätze nur mit den Aufzeichnungen aus seiner Praxis zu vergleichen, um rauszufinden, dass mit *Miss RM* Rose Mountrachet gemeint war. Ab 1896 wird sie immer wieder erwähnt.«

»Was ist denn in dem Jahr passiert?« Cassandra merkte, dass sie vor lauter Aufregung den Atem anhielt.

»Im Alter von acht Jahren hat Rose einen Fingerhut verschluckt.«

»Warum das denn?«

»Keine Ahnung, ich nehme an, es war ein Unfall, aber das spielt auch keine Rolle. Es war nichts Besonderes – Kinder verschlucken alles Mögliche aus Versehen, Münzen zum Beispiel. Aber die kommen irgendwann unten wieder raus, wenn man nur lange genug wartet.«

Cassandra schaute ihn mit großen Augen an. »Aber Doktor Matthews hat nicht gewartet, sondern eine Operation durchgeführt.«

Christian schüttelte den Kopf. »Noch schlimmer.«

Cassandras Magen zog sich zusammen. »Was hat er denn getan?«

»Er hat ein Röntgenbild anfertigen lassen, mehrere sogar, und dann hat er die Bilder in der Zeitschrift *The Lancet* veröffentlicht.« Christian langte auf den Rücksitz, zog eine Fotokopie aus einer Mappe und reichte sie Cassandra.

Sie warf einen Blick auf den Artikel und zuckte die Achseln. »Na und? Was ist daran verwerflich?«

»Das Schlimme ist nicht die Tatsache, dass er sie hat röntgen lassen, sondern die Strahlenmenge, der er sie ausgesetzt hat.« Er zeigte auf einen Streifen am oberen Rand der Seite. »Doktor Matthews hat Rose sechzig Minuten lang durchleuchten lassen. Ich schätze, er wollte auf Nummer sicher gehen, dass er ein gutes Bild bekam.«

Plötzlich spürte Cassandra, wie die Kälte von draußen durch das geschlossene Fenster hereinkroch. »Aber was bedeutet das?«

»Röntgenbilder entstehen durch Strahlung. Ist Ihnen noch nie aufgefallen, wie Ihr Zahnarzt, wenn er ein Röntgenbild von Ihren Zähnen anfertigt, fluchtartig den Raum verlässt, ehe er auf den Knopf drückt? Wenn Doktor Matthews und sein Fotograf sie eine ganze Stunde lang durchleuchtet haben, dann haben sie ihre Eierstöcke und alles, was sich darin befand, restlos verbrannt.«

»Ihre Eierstöcke?« Cassandra starrte Christian entgeistert an. »Aber wie ist sie dann schwanger geworden?«

»Genau das versuche ich ja, Ihnen zu sagen. Sie war nie schwanger. Zumindest hätte sie unmöglich ein gesundes Kind zur Welt bringen können. Seit 1896 war Rose Mountrachet vollkommen unfruchtbar.«

41 *Cliff Cottage* *Cornwall, 1975*

Der Vertrag trat zwar erst einen Monat nach Unterschrift in Kraft, aber die junge Julia Bennett war sehr entgegenkommend gewesen. Als Nell darum gebeten hatte, schon früher in das Cottage gehen zu dürfen, hatte sie ihr mit einem Schlenker ihres schmuckbeladenen Handgelenks den Schlüssel überreicht. »Kein Problem«, sagte sie, während die Klunker klimperten. »Fühlen Sie sich wie zu Hause. Der Schlüssel ist so schwer, dass ich froh bin, ihn aus der Hand geben zu können.«

Der Schlüssel war tatsächlich schwer. Er war groß und aus

massivem Messing, mit einem kunstvoll gestalteten Griff und einem Bart mit stumpfen Zähnen. Nell betrachtete ihn aufmerksam. Er war fast so groß wie ihre Hand. Sie legte ihn auf dem Holztisch in der Küche ab. In der Küche ihres Hauses. Na ja, ihres zukünftigen Hauses. Noch zehn Tage.

Wenn der Vertrag in Kraft trat, würde Nell nicht mehr in Tregenna sein. Ihr Rückflug ging in vier Tagen, und als sie versucht hatte, den Flug umzubuchen, hatte man ihr erklärt, dass das zu einem so späten Zeitpunkt nur zu einem exorbitant hohen Preis möglich war. Also hatte sie sich entschlossen, wie geplant nach Australien zurückzukehren. Der Notar, der den Kaufvertrag für sie aufgesetzt hatte, war sehr gern bereit gewesen, den Schlüssel bis zu ihrer Rückkehr für sie aufzubewahren. Nell hatte dem Mann versichert, es würde nicht lange dauern, sie brauche nicht viel Zeit, um ihre Angelegenheiten zu regeln, dann würde sie wieder nach England kommen und sich in Cornwall niederlassen.

Denn für Nell stand fest, dass das ihre letzte Reise nach Brisbane sein würde. Was hielt sie dort noch? Ein paar Freunde, eine Tochter, die sie nicht mehr brauchte, Schwestern, die sich immer nur über sie wunderten. Ihr Antiquitätenladen würde ihr fehlen, aber vielleicht konnte sie ja in Cornwall noch einmal von vorn anfangen. Und wenn sie erst einmal in England lebte, würde sie ihrem Geheimnis auf den Grund gehen. Sie würde in Erfahrung bringen, warum Eliza sie entführt und auf das Schiff nach Australien gesetzt hatte. Jeder brauchte einen Lebenszweck, und Nell würde die Lösung des Rätsels zu dem ihren machen. Wie sollte sie sonst herausfinden, wer sie war?

Langsam ging Nell durch die Küche und machte in Gedanken eine Bestandsaufnahme. Wenn sie aus Australien zurückkam, würde sie als Allerserstes gründlich sauber machen, den Staub von Jahrzehnten entfernen, der sich auf jeder freien Fläche niedergelassen hatte. Außerdem würden auch Renovierungsarbeiten nötig sein: An einigen Stellen fehlten Fußleisten, wahrscheinlich mussten an der Wandverkleidung einige Paneele ersetzt werden, und auf jeden Fall musste die Küche wieder so hergerichtet werden, dass man sie benutzen konnte …

Natürlich gab es in einer Kleinstadt wie Tregenna alle möglichen Handwerker, die sie anheuern konnte, aber die Vorstellung, Fremde an ihrem Haus arbeiten zu lassen, widerstrebte Nell. Genauso wie sie damals die sterbende Lil gepflegt und sich geweigert hatte, das irgendwelchen fremden Menschen zu überlassen, würde sie auch ihr Haus eigenhändig wieder in Schuss bringen. Sie würde die Fertigkeiten anwenden, die Haim ihr vor all den Jahren beigebracht hatte, als sie, weil sie ihren Dad so innig liebte, jede freie Minute mit ihm in seinem Schuppen unter dem Mangobaum verbracht hatte.

Nell blieb neben dem Schaukelstuhl stehen. Ein paar Gegenstände in der Ecke erregten ihre Aufmerksamkeit. Sie trat näher. Eine halb leere Saftflasche, ein angebrochenes Päckchen Kekse, ein Comic-Heft mit dem Titel *Whizzer and Chips*. Die Sachen hatten jedenfalls nicht da gelegen, als Nell das Haus zum ersten Mal besichtigt hatte, was nur bedeuten konnte, dass seitdem jemand hier gewesen war. Nell blätterte in dem Comic-Heft: Bei dem Jemand musste es sich um einen Jugendlichen handeln.

Ein feuchter Luftzug streifte Nells Gesicht, und sie schaute in Richtung Küche. Im Fenster fehlte eine von vier Scheiben. Nell nahm sich vor, die Scheibe vor ihrer Abreise durch ein Stück Plastikplane zu ersetzen, dann streckte sie den Kopf aus dem Fenster. Parallel zum Haus verlief eine riesige Hecke, so dicht wie eine Wand. Aus dem Augenwinkel meinte sie etwas Buntes wahrzunehmen, das sich bewegte, doch als sie genauer hinsah, konnte sie nichts entdecken. Wahrscheinlich ein Vogel oder ein Opossum. Gab es überhaupt Opossums in Cornwall?

Aus dem Lageplan, den der Anwalt ihr geschickt hatte, ging hervor, dass das Grundstück sich hinter dem Haus noch ein gutes Stück weiter erstreckte. Das bedeutete wohl, dass das hinter der hohen Hecke gelegene Areal ebenfalls ihr gehörte. Das musste sie sich unbedingt näher ansehen.

Der schmale Weg, der ums Haus herum nach hinten führte, lag im Schatten und war von Unkraut halb überwuchert, sodass Nell nur langsam vorankam, und hinter dem Haus musste sie sich erst einmal durch dichtes Brombeergestrüpp kämpfen, um bis an die Hecke zu kommen.

Plötzlich nahm sie wieder eine Bewegung wahr, diesmal dicht neben sich. Nell schaute nach unten. Unterhalb der Mauer lugten zwei dünne Beine und zwei mit Schuhen bekleidete Füße hervor. Entweder war die Mauer wie im *Zauberer von Oz* vom Himmel gefallen und hatte einen unglücklichen Zwerg zerquetscht, oder Nell hatte eine kleine Person erwischt, die unbefugt in ihr Haus eingedrungen war.

Nell packte ein Fußgelenk. Die Beine erstarrten. »Na los«, sagte sie. »Komm raus da.«

Nach kurzem Zögern begann der Eindringling rückwärts zu krabbeln. Der Junge, der kurz darauf vor ihr stand, schien etwa zehn Jahre alt zu sein, obwohl Nell nie gut darin gewesen war, das Alter von Kindern zu schätzen. Er war ein schmales Bürschchen mit aschblondem Haar und knubbeligen Knien, und seine Schienbeine waren von blauen Flecken übersät.

»Ich nehme an, du bist der kleine Lausejunge, der es sich in meinem Haus gemütlich gemacht hat.«

Der Junge blinzelte mit seinen dunkelbraunen Augen, dann ließ er den Kopf sinken.

»Wie heißt du? Na komm schon, raus damit.«

»Christian.«

So leise, dass Nell es kaum verstanden hatte.

»Christian, und weiter?«

»Christian Blake. Ich hab aber nichts kaputt gemacht. Mein Vater arbeitet da drüben auf dem großen Anwesen, und manchmal komme ich hierher und setze mich in den – in *Ihren* Garten.«

Nell betrachtete die wuchernden Brombeerranken. »Aha, dann befindet sich also ein Garten hinter der Mauer? Ich hatte mich schon gefragt, was wohl dahinter verborgen sein mochte.« Sie schaute den Jungen wieder an. »Sag mal, Christian, weiß deine Mutter eigentlich, wo du dich herumtreibst?«

Der Junge ließ die Schultern hängen. »Ich hab keine Mutter.«

Nell hob die Brauen.

»Sie ist im Sommer ins Krankenhaus gekommen, und dann ...«

Nell seufzte, ihre schlechte Laune war mit einem Mal verflogen. »Verstehe. Na ja. Wie alt bist du? Neun? Zehn?«

»Fast elf.« Trotzig schob er die Hände in die Hosentaschen.

»Selbstverständlich, wie dumm von mir. Ich habe eine Enkelin in deinem Alter.«

»Mag sie auch Gärten?«

Nell sah ihn mit zusammengekniffenen Augen an. »Ich bin mir nicht sicher.«

Christian legte den Kopf schief und zog die Stirn kraus.

»Aber ich glaube schon.« Nell hatte das Gefühl, sich entschuldigen zu müssen, und schalt sich sogleich dafür. Sie brauchte sich keine Vorwürfe zu machen, bloß weil sie nicht wusste, was im Kopf von Lesleys Tochter vorging. »Ich sehe sie nicht so oft.«

»Wohnt sie denn weit weg von Ihnen?«

»Nein, eigentlich nicht.«

»Warum sehen Sie sie denn dann nicht oft?«

Nell musterte den Jungen, unsicher, ob sie seine Frechheit als charmant empfinden sollte. »Manchmal ist das einfach so.«

So wie der Junge sie ansah, kam ihm die Erklärung offenbar ebenso fadenscheinig vor wie ihr selbst. Aber manche Dinge konnte man eben nicht so leicht erklären, vor allem nicht kleinen Jungen, die in fremde Gärten eindrangen.

Nell rief sich in Erinnerung, dass der kleine Rotzbengel erst kürzlich seine Mutter verloren hatte. Gerade sie selbst wusste doch nur zu gut, dass man ziemlich unausstehlich werden konnte, wenn einem der Boden unter den Füßen weggezogen wurde. Sie atmete aus. Das Leben konnte verdammt grausam sein. Warum musste dieser Junge ohne Mutter aufwachsen? Warum musste irgendeine arme Frau jung sterben und diesen kleinen Kerl zurücklassen, der seinen Weg in die Welt jetzt ohne sie finden musste? Als Nell die dünnen Arme und Beine des Jungen betrachtete, zog sich ihr Magen zusammen. Etwas ruppig, aber freundlich fragte sie: »Was wolltest du denn eigentlich in meinem Garten?«

»Ich wollte keinen Unsinn anstellen, ehrlich. Ich sitze einfach gern da rum.«

»Und auf diesem Weg kommst du da rein? Unter der Mauer hindurch?«

Der Junge nickte.

Nell betrachtete die Öffnung. »Ich glaube nicht, dass ich da durchpasse. Wo ist das Tor?«

»Es gibt keins.«

Nell runzelte die Stirn. »Ich habe einen Garten ohne Eingang?«

Wieder nickte der Junge. »Früher war da mal ein Tor, von innen kann man sehen, wo es zugemauert wurde.«

»Warum sollte denn jemand auf die Idee kommen, ein Gartentor zuzumauern?«

Als der Junge mit den Achseln zuckte, ergänzte Nell in Gedanken ihre Liste der erforderlichen Verbesserungen. »Vielleicht kannst du mir ja ein bisschen von dem Garten erzählen, damit ich weiß, was ich verpasse?«, sagte sie. »Da ich nun mal nicht selbst nachsehen kann. Was zieht dich ausgerechnet in diesen Garten?«

»Für mich ist er der schönste Ort auf der Welt«, antwortete Christian ernst. »Ich sitze gern da und spreche mit meiner Mum. Sie hat Gärten so geliebt, vor allem diesen hier. Sie hat mir gezeigt, wie man da reinkommt. Wir wollten den Garten gemeinsam in Ordnung bringen, und dann ist sie krank geworden.«

Nell schaute ihm in die Augen. »Ich fliege in ein paar Tagen nach Australien, aber in einem oder zwei Monaten komme ich wieder hierher zurück. Könntest du vielleicht so lange für mich auf meinen Garten aufpassen, Christian?«

Er nickte feierlich. »Ja, das mach ich.«

»Dann weiß ich ja, dass er in guten Händen ist.«

Christian richtete sich auf. »Und wenn Sie zurückkommen, helfe ich Ihnen, den Garten in Ordnung zu bringen und wieder schön zu machen. So wie mein Dad es drüben beim Hotel macht.«

Nell lächelte. »Kann gut sein, dass ich dich beim Wort nehme. Ich nehme längst nicht von jedem Hilfe an, aber ich habe das Gefühl, dass du genau der richtige Mann für den Job sein könntest.«

42 *Blackhurst Manor* *Cornwall, 1913*

Rose zog ihre Stola fester um die Schultern und verschränkte die Arme gegen die Kälte, die ihr in die Glieder kroch. Als sie in den Garten gegangen war, um ein bisschen in der Sonne zu sitzen, hatte sie am wenigsten damit gerechnet, Eliza anzutreffen. Während sie in ihr Tagebuch schrieb und hin und wieder aufblickte, um nach Ivory zu sehen, die zwischen den Blumenbeeten herumtollte, hatte nichts darauf hingedeutet, dass der Frieden dieses schönen Tages auf so brutale Weise zerstört werden könnte. Irgendein sechster Sinn hatte sie zum Tor des Labyrinths hinübersehen lassen, und bei dem Anblick, der sich ihr dort bot, war ihr das Blut in den Adern gefroren. Wie hatte Eliza ahnen können, dass sie Rose und Ivory allein im Garten antreffen würde? Hatte sie sie beobachtet und auf den richtigen Moment gewartet? Aber warum gerade jetzt? Warum tauchte sie nach drei Jahren ausgerechnet in diesem Augenblick auf? Wie ein Schreckgespenst aus einem Albtraum war sie über den Rasen gekommen mit dem vermaledeiten Päckchen in der Hand.

Rose schaute zur Seite. Da lag es, als wäre es völlig harmlos. Aber Rose wusste, dass es das nicht war. Sie brauchte das braune Papier nicht aufzureißen, um zu sehen, was in dem Päckchen lauerte, ein Gegenstand, der an einen Ort, eine Zeit, eine Freundschaft erinnerte, die Rose nur noch vergessen wollte.

Sie raffte ihre Röcke, glättete sie wieder, versuchte, so viel Raum wie möglich zwischen sich und dem Ding zu schaffen.

Ein Schwarm Spatzen flog auf, und Rose hob den Blick. Mama in einem dunklen Kleid, die aus dem Haus kam, McLennan, den alten Windhund, auf den Fersen. Vor Erleichterung wurde Rose beinahe schwindlig. Mama war ein Anker in der Gegenwart, der sie in einer sicheren Welt festhielt, wo alles so war, wie es sein sollte. Als Adeline sich näherte, verlor Rose die Beherrschung. »Ach, Mama«, rief sie aus. »Sie war hier! Eliza war hier!«

»Ich habe alles vom Fenster aus gesehen. Was hat sie gesagt? Hat die Kleine irgendetwas gehört, was nicht für ihre Ohren bestimmt war?«

Rose versuchte, sich ins Gedächtnis zu rufen, was geschehen war, aber vor lauter Sorge und Angst war ihre Erinnerung verschwommen, und sie wusste nicht mehr, welche Worte gefallen waren. Unglücklich schüttelte sie den Kopf. »Ich weiß es nicht.«

Adeline betrachtete das Päckchen, dann nahm sie es so vorsichtig von der Bank, als könnte sie sich die Finger daran verbrennen.

»Mach es nicht auf, Mama, bitte. Ich kann den Anblick nicht ertragen«, flüsterte Rose kaum hörbar.

»Ist es …?«

»Ganz bestimmt.« Rose presste ihre kalten Finger an die Wangen. »Sie hat gesagt, es sei für Ivory.« Als Rose ihre Mutter anschaute, wurde sie erneut von Panik erfasst. »Warum tut sie so etwas, Mama? Warum?«

Adelines Züge verhärteten sich.

»Was beabsichtigt sie damit?«

»Ich glaube, es ist an der Zeit, dass du etwas Distanz zwischen dir und deiner Cousine schaffst.« Adeline setzte sich neben Rose auf die Bank und legte sich das Päckchen auf den Schoß.

»Distanz, Mama?« Roses Wangen wurden ganz kühl, und sie flüsterte ängstlich: »Du glaubst doch nicht, dass sie … dass sie noch einmal wiederkommt?«

»Sie hat heute bewiesen, dass sie sich nicht an die Vereinbarungen hält.«

»Aber Mama, du glaubst doch nicht etwa …«

»Ich bin nur um dein Wohlergehen besorgt.« Als Ivory auf sie zugelaufen kam, rückte Adeline so dicht an sie heran, dass Rose ihre Oberlippe am Ohr spürte. »Wir dürfen nie vergessen, mein Schatz«, flüsterte sie, »dass ein Geheimnis nie sicher ist, solange andere davon wissen.«

Rose nickte unsicher. Mama hatte natürlich recht. Es war töricht gewesen anzunehmen, alles würde immer so weitergehen.

Adeline erhob sich und winkte McLennan bei Fuß. »Thomas ist dabei, den Tisch für das Mittagessen zu decken. Beeil dich. Du musst den Tag nicht noch schlimmer machen, indem du dich erkältest.« Dann legte sie das Päckchen wieder auf die Bank und raunte Rose zu: »Und sieh zu, dass Nathaniel das hier verschwinden lässt.«

Fußgetrappel über ihr, wo sie sich auch aufhielt. Adeline stieß einen ungehaltenen Seufzer aus. Sie konnte noch so viele Vorträge über eine gute Kinderstube und die Erziehung von jungen Damen halten, bei diesem Kind waren Hopfen und Malz verloren. Es war natürlich zu erwarten gewesen: Egal, wie hübsch Rose ihre Tochter verpackte, sie war von niedriger Geburt, und daran ließ sich nichts ändern. Wangen, die zu rosig glühten, ein Lachen, das durch die Korridore schallte, Locken, die sich nicht bändigen ließen – sie war das genaue Gegenteil von Rose.

Aber Rose liebte die Kleine abgöttisch. Und so hatte Adeline sie akzeptiert, hatte gelernt, sie anzulächeln, ihren unverschämten Blick zu ertragen, ihren Lärm zu tolerieren. Was würde Adeline nicht für Rose tun? Was hatte sie nicht schon alles für ihre Tochter getan? Aber sie war sich auch darüber im Klaren, dass sie unnachgiebig bleiben musste, denn dieses Kind würde eine strenge Erziehung brauchen, wenn man es vor den Fallstricken seiner niederen Herkunft bewahren wollte.

Der Kreis derjenigen, die die Wahrheit kannten, war klein, und das musste auch unbedingt so bleiben, wollte man keinen Skandal riskieren. Und deswegen mussten Mary und Eliza genau im Auge behalten werden.

Anfangs hatte Adeline gefürchtet, dass Rose das nicht begreifen würde, dass das unschuldige Mädchen glauben würde, alles könne so weitergehen wie immer. Aber in dieser Hinsicht hatte ihre Tochter sie angenehm überrascht. In dem Augenblick, als man ihr Ivory in die Arme gelegt hatte, war in Rose eine tiefe Veränderung vorgegangen: Seitdem war sie nur noch von dem Wunsch beseelt, ihr Kind zu schützen. Rose war sofort mit Adeline einer Meinung gewesen, dass Mary und Eliza von Blackhurst ferngehalten werden mussten, und zwar weit genug, um zu verhindern, dass ihnen tägliche Besuche auf dem Anwesen möglich waren, und zugleich doch so nah, dass sie sich noch immer in Adelines Einflussbereich befanden. Nur auf diese Weise konnte sichergestellt werden, dass keine von beiden ausplauderte, was sie über das Kind auf Blackhurst Manor wusste. Adeline hatte dafür gesorgt, dass Mary sich in Polperro ein kleines Haus kaufen konnte, und Eliza hatte sie das Cottage überlassen. Auch wenn Adeline die ständige Nähe ihrer Nichte nur schwer ertragen konnte, so betrachtete sie die Lösung als das geringere von zwei Übeln, und Roses Glück hatte in jedem Fall Vorrang.

Die liebe, gute Rose. Sie hatte so blass gewirkt, wie sie da ganz allein auf der Gartenbank gesessen hatte. Beim Mittagessen hatte sie kaum etwas angerührt. Dann war sie auf ihr Zimmer gegangen, um sich auszuruhen und zu verhindern, dass die Migräne zurückkehrte, die sie die ganze Woche über geplagt hatte.

Adeline öffnete die in ihrem Schoß ruhenden Fäuste und bewegte nachdenklich ihre steifen Finger. Als alles arrangiert worden war, hatte sie die Regeln klipp und klar festgelegt: Weder Mary noch Eliza durften je wieder einen Fuß auf das Anwesen setzen. Die Regel war klar und einfach, und bisher hatten sich beide daran gehalten. Man hatte sich sicher gefühlt, und das Leben auf Blackhurst war ruhig und friedlich gewesen.

Was dachte Eliza sich also dabei, jetzt plötzlich ihr Wort zu brechen?

Nathaniel wartete, bis Rose sich ins Bett gelegt hatte und Adeline zu einem Besuch aufgebrochen war. Keine der beiden, sagte er sich, brauchte je zu erfahren, auf welche Weise er dafür sorgte, dass Eliza sich weiterhin vom Haus fernhielt. Seit er von dem Vorfall erfahren hatte, zerbrach er sich den Kopf darüber, wie er die Sache wieder in Ordnung bringen konnte. Seine Frau in einem solchen Zustand zu erleben, ließ ihn mit Schrecken daran denken, dass trotz allem, was sie erreicht hatten, trotz Roses wundersamer Verwandlung nach Ivorys Geburt, die andere, die kränkliche, ängstliche, nervöse, unberechenbare Rose ständig unter der Oberfläche lauerte. Er hatte sofort gewusst, dass er mit Eliza sprechen musste, ihr irgendwie begreiflich machen musste, dass sie nie wieder zurückkommen durfte.

Es war schon eine Weile her, seit er das letzte Mal durch das Labyrinth gegangen war, und er hatte ganz vergessen, wie düster es zwischen den Dornenhecken war, für welch kurze Zeitspanne dem Sonnenlicht hier Zugang gewährt war. Er bewegte sich langsam, versuchte sich zu erinnern, an welchen Stellen er abbiegen musste. Kein Vergleich zu damals vor vier Jahren, als er, nachdem er das Fehlen seiner Zeichnungen bemerkt hatte, wutentbrannt durch das Labyrinth gerannt war. Außer Atem und mit pochenden Schläfen von der ungewohnten Anstrengung war er am Cottage eingetroffen und hatte die Blätter zurückverlangt. Sie gehörten ihm, hatte er erklärt, sie seien ihm wichtig, er brauche sie. Und als ihm keine Argumente mehr eingefallen waren, hatte er keuchend dagestanden und auf Elizas Reaktion gewartet. Er wusste selbst nicht, was er erwartet hatte – ein Geständnis, eine Entschuldigung, die widerstandslose Herausgabe der Zeichnungen oder vielleicht alles zusammen –, aber nichts davon war eingetreten. Stattdessen hatte Eliza ihn überrascht. Nachdem sie ihn eine Weile betrachtet hatte wie eine Kuriosität, hatte sie mit ihren blassen, ständig den Ausdruck verändernden Augen, die er so gern einmal gezeichnet hätte, mehrmals geblinzelt und ihn gefragt, ob er Lust hätte, ein Märchenbuch zu illustrieren.

Ein Geräusch riss Nathaniel aus seinen Gedanken. Das Herz schlug ihm bis zum Hals. Er drehte sich um und spähte in das Halbdunkel. Eine einzelne Schwalbe schaute daraus hervor und flog dann mit einem kleinen Zweig im Schnabel davon.

Warum war er so schreckhaft? Er benahm sich, als hätte er ein schlechtes Gewissen, was lächerlich war, denn schließlich tat er nichts Unrechtes. Er wollte sich lediglich mit Eliza unterhalten, von ihr fordern, dass sie das Tor des Labyrinths als Grenze akzeptierte. Und er tat das alles nur für Rose, aus Sorge um die Gesundheit und das Wohlergehen seiner Frau.

Er ging schneller und redete sich ein, dass er Gefahr witterte, wo es keine gab. Er mochte seinen Plan heimlich durchführen, aber er tat nichts Verbotenes. Das war immerhin ein gravierender Unterschied.

Er hatte sich einverstanden erklärt, das Buch zu illustrieren. Wie hätte er der Versuchung widerstehen können und warum hätte er das auch tun sollen? Das Zeichnen war seine große Leidenschaft, und indem er Elizas Märchen illustrierte, konnte er in eine Welt eintauchen, in der gewisse Enttäuschungen in seinem Leben keine Rolle spielten. Die Arbeit an den Zeichnungen war wie ein geheimer Rettungsanker gewesen, der ihm die langen Tage der Porträtmalerei erträglich machte. Wenn Adeline ihn wieder einmal irgendeinem reichen, adeligen Langweiler vorstellte, und er genötigt war, zu lächeln und leutselig zu tun wie ein dressierter Hund, tröstete er sich mit dem Gedanken, dass er mit seinen Zeichnungen die zauberhafte Welt von Elizas Märchen zum Leben erweckte.

Er hatte nie eine fertige Zeichnung in seinem Besitz gehabt. Als das Buch veröffentlicht wurde, war ihm klar geworden, dass das auf Blackhurst äußerst ungern gesehen worden wäre. Ganz am Anfang beging er den großen Fehler, Rose von dem Buchprojekt zu erzählen. Er hatte angenommen, sie würde sich freuen über die Freundschaft zwischen ihrem Mann und ihrer geliebten Cousine, aber da hatte er sich getäuscht. Nie würde er ihren Gesichtsausdruck vergessen, aus dem eine Mischung aus Schock, Wut und Angst gesprochen hatte. Er habe sie verraten, hatte sie gesagt, er liebe sie nicht, er wolle sie verlassen. Nathaniel hatte überhaupt nichts mehr verstanden und getan, was er in solchen Situationen immer tat, er hatte Rose seine Liebe versichert und ihr angeboten, noch ein Porträt von ihr zu malen, das sie ihrer Sammlung hinzufügen konnte. Von da an hatte er nicht mehr über das Projekt gesprochen. Aber er hatte es nicht aufgegeben, das hätte er nicht übers Herz gebracht.

Nach Ivorys Geburt war Rose aufgeblüht, und sein Leben hatte sich wieder normalisiert. Seltsam, wie ein kleines Kind wieder Leben an einen toten Ort bringen konnte, wie es das Leichentuch zu entfernen vermochte, das sich über alles gelegt hatte – über

Rose, ihre Ehe, Nathaniels Seele. Natürlich war das nicht von heute auf morgen geschehen. Anfangs hatte er sich dem Kind gegenüber sehr zurückhaltend gegeben, sich von Roses Verhalten leiten lassen, immer von der Furcht bestimmt, dass die Herkunft der Kleinen sich als unüberwindliches Problem erweisen könnte. Erst als er miterlebte, dass Rose das Kind wie eine eigene Tochter liebte und nicht wie einen Kuckuck behandelte, war auch sein Herz weich geworden. Die göttliche Unschuld dieses kleinen Wesens hatte seine müde und verwundete Seele geheilt, und er hatte seine kleine Familie und dic Kraft, die das Kind ihr verlieh, mit Freuden angenommen.

Nach und nach war ihm die Arbeit an dem Buch immer unwichtiger geworden, und er hatte sich ganz den Interessen der Familie Mountrachet verschrieben; er hatte so getan, als existierte Eliza nicht, und als Adeline ihn bat, das Porträt von John Singer Sargent entsprechend zu ändern, hatte er bereitwillig die Schande auf sich genommen und am Werk des großen Künstlers herumgepfuscht. Inzwischen hatte er sich von so vielen Prinzipien verabschiedet, die ihm einst als unabdingbar erschienen waren, dass es auf ein weiteres auch nicht mehr ankam …

Als Nathaniel die Lichtung im Zentrum des Labyrinths durchquerte, musterten ihn zwei Pfauenhähne. Vorsichtig umging er den Metallring, der leicht zur Stolperfalle werden konnte, und nahm den Weg, der zu dem ummauerten Garten führte.

Plötzlich blieb er wie angewurzelt stehen. Zweige knackten unter leisen Schritten. Das konnten nicht die Pfauenhähne sein.

Hastig drehte er sich um. Da – etwas Weißes. Jemand folgte ihm.

»Wer ist da?«, krächzte er, räusperte sich und fügte mit fester Stimme hinzu: »Ich verlange, dass Sie sich zeigen!«

Einen Augenblick später trat seine Verfolgerin aus dem Schatten.

»Ivory!«, rief er zugleich erleichtert und verblüfft. »Was machst du denn hier? Du weißt doch, dass du nicht ins Labyrinth gehen darfst.«

»Bitte, Papa«, sagte das kleine Mädchen. »Nimm mich mit. Davies sagt, hinter dem Labyrinth gibt es einen Garten, wo alle Regenbogen anfangen.«

Das Bild gefiel ihm. »Mit so was kennt er sich aus?«

Ivory nickte mit dem kindlichen Ernst, der Nathaniel immer wieder so faszinierte. Er warf einen Blick auf seine Taschenuhr. Adeline würde in einer Stunde zurück sein und sehen wollen, wie er mit Lord Haymarkets Porträt vorankam. Ihm blieb keine Zeit, Ivory zum Haus zu bringen und dann noch einmal zurückzukehren. Andererseits konnte man nie wissen, wann sich wieder eine Gelegenheit bot, Eliza unbemerkt aufzusuchen. Er kratzte sich das Ohr und seufzte. »Also gut, meine Kleine, dann komm mit.«

Sie folgte ihm dicht auf den Fersen und summte beim Gehen ein Lied vor sich hin – »Apfelsinen und Zitronen«. Wusste der Himmel, von wem sie es gelernt hatte. Jedenfalls nicht von Rose, die konnte sich kein einziges Lied merken, und auch nicht von Adeline, die hatte nicht viel für Musik übrig. Wahrscheinlich hatte eins der Dienstmädchen es ihr beigebracht. Da sie kein eigenes Kindermädchen hatte, verbrachte seine Tochter viel Zeit mit den Bediensteten von Blackhurst Manor. Man konnte nur ahnen, was sie da sonst noch alles aufschnappte.

»Papa?«

»Ja.«

»Ich habe mir noch ein Bild ausgedacht, wie du es mir beigebracht hast.«

»Ach?« Nathaniel schob eine Brombeerranke zur Seite, damit Ivory weitergehen konnte.

»Es war ein Schiff mit Captain Ahab drauf. Und der Wal ist neben dem Schiff hergeschwommen.«

»Welche Farbe hatten die Segel?«
»Weiß natürlich.«
»Und der Wal?«
»So grau wie das Metall, aus dem man Kanonen macht.«
»Und wonach hat es auf deinem Schiff gerochen?«
»Nach Salz und Schweiß und schmutzigen Stiefeln.«
Nathaniel hob amüsiert die Brauen. »Das kann ich mir gut vorstellen.« Es war eins ihrer Lieblingsspiele, mit dem sie sich häufig vergnügten, wenn Ivory den Nachmittag bei ihm im Atelier verbrachte. Nathaniel hatte sich über sich selbst gewundert, als er feststellte, wie sehr er die Gesellschaft der Kleinen genoss. Sie brachte ihn dazu, die Dinge anders zu sehen, einfacher, auf eine Weise, die seine Porträts mit neuem Leben füllte. Ihre ständigen Fragen danach, was er gerade tat und warum er es tat, zwangen ihn, Dinge zu erklären, die er längst für selbstverständlich gehalten hatte: dass man zeichnen muss, was man sieht, und nicht das, was man sich vorstellt, dass jedes Bild aus nichts anderem als Strichen und Formen besteht, dass Farbe dazu dient, zu offenbaren und zu verbergen.
»Warum gehen wir durch das Labyrinth, Papa?«
»Auf der anderen Seite wohnt jemand, den ich besuchen muss.«
Ivory überlegte. »Ist es ein Mensch?«
»Natürlich ist es ein Mensch. Hast du etwa gedacht, dein Papa würde ein Ungeheuer besuchen?«
Während sie kurz nacheinander um mehrere Ecken bogen, fühlte Nathaniel sich an die Marmorkugel in der Kugelbahn in Ivorys Zimmer erinnert. Sie folgte dem Weg, ohne Kontrolle über ihr Schicksal zu haben. Ein alberner Vergleich, sagte er sich. Was er heute vorhatte, bewies doch, dass er ein Mann war, der sein Schicksal selbst in die Hand nahm.
Schließlich standen sie vor dem Tor zu dem geheimen Garten. Nathaniel hockte sich vor seine Tochter und legte ihr die Hän-

de auf die kleinen Schultern. »So, Ivory«, sagte er vorsichtig, »ich habe dich heute mit bis ans andere Ende des Labyrinths genommen.«

»Ja, Papa.«

»Aber du darfst nie wieder ins Labyrinth gehen, erst recht nicht allein. Und ich glaube, es wäre das Beste, wenn … wenn das mit diesem Ausflug unter uns …«

»Keine Sorge, Papa, ich erzähle Mama nichts davon.«

In Nathaniels Magengrube mischte sich Erleichterung mit einem schlechten Gewissen, weil er sich mit seiner Tochter gegen seine Frau verbündete.

»Und Großmama sag ich auch nichts, Papa.«

Nathaniel nickte und rang sich ein Lächeln ab. »So ist es das Beste.«

»Es ist ein Geheimnis.«

»Ja, ein Geheimnis.«

Nathaniel öffnete das Tor zum geheimen Garten und schob Ivory vor sich her. Er hatte damit gerechnet, dass Eliza wie die Feenkönigin auf der kleinen Rasenfläche unter dem Apfelbaum sitzen würde, aber der Garten war still und menschenleer. Nur eine Eidechse saß auf dem kleinen gepflasterten Platz in der Mitte und beobachtete argwöhnisch, wie Nathaniel und Ivory den gewundenen Pfad entlanggingen.

»Ach, Papa«, sagte Ivory, während sie sich staunend umsah. Sie hob den Kopf und betrachtete die Ranken, die sich von einer Mauer kreuz und quer zur anderen hinüberwanden. »Das ist ja ein Zaubergarten.«

Wie seltsam, dass ein kleines Kind so etwas wahrnahm. Nathaniel fragte sich, was es mit Elizas Garten auf sich hatte, dass jeder Besucher den Eindruck gewann, eine solche Pracht könne nicht auf natürliche Weise entstanden sein. Dass beim Zustandekommen eines solchen Gartens ein paar Geister die Hand im Spiel gehabt haben mussten.

Er führte Ivory durch das Tor in der gegenüberliegenden Mauer und den Weg entlang, der sich um das Haus herumschlängelte. Trotz der frühen Stunde war es im Vorgarten dank der Mauer, die Adeline hatte bauen lassen, kühl und dunkel. Nathaniel legte eine Hand zwischen Ivorys Schulterblätter, ihre Feenflügel. »Hör mir gut zu«, sagte er. »Papa geht jetzt in das Haus, aber du musst hier draußen warten.«

»Ja, Papa.«

Er zögerte. »Und dass du mir nicht davonläufst.«

»Oh nein, Papa«, antwortete sie so unschuldig, als würde sie nie im Leben auf so eine Idee kommen.

Mit einem Nicken ging Nathaniel zur Tür. Er klopfte an und richtete sich die Manschetten, während er darauf wartete, dass Eliza öffnete.

Dann ging die Tür auf, und sie stand vor ihm. Als hätte er sie erst gestern gesehen. Als wären nicht inzwischen vier Jahre vergangen.

Nathaniel setzte sich auf einen Küchenstuhl, während Eliza ihm gegenüber stehen blieb, eine Hand an der Tischkante. Sie schaute ihn auf ihre typische Art an, ganz ohne das gesellschaftlich übliche Lächeln, mit dem man zu erkennen gab, dass man sich freute, jemanden zu sehen. War es Eitelkeit, die ihn hatte annehmen lassen, sie würde sich tatsächlich über seinen Besuch freuen? Das Rot ihres Haars wirkte noch leuchtender als gewöhnlich, im Gegenlicht glitzerte es so fein, als wäre es aus Feengold gesponnen. Nathaniel schalt sich innerlich – wie albern, sein Bild von Eliza vom Inhalt ihrer Geschichten beeinflussen zu lassen.

Eine Weile herrschte betretenes Schweigen. Es gab so viel zu sagen, und doch fiel ihm nichts ein. Seit die ganze Sache arrangiert worden war, sahen sie sich zum ersten Mal wieder. Er räusperte sich, griff unwillkürlich nach ihrer Hand, doch sie drehte sich plötzlich zum Herd um.

Nathaniel lehnte sich zurück. Er wusste nicht, wo er anfangen, welche Worte er wählen sollte. Schließlich sagte er: »Du weißt, warum ich hier bin.«

Ohne sich umzudrehen: »Selbstverständlich.«

Er betrachtete ihre Finger, diese langen, schmalen Finger, als sie den Wasserkessel aufsetzte. »Dann weißt du also auch, was ich dir zu sagen habe?«

»Ja.«

Von draußen trug der Wind die lieblichste Stimme herein: »Apfelsinen und Zitronen und braune Kaffeebohnen …«

Eliza straffte sich, sodass Nathaniel die Wirbel an ihrem Rücken erkennen konnte. Wie bei einem Kind. Sie fuhr herum. »Die Kleine ist hier?«

Es bereitete Nathaniel auf perverse Weise Genugtuung, Elizas Gesichtsausdruck zu sehen – sie wirkte wie ein Tier in der Falle. Am liebsten hätte er das Bild gleich zu Papier gebracht, die geweiteten Augen, die blassen Wangen, die gespannten Lippen. Er nahm sich vor, es gleich zu versuchen, sobald er wieder in seinem Atelier war.

»Du hast das Kind mit hergebracht?«

»Sie ist mir gefolgt. Ich habe es erst gemerkt, als es schon zu spät war.«

Der Schrecken in Elizas Gesicht wich einem schwachen Lächeln. »Ein schlaues Mädchen.«

»Manche würden sie als frech bezeichnen.«

Eliza setzte sich auf einen Stuhl. »Es gefällt mir, dass die Kleine Spaß am Spielen hat.«

»Ivorys Mutter ist nicht gerade begeistert vom Abenteuergeist ihrer Tochter.«

Elizas Lächeln war unmöglich zu deuten.

»Und ihre Großmutter ganz sicher auch nicht.«

Das Lächeln wurde breiter. Nathaniel wandte sich ab. »Eliza«, seufzte er kopfschüttelnd. Dann setzte er an zu sagen, was er sich vorgenommen hatte: »Als du vor ein paar Tagen …«

»Als ich vor ein paar Tagen gekommen bin, war ich froh zu sehen, dass es dem Kind gut geht«, fiel sie ihm hastig ins Wort, als wollte sie das Gespräch, das er anstrebte, verhindern.

»Natürlich geht es Ivory gut. Es fehlt ihr an nichts.«

»Der Anschein von Überfluss kann trügerisch sein, es bedeutet nicht immer, dass es einem Menschen gut geht. Frag deine Frau.«

»Deine Bemerkung ist unpassend und grausam.«

Ein knappes Nicken. Bestätigung ohne jegliche Spur des Bedauerns. Unwillkürlich fragte sich Nathaniel, ob sie keine Moral besaß, doch er wusste zugleich, dass dem nicht so war. Sie schaute ihn unverwandt an. »Du bist wegen meines Geschenks gekommen.«

»Es war dumm von dir, es Rose zu bringen«, sagte er leise. »Du weißt doch, was sie davon hält.«

»Ja, das weiß ich. Aber ich dachte, was kann es schon schaden, ihr so ein harmloses Geschenk zu machen.«

»Du weißt genau, welchen Schaden es anrichtet, und als Roses Freundin wirst du ihr keinen Kummer bereiten wollen. Als meine Freundin …« Plötzlich kam er sich albern vor. »Ich muss dich bitten, nicht wieder zu kommen, Eliza. Rose hat nach deinem Besuch schrecklich gelitten. Sie verkraftet es nicht, erinnert zu werden.«

»Die Erinnerung ist eine grausame Dame, mit der wir alle zu tanzen lernen müssen.«

Ehe Nathaniel dazu kam, etwas darauf zu entgegnen, hatte Eliza sich schon wieder dem Herd zugewandt. »Möchtest du eine Tasse Tee?«

»Nein«, sagte er und fühlte sich geschlagen, auch wenn er nicht hätte sagen können, auf welche Weise. »Ich muss wieder zurück.«

»Rose weiß also nicht, dass du hier bist.«

»Ich muss jetzt gehen.« Er setzte seinen Hut auf und wandte sich zur Tür.

»Hast du es gesehen? Ich finde, es ist sehr schön geworden.«

Nathaniel blieb stehen, drehte sich jedoch nicht um. »Adieu, Eliza, wir werden uns nicht wiedersehen.« Er zog seine Jacke über und schob seine nagenden, diffusen Zweifel beiseite.

Als er gerade die Haustür öffnen wollte, hörte er Eliza hinter sich. »Warte«, sagte sie, inzwischen etwas unsicherer. »Lass mich das Kind noch einmal ansehen. Roses Tochter.«

Nathaniel umklammerte den kühlen Türknauf und dachte mit starrem Blick über ihr Ansinnen nach.

»Ein letztes Mal.«

Wie hätte er ihr solch eine simple Bitte abschlagen können? »Aber nur für einen kurzen Augenblick. Dann muss ich sie nach Hause bringen.«

Zusammen gingen sie in den Garten. Ivory saß an dem kleinen Teich, die Füße im Wasser, und sang vor sich hin, während sie ein einzelnes Blatt auf der Wasseroberfläche hin und her schob.

Als Ivory aufblickte, legte Nathaniel eine Hand auf Elizas Arm und schob sie vorwärts.

Der Wind hatte zugenommen, und Linus musste sich auf seinen Gehstock stützen, um nicht das Gleichgewicht zu verlieren. In der Bucht war die sonst so ruhige See aufgewühlt gewesen, und kleine Wellen mit weißen Schaumkronen waren auf die Küste zugefegt. Die Sonne verbarg sich hinter einer dicken Wolkendecke – kein Vergleich zu den vollkommenen Sommertagen, die er damals hier mit seinem Püppchen verbracht hatte.

Das kleine Holzboot hatte Georgiana gehört, ein Geschenk ihres Vaters, aber sie hatte nichts dagegen gehabt, es mit ihm gemeinsam zu benutzen. Egal, was Vater sagte, sie wäre nie auf die Idee gekommen, wegen seines schwachen Beins Bedenken zu äußern. An warmen Nachmittagen waren sie gemeinsam in die Mitte der Bucht hinausgerudert. Hatten still dagesessen und den Wellen gelauscht, die sanft gegen den Bootsrumpf schlugen, und nichts anderes gebraucht als einander. Das hatte Linus jedenfalls geglaubt.

Als sie gegangen war, hatte sie dieses Gefühl der Zusammengehörigkeit mit sich genommen, das ihm so wichtig gewesen war. Das Gefühl, dass er etwas zu bieten hatte, auch wenn seine Eltern ihn für einen dummen, nichtsnutzigen Jungen hielten. Ohne Georgiana war ihm der Sinn des Lebens abhanden gekommen. Und deswegen hatte er beschlossen, dass sie zurückgeholt werden musste.

Linus hatte einen Mann angeheuert. Henry Mansell, ein dunkler, zwielichtiger Charakter, dessen Name in den Pubs von Cornwall geflüstert wurde und den Linus vom Kammerdiener eines befreundeten Grafen erfahren hatte. Es hieß, der Mann sei in der Lage, Dinge zu regeln.

Linus erzählte Mansell von Georgiana und von dem Kummer, den er litt, seit dieser Mann sie entführt hatte, der Mann, der auf den Schiffen arbeitete, die im Londoner Hafen anlegten.

Kurz darauf erfuhr Linus, dass der Seemann tot war. Ein Unfall, sagte Mansell ohne jede Gefühlsregung, ein äußerst bedauerlicher Unfall.

Ein seltsames Gefühl überkam Linus an jenem Nachmittag. Auf seinen Befehl hin war ein Menschenleben ausgelöscht worden. Er besaß die Macht, anderen seinen Willen aufzuzwingen, er fühlte sich wie berauscht.

Er zahlte Mansell eine stattliche Summe, dann hatte dieser sich verabschiedet und sich auf die Suche nach Georgiana gemacht. Linus war voller Hoffnung gewesen, denn offenbar gab es nichts, was dieser Mann nicht bewerkstelligen konnte. Seine geliebte

Schwester würde schon bald wieder nach Hause zurückkehren und ihrem Bruder dankbar sein für ihre Rettung. Alles würde wieder so sein wie früher …

Der schwarze Felsen wirkte heute feindselig. Linus blieb fast das Herz stehen, als er daran dachte, wie sein Püppchen auf diesem Felsen gesessen hatte. Er zog das Foto aus seiner Rocktasche und glättete es mit dem Daumen.

»Georgiana«, flüsterte er kaum hörbar. Mansell hatte sie nie gefunden. Er hatte ganz Europa nach ihr abgesucht, Spuren in London verfolgt, alles ohne Ergebnis. Linus hatte nie wieder ein Wort von seiner Schwester gehört, bis Ende 1900 aus London die Nachricht eintraf, dass ein Kind gefunden worden war. Ein Mädchen mit rotem Haar und den Augen ihrer Mutter.

Linus schaute zum Rand der Klippe hoch, die die Bucht auf der linken Seite begrenzte. Von dort, wo er stand, konnte er gerade die Ecke der neuen Steinmauer erkennen.

Wie er frohlockt hatte, als die Nachricht von dem Kind eingetroffen war. Um seine Schwester zu retten, war es zu spät gewesen, aber durch dieses Mädchen würde er sie wieder bei sich haben.

Doch dann war alles anders gekommen als erwartet. Eliza hatte sich ihm widersetzt, hatte nie begriffen, dass er sie hatte nach Blackhurst bringen lassen, um ihr zu beweisen, dass sie zu ihm gehörte.

Und jetzt quälte es ihn zu wissen, dass sie dort in dem verfluchten Cottage eingesperrt war. So nah und doch … Vier Jahre war es her, dass sie zuletzt das Labyrinth durchquert hatte. Warum war sie so grausam? Warum verweigerte sie sich ihm immer und immer wieder?

Ein plötzlicher Windstoß drohte Linus den Hut vom Kopf zu wehen. Als er ihn instinktiv festhielt, flog ihm das Foto aus der Hand.

Während Linus hilflos dastand, trug der Wind das Bild seiner geliebten Schwester davon. Auf und ab trudelte es, schimmerte weiß im grellen Widerschein der Wolken, flatterte provozierend vor seiner Nase, bis es schließlich aufs Meer hinaussegelte.

Einmal mehr war ihm seine Schwester zwischen den Fingern entglitten.

Seit Elizas Besuch konnte Rose sich gar nicht wieder beruhigen. Tag und Nacht zerbrach sie sich den Kopf darüber, wie sie dem Dilemma entkommen könnte. Eliza durch das Tor des Labyrinths kommen zu sehen, war ein Schock gewesen, denn sie hatte ganz plötzlich begriffen, dass sie sich in Gefahr befand. Schlimmer noch, ihr war bewusst geworden, dass die Gefahr schon lange lauerte. Die Mischung aus Panik und Erleichterung, die sie überkam, machte sie ganz benommen – Erleichterung darüber, dass so lange alles gutgegangen war, und Panik, weil sie wusste, dass ein solches Glück nicht von Dauer sein konnte. Nachdem Rose alle Möglichkeiten durchgegangen war, die ihnen blieben, war ihr eins klar geworden: Mama hatte recht, sie mussten irgendwohin, mussten einen größtmöglichen Abstand zwischen sich und Eliza bringen.

Rose konzentrierte sich auf ihre Stickerei und bemühte sich um einen möglichst beiläufigen Ton: »Ich habe noch einmal über den Besuch der Autorin nachgedacht.«

Nathaniel blickte von dem Brief auf, den er gerade schrieb. Beeilte sich, ein sorgloses Gesicht aufzusetzen. »Zerbrich dir nicht den Kopf darüber, Liebste. Es wird nicht wieder vorkommen.«

»Wie kannst du dir da so sicher sein? Wer von uns hätte denn mit diesem plötzlichen Besuch neulich gerechnet?«

»Sie wird nicht wiederkommen«, entgegnete er bestimmt.

»Woher weißt du das?«

Nathaniels Wangen wurden heiß. Die Rötung war kaum wahrnehmbar, doch Rose entging sie nicht. »Nate? Was ist los?«

»Ich habe mit ihr gesprochen.«

Roses Herz begann zu pochen. »Du hast dich mit ihr getroffen?«

»Mir blieb nichts anderes übrig. Ich habe es für dich getan, Liebste. Ihr Besuch hatte dich so aufgewühlt, und ich habe getan, was ich konnte, um dafür zu sorgen, dass es nicht wieder geschieht.«

»Aber ich wollte nicht, dass du sie triffst.« Das war ja noch schlimmer, als Rose befürchtet hatte. Ihr brach der Schweiß aus, und sie war mehr denn je davon überzeugt, dass sie von Blackhurst fort mussten. Sie alle. Dass Eliza für immer aus ihrem Leben verschwinden musste. Rose atmete tief durch und zwang sich, ihre Züge zu entspannen. Wenn Nathaniel merkte, dass sie schon wieder in Panik geriet, würde er annehmen, dass sie unvernünftige Entscheidungen traf. »Mit ihr zu sprechen, reicht nicht, Nate. Die Zeiten sind vorbei.«

»Was können wir denn sonst tun? Wir können sie ja schlecht im Cottage einsperren.« Er hatte einen Scherz machen, sie zum Lachen bringen wollen, aber sie zuckte mit keiner Wimper.

»Ich denke an New York.«

Nathaniel hob die Brauen.

»Wir haben doch schon mehrmals überlegt, eine Zeit lang auf der anderen Seite des Atlantiks zu leben. Ich finde, wir sollten unsere Pläne in die Tat umsetzen.«

»Du meinst, wir sollten England verlassen?«

Rose nickte.

»Aber ich habe hier Aufträge. Wir wollten doch für Ivory ein Kindermädchen einstellen.«

»Ja, ja«, sagte Rose ungehalten. »Aber wir sind nicht länger in Sicherheit.«

Nathaniel erwiderte nichts, aber das brauchte er auch nicht. Sein Gesicht sprach Bände. Roses Herz gefror zu Eis. Er würde ihr schon noch zustimmen, wie immer. Vor allem, wenn er befürchten musste, dass sie wieder in Verzweiflung verfiel. Es war bedauerlich, dass sie seine Liebe zur ihr so ausnutzen musste, aber ihr blieb nun mal nichts anderes übrig. Rose hatte ihr Leben lang davon geträumt, eine Familie und ein Kind zu haben, und das alles würde sie um nichts auf der Welt aufs Spiel setzen. Als man Ivory das erste Mal in ihre Arme gelegt hatte, war es, als hätte man ihnen allen einen Neuanfang gewährt. Seitdem waren sie und Nathaniel wieder ein glückliches Paar, und sie hatten nie mehr über die Zeit davor gesprochen. Die Vergangenheit existierte nicht mehr. Jedenfalls nicht, solange Eliza sich von ihnen fernhielt.

»Ich habe diesen Auftrag in Schottland angenommen«, hielt Nathaniel ihr entgegen. »Ich habe schon mit den Entwürfen begonnen.« In seiner Stimme nahm Rose die feinen Risse wahr, die sie noch weiter verstärken würde, bis sein Widerstand endgültig gebrochen war.

»Den Auftrag musst du selbstverständlich zu Ende bringen«, sagte sie. »Wir werden die Sache so bald wie möglich anpacken und nach unserer Rückkehr aus Schottland sofort abreisen. Ich habe drei Plätze auf der *Carmania* gebucht.«

»Du hast also schon alles arrangiert.«

»Es ist das Beste für uns alle, Nate«, sagte Rose etwas sanfter. »Das musst du doch einsehen. Nur dort werden wir in Sicherheit sein. Und denk doch nur, was das für deine Karriere bedeutet. Womöglich bringt die *New York Times* sogar einen Bericht über dich. Es wäre die triumphale Heimkehr eines der erfolgreichsten Söhne der Stadt.«

Ivory hockte unter Großmamas Lieblingssessel und flüsterte die Worte vor sich hin. »New York.« Ivory wusste, wo New York lag. Einmal, als sie mit Mama und Papa nach Schottland gefahren war, hatten sie einen Abstecher nach York gemacht und ein paar

Tage im Haus von Großmamas Freunden verbracht. Bei einer sehr alten Dame mit einer Brille und Augen, die immer so aussahen, als würde sie weinen. Aber diesmal hatte Mama nicht von York gesprochen, Ivory hatte ihre Worte deutlich gehört. *New* York, hatte sie gesagt, sie würden bald nach *New* York reisen. Und Ivory wusste, dass es die Stadt am anderen Ende des Meeres war, die Stadt, in der Papa geboren worden war und über die er ihr schon so viele Geschichten erzählt hatte. Geschichten von Wolkenkratzern und Musik und Automobilen. Eine Stadt, wo alles glänzte und glitzerte.

Ein paar Hundehaare kitzelten sie in der Nase, und sie musste ein Niesen unterdrücken. Die Kunst, ihr Niesen aufzuhalten, beherrschte sie perfekt, und auch deswegen war sie so gut im Verstecken. Ivory versteckte sich so gern, dass sie es manchmal nur tat, um sich zu vergnügen. Selbst wenn sie allein war, versteckte sie sich, weil sie das Gefühl genoss, dass selbst das Zimmer sie vergessen und seine übliche Leere wieder angenommen hatte, als gehörte sie zum Mobiliar.

Diesmal allerdings hatte Ivory einen Grund, sich unsichtbar zu machen. Großpapa benahm sich in letzter Zeit außerordentlich merkwürdig. Normalerweise war er immer gern für sich allein, aber neuerdings tauchte er immer dort auf, wo Ivory sich gerade befand, und beanspruchte sie für sich. Und jedes Mal hatte er seine kleine braune Kamera dabei und wollte sie zusammen mit seiner kaputten Puppe fotografieren. Ivory konnte die kaputte Puppe mit den grässlichen Augen nicht leiden. Und deswegen versteckte sie sich jetzt, obwohl Mama ihr gesagt hatte, es wäre eine große Ehre, fotografiert zu werden, und sie solle tun, was Großpapa von ihr verlangte.

Weil allein der Gedanke an die Puppe sie schaudern ließ, versuchte sie, an etwas anderes zu denken. An etwas, das sie froh stimmte, wie der abenteuerliche Tag, an dem sie mit Papa durch das Labyrinth gegangen war. Ivory hatte draußen im Garten gespielt, als sie gesehen hatte, wie Papa aus dem Haus gekommen war. Er war mit schnellen Schritten gegangen, und zuerst dachte sie, er würde in die Kutsche steigen, um zu jemandem zu fahren, den er porträtieren sollte. Aber er hatte seine Malsachen gar nicht bei sich, und außerdem war er ganz anders angezogen als sonst, wenn er zu einem wichtigen Treffen fuhr. Ivory hatte beobachtet, wie er den Rasen überquerte, und als er sich dem Tor zum Labyrinth näherte, wusste sie sofort, was er vorhatte. Ihr Papa war nicht besonders geschickt darin, sich zu verstellen.

Ohne zu zögern, war sie ihm durch das Tor in die dunklen, engen Tunnel des Labyrinths gefolgt. Denn sie wusste, dass die Dame mit dem roten Haar, die Dame, die das Geschenk für sie gebracht hatte, auf der anderen Seite des Labyrinths wohnte.

Und jetzt, nachdem sie mit Papa dort gewesen war, wusste sie auch, wer die Dame war. Sie hieß die Autorin, und Papa behauptete zwar, sie sei ein ganz normaler Mensch, aber Ivory wusste es besser. Sie hatte schon etwas geahnt, als die Autorin durch das Tor gekommen war, aber nachdem sie ihr in ihrem Garten in die Augen gesehen hatte, war sie sich ganz sicher.

Die Autorin besaß magische Kräfte. Ivory war sich noch nicht ganz sicher, ob sie eine Hexe oder eine Fee war, aber sie wusste genau, dass sie so jemandem noch nie zuvor begegnet war.

43 *Cliff Cottage* *Cornwall, 2005*

Der Wind hatte zugenommen, und die Wellen schlugen hoch in die Bucht. Das Mondlicht, das durchs Fenster fiel, warf vier silbrige Quadrate auf den Holzfußboden. Es duftete wohlig nach Tomatensuppe. Cassandra, Christian und Ruby saßen am Küchentisch, auf der einen Seite wärmte sie der Herd, auf der anderen ein Petroleumofen. Auf dem Tisch und überall um sie herum brannten Kerzen, und dennoch blieben dunkle Ecken, die das Kerzenlicht nicht erreichte.

»Ich verstehe es immer noch nicht«, sagte Ruby. »Wie können Sie aus diesem Zeitschriftenartikel schließen, dass Rose unfruchtbar war?«

Christian aß einen Löffel Suppe. »Weil sie der Röntgenstrahlung so lange ausgesetzt war. Das können ihre Eierstöcke unmöglich überstanden haben.«

»Aber hätte sie das nicht gewusst? Sie muss doch irgendwie gemerkt haben, dass etwas nicht stimmte.«

»Wie denn?«

»Na ja, hat sie denn weiterhin ihre … Sie wissen schon … ihre Periode bekommen?«

Christian zuckte die Achseln. »Ich nehme es an. Ihre Fortpflanzungsorgane werden wohl weiterhin funktioniert und jeden Monat ein Ei ausgestoßen haben. Aber die Eier selbst waren geschädigt.«

»So sehr, dass sie richtig unfruchtbar war?«

»Also, sollte sie tatsächlich schwanger geworden sein, dann wäre der Fötus so stark missgebildet gewesen, dass sie eine Fehlgeburt gehabt hätte. Oder sie hätte ein extrem behindertes Kind zur Welt gebracht.«

Cassandra schob ihren halb leer gegessenen Teller von sich weg. »Das ist ja furchtbar. Warum hat dieser Arzt das bloß gemacht?«

»Wahrscheinlich wollte er einfach zu den Ersten gehören, die diese neue Technologie einsetzten, und sich mit einer Veröffentlichung Ruhm erwerben. Aus medizinischer Sicht gab es jedenfalls keinen Grund, eine Röntgenaufnahme zu machen. Die Kleine hatte bloß einen Fingerhut verschluckt.«

»So was machen doch alle Kinder«, bemerkte Ruby, während sie mit einem Stück Brot ihren Teller leer wischte.

»Aber warum eine Stunde lang? Das war doch bestimmt nicht nötig.«

»Natürlich nicht«, erwiderte Christian. »Aber damals wusste man das noch nicht, da hat man so was häufig gemacht.«

»Wahrscheinlich haben sie sich gesagt, wenn sie nach einer Viertelstunde ein gutes Bild bekommen, wird es nach einer Stunde noch besser«, sagte Ruby.

»Damals waren die Gefahren noch nicht bekannt. Die Röntgenstrahlung war erst 1895 entdeckt worden, das heißt also, der gute Doktor Matthews war absolut auf der Höhe der Zeit. Anfangs hat man tatsächlich geglaubt, Röntgenstrahlen hätten eine positive Wirkung und man könnte damit Krebs, krankhafte Hautveränderungen und sonst noch alles Mögliche heilen. Selbst in Schönheitskliniken hat man damit gearbeitet. Es hat Jahre gedauert, bis die negativen Nebenwirkungen entdeckt wurden, die Verbrennungen und Infektionen, bis man schließlich erkannt hat, dass die Strahlung selbst sogar krebserregend ist.«

»Jetzt wissen wir auch, was das für Male an Roses Bauch waren«, sagte Cassandra. »Das waren Brandnarben.«

Christian nickte. »Ganz genau.«

Der Wind peitschte dünne Zweige gegen die Fensterscheiben, und ein Luftzug ließ die Kerzen flackern. Ruby stellte ihren Teller in Cassandras und wischte sich den Mund mit einer Serviette. »Wenn Rose also unfruchtbar war, wer war dann Nells Mutter?«

»Die Frage kann ich dir beantworten«, sagte Cassandra.

»Wirklich?«

Sie nickte. »Es steht alles in den Tagebüchern. Ich nehme an, dass es das ist, was Clara mir sagen will.«

»Wer ist denn Clara?«, fragte Christian.

Ruby holte tief Luft. »Dann muss Nell ja Marys Kind gewesen sein!«

»Und wer ist Mary?« Christian schaute erst Ruby, dann Cassandra an.

»Elizas Freundin«, sagte Cassandra. »Die Mutter von Clara. Sie hat als Dienstmädchen auf Blackhurst gearbeitet, bis Rose sie Anfang 1909 gefeuert hat, weil sie schwanger war.«

»Rose hat sie entlassen?«

Cassandra nickte. »In ihrem Tagebuch schreibt sie, sie kann es nicht ertragen, dass jemand, der es überhaupt nicht verdient hat, ein Kind bekommt, während sie sich vergeblich danach sehnt.«

Ruby trank einen Schluck Wein. »Aber warum sollte Mary Rose ihr Kind gegeben haben?«

»Ich bezweifle, dass sie es ihr einfach so *gegeben* hat.«

»Du glaubst also, Rose hat ihr das Kind abgekauft?«

»Es wäre doch möglich, oder? Leute haben schon Schlimmeres getan, um an ein Kind zu kommen.«

»Glaubst du, Eliza hat davon gewusst?«

»Schlimmer noch«, sagte Cassandra. »Ich glaube, dass sie sogar Hilfe dabei geleistet hat. Ich nehme an, dass sie deswegen fortgegangen ist.«

»Schuldgefühle?«

»Genau. Sie hat Rose dabei unterstützt, ihre Machtstellung auszunutzen und jemandem, der dringend Geld brauchte, ein Kind abzuluchsen, und ich kann mir nicht vorstellen, dass Eliza sich dabei wohlgefühlt hat. Immerhin war sie mit Mary befreundet. Das schreibt Rose auch in ihrem Tagebuch.«

»Du gehst also davon aus, dass Mary das Kind wollte«, sagte Ruby. »Dass sie sich dagegen gesträubt hat, es herzugeben.«

»Ich gehe davon aus, dass die Entscheidung, ein Kind herzugeben, nie einfach ist. Vielleicht brauchte Mary Geld, vielleicht war sie ungewollt schwanger geworden, womöglich hat sie sich sogar gesagt, das Kind würde es bei Rose besser haben, aber trotz allem wird es für sie sehr schlimm gewesen sein.«

Ruby hob die Brauen. »Und Eliza hat ihr geholfen.«

»Und dann ist sie fortgegangen. Das bringt mich zu der Überzeugung, dass das Kind nicht freiwillig abgegeben wurde. Ich glaube, dass Eliza fortgegangen ist, weil sie es nicht ertragen konnte, Rose mit Marys Kind zu sehen. Wahrscheinlich war die Trennung von Mutter und Kind ein traumatisches Erlebnis und belastete Elizas Gewissen.«

Ruby nickte nachdenklich. »Das würde auch erklären, warum Rose nach Ivorys Geburt kaum noch Kontakt zu Eliza hatte, warum die Freundschaft der beiden eingeschlafen ist. Rose muss gewusst haben, wie es ihrer Cousine erging, und sie wird befürchtet haben, dass Eliza irgendetwas tun könnte, das ihr neu gefundenes Glück zerstörte.«

»Zum Beispiel, ihr Ivory wieder wegnehmen«, bemerkte Christian.

»Was sie ja am Ende tatsächlich getan hat.«

»Ja«, sagte Ruby, »was sie am Ende getan hat.« Sie schaute Cassandra mit großen Augen an. »Wann bist du denn mit Clara verabredet?«

»Sie hat mich für morgen Vormittag um elf zu sich eingeladen.«

»Mist. Ich reise um neun Uhr ab. Die Arbeit ruft. Am liebsten hätte ich dich ja begleitet, ich hätte dich sogar hinfahren können.«

»Ich fahre Sie hin«, sagte Christian. Er war dabei, an den Knöpfen des Petroleumofens zu drehen, um die Flamme höher zu stellen, und der Petroleumgeruch war stärker geworden.

Cassandra tat, als würde sie Rubys Grinsen nicht bemerken. »Wirklich? Sind Sie sicher?«

Er lächelte sie an. »Sie kennen mich doch, ich helfe immer gern, wo ich kann.«

Cassandra erwiderte sein Lächeln, dann, als sie spürte, dass sie errötete, senkte sie den Blick und betrachtete die Tischplatte. In Christians Gegenwart kam sie sich manchmal vor wie eine Dreizehnjährige. Und es war so ein schönes, wehmütiges Gefühl, als würde das Leben noch vor ihr liegen, dass sie es am liebsten gar nicht mehr loslassen würde. Dass sie am liebsten ihr schlechtes Gewissen vergessen würde, das ihr einredete, Christians Gegenwart zu genießen, sei treulos gegenüber Nick und Leo.

»Was glauben Sie, warum Eliza bis 1913 gewartet hat?« Christian schaute die beiden Frauen an. »Bis sie sich Nell zurückgeholt hat, meine ich. Warum hat sie es nicht schon eher getan?«

Cassandra fuhr mit der Hand über die Tischplatte. Betrachtete die Muster, die das flackernde Kerzenlicht auf ihre Haut malte. »Ich glaube, sie hat es getan, weil Rose und Nathaniel bei diesem Eisenbahnunglück ums Leben gekommen waren. Ich vermute, dass sie trotz aller widerstrebenden Gefühle bereit war, sich zurückzuhalten, solange Rose glücklich war.«

»Aber nachdem Rose tot war …«

»Genau.« Sie schaute Christian an. Etwas an der Ernsthaftigkeit seines Gesichtsausdrucks berührte sie sehr. »Nachdem Rose tot war, konnte sie es mit ihrem Gewissen nicht länger vereinbaren, Nell auf Blackhurst zu lassen. Ich nehme an, sie wollte Mary ihre Tochter zurückgeben.«

»Und warum hat sie es dann nicht getan? Warum hat sie das Kind auf ein Schiff nach Australien gesetzt?«

Cassandra seufzte, und ihr Atem ließ die Kerzenflamme vor ihr flackern. »Auf die Frage habe ich noch keine Antwort gefunden.«

Und sie wusste auch immer noch nicht, was und wie viel William Martin gewusst hatte, als er 1975 mit Nell gesprochen hatte. Mary war immerhin seine Schwester – hätte er dann nicht wissen müssen, dass sie schwanger gewesen war? Dass sie ein Kind geboren und nicht großgezogen hatte? Und wenn er von der Schwangerschaft wusste und von der Rolle, die Eliza bei der inoffiziellen Adoption gespielt hatte, dann hätte er Nell doch sicherlich davon erzählt. Denn wenn Mary Nells Mutter war, dann war William schließlich ihr Onkel. Cassandra konnte sich nicht vorstellen, dass er geschwiegen hätte, wenn eine lange verloren geglaubte Nichte plötzlich bei ihm vor der Tür stand.

Aber in Nells Notizbuch stand nichts von einer solchen Offenbarung durch William. Cassandra hatte lange über den Seiten gebrütet auf der Suche nach Hinweisen, die sie vielleicht übersehen haben könnte. William hatte nichts gesagt oder getan, was darauf schließen ließe, dass er in Nell eine Verwandte erkannt hatte.

Natürlich war es möglich, dass William nichts von Marys Schwangerschaft mitbekommen hatte. Aus Zeitschriftenartikeln und aus amerikanischen Talkshows wusste Cassandra, dass so etwas tatsächlich vorkam, dass Frauen eine Schwangerschaft die ganzen neun Monate über geheim hielten. Und es war anzunehmen, dass Mary das getan hatte. Damit alles reibungslos ablaufen konnte, hatte Rose mit Sicherheit auf Diskretion bestanden, denn auf keinen Fall durfte das ganze Dorf erfahren, dass ihr Kind nicht ihr eigenes war.

Aber war es wirklich möglich, dass eine junge Frau schwanger wurde, sich mit dem Vater des Kindes verlobte, ihre Arbeitsstelle verlor, das Neugeborene weggab und dann ihr Leben wieder aufnahm, als wäre nichts geschehen – ohne dass jemand von alldem etwas bemerkte? Es musste einfach irgendetwas geben, das Cassandra noch nicht durchschaut hatte, anders konnte es gar nicht sein.

»Es ist irgendwie genauso wie in Elizas Märchen, nicht wahr?«

Cassandra schaute Christian an. »Was?«

»Die ganze Geschichte: Rose, Eliza, Mary, das Kind. Erinnert Sie das nicht an das Märchen *Das goldene Ei*?«

Cassandra schüttelte den Kopf. Den Titel kannte sie nicht.

»Es steht in dem Buch *Zauberhafte Märchen für Mädchen und Jungen.*«

»In meinem nicht. Wir müssen verschiedene Ausgaben haben.«

»Es gibt nur eine Ausgabe. Deswegen sind die Exemplare ja so selten.«

Cassandra hob die Schultern. »Ich kenne es nicht.«

Ruby wedelte mit der Hand. »Egal, wen interessiert es schon, wie viele Ausgaben existieren? Erzählen Sie uns das Märchen, Christian. Wie kommen Sie darauf, dass es von Mary und dem Kind handelt?«

»Es ist ein ziemlich merkwürdiges Märchen, finde ich. Anders als die restlichen, trauriger, und die Moral ist irgendwie schräg. Es handelt von einer bösen Königin, die eine Jungfrau dazu überredet, ein goldenes Zauberei herauszurücken, das die kranke Prinzessin heilen soll. Anfangs sträubt sich die Jungfrau, denn es ist ihre Aufgabe, das Ei zu hüten – ich glaube, im Märchen heißt es, es ist ihr Geburtsrecht –, aber die Königin lässt nicht locker, und am Ende gibt die Jungfrau nach, weil sie zu der Überzeugung gelangt, dass die Prinzessin andernfalls ewig leiden muss und das Königreich zu ewigem Winter verdammt ist, wenn sie das Ei nicht hergibt. Dann kommt noch eine Figur in dem Märchen vor, die als Vermittlerin auftritt, eine Dienerin. Sie arbeitet für die Prinzessin und die Königin, aber am Ende versucht sie, die Jungfrau dazu zu überreden, sich nicht von dem Ei zu trennen. Sie begreift, dass das Ei zu der Jungfrau gehört, dass sie ohne das Ei ihren Lebenssinn verliert. Und genau das passiert: Sie gibt der Königin das Ei, und damit ruiniert sie ihr Leben.«

»Und Sie meinen, die Dienerin ist Eliza?«, fragte Cassandra.

»Würde doch passen, oder?«

Ruby stützte das Kinn in die Hand. »Also, lassen Sie mich mal rekapitulieren. Das Ei ist demnach das Kind? Nell?«

»Ja.«

»Und Eliza hat das Märchen geschrieben, um ihr Gewissen zu erleichtern?«

Christian schüttelte den Kopf. »Nein, das Märchen handelt nicht von Schuld, sondern von Trauer. Um sie selbst und um Mary. Und irgendwie auch um Rose. Alle Figuren in dem Märchen tun das, was sie für das Richtige halten, aber es kann nicht für alle gut ausgehen.«

Cassandra biss sich auf die Lippe. »Glauben Sie wirklich, ein Kindermärchen kann autobiografisch sein?«

»Nicht wirklich autobiografisch, jedenfalls nicht im wörtlichen Sinn, es sei denn, Eliza hat ziemlich schlimme Erfahrungen gemacht.« Er überlegte. »Ich nehme einfach an, dass sie ihr Leben zumindest zum Teil durch das Schreiben der Märchen verarbeitet hat. Tun das denn nicht die meisten Schriftsteller?«

»Ich weiß nicht. Tun sie das?«

»Ich bringe das Buch morgen mit«, sagte Christian. »Dann können Sie sich selbst ein Urteil bilden.« Das dunkelgelbe Kerzenlicht betonte seine Wangenknochen, brachte seine Haut zum Leuchten. Plötzlich breitete sich ein schüchternes Lächeln auf seinem Gesicht aus. »Die Märchen sind die einzige Stimme, die Eliza heute noch hat. Wer weiß, was sie uns sonst noch alles zu sagen versucht?«

Nachdem Christian sich verabschiedet hatte, breiteten Ruby und Cassandra ihre Schlafsäcke auf den Isomatten aus, die er ihnen mitgebracht hatte. Sie hatten sich entschlossen, ihr Schlaflager im Erdgeschoss aufzuschlagen, um die Wärme des Herds auszunutzen. Der Wind fegte durch die Ritzen unter den Türen und zwischen den Bodendielen hindurch. Noch mehr als tagsüber fiel Cassandra der Geruch nach feuchter Erde auf, der das ganze Haus erfüllte.

Ruby drehte sich in ihrem Schlafsack zu Cassandra um. »Jetzt müssten wir uns eigentlich Gespenstergeschichten erzählen«, flüsterte sie grinsend. Ihr Gesicht wirkte gruselig verzerrt im flackernden Licht. »Gott, ist das aufregend. Hab ich dir schon mal gesagt, was für ein Glückspilz du bist? Wahnsinn – ein verwunschenes Haus auf einer Klippe am Meer zu erben!«

»Ja, das hast du. Ein- oder zweimal.«

Ruby lächelte verschmitzt. »Und auch, was du für ein Glück

hast, einen so gut aussehenden und klugen und fürsorglichen Freund wie Christian zu haben?«

Cassandra konzentrierte sich auf den Reißverschluss ihres Schlafsacks und zog ihn mit übertriebener Sorgfalt zu.

»Einen ›Freund‹, der offenbar findet, dass die Sonne aufgeht, wenn du auftauchst?«

»Ach Ruby«, sagte Cassandra kopfschüttelnd. »Das ist doch Quatsch. Es macht ihm einfach Spaß, mir bei der Gartenarbeit zu helfen.«

Ruby hob die Brauen. »Natürlich liebt er den Garten. Deswegen ist er auch bereit, zwei Wochen lang ohne einen Penny zu arbeiten.«

»Ja, das stimmt!«

»Selbstverständlich.«

Cassandra verkniff sich ein Lächeln und antwortete mit gespielter Empörung: »Ob du es glaubst oder nicht, der geheime Garten ist ihm sehr wichtig. Er hat schon als Junge dort gespielt.«

»Und diese Leidenschaft für den Garten erklärt wahrscheinlich auch, warum er dich morgen nach Polperro fährt.«

»Er ist einfach ein netter, hilfsbereiter Mensch. Das hat nichts mit mir zu tun oder mit dem, was er für mich empfindet. Jedenfalls ist es nicht so, dass er in mich verknallt wäre oder so was.«

Ruby nickte weise. »Ja, du hast recht. Was soll man an dir auch schon mögen?«

Cassandra musste lächeln. »Aha«, sagte sie. »Du findest also, dass er gut aussieht.«

Ruby grinste. »Träum schön, Cassandra.«

»Gute Nacht, Ruby.«

Cassandra blies die Kerze aus, aber das Licht des Vollmonds sorgte dafür, dass es im Raum nicht ganz dunkel wurde. Ein silbriger Schimmer lag auf allem. Im Halbdunkel ließ Cassandra die Stücke des Puzzles vor ihrem geistigen Auge Revue passieren: Eliza, Mary, Rose, und hin und wieder, ganz unerwartet, tauchte

Christian auf, ihre Blicke begegneten sich kurz, dann wandte er sich wieder ab.

Nach wenigen Minuten begann Ruby leise zu schnarchen. Cassandra lächelte. Sie hätte sich denken können, dass Ruby einen gesunden Schlaf hatte. Sie schloss die Augen und spürte, wie ihre Lider immer schwerer wurden.

... Sie war im geheimen Garten, saß unter dem Apfelbaum im weichen Gras. Es war ein warmer Tag, und eine Biene summte eine Weile in den Apfelblüten herum, ehe sie sich vom Wind davontragen ließ.

Sie hatte großen Durst, hätte gern etwas Wasser getrunken. Vergeblich versuchte sie aufzustehen. Ihr Bauch war dick geschwollen, die Haut unter ihrem Kleid war gespannt und juckte.

Sie war schwanger.

Das Gefühl war ihr vertraut. Sie spürte ihren Herzschlag, die Wärme an ihrer Haut. Dann begann das Kind zu strampeln ...

»Cass.«

... trat so heftig, dass sich ihr Bauch an einer Stelle ausbeulte, und sie versuchte, den kleinen Fuß zu fassen zu bekommen ...

»Cass.«

Sie öffnete die Augen. Mondlicht an den Wänden. Das Knistern im Herd.

Ruby stutzte sich auf einen Ellbogen und rüttelte sie an der Schulter. »Alles in Ordnung? Du hast ganz laut gestöhnt.«

»Ja, alles in Ordnung.« Cassandra setzte sich auf. Betastete ihren Bauch. »Gott, was für ein seltsamer Traum. Ich hab geträumt, ich wäre schwanger, hochschwanger. Ich hatte einen riesigen, harten Bauch, und es war so real.« Sie rieb sich die Augen. »Ich war gerade im Garten, und das Kind fing an zu strampeln.«

»Das kommt davon, dass wir die ganze Zeit über Marys Kind und Rose und goldene Eier geredet haben, das hast du in deinem Traum alles vermischt.«

»Und der Wein hat das Seine dazu beigetragen.« Cassandra

gähnte. »Aber es fühlte sich so echt an. Ich hab mich so unbeholfen gefühlt und verschwitzt, und als das Kind strampelte, hat es richtig wehgetan.«

»Das klingt ja sehr verlockend«, antwortete Ruby. »Da bin ich echt froh, dass ich nie versucht hab, schwanger zu werden.«

Cassandra lächelte. »In den letzten Monaten ist es nicht besonders angenehm, aber letztlich ist es die Mühe wert. Der Augenblick, wenn du ein winziges neues Menschlein in den Armen hältst, das ist einfach unbeschreiblich.«

Nick hatte im Kreißsaal geweint, aber Cassandra nicht. Sie war viel zu sehr Teil des Geschehens gewesen, um mit Tränen zu reagieren. Zu weinen hätte bedeutet, dass sie sich gefühlsmäßig auf eine andere Ebene hätte begeben und alles von außen, in einem größeren Kontext hätte betrachten müssen. Dazu war die Erfahrung viel zu intensiv gewesen. Sie war von einem schwindelerregenden Glücksgefühl beseelt, als könnte sie besser sehen und hören als je zuvor. Sie hatte ihren eigenen Puls gehört, das Summen der Lampen, den Atem des Neugeborenen.

»Ich bin tatsächlich mal schwanger gewesen«, bemerkte Ruby. »Aber nur ungefähr fünf Minuten lang.«

»Ach Ruby«, sagte Cassandra voller Mitgefühl. »Hast du das Kind verloren?«

»Na ja, ich war jung, es war ein Fehler, wir waren uns einig, dass es keinen Zweck hatte, das Kind zu bekommen. Ich hab mir damals gesagt, dass ich später noch genug Zeit hätte, um Kinder zu kriegen.« Sie hob die Schultern und glättete den Schlafsack über ihren Beinen. »Das einzige Problem war, dass mir, als es dann so weit war, dass ich mich auf ein Kind hätte einlassen können, die nötigen Zutaten fehlten.«

Cassandra sah sie fragend an.

»Sperma, meine Liebe. Ich weiß nicht, vielleicht war ich in meinen Dreißigern dauernd mit dem prämenstruellen Syndrom geschlagen, aus irgendeinem Grund jedenfalls bin ich mit den meisten Männern nicht zurechtgekommen. Als ich schließlich einen kennengelernt hab, mit dem ich zusammenleben wollte, war es mit dem Kinderkriegen vorbei. Wir haben es eine Weile versucht«, sagte sie mit einem Achselzucken, »aber gegen die Natur kann man nichts machen.«

»Das tut mir leid, Ruby.«

»Ist schon in Ordnung, das braucht dir nicht leidzutun. Ich habe einen Job, der mir Spaß macht, und gute Freunde.« Sie zwinkerte Cassandra zu. »Und du hast ja meine Wohnung gesehen. Da würde sowieso kein Kind reinpassen.«

Cassandra lächelte.

»Man lebt mit dem, was man hat, nicht mit dem, was einem fehlt.« Ruby legte sich wieder hin und kuschelte sich in ihren Schlafsack. »Schlaf schön.«

Cassandra blieb noch eine Weile sitzen und schaute den Schatten zu, die über die Wände tanzten, während sie über das nachdachte, was Ruby gesagt hatte. Über das Leben, das sie, Cassandra, auf den Dingen und den Menschen aufgebaut hatte, die ihr fehlten. Hatte Nell es genauso gemacht? Hatte sie das Leben und die Familie, in der sie aufgewachsen war, aufgegeben, um sich auf das Leben zu konzentrieren, das ihr verweigert worden war? Cassandra legte sich hin und schloss die Augen. Lauschte den nächtlichen Geräuschen, um sich von ihren beunruhigenden Gedanken abzulenken. Das Atmen des Meers, das Krachen der Wellen gegen den schwarzen Felsen, das Trappeln der Tiere auf dem Dach, das Rascheln des Laubs im Wind …

Nachts war das Haus noch einsamer als tagsüber. Die Straße führte nicht bis oben auf die Klippe, das Tor zum geheimen Garten war zugemauert worden, und jenseits des Gartens lag das Labyrinth, in dem man sich verirren konnte. Hier konnte man ewig wohnen, ohne einer Menschenseele zu begegnen.

Plötzlich kam Cassandra ein Gedanke, und sie fuhr hoch. »Ruby«, sagte sie. Dann noch einmal etwas lauter: »Ruby!«

»Ich schlafe«, murmelte Ruby.

»Aber ich hab es gerade kapiert.«

»Ich schlafe trotzdem.«

»Ich weiß jetzt, weshalb sie die Mauer gebaut haben und warum Eliza fortgegangen ist. Deswegen hatte ich auch diesen Traum – mein Unterbewusstsein hat es durchschaut und wollte es mich wissen lassen.«

Ein Seufzer. Ruby drehte sich zu ihr um und stützte sich auf den Ellbogen. »Du hast gewonnen, ich bin wach. Ein bisschen jedenfalls.«

»Mary hat hier im Haus gewohnt, als sie mit Nell – ich meine mit Ivory – schwanger war. Hier im Cottage. Darum hat William nichts von ihrer Schwangerschaft mitbekommen.« Cassandra beugte sich dichter zu Ruby vor. »Deswegen ist Eliza fortgegangen: Weil Mary hier gewohnt hat. Sie haben sie hier versteckt und die Mauer hochgezogen, damit sie niemand zufällig zu Gesicht bekommen konnte.«

Ruby rieb sich die Augen und setzte sich auf.

»Sie haben aus diesem Haus einen Käfig gemacht, bis das Kind geboren war und Rose zur Mutter werden konnte.«

44 *Tregenna* *Cornwall, 1975*

Am Nachmittag vor ihrer Abreise ging Nell noch einmal zum Cliff Cottage. Sie nahm den kleinen, weißen Koffer mit, in dem sie ihre Unterlagen und Aufzeichnungen aufbewahrte, die sie während ihres Aufenthalts gesammelt hatte. Sie wollte ihre Notizen noch einmal durchgehen, und das konnte sie genauso gut im Cottage tun. Zumindest redete sie sich das ein, als sie sich auf den steilen Weg dorthin machte. Natürlich stimmte es nicht, jedenfalls nicht ganz. Zwar wollte sie sich tatsächlich noch einmal ihre Notizen ansehen, aber das war nicht der Grund, warum sie hergekommen war. Sie war gekommen, weil sie einfach nicht widerstehen konnte.

Sie schloss die Tür auf und trat ein. Der Winter nahte, und es war kühl im Haus, die abgestandene Luft hing dick und schwer in dem kleinen Flur. Nell ging nach oben. Sie genoss den Blick auf das silbrige Meer, und bei ihrem letzten Besuch hatte sie in der Ecke des Zimmers einen alten Rohrstuhl entdeckt, den sie gebrauchen konnte. Das Rohrgeflecht an der Lehne war kaputt, aber das machte nichts. Nell stellte den Stuhl vor das Fenster, setzte sich vorsichtig darauf und öffnete den weißen Koffer.

Nachdenklich blätterte sie in ihren Unterlagen: Da waren Robyns Aufzeichnungen über die Familie Mountrachet, die Berichte des Detektivs, den sie beauftragt hatte, nach Eliza zu forschen, die Korrespondenz mit dem Anwalt, der den Kauf des Cliff Cottage für sie abgewickelt hatte. Nell suchte das Schreiben, in dem es um die Grundstücksgrenzen ging, und betrachtete den Lageplan. Es war deutlich zu erkennen, dass es sich bei dem Teil des Grundstücks, von dem der kleine Christian gesprochen hatte, um einen Garten handelte. Sie fragte sich, wer in aller Welt das Tor zugemauert haben könnte – und warum.

Während sie vor sich hin grübelte, glitt ihr das Blatt aus der Hand und segelte auf den Boden. Als sie sich bückte, um es aufzuheben, fiel ihr etwas auf. Die Fußleiste hatte sich durch die Feuchtigkeit leicht verzogen, sodass sie sich ein Stück von der Wand gelöst hatte. Dahinter klemmte ein Stück Papier. Nell packte es an einer Ecke und zog es vorsichtig heraus.

Ein kleines, von Stockflecken verunstaltetes Stück Pappe mit einer Zeichnung von einem Frauengesicht. Nell erkannte die Frau von dem Porträt, das sie in London gesehen hatte. Es war Eliza Makepeace, aber diese Zeichnung war ganz anders. Im Gegensatz zu dem Bild von Nathaniel Walker, auf dem sie so unberührbar wirkte, strahlte dieses Porträt etwas Intimeres aus. Etwas in ihren Augen ließ darauf schließen, dass der Künstler Eliza besser gekannt hatte als Nathaniel. Kräftige Striche, schwungvolle Linien und vor allem der Ausdruck: Der Blick faszinierte und berührte sie. Nell meinte sich zu erinnern, dass diese Augen sie auf genau dieselbe Weise angeschaut hatten, so als könnten sie in einen hineinsehen.

Nell glättete das Bild. Unglaublich, dass es dort so lange gelegen hatte. Sie nahm das Märchenbuch aus dem Koffer. Eigentlich hatte sie gar nicht recht gewusst, warum sie es überhaupt mitgenommen hatte, nur dass es ihr ein Bedürfnis gewesen war, die Märchen an den Ort zurückzubringen, an dem Eliza Makepeace sie vor vielen Jahren geschrieben hatte. Völlig albern und sentimental. Aber jetzt war sie froh, dass sie das Buch zur Hand hatte. Sie schlug es auf und legte die Porträtzeichnung hinein. Da war sie sicher aufgehoben.

Nell lehnte sich auf dem Stuhl zurück und fuhr mit der Hand über den Einband des Buchs, über das weiche Leder mit dem erhaben aufgedruckten Bild von einem Mädchen mit einem Reh. Es war ein schönes Buch, ebenso schön wie viele, die Nell an ihrem Antiquitätenstand verkauft hatte. Und es war so gut erhalten; in den Jahrzehnten, die es in Haims Obhut gewesen war, hatte es keinen Schaden erlitten. Das warme Klima eines Dachbodens in Brisbane stellte offenbar optimale Bedingungen dar.

Obwohl sie sich eigentlich mit viel weiter zurückliegenden Ereignissen beschäftigen wollte, kehrten Nells Gedanken immer und immer wieder zu Haim zurück. Vor allem musste sie an die vielen Abende denken, an denen er ihr aus dem Märchenbuch vorgelesen hatte. Lil hatte sich gesorgt, die Märchen könnten für ein kleines Mädchen zu Furcht einflößend sein, aber Haim hatte es besser gewusst. Nach dem Abendessen, wenn Lil mit Aufräumen und Abwasch beschäftigt war, hatte Haim sich in seinen

Korbsessel sinken lassen und Nell auf den Schoß genommen. Sie erinnerte sich, wie seine starken, warmen Arme sich um sie gelegt hatten, als er das Buch in die Hände nahm, an den leichten Geruch nach Tabak in seinem Hemd, an seine rauen Bartstoppeln, die sich in ihrem Haar verfangen hatten.

Nell seufzte ein ums andere Mal. Haim war gut zu ihr gewesen, und Lil auch. Dennoch verscheuchte sie die Gedanken an die beiden und ging weiter in ihrer Erinnerung zurück. Es gab eine Zeit vor Haim, eine Zeit vor der Schiffsreise nach Maryborough, die Zeit auf Blackhurst mit dem Cottage und der Autorin.

Da – ein weißer Gartenstuhl, Sonne, Schmetterlinge. Nell schloss die Augen, gab sich der Erinnerung hin und ließ sich von ihr in einen warmen Sommertag tragen, in einen Garten, wo kühler Schatten auf einen saftigen Rasen fiel. Wo die Luft erfüllt war vom Duft nach Sommerblumen …

Das kleine Mädchen spielte, es sei ein Schmetterling. Ein Blumenkranz schmückte sein Haar, und es lief mit ausgebreiteten Armen im Kreis herum, ließ sich von der Sonne die Flügel wärmen. Die Kleine fühlte sich großartig, als ihr weißes Kleid in der Sonne silbern schimmerte.

»Ivory.«

Die Kleine reagierte nicht gleich, denn Schmetterlinge beherrschen die Menschensprache nicht. Sie singen süße Lieder mit wundervollen Versen, die Erwachsene nicht verstehen. Nur Kinder hören ihren Ruf.

»Ivory, komm her.«

Mamas Stimme klang jetzt strenger, und das kleine Mädchen flatterte zu der weißen Gartenbank hinüber.

»Komm, komm«, sagte Mama, streckte die Arme aus und winkte mit ihren bleichen Fingerspitzen.

Glücklich kletterte das kleine Mädchen auf ihren Schoß. Mama umschlang sie mit den Armen und drückte ihre kühlen Lippen auf die Haut unter ihrem Ohr.

»Ich bin ein Schmetterling«, sagte das kleine Mädchen. »Die Gartenbank ist mein Kokon …«

»Schsch. Sei still.« Mamas Gesicht war ganz nah, und das kleine Mädchen merkte, dass sie nach etwas Ausschau hielt. Die Kleine drehte sich um, weil sie sehen wollte, was Mama so faszinierte.

Eine Dame kam auf sie zu. Die Kleine kniff die Augen zusammen, um aus dieser Fata Morgana schlau zu werden. Denn diese Dame sah ganz anders aus als die Damen, die sonst zu Mama und Großmama zu Besuch kamen, um mit ihnen Tee zu trinken oder Bridge zu spielen. Diese Dame sah irgendwie aus wie ein zu groß geratenes Mädchen. Sie trug ein weißes Baumwollkleid, und ihr rotes Haar war nur lose zusammengehalten.

Das kleine Mädchen schaute sich nach der Kutsche um, die die Dame gebracht haben musste, aber es war keine zu sehen. Es war, als wäre sie wie durch Zauberei erschienen.

Dann wusste die Kleine plötzlich Bescheid. Voller Staunen hielt sie den Atem an. Die Dame kam nicht vom Eingangstor her, sie kam aus dem Labyrinth.

Das Labyrinth war Ivory verboten. Mama und Großmama wurden nicht müde, sie vor den dunklen Gängen und vor unbekannten Gefahren zu warnen. Das Verbot war so streng, dass nicht einmal Papa, der sich zu fast allem erweichen ließ, jemals gewagt hatte, es zu übertreten.

Die Dame kam immer näher. Sie hatte etwas unter dem Arm, ein in braunes Papier gewickeltes Päckchen.

Mama drückte Ivory inzwischen so fest an sich, dass sie kaum noch Luft bekam.

Die Dame blieb vor ihnen stehen.

»Guten Tag, Rose.«

Das war Mamas Name, aber Mama sagte nichts.

»Ich weiß, dass ich eigentlich nicht herkommen dürfte.« Eine silbrige Stimme wie ein Spinnfaden, den Ivory gern zwischen den Fingern gehalten hätte.

»Warum bist du dann hier?«

Die Dame hielt das Päckchen hin, aber Mama nahm es nicht an. Stattdessen hielt sie ihre Tochter noch fester. »Ich will nichts von dir.«

»Es ist nicht für dich.« Die Dame legte das Päckchen auf die Gartenbank. »Es ist für die Kleine.«

Das Päckchen hatte das Märchenbuch enthalten, daran erinnerte sich Nell jetzt wieder. Später hatten ihre Eltern sich deswegen gestritten, ihre Mutter hatte darauf bestanden, dass das Buch verschwand, und ihr Vater hatte es mitgenommen. Aber er hatte es nicht weggeworfen. Er hatte es in seinem Atelier neben der abgegriffenen Ausgabe von *Moby Dick* ins Regal gestellt. Und er hatte Nell daraus vorgelesen, wenn ihre Mutter krank im Bett lag und nichts davon mitbekam.

Ergriffen von der Erinnerung streichelte Nell den Einband. Das Buch war ein Geschenk von Eliza gewesen. Vorsichtig schlug sie es an der Stelle auf, wo seit sechzig Jahren ein Stück Seidenband als Lesezeichen steckte. Das Band war tiefviolett und an dem Ende, wo es abgeschnitten war, nur ein bisschen ausgefranst. Das Märchen, das auf der gekennzeichneten Seite begann, trug den Titel *Die Augen des alten Weibleins.* Nell las die Geschichte von der Prinzessin, die nicht wusste, dass sie eine Prinzessin war, die über das Meer in das Land der verloren gegangenen Dinge reiste, um dem alten Weiblein sein Augenlicht wiederzubringen. Sie konnte sich schwach an den Inhalt erinnern, wie man sich an ein Lieblingsmärchen aus der Kindheit erinnert. Nell legte das Lesezeichen an die neue Stelle, schlug das Buch zu und legte es auf die Fensterbank.

Stirnrunzelnd betrachtete sie es dort einen Augenblick und beugte sich dann noch einmal über das Buch. Wo einst das Lesezeichen gesteckt hatte, klaffte noch immer eine kleine Lücke.

Als Nell das Buch wieder aufschlug, öffneten sich die Seiten von ganz allein an der Stelle, wo das Märchen *Die Augen des alten Weibleins* begann. Sie fuhr mit dem Finger über die Mitte …

Da fehlten ein paar Seiten. Nicht viele, nur fünf oder sechs, sodass man es leicht übersehen konnte.

Jemand hatte die Seiten sehr sorgfältig direkt an der Bindung herausgetrennt, wahrscheinlich mit einem Federmesser.

Nell überprüfte die Seitenzahlen. Nach fünfundfünfzig ging es gleich bei einundsechzig weiter.

Es fehlte ein komplettes Märchen …

Das goldene Ei

Von Eliza Makepeace

Vor langer, langer Zeit, als Suchen noch dasselbe wie Finden bedeutete, lebte einmal eine Jungfrau in einer winzigen Hütte am Rand eines großen, blühenden Königreichs. Die Jungfrau war arm, und ihre Hütte lag tief im Wald versteckt. Einst hatten die Menschen von der kleinen Hütte mit dem gemauerten Kamin gewusst, aber die waren längst gestorben, und Mutter Zeit hatte einen Schleier des Vergessens über die Hütte gelegt. Bis auf die Vögel, die auf ihrem Fenstersims sangen, und die Waldtiere, die an ihrem Feuer Wärme suchten, war die Jungfrau allein. Und doch fühlte sie sich nie einsam oder unglücklich, sie hatte einfach zu viel zu tun, um sich nach Gesellschaft zu sehnen, die sie nie gehabt hatte.

Denn in der Hütte, verborgen hinter einer besonderen Tür mit einem blank polierten Schloss, befand sich ein wertvoller Gegenstand. Es war ein goldenes Ei mit einem so wundersamen Glanz, der alle, die es erblickten, sogleich erblinden ließ. Das goldene Ei war so alt, dass niemand mehr sein Alter kannte, und die Familie der Jungfrau war seit Generationen damit beauftragt, es zu hüten.

Die Jungfrau akzeptierte diese Verantwortung fraglos als ihr Schicksal. Das Ei musste gehütet werden, und niemand durfte von seiner Existenz erfahren. Vor vielen, vielen Jahren, kurz nach der Gründung des Königreichs, waren um den Besitz des Eis Kriege geführt worden, denn der Legende nach besaß es Zauberkräfte, die seinem Besitzer jeden Wunsch erfüllten.

Und so wachte die Jungfrau über das goldene Ei. Tagsüber saß sie mit ihrem Spinnrad am Fenster und sang mit den Vögeln, die ihr bei der Arbeit zusahen. Nachts gewährte sie ihren Freunden unter den Tieren Schutz und gab ihnen in der Wärme der Hütte ein Nachtlager. Und nie vergaß sie, dass es nichts Wichtigeres gab, als sein Geburtsrecht zu schützen.

Es begab sich aber, dass weit, weit weg im Königsschloss eine Prinzessin lebte, die brav und anmutig, aber sehr unglücklich war. Sie war schwach und krank, und die Königin hatte im ganzen Land nach Heilmitteln und Zaubertränken suchen lassen, doch nichts konnte die Prinzessin gesund machen. Im Königreich wurde gemunkelt, ein böser Apotheker hätte die Prinzessin bei ihrer Geburt mit einem Fluch belegt, aber niemand wagte, so etwas laut auszusprechen. Denn die Königin war eine grausame Herrscherin, deren Zorn ihre Untertanen zu Recht fürchteten.

Aber die Prinzessin war der Königin Ein und Alles. Jeden Morgen trat sie an das Bett ihrer Tochter, und jeden Morgen bot sich ihr derselbe Anblick: Die Prinzessin war bleich, schwach und erschöpft. »Ach, Mutter«, flüsterte sie, »ich möchte so gern im Schlossgarten spazieren gehen, in den Springbrunnen baden und auf den Bällen im Schloss tanzen. Ich wünsche mir nichts sehnlicher, als gesund zu sein.«

Die Königin besaß einen Spiegel, in dem sie sehen konnte, was in ihrem Reich vor sich ging. Jeden Tag fragte sie aufs Neue:

»Spieglein mein, Spieglein mein, wer kann beenden meiner Tochter Pein?«

Und jeden Tag erhielt sie dieselbe Antwort: »Niemand, oh Königin, im ganzen Land, kann ihr helfen mit heilender Hand.«

Eines Tages war die Königin so verzweifelt über den Anblick ihrer Tochter, dass sie vergaß, dem Spiegel ihre gewohnte Frage zu stellen. Sie weinte und schluchzte und sagte: »Spieglein mein, ach sag mir an, wie ich meiner Tochter Herzenswunsch erfüllen kann!«

Der Spiegel antwortete nicht gleich, doch auf einmal entstand in seiner Mitte ein Bild von einer ärmlichen Hütte mitten im tiefen Wald. Rauch quoll aus dem kleinen Schornstein, und am Fenster saß eine Jungfrau an einem Spinnrad und sang mit den Vögeln.

»Was zeigst du mir da?«, fragte die Königin verwundert. »Ist diese junge Frau eine Heilerin?«

Mit tiefer, ernster Stimmer antwortete der Spiegel: »Im tiefen Wald am Rand des Königreichs steht eine kleine Hütte. In der Hütte befindet sich ein goldenes Ei, das seinem Besitzer jeden Wunsch erfüllt. Die Jungfrau am Fenster ist die Hüterin des Eis.«

»Wie kann ich das Ei von ihr bekommen?«, fragte die Königin.

»Was die Jungfrau tut, tut sie zum Wohl des Königreichs«, antwortete der Spiegel. »Es wird nicht leicht sein, sie zur Herausgabe des Eis zu bewegen.«

»Was muss ich tun?«

Aber der Spiegel war verstummt, und das Bild von der Hütte verschwand. Die Königin reckte ihr Kinn vor und schaute ihrem Spiegelbild in die Augen, bis sich ein Lächeln auf ihren Lippen bildete.

Am nächsten Tag bei Morgengrauen ließ die Königin die Zofe der Prinzessin zu sich rufen. Das Mädchen lebte seit seiner Geburt im Königreich und war eine treue Dienerin, die alles tun würde, um die Prinzessin glücklich zu machen. Die Königin trug ihr auf, das goldene Ei herbeizuschaffen.

Und so machte die Zofe sich auf den Weg ans Ende des Königreichs. Drei Tage und drei Nächte lang wanderte sie gen Osten, und als sich am dritten Abend die Dämmerung über das Land legte, erreichte sie den Waldrand. Sie stieg über abgefallene Äste und kämpfte sich durch Dornengestrüpp, bis sie schließlich eine Lichtung erreichte. Und in der Mitte der Lichtung stand eine kleine Hütte, aus deren Schornstein lieblich duftender Rauch quoll.

Die Zofe klopfte an und wartete. Nach einer Weile ging die Tür auf, und eine Jungfrau stand vor ihr, die, obwohl sie sich über den Besuch wunderte, freundlich lächelte und die Zofe eintreten hieß. »Du bist müde von der weiten Reise«, sagte die Jungfrau. »Komm und wärme dich an meinem Herd.«

Die Zofe betrat die Hütte und nahm auf einem Kissen vor dem Feuer Platz. Nachdem die Jungfrau ihr eine Schüssel mit heißer Brühe gebracht hatte, setzte sie sich still an ihr Spinnrad. Das Feuer knisterte im Kamin, und die Wärme in der Hütte machte die Zofe schläfrig. Der Wunsch zu schlafen war so übermächtig, dass die Zofe beinahe ihren Auftrag vergessen hätte, wenn die Jungfrau nicht gesagt hätte: »Du bist in meiner Hütte willkommen, Fremde, aber verzeih mir, wenn ich frage, was dich hierherführt.«

»Die Königin hat mich geschickt«, antwortete die Zofe. »Sie braucht deine Hilfe, damit ihre Tochter, die Prinzessin, wieder gesund wird.«

Die Jungfrau hatte schon von den Waldvögeln von der schönen, guten Prinzessin gehört, die im Schloss wohnte. »Ich werde tun, was ich kann«, sagte sie. »Auch wenn ich nicht verstehe, warum die Königin nach mir schickt, denn ich bin keine Heilerin.«

»Die Königin hat mir befohlen, ihr etwas zu bringen, was sich in deiner Obhut befindet«, sagte die Zofe. »Einen Gegenstand, der seinem Besitzer jeden Wunsch erfüllt.«

Da wusste die Jungfrau, dass die Zofe von dem goldenen Ei sprach. Traurig schüttelte sie den Kopf. »Ich tue alles, um der Prinzessin zu helfen, nur eins nicht, nämlich, worum du mich bittest.

Das goldene Ei zu hüten, ist mein Geburtsrecht, und es gibt nichts, was wichtiger ist. Heute Nacht gewähre ich dir Unterkunft und Schutz vor der Kälte und den Gefahren des Waldes, aber morgen früh musst du zurückkehren und der Königin berichten, dass ich das goldene Ei nicht herausgeben darf.«

Am nächsten Tag machte die Zofe sich auf den Weg zurück. Sie wanderte drei Tage und drei Nächte, bis sie das Schloss erreichte, wo die Königin sie schon ungeduldig erwartete.

»Wo ist das goldene Ei?«, verlangte die Königin zu wissen, als sie die leeren Hände der Zofe erblickte.

»Ich konnte meinen Auftrag nicht erfüllen«, antwortete die Zofe, »denn die Jungfrau in der Hütte hat sich auf ihr Geburtsrecht berufen.«

Die Königin richtete sich zu voller Größe auf, und ihr Gesicht wurde dunkelrot. »Du wirst noch einmal zurückkehren«, sagte sie und zeigte mit ihrem langen Finger auf die Zofe, »und der Jungfrau erklären, dass es ihre Pflicht ist, dem Königreich zu dienen. Wenn sie sich weigert, soll sie zu Stein erstarren und auf ewig als Standbild im königlichen Hof stehen.«

Und so machte die Zofe sich erneut auf den Weg gen Osten, wanderte drei Tage und drei Nächte, bis sie wieder vor der Tür der kleinen Hütte stand. Sie klopfte an und wurde von der Jungfrau mit einer Schüssel heißer Brühe empfangen. Wieder saß die Jungfrau an ihrem Spinnrad, während die Zofe ihre Suppe aß. Dann sagte sie: »Du bist in meiner Hütte willkommen, Fremde, aber verzeih mir, wenn ich dich frage, was dich hierhergeführt hat.«

»Die Königin hat mich abermals geschickt«, antwortete die Zofe. »Sie braucht deine Hilfe, damit ihre Tochter, die Prinzessin, wieder gesund wird. Es ist deine Pflicht, dem Königreich zu dienen. Wenn du dich weigerst, so sollst du zu Stein erstarren und auf ewig als Standbild im königlichen Hof stehen.«

Die Jungfrau lächelte traurig. »Das goldene Ei zu hüten, ist mein Geburtsrecht«, sagte sie. »Ich darf es nicht herausgeben.«

»Möchtest du zu Stein erstarren?«

»Nein«, antwortete die Jungfrau, »und das wird auch nicht geschehen. Denn ich diene meinem Königreich, indem ich das goldene Ei hüte.«

Die Zofe widersprach nicht, denn sie erkannte, dass die Jungfrau die Wahrheit sagte. Am nächsten Tag machte sich die Zofe auf den Rückweg zum Schloss, und als sie dort eintraf, erwartete sie die Königin schon an der Schlossmauer.

»Wo ist das goldene Ei?«, verlangte die Königin zu wissen, als sie die leeren Hände der Zofe erblickte.

»Ich konnte meinen Auftrag wieder nicht erfüllen«, antwortete die Zofe. »Denn die Jungfrau in der Hütte hat sich auf ihr Geburtsrecht berufen.«

»Hast du der Jungfrau gesagt, dass es ihre Pflicht ist, dem Königreich zu dienen?«

»Ja, das habe ich, Eure Majestät«, erwiderte die Zofe. »Und sie hat geantwortet, dass sie dem Königreich dient, indem sie das goldene Ei hütet.«

Die Königin kochte vor Wut, und ihr Gesicht wurde ganz grau. Wolken zogen am Himmel auf, und die Raben des Königreichs brachten sich in Sicherheit.

Dann fielen der Königin die Worte des Spiegels wieder ein »Was sie tut, tut sie zum Wohl des Königreichs« –, und ihre Lippen verzogen sich zu einem bösen Lächeln. »Du wirst noch einmal zurückkehren«, sagte sie zu der Zofe, »und diesmal wirst du der Jungfrau Folgendes ausrichten: Wenn sie das goldene Ei nicht herausgibt, trägt sie die Schuld daran, dass die Prinzessin bis ans Ende ihrer Tage trauert und das ganze Land in einen ewigen Winter fällt.«

Und so machte die Zofe sich zum dritten Mal auf den Weg gen Osten, wanderte drei Tage und drei Nächte, bis sie vor der Hütte stand. Sie klopfte und wurde von der Jungfrau mit einer Schüssel heißer Brühe willkommen geheißen. Die Jungfrau saß am Spinnrad, während die Zofe ihre Suppe aß, dann sagte sie: »Du bist in meiner Hütte willkommen, Fremde, aber verzeih mir, wenn ich dich frage, was dich hierhergeführt hat.«

»Die Königin hat mich abermals geschickt«, antwortete die Zofe. »Sie braucht deine Hilfe, damit ihre Tochter, die Prinzessin, wieder gesund wird. Es ist deine Pflicht, dem Königreich zu dienen. Wenn du dich weigerst, das goldene Ei herauszugeben, trägst du die Schuld daran, dass die Prinzessin bis ans Ende ihrer Tage trauert und das ganze Land in ewigen Winter fällt.«

Lange schwieg die Jungfrau. Dann nickte sie langsam. »Um des Wohls der Prinzessin und um des Wohls des Landes willen werde ich das goldene Ei herausgeben.«

Die Zofe erschauerte, als sich Stille über den Wald legte und ein kalter Wind durch den Spalt unter der Tür hereinkam und das Feuer flackern ließ. »Nichts ist wichtiger, als dein Geburtsrecht zu schützen«, sagte sie. »Es ist deine Pflicht, zum Wohl des Landes das goldene Ei zu hüten.«

Die Jungfrau lächelte. »Aber welchen Dienst erweise ich meinem Land, wenn ich es durch meine Pflichterfüllung in ewigen Winter versinken lasse? Wenn das Land gefriert und es keine Vögel und keine Tiere und keine Ernte mehr gibt? Jetzt erfülle ich meine Pflicht, indem ich das goldene Ei herausgebe.«

Die Zofe schaute die Jungfrau traurig an. »Nichts ist wichtiger, als dein Geburtsrecht zu erfüllen«, sagte sie. »Das goldene Ei ist ein Teil von dir, und deswegen musst du es hüten.«

Aber die Jungfrau hatte einen großen, goldenen Schlüssel von einem Band genommen, das sie um den Hals trug, und steckte ihn in das Schloss der besonderen Tür. Als sie den Schlüssel umdrehte, stieg ein Stöhnen aus dem Boden der Hütte auf, die Kaminsteine klapperten, und die Dachbalken seufzten. In der Hütte wurde es dunkel, doch aus dem geheimen Zimmer drang ein Leuchten. Die Jungfrau verschwand in dem Zimmer, und als sie wieder hervorkam, hielt sie in den Händen einen von einem Tuch bedeckten Gegenstand, der so kostbar war, dass selbst die Luft vor Ehrfurcht zu summen schien.

Gemeinsam verließen sie die Hütte, und am Rand der Lichtung übergab die Jungfrau der Zofe ihr Geburtsrecht. Als sie zu ihrer Hütte zurückging, sah sie, dass es dunkel geworden war. Plötzlich hatte das Licht nicht mehr genug Kraft, um das dichte Laubdach des Waldes zu durchdringen. Und ohne das Glühen des goldenen Eis wurde es in der Hütte immer kälter.

Die Tiere hörten auf, die Jungfrau zu besuchen, die Vögel flogen fort, und die Jungfrau erkannte, dass ihr Leben keinen Sinn mehr hatte. Sie vergaß zu spinnen, ihre Stimme war nur noch ein Flüstern, und nach einer Weile spürte sie, wie ihre Glieder steif und schwer wurden. Mit der Zeit legte sich eine Staubschicht über alle Gegenstände in der Hütte und über die reglose Jungfrau selbst. Da hörte sie sogar auf zu blinzeln und schloss die Augen, während sie in der Kälte und Stille versank.

Einige Jahre später begab es sich, dass die Prinzessin zusammen mit ihrer Zofe am Waldrand entlangritt. Die Prinzessin, die lange Jahre krank im Bett gelegen hatte, war auf wundersame Weise genesen und hatte einen schönen, jungen Prinzen geheiratet. Sie lebte glücklich und zufrieden, ging im Schlossgarten spazieren, tanzte auf den Bällen, die im Schloss stattfanden, und erfreute sich bester Gesundheit. Sie gebar eine Tochter, die von allen geliebt wurde und reinen Honig aß und den Tau von Rosenblüten trank und mit kostbaren Schmetterlingen spielte.

Als die Prinzessin und ihre Zofe nun an jenem Tag am Waldrand entlangritten, verspürte die Prinzessin plötzlich den unwiderstehlichen Wunsch, in den Wald einzudringen. Sie hörte nicht auf die Warnungen ihrer Zofe und lenkte ihr Pferd in den kalten, dunklen Wald. Tiefe Stille herrschte dort, kein Vogel, kein Tier und kein noch so zarter Hauch störten die kühle Luft, und nur das Getrappel ihres Pferdes war zu hören.

Nach einer Weile gelangten sie an eine Lichtung mit einer von

Dornenranken überwucherten Hütte. »Was für ein hübsches kleines Haus«, rief die Prinzessin aus. »Wer mag wohl darin wohnen?«

Die Zofe, die vor Kälte zitterte, wandte sich ab. »Niemand, Prinzessin. Das Königreich blüht, aber es gibt kein Leben mehr im Wald.«

45 *Cliff Cottage* *Cornwall, 1913*

Eliza wusste, dass sie die Küste und das Meer vermissen würde. Natürlich würde sie auch dort eine Küste und ein Meer vorfinden, aber alles würde anders sein. Andere Pflanzen, andere Vögel und andere Wellen würden ihre Geschichten in fremden Zungen flüstern. Aber es wurde Zeit abzureisen. Sie hatte lange genug gewartet, ohne einen triftigen Grund dafür zu haben. Was geschehen war, war geschehen, und auch wenn sie im Moment so sehr von Schuldgefühlen geplagt wurde, dass es ihr den Schlaf raubte und sie sich innerlich dafür verfluchte, an dem ganzen Täuschungsmanöver überhaupt teilgenommen zu haben, blieb ihr jetzt nichts anderes übrig, als zu handeln.

Zum letzten Mal ging Eliza die schmalen steinernen Stufen zum Pier hinunter. Ein Fischer war noch dabei, Körbe und Taurollen auf seinen Kutter zu laden, ehe er auslief. Als sie näher kam, erkannte sie das sonnengebräunte Gesicht. Es war William, Marys Bruder. Er war der Jüngste unter den Fischern, aber er hatte sich durch seinen Mut und seine Tollkühnheit hervorgetan, und überall an der Küste erzählte man sich von seinen Taten.

William und Eliza waren einmal befreundet gewesen, damals hatte er sie mit seinen haarsträubenden Geschichten vom Leben auf See fasziniert, aber seit einigen Jahren schon gingen sie einander aus dem Weg. Seit William beobachtet hatte, was er nicht hätte sehen sollen, und er von ihr verlangt hatte, dass sie ihm das Unerklärliche erklärte. Es war schon sehr lange her, dass sie miteinander gesprochen hatten, und er hatte Eliza gefehlt. Entschlossen, vor ihrer Abreise aus Tregenna reinen Tisch zu machen, holte sie tief Luft und trat auf ihn zu. »Du bist spät dran heute, Will.«

Er blickte auf und rückte seine Mütze zurecht. Seine wettergegerbten Wangen erröteten, und er antwortete steif: »Und du kommst sehr früh.«

»Ich bin halt eine Frühaufsteherin.« Eliza stand inzwischen direkt vor dem Kutter. Die Wellen schlugen sanft gegen den Rumpf, und die Luft roch salzig. »Hast du etwas von Mary gehört?«

»Seit letzter Woche nicht. Sie fühlt sich immer noch wohl drüben in Polperro, ist eine richtige Metzgersfrau geworden und kocht den ganzen Tag Würste.«

Eliza lächelte. Sie freute sich zu hören, dass es Mary gut ging. Nach allem, was sie durchgemacht hatte, hatte sie das weiß Gott verdient. »Das höre ich gern, Will. Ich werde ihr heute Nachmittag einen Brief schreiben.«

Stirnrunzelnd betrachtete Will seinen Fuß, während er gegen die Kaimauer trat.

»Was ist?«, fragte Eliza. »Hab ich was Komisches gesagt?«

William verscheuchte zwei gierige Möwen, die sich über seine Köder hermachen wollten.

»Will?«

Er schaute Eliza aus dem Augenwinkel an. »Nein, nichts Komisches, Miss Eliza, nur … Ich freue mich zu sehen, dass es Ihnen gut geht, aber ich muss gestehen, dass ich mich ein bisschen wundere.«

»Worüber denn?«

»Es hat uns allen leidgetan, als wir die Nachricht erhalten haben.« Er hob den Kopf und kratzte sich das stoppelige Kinn. »Ich meine, dass Mr und Mrs Walker … dass sie uns verlassen haben.«

»Sie gehen nach New York, ja. Aber erst nächsten Monat.« Nathaniel hatte Eliza darüber informiert. Er hatte sie noch einmal im Cottage aufgesucht, und wieder hatte er Ivory mitgebracht. Es war ein regnerischer Nachmittag gewesen, sodass das Kind diesmal nicht draußen warten konnte. Er hatte sie nach oben in Elizas Schlafzimmer gebracht, und Eliza hatte nichts dagegen gehabt. Als er Eliza dann eröffnet hatte, dass Rose und er in Amerika einen Neuanfang machen wollten, war sie wütend geworden. Sie hatte sich verraten gefühlt und benutzt. Bei der Vorstellung, dass Rose und Nathaniel in New York sein würden, war ihr das Cottage plötzlich wie der verlassenste Ort auf der Welt vorgekommen und ihr Leben das einsamste, das sie sich überhaupt vorstellen konnte.

Kurz nachdem Nathaniel gegangen war, hatte Eliza sich an den Rat ihrer Mutter erinnert, sich selbst zu retten, und sie hatte sich gesagt, dass die Zeit gekommen war, ihre eigenen Pläne in die Tat umzusetzen. Sie buchte eine Passage auf einem Schiff, das sie in ihr eigenes Abenteuer führen würde, weit fort von Blackhurst und dem Leben, das sie im Cottage geführt hatte. Sie hatte an Mrs Swindell geschrieben und ihr angekündigt, dass sie im kommenden Monat in London sein und ihr gern einen Besuch abstatten würde. Von der Brosche ihrer Mutter hatte sie nichts erwähnt – mit Gottes Segen lag sie immer noch sicher in ihrem Versteck im Kamin –, aber sie hatte vor, sie zu holen.

Und mit dem Erbe ihrer Mutter würde sie sich ein eigenes Leben aufbauen.

William räusperte sich.

»Was ist los, Will? Du machst ja ein Gesicht, als hättest du ein Gespenst gesehen.«

»Nein, nein, Miss Eliza, es ist nichts dergleichen. Es ist nur ...« Er schaute sie an. Die Sonne stand so hoch, dass er die Augen gegen das grelle Licht zusammenkneifen musste. »Kann es sein, dass Sie nichts davon wissen?«

»Wovon soll ich nichts wissen?« Sie zuckte die Achseln.

»Von Mr und Mrs Walker … und dem Zug in Schottland.«

Eliza nickte. »Ja, sie sind gerade in Schottland und werden morgen zurückerwartet.«

William wurde ernst. »Sie kommen auch morgen zurück, Miss Eliza, aber nicht, wie Sie glauben.« Er seufzte und schüttelte den Kopf. »Das ganze Dorf weiß Bescheid, es steht in der Zeitung. Dass Ihnen niemand etwas gesagt hat. Ich wäre selbst zu Ihnen gekommen, nur …« Er nahm ihre Hände, eine unerwartete Geste, die ihr Herzklopfen verursachte wie alles, was mit Nähe zu tun hatte. »Es hat ein Unglück gegeben, Miss Eliza. Zwei Züge sind zusammengestoßen. Einige Passagiere – Mr und Mrs Walker …« Er schaute sie an. »Ich fürchte, sie sind beide ums Leben gekommen, Miss Eliza. In einem Ort namens Ais Gill.«

Er sagte noch mehr, aber Eliza hörte gar nicht mehr zu. In ihrem Kopf hatte sich ein grellrotes Licht ausgebreitet, das alle Empfindungen, alle Geräusche, alle Gedanken überdeckte. Sie schloss die Augen und stürzte blind in einen tiefen, schwarzen Abgrund.

Adeline bekam kaum noch Luft. Die Trauer war so tief, dass sie ihr die Luft zum Atmen raubte. Die Nachricht war am späten Dienstagabend per Telefon eingetroffen. Da Linus sich wieder einmal in seiner Dunkelkammer eingeschlossen hatte, war Lady Mountrachet an den Apparat gerufen worden. Ein Polizist am anderen Ende der Leitung, dessen Stimme aufgrund der großen Entfernung zwischen Cornwall und Schottland kaum zu verstehen war, hatte ihr den vernichtenden Schlag versetzt.

Adeline war ohnmächtig geworden, oder zumindest glaubte sie das, denn als Nächstes war sie in ihrem Bett aufgewacht, auf der Brust ein schweres Gewicht. Nach einem Augenblick der Verwirrung war die Erinnerung zurückgekehrt, und das Entsetzen hatte sie erneut gepackt.

Es war gut, dass eine Beerdigung organisiert werden musste, dass Maßnahmen ergriffen werden mussten, sonst wäre Adeline in ihrem Kummer versunken. Denn auch wenn ihr Herz leer und ausgehöhlt und nur noch eine trockene, wertlose Hülle übrig geblieben war, wurden gewisse Dinge von ihr erwartet. Als trauernde Mutter musste sie sich der Verantwortung stellen. Das war sie Rose, ihrer geliebten Tochter, schuldig.

»Daisy.« Ihre Stimme klang heiser. »Bring mir Schreibpapier. Ich muss eine Liste aufstellen.«

Nachdem Daisy aus dem schwach erleuchteten Zimmer geeilt war, ging Adeline in Gedanken die Liste durch. Die Churchills mussten natürlich eingeladen werden, ebenso Lord und Lady Huxley. Die Astors, die Heusers ... Nathaniels Angehörige konnte sie später noch benachrichtigen. Diese Sorte konnte Adeline weiß Gott bei Roses Begräbnis nicht verkraften.

Und auch Ivory durfte nicht an der Trauerfeier teilnehmen: Ein Kind mit ihrem Charakter hatte bei so einer ernsten Gelegenheit nichts zu suchen. Hätte sie doch nur mit ihren Eltern in diesem Zug gesessen, hätten sie sie doch bloß nicht wegen einer Erkältung zu Hause gelassen. Denn was sollte Adeline jetzt mit dem Mädchen tun? Das Letzte, was sie in dieser Situation gebrauchen konnte, war ein Kind, das sie tagtäglich daran erinnerte, dass ihre Rose nicht mehr da war.

Sie schaute aus dem Fenster in Richtung Bucht. Starrte auf die Bäume, die die Klippe säumten, und auf das Meer, das sich bis in die Unendlichkeit erstreckte.

Adeline hütete sich davor, ihren Blick nach links wandern zu lassen. Das Cliff Cottage war nicht zu sehen, aber allein zu wissen, dass es sich dort befand, reichte schon. Seine grauenhafte Anziehungskraft ließ Adeline das Blut in den Adern gefrieren.

Eins stand fest: Eliza würde erst nach der Beerdigung informiert werden. Adeline würde es nicht ertragen, zu sehen, dass dieses Mädchen lebte, während Rose hatte sterben müssen.

Drei Tage später, als Adeline und Linus und die Dienerschaft sich auf dem Friedhof versammelten, machte Eliza einen letzten Rundgang durch das Cottage. Sie hatte bereits eine Kiste vorausgeschickt, sie hatte also wenig Gepäck. Nur eine kleine Reisetasche mit ihrem Notizheft und ihren persönlichen Sachen. Der Zug fuhr um zwölf in Tregenna ab, und Davies, der eine Pflanzenlieferung aus London abholen musste, hatte sich erboten, sie zum Bahnhof zu fahren. Davies war der Einzige, dem sie gesagt hatte, dass sie England verlassen würde.

Eliza warf einen Blick auf ihre kleine Taschenuhr. Es blieb noch Zeit für einen letzten Besuch im geheimen Garten. Den Garten hatte sie sich bis zuletzt aufgehoben und sich absichtlich wenig Zeit gelassen, aus Furcht, dass sie sich, wenn sie dort zu lange verweilte, nie würde losreißen können.

Aber so würde es sein. So musste es sein.

Eliza ging ums Haus herum bis zum Eingang ihres Gartens. Wo einmal ein Tor gewesen war, befand sich nun eine klaffende Lücke in der Mauer. Neben einem Loch im Boden lag ein Stapel riesiger Sandsteine, die darauf warteten, verarbeitet zu werden.

Es war in der vergangenen Woche geschehen. Eliza war gerade beim Unkrautjäten gewesen, als plötzlich zwei kräftige Männer ums Haus herumgekommen waren. Zuerst dachte sie, die beiden hätten sich verirrt, doch dann war ihr sofort das Absurde an dem Gedanken klar geworden. Niemand verirrte sich zum Cliff Cottage.

»Lady Mountrachet schickt uns«, erklärte der Größere.

Eliza stand auf, wischte sich die Hände an ihrem Rock ab und wartete darauf, dass der Mann fortfuhr.

»Sie sagt, dieses Tor muss weg.«

»Ach?«, erwiderte Eliza. »Komisch, das ist mir neu.«

Der kleinere Mann kicherte, während der Große verlegen dreinblickte.

»Und warum muss das Tor weg?«, fragte Eliza. »Wird ein neues eingesetzt?«

»Nein, wir sollen die Lücke zumauern«, antwortete der Große. »Lady Mountrachet sagt, ein Zugang vom Cottage würde nicht mehr gebraucht. Wir sollen ein Loch graben und ein neues Fundament legen.«

Natürlich. Eliza hätte sich denken können, dass ihr Auftritt vor zwei Wochen ein Nachspiel haben würde. Als vor vier Jahren alles geplant und beschlossen wurde, waren die Regeln klipp und klar festgelegt worden. Mary war mit ausreichend Mitteln ausgestattet worden, um sich in Polperro ein kleines Haus zu kaufen, und Eliza war es verboten worden, vom geheimen Garten aus durch das Labyrinth zu gehen. Aber am Ende hatte sie einfach nicht widerstehen können.

Gut, dass Eliza beschlossen hatte, England zu verlassen. Wenn sie nicht mehr in ihren Garten konnte, würde sie es auf Blackhurst nicht länger ertragen. Erst recht nicht, wo Rose nicht mehr war.

Sie stieg über den Bauschutt, ging um die Grube herum und betrat den Garten. Es duftete stark nach Jasmin und Apfelblüten. Die Ranken, die von einer Mauer zur anderen reichten, bildeten ein dichtes, grünes Laubdach.

Davies würde sich hin und wieder um den Garten kümmern, aber es würde nicht dasselbe sein. Er hatte genug zu tun mit den Gartenanlagen und dem Labyrinth und konnte ihrem Garten nicht dieselbe Aufmerksamkeit und Liebe schenken wie Eliza. »Was wird nur aus dir werden?«, sagte sie leise.

Als sie den Apfelbaum betrachtete, durchfuhr sie ein stechender Schmerz, als würde ihr das Herz brechen. Sie musste an den

Tag denken, als sie den Baum zusammen mit Rose gepflanzt hatte. Damals waren sie so voller Hoffnung gewesen, so voller Überzeugung, dass alles gut werden würde. Allein der Gedanke, dass Rose nicht mehr auf dieser Welt weilte, war Eliza unerträglich.

Plötzlich fiel ihr etwas auf. Ein Stück Stoff zwischen dem Laub unter dem Apfelbaum. Hatte sie ein Taschentuch hier vergessen? Sie hockte sich hin und schob den tief hängenden Ast beiseite.

Ein kleines Mädchen, Roses Tochter, lag schlafend im Gras.

Als besäße sie einen sechsten Sinn, rührte sich die Kleine mit einem Mal, öffnete die Augen und schaute Eliza an.

Sie erschrak nicht, noch zeigte sie irgendeine andere Reaktion, die man von einem Kind hätte erwarten können, das von einem beinahe fremden Erwachsenen erwischt wird, sondern lächelte entspannt. Dann gähnte sie und kam unter dem Ast hervorgekrochen.

»Guten Tag«, sagte sie, als sie vor Eliza stand.

Eliza betrachtete sie, zugleich erstaunt und erfreut darüber, wie wenig das Kind sich um Manieren scherte. »Was machst du denn hier?«

»Ich lese.«

Eliza hob die Brauen. Das Kind war erst vier. »Du kannst schon lesen?«

Nach kurzem Zögern nickte Ivory.

»Zeig's mir.«

Auf allen vieren krabbelte Ivory zurück unter den Ast und kam gleich darauf mit dem Märchenbuch zurück. Es war das Märchenbuch, das Eliza ihr vor zwei Wochen als Geschenk gebracht hatte. Ivory schlug das Buch auf und las fehlerfrei die erste Seite von *Die Augen des alten Weibleins* vor, wobei sie mit dem Zeigefinger die Zeilen entlangfuhr.

Eliza unterdrückte ein Lächeln, als ihr auffiel, dass die Fingerspitze und die vorgelesenen Worte nicht übereinstimmten. Als kleines Mädchen hatte sie auch alle ihre Lieblingsmärchen auswendig gekannt. »Und warum bist du jetzt hier?«, fragte sie.

»Alle sind weggefahren«, antwortete Ivory. »Ich hab vom Fenster aus gesehen, wie all die vielen, schwarzen Kutschen die Einfahrt hinuntergefahren sind wie dicke Ameisen auf einer Ameisenstraße. Ich wollte nicht allein im Haus bleiben, und da bin ich hergekommen. Hier bin ich am liebsten. In deinem Garten.« Schuldbewusst senkte sie den Blick.

»Weißt du, wer ich bin?«, fragte Eliza.

»Du bist die Autorin.«

Eliza lächelte.

Ivory wurde mutiger. Sie legte den Kopf schief, sodass ihr dicker Zopf über ihre Schulter fiel. »Warum bist du so traurig?«

»Weil ich Abschied nehme.«

»Von wem denn?«

»Von meinem Garten. Von meinem alten Leben.« Eliza war wie gebannt von Ivorys forschendem Blick. »Ich breche zu einer Abenteuerreise auf. Magst du Abenteuer?«

Ivory nickte. »Ich gehe auch bald auf eine Abenteuerreise mit meiner Mama und meinem Papa. Wir fahren nach Amerika, auf einem riesengroßen Schiff, noch größer als das von Captain Ahab.«

»Nach New York?« Eliza zögerte. War es denn möglich, dass Ivory gar nichts vom Tod ihrer Eltern wusste?

»Wir fahren über das Meer, und Großmama und Großpapa kommen nicht mit. Und auch nicht die schreckliche kaputte Puppe.«

War das der richtige Augenblick? War das der Punkt, von dem es kein Zurück mehr gab? Eliza schaute das ernste kleine Mädchen an, das nicht wusste, dass seine Eltern tot waren, dem ein Leben unter der Vormundschaft von Tante Adeline und Onkel Linus bevorstand.

Wenn Eliza später noch einmal an die Situation zurückdachte, kam es ihr so vor, als wäre es gar nicht ihre Entscheidung gewesen, als hätte das Leben die Entscheidung schon vorher für sie getroffen. Auf jeden Fall war ihr sofort klar gewesen, dass sie das Kind unmöglich allein auf Blackhurst zurücklassen konnte.

Sie streckte ihre Hand aus, betrachtete ihre auf das Kind gerichtete Handfläche, die von allein zu wissen schien, was sie zu tun hatte. »Ich habe von eurer Abenteuerreise gehört, und man hat mich geschickt, um dich abzuholen.« Die Worte kamen ihr ganz leicht über die Lippen, als gehörten sie zu einem lange vorbereiteten Plan, als entsprächen sie der Wahrheit. »Ich begleite dich ein Stück.«

Ivory blinzelte.

»Komm«, sagte Eliza. »Nimm meine Hand. Wir nehmen einen ganz besonderen Weg, einen geheimen Weg, den nur wir beide kennen.«

»Und wo wir hingehen, wartet Mama da auf uns?«

»Ja«, antwortete Eliza mit zitternder Stimme. »Deine Mama wartet dort auf uns.«

Ivory überlegte. Schließlich nickte sie. Sie hatte ein Grübchen in ihrem hübschen kleinen Kinn. »Ich möchte mein Buch mitnehmen.«

»Selbstverständlich. Komm jetzt, wir müssen uns beeilen. Wir wollen doch nicht zu spät kommen.«

Adeline war nahe daran, hysterisch zu werden. Am späten Nachmittag war Alarm geschlagen worden. Daisy, die dumme Pute, hatte an die Tür von Adelines Boudoir geklopft, dann hatte sie herumgestottert, war von einem Fuß auf den anderen getreten und hatte schließlich gefragt, ob die Mistress vielleicht Miss Ivory gesehen habe.

Ihre Enkelin war bekannt dafür, dass sie gern umherstrolchte, und deswegen war Adeline zunächst nur verärgert gewesen. Typisch für das ungezogene Gör, sich gerade diesen Zeitpunkt auszusuchen. Ausgerechnet heute, nachdem sie ihre geliebte Rose zu Grabe getragen hatte, musste sie sich um die Suche nach diesem Kind kümmern. Nur mit großer Mühe gelang es Adeline, sich zu beherrschen und nicht zu schreien und zu fluchen.

Das Dienstpersonal hatte das gesamte Haus durchkämmt, in jedem Winkel nachgesehen, aber ohne Erfolg. Nachdem eine weitere Stunde fruchtlos verstrichen war, sah Adeline sich gezwungen, die Möglichkeit in Betracht zu ziehen, dass Ivory sich weiter vom Haus entfernt hatte. Adeline und Rose hatten dem Kind immer wieder verboten, sich der Bucht oder dem Labyrinth zu nähern, aber Gehorsam gehörte nicht gerade zu den Tugenden der Kleinen. Ivory war ausgesprochen eigenwillig, ein beklagenswerter Charakterzug, den Rose noch gefördert hatte, indem sie vor Bestrafung zurückgeschreckt war. Aber Adeline war nicht so nachsichtig. Sobald man das Mädchen gefunden hatte, würde sie es zur Einsicht bringen, sodass es in Zukunft parieren würde.

»Verzeihen Sie, Ma'am.«

Adeline fuhr herum, und ihre Röcke raschelten bei der Bewegung. Es war Daisy, endlich aus der Bucht zurückgekehrt.

»Und? Wo ist sie?«, fragte Adeline.

»Ich konnte sie nicht finden, Ma'am.«

»Hast du auch überall nachgesehen? Auf dem schwarzen Felsen, auf dem Hügel?«

»Oh nein, Ma'am, ich habe mich nicht in die Nähe des schwarzen Felsens getraut.«

»Und warum nicht?«

»Er ist so groß und glitschig und …« Das Mädchen errötete wie ein reifer Pfirsich. »Es heißt, er ist verwunschen. Der schwarze Felsen.«

Am liebsten hätte Adeline das Mädchen grün und blau geprügelt. Schlimm genug, dass sie ihren Anweisungen nicht gefolgt war und dafür gesorgt hatte, dass das Kind im Bett blieb! Garantiert hatte sie sich heimlich verdrückt und in der Küche mit dem neuen Lakai geflirtet … Aber Daisy zu bestrafen, hatte keinen Zweck. Noch nicht. Am Ende würde man noch denken, Adeline wüsste nicht mehr, wo ihre Prioritäten lagen.

Adeline wandte sich abrupt ab, raffte ihre Röcke und trat ans Fenster. Schaute in die Dämmerung hinaus. Es war einfach alles zu viel. Normalerweise beherrschte Adeline die Kunst, in jeder Lage die Contenance zu wahren, aber heute gelang es ihr fatalerweise nicht, die besorgte Großmutter zu spielen. Sie wünschte einfach, dass irgendjemand das Mädchen fand, tot oder lebend, verletzt oder unversehrt, und es zurückbrachte. Dann konnte Adeline die Sache vergessen und sich wieder der Trauer um ihre Tochter hingeben.

Aber anscheinend würde es eine so einfache Lösung nicht geben. In einer Stunde würde es dunkel werden, und noch immer gab es keine Spur von dem Kind. Und Adeline konnte die Suche natürlich nicht abblasen, bis alle Möglichkeiten ausgeschöpft waren. Die Dienstboten beobachteten sie, und es bestand kein Zweifel daran, dass sie alle ihre Reaktionen in der Küche durchhecheln würden, und deswegen würde sie die Suche fortsetzen. Davies musste her. Wo war dieser Tölpel nur, wenn man ihn brauchte? Wahrscheinlich in irgendeiner entfernten Ecke des Anwesens gerade damit beschäftigt, Ranken an einer Pergola zu befestigen oder eine ähnlich sinnlose Arbeit zu verrichten.

»Wo ist Davies?«, fragte sie.

»Heute ist sein freier Nachmittag, Ma'am.«

Natürlich. Das Dienstpersonal war einem ständig im Weg, und wenn einer von ihnen tatsächlich mal gebraucht wurde, war er nirgendwo zu finden.

»Ich nehme an, dass er zu Hause ist, Mylady, oder zu Besuch bei jemandem im Dorf. Ich glaube, er hat gesagt, dass er am Bahnhof eine Lieferung Pflanzen abholen muss.«

Es gab nur einen Menschen, der sich auf dem Anwesen so gut auskannte wie Davies.

»Dann hol Miss Eliza her«, sagte Adeline widerwillig. »Und bring sie sofort zu mir.«

Eliza betrachtete das schlafende Kind. Lange Wimpern lagen auf den weichen Wangen, die rosigen Lippen waren zu einem niedlichen Schmollmund verzogen, die kleinen Fäuste im Schoß. Wie vertrauensselig Kinder waren, dass sie in einer solchen Situation schlafen konnten, und wie verletzlich. Vor Rührung kamen Eliza beinahe die Tränen.

Was hatte sie sich eigentlich dabei gedacht, mit Roses Kind in einen Zug nach London zu steigen?

Nichts, gar nichts hatte sie gedacht, und deswegen hatte sie es getan. Denn Nachdenken bedeutete, den Farbpinsel des Zweifels in das klare Wasser der Gewissheit zu tauchen. Sie war sich ganz sicher gewesen, dass sie Ivory auf keinen Fall in der Obhut von Onkel Linus und Tante Adeline zurücklassen konnte, und sie hatte entsprechend gehandelt. Sie hatte bei Sammy versagt, aber Ivory würde sie nicht im Stich lassen.

Die Frage war nur, was sie jetzt mit Ivory tun sollte, denn bei sich behalten konnte sie sie auf keinen Fall. Die Kleine hatte etwas Besseres verdient. Sie brauchte Eltern, Geschwister, ein glückliches Zuhause voller Zuneigung, an das sie sich ihr Leben lang gern erinnern würde.

Und doch hatte Eliza das Gefühl, dass ihr nichts anderes übrig bliebe, als sie mitzunehmen. Ivory durfte nicht in der Nähe von Cornwall bleiben, sonst bestand die Gefahr, dass man sie entdecken und schnurstracks nach Blackhurst zurückbringen würde.

Nein, bis ihr eine bessere Lösung einfiel, würde sie das Kind bei sich behalten. Zumindest vorerst. Es blieben noch fünf Tage Zeit, bis das Schiff nach Australien ablegte, das Schiff, das sie nach

Maryborough bringen würde, wo Marys Bruder und ihre Tante Eleanor lebten. Mary hatte ihr die Adresse gegeben, und Eliza hatte vor, nach ihrer Ankunft sofort Kontakt zur Familie Martin aufzunehmen. Und natürlich würde sie Mary schreiben und ihr berichten, was sie getan hatte.

Eliza besaß bereits eine Fahrkarte, sie hatte die Überfahrt unter falschem Namen gebucht. Es mochte abergläubisch sein, aber als sie die Reservierung vorgenommen hatte, war sie ganz plötzlich von dem Gedanken besessen gewesen, dass sie für einen Neuanfang, für einen klaren Bruch mit ihrer Vergangenheit, einen neuen Namen brauchte. Sie wollte in dem Buchungsbüro keine Spur hinterlassen, keine Verbindung zwischen ihrer alten und ihrer neuen Welt. Und deswegen hatte sie ein Pseudonym benutzt. Was sich jetzt als Glücksfall erwies.

Denn sie würden bestimmt nach ihr suchen. Eliza wusste zu viel über die Herkunft von Roses Kind, als dass Tante Adeline sie einfach so davonkommen lassen konnte. Sie musste sich darauf einstellen, dass sie sich würde verstecken müssen, am besten in einem kleinen Gasthaus in der Nähe des Hafens, wo man einer armen Witwe mit ihrem Kind, die zu ihren Verwandten in der Neuen Welt reiste, ein Zimmer vermieten würde. Ob es wohl möglich war, so kurzfristig noch eine Fahrkarte für das Kind zu kaufen? Oder gab es eine Möglichkeit, das Kind mit an Bord zu nehmen, ohne dass jemand es bemerkte?

Ivory würde nach ihren Eltern fragen, und Eliza würde ihr eines Tages die Wahrheit sagen. Auch wenn sie noch nicht wusste, wie sie ihr alles erklären sollte. Ihr war aufgefallen, dass die Seiten mit dem Märchen, das ihr die Situation hätte begreiflich machen können, aus dem Buch herausgetrennt worden waren. Wahrscheinlich hatte Nathaniel sie entfernt. Rose und Adeline hätten das ganze Buch verschwinden lassen, nur Nathaniel konnte das eine Märchen, in dem seine Taten angedeutet wurden, herausgerissen und das Buch aufgehoben haben.

Zu den Swindells würde sie als Allerletztes gehen. Zwar glaubte sie nicht, dass sie eine Gefahr darstellten, aber sie wollte sich lieber vorsehen. Wenn es eine Möglichkeit gab, aus etwas Profit zu schlagen, würden die Swindells sie sich nicht entgehen lassen. Irgendwann hatte Eliza überlegt, auf den Besuch bei den Swindells zu verzichten, hatte sich gefragt, ob das Risiko nicht viel zu groß war, doch dann hatte sie sich entschlossen, es darauf ankommen zu lassen. Sie würde die Edelsteine aus der Brosche brauchen, um in der Neuen Welt nicht mittellos dazustehen, außerdem waren die geflochtenen Haare viel zu kostbar. Sie waren ihre Familie, ihre Vergangenheit, ihre Verbindung zu sich selbst.

Noch einmal betrachtete Eliza das schlafende Kind. Zärtlich streichelte sie seine Wange. Zog die Hand wieder zurück, als Ivory zusammenzuckte, die kleine Nase krauszog und sich noch tiefer in den Sitz kuschelte.

So lächerlich es ihr auch erschien, aber Eliza meinte etwas von Rose in dem Kind zu sehen, Rose als kleines Mädchen, als Eliza sie kennengelernt hatte …

Die Zeit wollte einfach nicht vergehen, als Adeline auf Daisys Rückkehr wartete. Es war Elizas Schuld, dass Rose tot war. Ihr ungebetener Besuch hatte dafür gesorgt, dass die Reise nach New York übereilt beschlossen worden war und deshalb die Fahrt nach Schottland vorgezogen werden musste. Hätte Eliza sich wie vereinbart von Blackhurst ferngehalten, hätte Rose nie in diesem Zug gesessen.

Adeline fuhr zusammen, als die Tür geöffnet wurde. Endlich war Daisy zurück. Sie hatte Blätter im Haar, und ihr Rock war am Saum mit Schlamm beschmutzt, aber sie war allein.

»Wo ist sie?«, fragte Adeline. Hatte sie sich womöglich bereits auf die Suche gemacht? Hatte Daisy ausnahmsweise einmal ihren

Verstand benutzt und Eliza auf direktem Weg in die Bucht geschickt?

»Ich weiß es nicht, Ma'am.«

»Du weißt es nicht?«

»Als ich beim Cottage ankam, war alles abgeschlossen. Ich hab durch alle Fenster gelugt, aber es war nichts zu sehen.«

»Du hättest eine Weile warten sollen. Vielleicht ist sie im Dorf und wäre bald zurückgekommen.«

Daisy war so unverschämt, den Kopf zu schütteln. »Das glaub ich nicht, Ma'am. Der Kamin war sauber gefegt, und die Regale waren leer.« Daisy blinzelte wie eine Kuh. »Ich glaube, sie ist fort, Ma'am.«

Da begriff Adeline. Und das Verstehen schlug in unbändige Wut um.

»Ist Ihnen nicht gut, Mylady? Möchten Sie sich hinsetzen?«

Nein, Adeline brauchte sich nicht zu setzen. Im Gegenteil. Sie musste mit eigenen Augen nachsehen. Sich von der Undankbarkeit dieser Person überzeugen.

»Führ mich durch das Labyrinth, Daisy.«

»Ich kenne den Weg durch das Labyrinth nicht, Ma'am. Den kennt niemand außer Davies. Ich bin die Straße entlanggegangen und über den Pfad an der Klippe.«

»Dann sag Newton Bescheid, er soll die Kutsche vorfahren lassen.«

»Aber es wird bald dunkel, Ma'am.«

Adelines Augen verengten sich zu Schlitzen, als sie sich zu voller Größe aufrichtete. »Sag Newton Bescheid und bring mir eine Laterne. Auf der Stelle.«

Das Cottage war aufgeräumt, aber nicht leer. In der Küche hingen noch immer verschiedene Kochutensilien, aber der Tisch war sauber gewischt. Am Kleiderhaken neben der Tür hing kein Mantel. Adeline wurde schwindlig, und sie bekam kaum noch Luft. Immer noch spürte sie die Gegenwart dieser Person, schwer und erdrückend. Sie hielt die Laterne hoch und stieg die schmale Treppe hinauf. Oben gab es zwei Zimmer, spartanisch eingerichtet, aber sauber. In dem einen stand das Bett vom Dachboden, darauf ein alter Quilt, ordentlich glatt gestrichen. In dem anderen standen ein Schreibtisch, ein Stuhl und ein mit Büchern gefülltes Regal. Alle Gegenstände auf dem Schreibtisch waren säuberlich gestapelt. Adeline stützte sich mit den Fingerspitzen auf dem Schreibtisch ab und beugte sich vor, um aus dem Fenster zu sehen.

Das letzte Abendlicht spiegelte sich in rotem Glanz auf dem Meer, und die fernen Wellen hoben und senkten sich und schimmerten golden und purpurrot.

Rose ist tot.

Der Gedanke kam wie aus dem Nichts.

Hier, endlich allein und unbeobachtet, konnte Adeline für einen Moment aufhören, ihre Rolle zu spielen. Sie schloss die Augen, und ihre Schultern entspannten sich.

Sie wünschte, sie könnte sich einfach auf dem Boden zusammenrollen, die kühlen Holzdielen an der Wange spüren und nie wieder aufstehen. In einen hundertjährigen Schlaf sinken. Nie wieder ein Vorbild sein müssen. Frei atmen können …

»Lady Mountrachet?«, rief Newton von unten. »Es wird dunkel, Mylady. Die Pferde werden auf dem steilen Weg scheuen, wenn wir nicht bald aufbrechen.«

Adeline holte tief Luft. Gleich würde sie sich wieder im Griff haben. »Ich komme sofort.«

Sie öffnete die Augen und legte eine Hand an die Stirn. Rose war tot, und von dem Verlust würde Adeline sich nie wieder erholen, aber es galt, andere Gefahren abzuwenden. Einerseits wäre es Adeline am liebsten gewesen, wenn Eliza und Ivory einfach aus ihrem Leben verschwinden würden, aber die Sache war etwas komplizierter. Wenn die beiden vermisst wurden, und sie waren garantiert gemeinsam unterwegs, musste Adeline damit rechnen, dass die Leute im Dorf die Wahrheit erfuhren. Dass Eliza den Mund nicht halten würde. Und das musste unter allen Umständen verhindert werden. Um der Erinnerung an Rose willen, um des guten Namens der Familie Mountrachet willen musste Eliza gefunden, zurückgeholt und zum Schweigen gebracht werden.

Als Adeline noch einmal die Gegenstände auf dem Schreibtisch betrachtete, fiel ihr ein Zettel auf, der unter einem Bücherstapel hervorlugte. Ein Wort stand darauf, das sie schon einmal gesehen zu haben meinte. Sie zog den Zettel heraus. Es handelte sich anscheinend um eine Liste von Dingen, die Eliza vor ihrer Abreise erledigen wollte. Ganz unten auf der Liste stand: *Swindell.* Wahrscheinlich ein Name, dachte Adeline, auch wenn sie nicht sagen konnte, wie sie darauf kam.

Ihr Herz begann zu pochen. Sie faltete den Zettel zusammen und steckte ihn ein. Auch wenn sie noch nicht genau wusste, woher sie den Namen kannte, war sie sich ganz sicher, dass sie die Spur gefunden hatte, die sie brauchte. Sie würde Eliza finden, und das Kind, Roses Tochter, würde dorthin zurückgebracht werden, wo es hingehörte.

Und Adeline wusste genau, mit wessen Hilfe sie das bewerkstelligen konnte.

46 *Polperro* *Cornwall, 2005*

Claras kleines, weißes Cottage klammerte sich an einen steilen Felshang und lag nur einen kurzen Fußmarsch den Hügel hinauf von einem Pub namens *Der Seeräuber* entfernt.

»Wollen Sie uns vorstellen?«, fragte Christian, als sie vor der Haustür standen.

Cassandra nickte, klopfte jedoch nicht. Plötzlich war sie nervös. Hinter dieser Tür wohnte die lange verschollen geglaubte Schwester ihrer Großmutter. Schon in wenigen Augenblicken würde das Rätsel, das Nell fast ihr ganzes Leben lang gequält hatte, gelöst werden. Cassandra warf Christian einen Blick zu und dachte noch einmal, wie froh sie war, dass er sie begleitete.

Nachdem Ruby am Morgen nach London abgereist war, hatte Cassandra auf den Stufen des Hotels auf ihn gewartet, das Buch mit Elizas Märchen fest umklammert. Er hatte sein Exemplar ebenfalls mitgebracht, und sie stellten fest, dass in Cassandras Ausgabe tatsächlich eine Geschichte fehlte. Die Lücke in der Bindung war so schmal, der Schnitt so sauber, dass sie es vorher nicht bemerkt hatte. Nicht einmal die fehlenden Seitenzahlen waren ihr aufgefallen. Die Zahlen waren so schwungvoll ausgeführt, dass man schon ein Schriftexperte sein musste, um auf den ersten Blick den Unterschied zwischen 57 und 61 zu entdecken.

Auf der Fahrt nach Polperro hatte Cassandra *Das goldene Ei* laut vorgelesen und war immer mehr zu der Überzeugung gelangt, dass Christian recht hatte und die Geschichte tatsächlich eine Allegorie auf Roses Aneignung von Marys Tochter darstellte. Inzwischen glaubte sie mit ziemlicher Sicherheit zu wissen, was Clara ihr erzählen wollte.

Die arme Mary, gezwungen, ihr erstes Kind abzugeben und das dann auch noch geheim zu halten. Kein Wunder, dass sie sich auf dem Sterbebett ihrer Tochter anvertraut hatte. Ein verlorenes Kind verfolgte eine Mutter ein Leben lang.

Leo wäre jetzt schon fast zwölf.

»Alles in Ordnung?« Christian musterte sie stirnrunzelnd.

»Ja«, erwiderte Cassandra und schob ihre Erinnerungen beiseite. »Alles in Ordnung.« Und als sie ihn anlächelte, kam es ihr weniger erzwungen als sonst vor.

Sie hob die Hand und wollte gerade den Klopfer betätigen, als die Tür auch schon aufgerissen wurde. Im niedrigen, engen Türrahmen stand eine beleibte alte Frau in einer um die Taille gebundenen Schürze, die ihre Figur wie aus zwei Teigbällen geformt aussehen ließ. »Ich habe Sie hier stehen sehen«, sagte sie grinsend, »und da habe ich mir gesagt: ›Das müssen meine jungen Gäste sein.‹ Jetzt kommen Sie erst mal rein, ich mach uns einen schönen heißen Tee.«

Christian und Cassandra setzten sich nebeneinander auf das geblümte Sofa und schoben die Patchworkkissen von einer Ecke in die andere, um Platz zu schaffen. Christian wirkte so hoffnungslos überdimensioniert in diesem wie eine Puppenstube eingerichteten Zimmer, dass Cassandra sich das Lachen verkneifen musste.

Auf einer Schiffstruhe thronte eine gelbe Teekanne, umhüllt von einem gestrickten Teewärmer in Form einer Henne, die Clara auf bemerkenswerte Weise ähnelte, wie Cassandra fand: kleine, wache Augen, draller Körper und ein spitzer, kleiner Mund.

Clara holte eine dritte Tasse und schenkte durch ein Sieb Tee ein. »Meine eigene Spezialmischung«, sagte sie. »Drei Teile Breakfast, ein Teil Earl Grey.« Sie lugte über ihre Brille mit Halbgläsern. »*English* Breakfast, natürlich.« Nachdem Milch hinzugefügt war, machte sie es sich im Sessel neben dem Kamin bequem. »Ich muss meine Füße mal ein bisschen hochlegen. Ich war den ganzen Tag auf den Beinen, hab die Stände fürs Hafenfest organisiert.«

»Danke, dass Sie sich Zeit für mich nehmen«, sagte Cassandra. »Das ist mein Freund Christian.«

Clara errötete, als Christian ihr über die Truhe hinweg die Hand schüttelte. »Freut mich, Sie kennenzulernen.« Sie trank einen Schluck von ihrem Tee, dann nickte sie in Cassandras Richtung. »Die Dame aus dem Museum, Ruby, hat mir von Ihrer

Großmutter erzählt«, sagte sie. »Die nicht wusste, wer ihre Eltern waren.«

»Nell«, erwiderte Cassandra. »So hieß sie. Mein Urgroßvater Hamish hat sie als kleines Mädchen auf einem weißen Koffer sitzend im Hafen von Maryborough aufgelesen. Er war Hafenmeister und ein Schiff …«

»Maryborough haben Sie gesagt?«

Cassandra nickte.

»Das ist ja ein Zufall. Ich habe Verwandte in einer Stadt namens Maryborough. In Queensland.«

»Queensland.« Cassandra beugte sich vor. »Was für Verwandte sind das denn?«

»Der Bruder meiner Mutter ist als junger Mann dorthin ausgewandert. Er hat seine Kinder da großgezogen, meine Vettern und Cousinen.« Sie stieß ein gackerndes Lachen aus. »Mum hat immer gesagt, sie wären dort ihres Namens wegen hingezogen.«

Cassandra schaute Christian an. War das der Grund, warum Eliza Nell auf dieses spezielle Schiff gebracht hatte? Wollte sie sie zu Marys Familie bringen, zu ihren Blutsverwandten? Hatte sie sich, anstatt das Kind nach Polperro zu bringen und zu riskieren, dass Einheimische sie als Ivory Mountrachet identifizierten, für Marys weit entfernt lebende Verwandte entschieden? Cassandra vermutete, dass Clara die Antwort auf die Frage kannte, sie musste ihr nur einen kleinen Schubs in die richtige Richtung geben. »Ihre Mutter Mary hat doch auf Blackhurst Manor gearbeitet, nicht wahr?«

Clara trank einen großen Schluck Tee. »Sie hat dort gearbeitet, bis sie entlassen wurde, das war 1909. Sie war schon als junges Mädchen dorthin gekommen, mit fast zehn Jahren. Sie musste gehen, weil sie schwanger war.« Clara sprach im Flüsterton weiter. »Sie war nicht verheiratet, und damals ging so was nicht. Aber sie war kein schlechtes Mädchen, meine Mum. Sie war ehrlich und anständig. Am Ende hat mein Vater sie geheiratet, und alles hatte seine Ordnung. Er hätte es schon früher getan, aber er hatte eine schwere Lungenentzündung. Hätte es beinahe nicht auf seine eigene Hochzeit geschafft. Und als sie dann hierher nach Polperro gezogen sind, da hatten sie ein bisschen Geld und haben die Fleischerei aufgemacht.«

Sie nahm ein kleines längliches Buch in die Hand, das neben dem Teetablett lag. Das Deckblatt war mit Geschenkpapier und Stoffschnipseln und Knöpfen geschmückt, und als Clara es öffnete, erkannte Cassandra, dass es sich um ein altes Fotoalbum handelte. Clara schlug eine Seite auf, die mit einem Bändchen gekennzeichnet war, und reichte Cassandra das Album über die Truhe hinweg. »Das da ist meine Mutter.«

Cassandra betrachtete die junge Frau mit den üppigen Locken und noch üppigeren Kurven und versuchte, Nell in ihren Gesichtszügen zu entdecken. Ihr Mund hatte vielleicht etwas von Nell, ein Lächeln, das auf ihren Lippen spielte, wenn sie es am wenigsten beabsichtigte. Aber das war das Trügerische an Fotos: Je länger Cassandra hinschaute, desto mehr meinte sie eine Ähnlichkeit mit Tante Phyllis zu entdecken. Sie gab Christian das Album und lächelte Clara an. »Sie war wohl sehr hübsch, nicht wahr?«

»Ja, wirklich«, erwiderte Clara mit einem kessen Augenzwinkern. »Auffallend hübsch. Viel zu hübsch für ein Hausmädchen. Sie konnte von Glück reden, dass die Männer aus dem Haus ihr nicht nachgestellt haben.«

»Wissen Sie, ob sie gern auf Blackhurst gearbeitet hat? Tat es ihr leid, dass sie gehen musste?«

»Sie war froh, von dem Haus wegzukommen, aber traurig darüber, ihre Mistress zu verlassen.«

Das war neu. »War sie eng mit Rose befreundet?«

Clara schüttelte den Kopf. »Von einer Rose weiß ich nichts. Sie hat immer von Eliza geredet. Miss Eliza hier, Miss Eliza dort.«

»Aber Eliza war nicht die Mistress auf Blackhurst.«

»Nein, offiziell nicht, aber sie war der Augenstern meiner Mutter. Sie sagte immer, Miss Eliza sei der einzige Lichtblick an einem toten Ort gewesen.«

»Warum fand sie, dass es ein toter Ort war?«

»Weil die, die dort wohnten, wie Tote waren, hat meine Mum gesagt. Alle bedrückt aus dem einen oder anderen Grund. Alle wollten irgendetwas, das sie nicht haben durften oder konnten.«

Cassandra dachte über diesen Einblick in das Leben auf Blackhurst nach. Es deckte sich nicht mit dem Eindruck, den sie durch die Lektüre von Roses Tagebüchern gewonnen hatte, wobei Rose, die sich in erster Linie für neue Kleider und die Eskapaden ihrer Cousine Eliza interessierte, nur eine von vielen Stimmen war in dem Haus, in dem es von Menschen gewimmelt hatte. Aber so war Geschichtsschreibung nun einmal: fiktiv, parteiisch, nicht überprüfbar, aufgezeichnet von den Siegern.

»Ihre Herrschaft, der Lord und die Lady, waren gleichermaßen widerlich nach Meinung von Mum. Aber die haben ja dann am Ende bekommen, was sie verdient haben, nicht wahr?«

Cassandra runzelte die Stirn. »Wer?«

»Na, die beiden. Lord und Lady Mountrachet. Sie ist einen oder zwei Monate nach ihrer Tochter an Blutvergiftung gestorben.« Clara schüttelte den Kopf, senkte verschwörerisch die Stimme und fügte beinahe schadenfroh hinzu: »Ganz scheußlich. Nach allem, was meine Mutter von den Dienstboten gehört hat, muss sie zum Schluss einen furchterregenden Anblick geboten haben. Das Gesicht zu einer Fratze verzerrt, ist sie aus ihrem Krankenbett geflohen und mit einem großen Schlüsselring durch die Flure geschlichen, hat alle Türen abgeschlossen und irgendwas von einem Geheimnis fantasiert, von dem niemand etwas erfahren durfte. Sie war vollkommen wahnsinnig am Ende, und er nicht minder.«

»Lord Mountrachet hatte auch eine Blutvergiftung?«

»Oh nein, der nicht. Der hat sein Vermögen durch seine vielen Reisen in exotische Länder verloren.« Erneut senkte sie die Stimme. »Wo Voodoo-Priester ihr Unwesen trieben. Es heißt, er hätte Souvenirs mitgebracht, dass es einen nur so grauste. Nach allem, was man hört, ist er immer mehr durchgedreht. Das gesamte Personal ist weggegangen bis auf ein Küchenmädchen und einen Gärtner, der sein ganzes Leben dort gearbeitet hatte. Meine Mum hat erzählt, als der Alte schließlich gestorben ist, war keiner mehr da, und man hat ihn erst Tage später gefunden.« Clara lächelte so breit, dass sich ihre faltigen Augenlider beinahe schlossen. »Aber Eliza ist davongekommen, nicht wahr? Mit dem Schiff übers Meer, hat meine Mum gesagt. Darüber war sie immer so erleichtert.«

»Aber nicht nach Australien«, sagte Cassandra.

»Ehrlich gesagt, weiß ich nicht, wohin«, erwiderte Clara. »Ich weiß nur, was meine Mum mir erzählt hat, dass Eliza rechtzeitig aus diesem schrecklichen Haus geflohen ist. Sie ist weggegangen, als hätte sie es schon immer geplant, und ist nie wieder zurückgekommen.« Sie hob einen Finger. »Daher stammen auch diese Zeichnungen, die es der Frau vom Museum so angetan haben. Sie gehörten Eliza. Sie befanden sich unter ihren Sachen.«

Cassandra lag die Frage auf der Zunge, ob Mary sie von Eliza gestohlen hätte, aber sie behielt sie für sich, denn die Unterstellung, Claras geliebte Mutter könnte ihrer Arbeitgeberin wertvolle Kunstwerke entwendet haben, kam ihr plötzlich ungehörig vor. »Unter welchen Sachen?«

»In den Kisten, die meine Mum gekauft hat.«

Jetzt war Cassandra tatsächlich verwirrt. »Sie hat von Eliza Kisten gekauft?«

»Sie hat sie nicht von ihr gekauft. Sie gehörten Eliza, und sie hat sie gekauft, nachdem Eliza fort war.«

»Wem hat sie sie denn abgekauft?«

»Es gab einen großen Verkauf im Herrenhaus. Ich kann mich sogar noch daran erinnern. Meine Mum hat mich damals mitgenommen. Das war 1934, da war ich vierzehn. Nachdem der alte Lord gestorben war, beschloss ein entferntes Familienmitglied aus Schottland, das Anwesen zu verkaufen, zweifellos in der Hoffnung, während der Depression an Geld zu kommen. Jedenfalls hat meine Mum davon in der Zeitung gelesen und so erfahren, dass auch kleinere Dinge aus dem Nachlass verkauft werden sollten. Wahrscheinlich gefiel meiner Mum die Vorstellung, ein kleines Stückchen von dem Ort zu besitzen, an dem man sie so schlecht behandelt hatte. Sie hat mich mitgenommen, weil sie meinte, es wäre gut für mich zu sehen, wo sie als junge Frau in Stellung gewesen war. Dass ich dann dankbar wäre, nicht als Dienstmädchen arbeiten zu müssen, und mich in der Schule ein bisschen mehr anstrengen würde, damit ich es später einmal besser als sie hätte. Nicht dass es funktioniert hätte, aber es hat mich schon ziemlich schockiert. So etwas hatte ich noch nie gesehen. Ich hatte wirklich keine Ahnung, dass es Leute gibt, die so leben. Heutzutage gibt's so was ja kaum noch.« Sie nickte, wie um zu unterstreichen, dass sie das auch richtig fand, dann schaute sie an die Decke. »Also, wo war ich stehen geblieben?«

»Sie haben uns von den Kisten erzählt«, sagte Christian. »Die Ihre Mutter in Blackhurst gekauft hat.«

Sie hob einen zittrigen Finger. »Ach ja, genau, in dem Herrenhaus in Tregenna. Sie hätten ihr Gesicht mal sehen sollen, als sie die Kisten gesehen hat. Aufgebaut auf einem Tisch zwischen lauter anderem Krempel – Lampen, Briefbeschwerer, Bücher und so weiter. Für mich sah das nicht nach was Besonderem aus, aber Mum wusste sofort, dass das Elizas Sachen waren. Sie hat meine Hand genommen, das erste Mal in meinem Leben, glaube ich, und es war, als würde sie plötzlich keine Luft mehr kriegen. Ich hab mir schon Sorgen gemacht und versucht, sie zu einem Stuhl zu bugsieren, aber davon wollte sie nichts wissen. Dann hat sie sich auf die Kisten gestürzt. Es war, als hätte sie Angst wegzugehen, weil sie sonst jemand anders kaufen könnte. Es kam mir nicht sehr wahrscheinlich vor, wie gesagt, die sahen nach nichts aus, aber Schönheit hängt ja bekanntlich vom Standpunkt des Betrachters ab.«

»Und die Zeichnungen von Nathaniel Walker waren in einer der Kisten?«, fragte Cassandra. »Zusammen mit Elizas Sachen?«

Clara nickte. »Seltsam, jetzt fällt's mir wieder ein. Mum war so glücklich, als sie die Sachen gekauft hatte, aber kaum waren wir zu Hause, musste Dad sie auf den Dachboden schaffen, und danach habe ich nie wieder etwas von den Kisten gehört. Nicht, dass ich mir viele Gedanken darüber gemacht hätte. Ich war ja erst vierzehn. Wahrscheinlich war ich in irgendeinen Jungen aus dem Dorf verknallt und hab mich nicht die Bohne für ein paar alte Kisten interessiert, die meine Mutter gekauft hatte. Bis sie zu mir gezogen ist und mir auffiel, dass sie die Kisten mitbrachte. Das war wirklich merkwürdig, und da ist mir klar geworden, was sie ihr bedeuteten, denn viel hatte sie nicht mitgenommen. Und erst, als sie hier bei mir wohnte, hat sie mir erzählt, was es mit den Kisten auf sich hatte, warum sie ihr so wichtig waren.«

Cassandra musste an Rubys Worte über das Zimmer im ersten Stock denken, das immer noch voll war mit Marys persönlichen Sachen. Wie viele wertvolle Spuren mochten sich noch da oben in den Kisten befinden, Dinge, die sie nie zu Gesicht bekommen würde? Sie schluckte. »Haben Sie irgendwann mal einen Blick hineingeworfen?«

Clara trank von ihrem Tee, der mittlerweile längst kalt sein musste, und befingerte den Henkel ihrer Tasse. »Ich muss zugeben, ja.«

Cassandra schlug das Herz bis zum Hals; sie beugte sich vor. »Und?«

»Hauptsächlich Bücher und eine Lampe, wie gesagt.« Sie zögerte einen Augenblick und errötete.

»War noch mehr drin?«, fragte Cassandra so behutsam wie möglich.

Eine Weile betrachtete Clara ihre Schuhspitze, die Muster in den Teppichboden zeichnete, dann blickte sie auf. »Ich habe auch einen Brief darin gefunden, gleich obenauf. Adressiert an meine Mum, geschrieben von einem Verleger in London. Das war ein Schock fürs Leben, sag ich Ihnen. Ich hatte nie geahnt, dass meine Mutter Schriftstellerin war.« Clara gackerte wieder. »Und das war sie natürlich auch nicht.«

»Was für ein Brief war es denn?«, fragte Christian. »Aus welchem Grund hatte der Verleger an Ihre Mutter geschrieben?«

Clara blinzelte. »Nun, es scheint, dass meine Mutter ihm eine von Elizas Geschichten zugeschickt hat. Soweit ich dem Brief entnehmen konnte, muss sie sie in der Kiste zwischen Elizas Sachen gefunden und sich gedacht haben, dass es sich lohnen würde, sie zu veröffentlichen. Es stellte sich heraus, dass Eliza sie geschrieben hatte, kurz bevor sie fortgegangen war. Eine hübsche Geschichte, voller Hoffnung und mit einem glücklichen Ende.«

Cassandra musste an die Fotokopie des Artikels denken, der in Nells Notizbuch steckte. »*Der Flug des Kuckucks*«, sagte sie.

»Genau«, rief Clara erfreut aus, so als hätte sie die Geschichte eigenhändig geschrieben. »Sie haben sie also gelesen?«

»Ich habe nur *darüber* gelesen, die Geschichte selbst kenne ich nicht. Sie ist erst Jahre nach den anderen erschienen.«

»Das nehme ich an. Es muss 1936 gewesen sein, nach dem Datum des Briefs zu urteilen. Meine Mum hat sich bestimmt über diesen Brief sehr gefreut. Er wird ihr das Gefühl gegeben haben, dass sie etwas für Eliza getan hatte. Sie hat sie so sehr vermisst, nachdem sie weggegangen war, das können Sie mir glauben.«

Cassandra nickte. Die Lösung von Nells Rätsel war zum Greifen nah. »Die beiden haben sich sehr gemocht, nicht wahr?«

»Ja, das stimmt.«

»Was, glauben Sie, hat sie so miteinander verbunden?« Cassandra presste die Lippen zusammen, sie musste sich beherrschen.

Clara verschränkte die gichtigen Finger in ihrem Schoß und senkte die Stimme. »Die beiden waren an etwas beteiligt, wovon sonst niemand wusste.«

Irgendetwas in Cassandras Innerem begann sich zu lösen. Ihre Stimme klang schwach. »Was war es? Was hat Ihnen Ihre Mum erzählt?«

»Es war kurz vor ihrem Tod. Sie sagte, dass etwas Schreckliches passiert war und dass die, die es getan hätten, glaubten, sie wären ungeschoren davongekommen. Das hat sie immer und immer wieder gesagt.«

Cassandras Puls raste. »Und was, glauben Sie, hat sie damit gemeint?«

»Zuerst habe ich dem gar keine besondere Bedeutung beigemessen. Am Ende hat sie öfter mal komische Sachen von sich gegeben. Hat unsere alten Freunde beleidigt. Sie war wirklich nicht mehr sie selbst. Aber sie hat immer wieder davon angefangen. ›Es steht alles in der Geschichte‹, sagte sie dauernd. ›Sie haben es der jungen Frau weggenommen, und dann haben sie sie fortgeschickt.‹ Ich hatte überhaupt keine Ahnung, wovon sie redete, um welche Geschichte es sich handelte. Aber am Ende hat es auch keine Rolle mehr gespielt, denn sie hat mir schließlich alles erzählt.« Clara holte tief Luft und schaute Cassandra kopfschüttelnd und traurig an. »Rose Mountrachet war nicht die leibliche Mutter dieses kleinen Mädchens, sie war nicht die Mutter Ihrer Großmutter.«

Cassandra atmete erleichtert auf. Endlich kam die Wahrheit ans Licht. »Ich weiß«, sagte sie und nahm Claras Hände. »Nell war Marys Kind, und weil Mary schwanger war, wurde sie entlassen.«

Claras Gesichtsausdruck war schwer zu deuten. Sie sah abwechselnd von Christian zu Cassandra, ihre Augenwinkel zuckten, sie blinzelte verwirrt und fing schließlich an, laut zu lachen.

»Was ist?«, fragte Cassandra beunruhigt. »Was ist denn so komisch?«

»Meine Mum war zwar schwanger, aber sie hat kein Kind bekommen. Damals jedenfalls nicht. Sie hat es im vierten Monat verloren.«

»Wie bitte?«

»Das versuche ich Ihnen ja gerade zu erklären. Nell war nicht das Kind meiner Mutter, sie war Elizas Kind.«

»*Eliza war schwanger.*« Cassandra nahm ihren Schal ab und legte ihn auf ihre Tasche, die hinter dem Beifahrersitz stand.

»Eliza war schwanger.« Christian trommelte mit den behandschuhten Fingern auf das Lenkrad.

Die Heizung surrte und tickte, während sie Polperro hinter sich ließen. Mittlerweile war Nebel aufgekommen, und von der Küstenstraße aus waren die gedämpften Lichter der gespenstisch auf den Wellen schaukelnden Fischerboote zu sehen.

Cassandra starrte ins Leere, ihr Kopf war genauso benebelt wie die Welt draußen. »Eliza war schwanger. Sie war Nells Mutter. Deshalb hat sie sie mitgenommen.« Wenn sie es nur oft genug sagte, würde es vielleicht einen Sinn ergeben.

»So muss es wohl gewesen sein.«

Sie legte den Kopf zur Seite und rieb sich den Nacken. »Aber ich verstehe es nicht. Als wir Mary für Nells Mutter hielten, hat das alles einen Sinn ergeben. Aber Eliza … Ich kann mir nicht vorstellen, wie Rose an Ivory gekommen ist. Warum hat Eliza sie ihr überlassen? Und wieso wusste niemand davon?«

»Außer Mary.«

»Außer Mary.«

»Wahrscheinlich haben sie es geheim gehalten.«

»Elizas Angehörige?«

Er nickte. »Sie war jung, unverheiratet und das Mündel der Mountrachets, was bedeutet, dass die für sie verantwortlich waren. Und dann wurde sie schwanger. Das hätte gar nicht gut ausgesehen.«

»Und wer war der Vater?«

Christian zuckte die Achseln. »Ein Kerl aus dem Ort? Hatte sie denn einen Freund?«

»Keine Ahnung. Sie war mit Marys Bruder William befreundet; das steht in Nells Notizbuch. Sie hatten eine enge Beziehung, bis sie sich wegen irgendetwas zerstritten haben. Vielleicht war er der Vater?«

»Wer weiß. Wahrscheinlich ist es auch gar nicht so wichtig.« Er warf ihr einen kurzen Blick zu. »Ich meine, natürlich ist es wichtig, für Nell und für Sie, aber im Moment ist nur von Belang, dass Eliza schwanger war und nicht Rose.«

»Also hat man Eliza dazu überredet, Rose ihr Kind zu überlassen.«

»Es wäre für alle Beteiligten einfacher gewesen.«

»Darüber kann man geteilter Meinung sein.«

»Ich meine in gesellschaftlicher Hinsicht. Dann ist Rose gestorben …«

»Und Eliza hat ihr Kind wieder zu sich genommen. Das würde einen Sinn ergeben.« Cassandra betrachtete die Nebeldecke, die sich über dem hohen Gras entlang der Straße ausgebreitet hatte. »Aber warum ist sie nicht mit Nell zusammen auf das Schiff nach Australien gegangen? Warum holt eine Frau erst ihr Kind wieder zu sich und schickt es dann ganz allein auf eine lange und gefährliche Schiffsreise in ein fremdes Land?« Cassandra stieß einen tiefen Seufzer aus. »Je mehr wir erfahren, desto verworrener wird die Geschichte.«

»Vielleicht ist sie ja mit ihr zusammen gefahren. Vielleicht ist ihr unterwegs etwas zugestoßen, vielleicht ist sie krank geworden oder so. Clara war sich jedenfalls sicher, dass sie gefahren ist.«

»Aber Nell konnte sich daran erinnern, dass Eliza sie aufs Schiff gebracht und ihr befohlen hat zu warten, dass sie dann weggegangen und nicht wieder zurückgekommen ist. Es war eins der wenigen Dinge, dessen sie sich wirklich ganz sicher war.« Cassandra kaute an ihrem Daumennagel. »Was für ein Frust. Ich hatte gehofft, wir würden heute endlich ein paar Antworten bekommen. Stattdessen tun sich nur neue Fragen auf.«

»Aber eins steht immerhin fest. In dem Märchen *Das goldene Ei* geht es nicht um Mary. Eliza hat es über sich selbst geschrieben. *Sie* war die Jungfrau im Cottage.«

»Arme Eliza«, sagte Cassandra, während die dämmrig-träge Außenwelt an ihr vorbeizog. »Das Leben der Jungfrau, nachdem sie das Ei weggegeben hat, ist so ...«

»Trostlos.«

»Ja.« Cassandra schüttelte sich. Nur zu gut kannte sie den Verlust, der einem Menschen den Lebenssinn raubt und ihn bleich und leer zurücklässt. »Kein Wunder, dass sie Nell zurückgeholt hat, als sich ihr die Gelegenheit bot.« Was hätte Cassandra nicht für eine zweite Chance gegeben?

Als sie das Ortseingangsschild von Tregenna passierten, bog Christian von der Hauptstraße ab. »Wollen Sie meine Meinung hören?«

»Sie machen mich neugierig«, erwiderte Cassandra.

»Wir sollten im Pub etwas essen gehen und alles noch einmal durchsprechen. Vielleicht fällt uns bei einem Bier ja mehr dazu ein.«

Cassandra lächelte. »Also gut, Bier hilft mir immer enorm dabei, einen klaren Kopf zu bekommen. Könnten wir vorher kurz zum Hotel fahren, damit ich mir meine Jacke holen kann?«

Christian nahm die Straße durch den Wald und bog in die Einfahrt zum Hotel Blackhurst ein. Wegen des immer noch dichten Nebels musste er besonders vorsichtig fahren.

»Bin gleich wieder da«, sagte Cassandra und schlug die Wagentür zu. Sie stürmte die Treppe hinauf ins Foyer. »Hallo, Sam«, sagte sie und winkte Samantha an der Rezeption zu.

»Hallo, Cass. Sie werden schon erwartet.«

Cassandra hielt mitten im Lauf inne.

»Robyn Jameson wartet schon ungefähr eine halbe Stunde auf Sie.«

Cassandra warf einen Blick nach draußen. Christian war mit dem Autoradio beschäftigt. Er würde es ihr nicht übel nehmen, wenn sie sich einen Moment lang aufhielt. Cassandra konnte sich nicht vorstellen, was Robyn ihr zu erzählen hatte, aber es würde sicherlich nicht viel Zeit in Anspruch nehmen.

»Hallo«, sagte Robyn, als sie Cassandra näher kommen sah. »Ein Vögelchen hat mir erzählt, dass Sie sich heute Morgen ziemlich lange mit meiner entfernten Cousine Clara unterhalten haben.«

Das Netzwerk des ländlichen Klatschs funktionierte offenbar einwandfrei. »Stimmt.«

»Ich nehme an, es war sehr nett.«

»Das war es wirklich, danke. Ich hoffe, Sie haben nicht zu lange warten müssen.«

»Nein, nein. Ich habe etwas für Sie. Ich hätte es auch an der Rezeption abgeben können, aber ich denke, ich sollte ein paar erklärende Worte dazu sagen.«

Cassandra hob die Brauen.

»Am Wochenende habe ich meinen Vater im Seniorenheim besucht. Er möchte immer gern auf dem Laufenden gehalten werden, was sich so tut im Ort – er war früher Postmeister, wissen Sie –, und ich habe ihm beiläufig erzählt, dass Sie hier sind und das Cottage wieder in Schuss bringen, das Ihre Großmutter Ihnen hinterlassen hat. Da hat er mich plötzlich ganz komisch angesehen. Er mag ja alt sein, aber geistig ist er topfit, genau wie sein Vater früher. Er hat mich am Arm gepackt und gesagt, es gibt noch einen Brief, der an Sie adressiert ist.«

»An mich?«

»Genau genommen an Ihre Großmutter, aber da sie nicht mehr unter uns weilt, geht er jetzt an Sie.«

»Was denn für ein Brief?«

»Bevor Ihre Großmutter aus Tregenna abgereist ist, hat sie meinen Dad aufgesucht und ihm erzählt, sie würde in die Stadt zurückkehren und ins Cliff Cottage einziehen, und sie hat ihn gebeten, alle Post für sie aufzubewahren. Sie hat sich klipp und klar ausgedrückt, meinte er, und als ein Brief für sie kam, hat er sich an ihre Anweisung gehalten und ihn auf der Post für sie deponiert. Alle paar Monate ist er mit dem Brief zum Cottage raufgegangen, aber es war nie jemand da. Die Brombeeren waren jedes Mal ein Stück höher gewuchert, die Staubschicht wurde immer dicker, und das Haus wirkte völlig verlassen. Schließlich ist er nicht mehr raufgegangen, seine Knie machten ihm zu schaffen, und er dachte sich, Ihre Großmutter würde ihn sicherlich auf der Post aufsuchen, wenn sie zurückkäme. Normalerweise hätte er den Brief an den Absender zurückgeschickt, aber Ihre Großmutter hatte ausdrücklich darauf bestanden, dass er das auf keinen Fall tun sollte, also hat er den Brief weggelegt und bis heute aufbewahrt.

Er hat mich gebeten, in den Keller zu gehen, wo er seine Sachen gelagert hat, und den Karton mit nicht zugestellten Sendungen aufzumachen. Darin würde ich einen an Nell Andrews, Tregenna Inn, adressierten Brief mit Eingangsdatum November 1975 finden. Und er hatte recht. Der Brief war noch da.«

Sie langte in ihre Handtasche, zog einen kleinen grauen Briefumschlag hervor und reichte ihn Cassandra. Das Papier war billig, so dünn, dass es fast transparent war. Der Brief war in einer altmodischen, ziemlich krakeligen Handschrift an ein Hotel in London adressiert und von dort ans Tregenna Inn nachgesendet worden. Cassandra betrachtete die Rückseite.

Dort war in derselben Handschrift der Absender vermerkt: *Miss Harriet Swindell, Battersea Bridge Road 37, Battersea, London.*

Cassandra erinnerte sich an einen Eintrag in Nells Notizbuch. Harriet Swindell war die Frau, die Nell in London aufgesucht hatte, die alte Frau, die im selben Haus geboren und aufgewachsen war wie Eliza. Warum mochte sie Nell einen Brief geschrieben haben?

Mit zitternden Fingern öffnete Cassandra den Umschlag. Das dünne Papier war ganz rissig. Sie entfaltete den Brief und begann zu lesen.

3. NOVEMBER 1975

Liebe Mrs Andrews,

ich muss Ihnen ehrlich sagen, dass ich seit Ihrem Besuch, bei dem Sie mich nach der Märchenschreiberin gefragt haben, kaum noch an etwas anderes denken kann. Wenn Sie erst mal so alt sind wie ich, werden Sie feststellen, dass die Vergangenheit zu einer guten Freundin wird. Die Sorte Freundin, die ungebeten hereinschneit und nicht wieder gehen will! Ich erinnere mich nämlich an diese Frau, müssen Sie wissen, ich erinnere mich sogar sehr gut, nur haben Sie mich völlig unvorbereitet angetroffen, als Sie da in der Tür standen, ausgerechnet zur Teezeit. Ich war mir nicht sicher, ob ich mit einer Fremden über die Vergangenheit reden wollte. Meine Tochter Nancy meint aber, ich soll es ruhig machen, weil alles schon so lange her ist, dass es jetzt keine große Rolle mehr spielt. Also habe ich mich entschlossen, Ihnen zu schreiben, schließlich haben Sie mich ja darum gebeten. Denn Eliza Makepeace ist noch mal hergekommen, um meine Ma zu besuchen. Nur einmal, aber ich erinnere mich noch gut daran. Ich war damals sechzehn, es muss also 1913 gewesen sein.

Ich weiß noch, wie ich von Anfang an ein komisches Gefühl hatte. Sie war ja vielleicht wie eine vornehme Dame gekleidet, aber irgendwas stimmte nicht daran. Mehr noch, irgendwas an ihr sagte mir, dass sie viel eher zu uns in der Battersea Bridge Road 35 passte. Sie war ganz anders als die vornehmen Damen, die man damals auf den Straßen zu Gesicht bekam. Sie stand auf einmal im Laden, ein bisschen aufgeregt vielleicht, und sie wirkte, als hätte sie es eilig und wollte nicht gesehen werden. Sie benahm sich irgendwie misstrauisch. Sie nickte meiner Ma zu, als würde sie sie kennen, und Ma lächelte tatsächlich, was bei ihr ziemlich selten vorkam. Wer auch immer diese Dame sein mochte, dachte ich damals, meine Ma wusste offenbar, dass sie an ihr was verdienen konnte.

Sie hatte eine klare, melodische Stimme, und daran habe ich erkannt, dass ich ihr schon mal begegnet war. Die Stimme war mir vertraut. Eine Stimme, der Kinder gern zuhören, die so eindringlich von Elfen und Kobolden erzählt, dass man ihr alles glaubt.

Sie bedankte sich bei meiner Ma, dass sie bereit war, sie zu empfangen, und sagte, sie würde England verlassen und in den nächsten Jahren nicht zurückkommen. Ich kann mich noch erinnern, dass sie unbedingt nach oben gehen und das Zimmer sehen wollte, wo sie damals gewohnt hatte, eine schmuddelige Kammer unterm Dach. Kalt, mit einem Kamin, der nicht mehr funktionierte, und düster, nicht mal ein Fenster, das den Namen verdient hätte. Aber sie meinte, es sei wegen der alten Zeiten.

Zufällig hatte Ma damals keinen Mieter – mit dem letzten hatte es nur Scherereien gegeben –, deswegen konnte sie der Dame erlauben, sich das Zimmer anzusehen. Ma meinte, sie solle ruhig raufgehen und sich Zeit lassen. Sie hat sogar Teewasser aufgesetzt. Das hatte ich bei meiner Ma noch nie erlebt.

Nachdem die Dame die Treppe hinaufgestiegen war, winkte Ma mich hastig zu sich. Geh hinter ihr her, sagte sie, und sorg dafür, dass sie nicht so bald wieder runterkommt. Ich war daran gewöhnt, Mas Anweisungen zu befolgen, und auch an die Strafen, wenn ich mich widersetzte, also hab ich gehorcht und bin nach oben gegangen.

Als ich auf dem Treppenabsatz ankam, hatte sie die Tür schon hinter sich zugezogen. Ich hätte mich also einfach hinsetzen und aufpassen können, dass sie nicht zu schnell wieder nach unten ging, aber ich war neugierig. Ich konnte mir einfach nicht erklären, warum sie die Tür hinter sich zugemacht hatte. Wie gesagt, es gab ja keine Fenster in dem Zimmer, und nur durch die Tür kam Licht rein.

Am unteren Rand hatten die Ratten ein Loch in die Tür gefressen, also habe ich mich flach auf den Bauch gelegt und sie beobachtet. Sie stand mitten im Zimmer und schaute sich um. Dann ging sie zu dem alten, kaputten Kamin, setzte sich auf das Sims und langte mit dem Arm in den Abzug. Es kam mir vor, als würde sie eine Ewigkeit so dasitzen. Als sie den Arm endlich wieder rauszog, hatte sie einen kleinen Tonkrug in der Hand. In dem Augenblick muss ich wohl ein Geräusch gemacht haben – vor lauter Verblüffung –, denn sie fuhr plötzlich herum, die Augen weit aufgerissen. Ich hielt den Atem an, aber nach einer Weile beruhigte sie sich wieder, drückte sich den Krug ans Ohr und schüttelte ihn ein bisschen. An ihrem Gesicht konnte ich ablesen, dass sie damit zufrieden war, was sie hörte. Dann hat sie den Krug in einer speziellen Tasche verstaut, die in ihr Kleid eingenäht war.

Als sie auf die Tür zukam, bin ich schnell die Treppe runtergelaufen und hab Ma Bescheid gesagt, dass sie unterwegs nach unten war. Ich wunderte mich, dass mein kleiner Bruder Tommy an der Tür stand und keuchte, als wäre er gerannt, aber ich hatte keine Zeit, ihn zu fragen, wo er gewesen war. Ma behielt die Treppe im Auge, also tat ich es auch. Die Dame kam wieder runter, bedankte sich bei meiner Ma, dass sie vorbeikommen durfte, und meinte, sie könnte nicht zum Tee bleiben, da sie es eilig hätte.

Als sie die letzte Stufe erreicht hatte, sah ich im Schatten neben der Treppe einen Mann stehen. Einen Mann mit einer komischen kleinen Brille – eine Brille ohne Bügel, nur mit einem kleinen Steg in der Mitte, der auf die Nase geklemmt wird. Er hielt einen Schwamm in der Hand, und als die Dame die unterste Stufe erreichte, hat er ihr den Schwamm unter die Nase gedrückt, und sie ist zusammengebrochen, einfach so, und in seine Arme gesackt. Ich muss geschrien haben, denn meine Mutter hat mir eine schallende Ohrfeige verpasst.

Der Mann hat mich gar nicht beachtet und die Dame wortlos zur Tür geschleppt. Mit Pas Hilfe hat er sie in eine Kutsche gehoben, dann hat er meiner Ma zugenickt, einen Umschlag aus seiner Brusttasche gezogen und den Pferden die Peitsche gegeben.

Als ich meiner Ma später erzählte, was ich gesehen hatte, bekam ich die nächste Ohrfeige. Warum hast du mir das nicht gleich erzählt, du dummes Gör, schrie meine Ma. Bestimmt war es was Wertvolles. Das hätten wir für unsere Mühe gebrauchen können. Es hätte keinen Zweck gehabt, meine Ma daran zu erinnern, dass der Mann mit den schwarzen Pferden sie ja für die Dame schon reichlich bezahlt hatte. Meine Ma konnte nie genug Geld haben.

Ich habe die Dame nie wieder gesehen, und ich weiß auch nicht, was aus ihr geworden ist, nachdem sie uns verlassen hat. An unserer Flussbiegung sind schon immer Dinge passiert, die man am liebsten vergisst.

Ich weiß nicht, ob dieser Brief Ihnen bei Ihren Nachforschungen nützt, aber meine Nancy meinte, er könnte auch nicht schaden. Also habe ich ihn geschrieben. Ich hoffe, Sie finden, wonach Sie suchen.

Mit freundlichen Grüßen
Miss Harriet Swindell

47 *Brisbane* Australien, 1976

Die Fairyland-Lustre-Vase war ihr Lieblingsstück. Nell hatte sie vor Jahrzehnten auf einem Trödelmarkt erstanden. Jeder Antiquitätenhändler weiß, dass alles seinen Preis hat, aber diese Vase war etwas Besonderes. Es war nicht so sehr ihr materieller

Wert, der tatsächlich ziemlich hoch war, es war das, was sie repräsentierte: das erste Mal, dass Nell an einem unwahrscheinlichen Ort einen Glückstreffer gelandet hatte.

Und wie ein Goldgräber, der seinen ersten Goldklumpen für sich behält, auch wenn er noch wertvollere findet, hatte Nell sich nie von der Vase trennen können. Sie bewahrte sie eingewickelt in ein Handtuch auf, sicher verstaut in einer Ecke ganz oben zwischen der Bettwäsche im Wandschrank, und immer wieder holte sie sie hervor und wickelte sie aus, um sie zu betrachten. Ihre Schönheit, das Muster aus dunkelgrünen Ranken, die goldenen Linien, die das Muster durchzogen, die Art-Nouveau-Feen, die sich in dem Blätterwerk verbargen, all das übte eine beruhigende Wirkung auf sie aus.

Dennoch war Nell entschlossen. Sie hatte einen Punkt erreicht, an dem sie ohne die Vase leben konnte. Ohne all ihre wertvollen Dinge. Sie hatte eine Entscheidung getroffen, und damit basta. Sie wickelte die Vase in eine weitere Lage Zeitungspapier ein und legte sie behutsam in die Schachtel zu den anderen wertvollen Stücken. Am Montag würde alles in den Laden wandern und mit Preisschildern versehen werden. Und sollte sie dennoch von Zweifeln geplagt werden, brauchte sie sich nur ihr Ziel ins Gedächtnis zu rufen: Sie musste über ausreichende Mittel verfügen, um in Tregenna neu anfangen zu können.

Sie konnte es kaum erwarten zurückzukehren. Ihr Rätsel wurde immer verworrener. Endlich hatte sie eine Nachricht von diesem Detektiv, Ned Morrish, erhalten. Er hatte ihr einen Bericht über die Ergebnisse seiner Nachforschungen geschickt. Ein neuer Kunde, Ben Soundso, hatte ihr den Brief in den Laden gebracht. Beim Anblick der ausländischen Briefmarken und der gestochen deutlichen Handschrift, die aussah, als wäre sie an einem Lineal entlanggeschrieben worden, hatte sie sofort eine Gänsehaut bekommen. Am liebsten hätte sie den Brief gleich an Ort und Stelle aufgerissen, aber sie hatte sich beherrscht, sich in einem geeigneten Moment entschuldigt und war mit dem Brief in die kleine Küche hinter dem Laden gegangen.

Der Bericht war knapp gehalten, Nell hatte nur wenige Minuten gebraucht, um ihn zu lesen, und war anschließend verwirrter denn je. Nach Mr Morrishs Erkenntnissen war Eliza Makepeace in den Jahren 1909 und 1910 nirgendwohin gefahren, sondern hatte sich die ganze Zeit über im Cottage aufgehalten. Mr Morrish hatte mehrere Unterlagen beigefügt, um seine Schlussfolgerung zu untermauern – eine Befragung, die er mit jemandem durchgeführt hatte, der behauptete, auf Blackhurst gearbeitet zu haben, verschiedene Briefwechsel mit einem Londoner Verleger, die in Anschrift und Absender die Adresse des Cliff Cottage enthielten – aber diese Unterlagen hatte Nell erst später gelesen. Die Nachricht, dass Eliza nie weggegangen war, hatte sie viel zu sehr verblüfft. Dass sie die ganze Zeit über im Cottage gewesen war. Aber William war sich so sicher gewesen. Sie sei aus dem Blickfeld der Öffentlichkeit verschwunden, hatte er gesagt, ungefähr ein Jahr lang. Als sie wieder auftauchte, sei sie verändert gewesen, als wäre das Leuchten aus ihren Augen verschwunden. Nell konnte sich nicht erklären, wie Williams Erinnerungen zu Mr Morrishs Entdeckung passten. Sobald sie wieder in Cornwall war, würde sie noch einmal mit William reden und ihn fragen, ob er sich einen Reim darauf machen konnte.

Nell wischte sich die Stirn mit dem Handrücken ab. Ein fürchterlicher Tag, aber so war Brisbane im Januar. Noch leuchtete der Himmel so blau wie eine Kuppel aus makellosem Glas, aber am Abend würde es garantiert ein Gewitter geben. Sie hatte lange genug gelebt, um zu spüren, wann sich die Wolken zu einem Unwetter zusammenbrauten.

Nell hörte, wie vor dem zur Straße gelegenen Fenster ein Auto seine Fahrt verlangsamte. Es klang nicht wie eins von den Nachbarn: zu laut für Howards Mini, zu hochtourig für den großen Ford der Hogans. Plötzlich gab es einen lauten Rums, als der

Wagen zu schnell auf den Bordstein fuhr. Nell schüttelte den Kopf, froh darüber, keinen Führerschein gemacht und auch nie ein Auto gebraucht zu haben. Autos brachten die schlechtesten Eigenschaften der Menschen zum Vorschein.

Whiskers setzte sich aufrecht und machte einen Buckel. Die Katzen, die würde Nell allerdings vermissen. Natürlich würde sie sie mitnehmen, aber die Zollbestimmungen verlangten, dass sie sechs Monate lang in Quarantäne blieben, bevor sie sie zu sich in ihr neues Zuhause holen konnte.

»Na, du neugierige Nase«, sagte Nell und kraulte ihrer Katze den Hals. »Bloß weil da draußen ein Auto Krach macht, brauchst du doch nicht nervös zu werden.«

Whiskers miaute, sprang vom Tisch und sah Nell an.

»Was ist? Glaubst du, da kommt uns jemand besuchen? Ich wüsste nicht, wer, meine Kleine. Wir sind nicht gerade der Mittelpunkt der Welt, falls du das noch nicht gemerkt hast.«

Die Katze schlich geduckt zur Hintertür. Nell legte den Stapel Zeitungen zur Seite. »Also gut, Madame«, sagte sie, »du hast gewonnen. Ich werd mal nachsehen.« Sie kratzte Whiskers den Rücken, dann öffnete sie die Tür und folgte ihr nach draußen auf den schmalen Betonweg. »Du kommst dir jetzt wohl ganz besonders schlau vor, dass du mir deinen Willen aufzwingst …«

An der Ecke blieb Nell stehen. Der Wagen, ein Kombi, parkte tatsächlich vor ihrem Haus. Eine Frau mit einer riesigen, verspiegelten Sonnenbrille und in knappen Shorts kam die Zementstufen hoch. Hinter ihr her trottete ein dürres Kind mit hängenden Schultern.

Einen Moment lang standen sie alle drei stumm da und musterten einander.

Nell fand als Erste ihre Sprache wieder, wenn ihr auch die richtigen Worte fehlten. »Ich dachte, wir hätten ausgemacht, dass du in Zukunft anrufst, bevor du herkommst.«

»Wir freuen uns auch, dich zu sehen, Mum«, sagte Lesley und

verdrehte die Augen, wie sie es schon als Fünfzehnjährige gemacht hatte. Eine Angewohnheit, die Nell damals wie heute auf die Palme brachte.

Nell spürte den alten Groll wieder in sich aufsteigen. Sie war Lesley keine gute Mutter gewesen, das wusste sie, aber es ließ sich nicht mehr rückgängig machen. Was vorbei war, war vorbei, und aus Lesley war schließlich doch noch etwas geworden. Und zwar in jeder Hinsicht. »Ich bin gerade dabei, Kartons für eine Versteigerung zu packen«, sagte Nell und schluckte den Kloß in ihrem Hals herunter. Das war jetzt nicht der richtige Zeitpunkt, ihren Umzug nach England zu erwähnen. »Es steht im Moment alles voll, es gibt kaum Platz zum Sitzen.«

»Macht überhaupt nichts.« Lesley zeigte auf das Mädchen. »Deine Enkelin hat Durst, es ist verdammt heiß hier draußen.«

Nell betrachtete das Mädchen, ihre Enkelin. Lange Gliedmaßen, knubbelige Knie, den Kopf eingezogen, um möglichst nicht wahrgenommen zu werden. Manche Kinder hatten einfach das Pech, mit zu vielen Problemen auf die Welt zu kommen.

Irgendwie kam ihr in diesem Augenblick das Bild von Christian in den Sinn, dem kleinen Jungen, den sie in ihrem Garten in Cornwall entdeckt hatte. Der mutterlose Junge mit den ernsten braunen Augen. Mag Ihre Enkelin auch Gärten?, hatte er gefragt, und sie, Nell, hatte keine Antwort gewusst.

»Also gut«, sagte sie. »Dann kommt mal rein.«

48 *Blackhurst Manor* *Cornwall, 1913*

Die Hufe der Pferde trommelten auf die kalte, trockene Erde, sie waren unterwegs in Richtung Westen, nach Blackhurst, aber Eliza hörte sie nicht. Mr Mansells Schwamm hatte seine

Wirkung getan, und Eliza, betäubt vom Chloroform, lag zusammengesunken in der dunklen Kutsche …

Roses Stimme, leise und gebrochen: »Es gibt etwas, das ich brauche, etwas, das nur du für mich tun kannst. Mein Körper versagt mir wie immer seine Dienste, aber deiner, liebste Cousine, ist stark. Ich möchte, dass du ein Kind für mich bekommst, Nathaniels Kind.«

Und Eliza, die so lange gewartet hatte, die es sich so verzweifelt wünschte, gebraucht zu werden, die sich immer nur als eine Hälfte auf der Suche nach der anderen gefühlt hatte, musste nicht lange nachdenken. »Natürlich«, erwiderte sie. »Natürlich helfe ich dir, Rose.«

Eine Woche lang kam er jede Nacht. Tante Adeline berechnete mit Dr. Matthews' Hilfe die passenden Zeitpunkte, und Nathaniel tat, worum man ihn gebeten hatte. Nahm den Weg durch das Labyrinth um das Cottage herum zu Elizas Tür.

In der ersten Nacht wartete Eliza im Haus, ging unruhig in der Küche auf und ab, fragte sich, ob er kommen würde und ob sie irgendwelche Vorbereitungen hätte treffen müssen. Fragte sich, wie man sich in einer solchen Situation verhielt. Sie hatte Roses Bitte ohne zu zögern zugestimmt und in den folgenden Wochen nur wenig darüber nachgedacht, was eine solche Verpflichtung beinhaltete. Sie war zu sehr von Dankbarkeit erfüllt gewesen, dass Rose sie endlich wieder brauchte. Erst als der Zeitpunkt immer näher rückte, begann ihr zu dämmern, dass aus der Möglichkeit Wirklichkeit werden würde.

Und dennoch, es gab nichts, was sie nicht für Rose tun würde. Immer und immer wieder redete sie sich ein, dass das, was sie im Begriff war zu tun, das Band zwischen ihnen für ewig festigen würde, egal, wie grässlich der unbekannte Akt sein würde. Sie machte es sich zu einer Art Mantra: Rose und sie würden verbunden sein wie nie zuvor. Rose würde sie mehr lieben als je zuvor, würde sich nie wieder von ihr zurückziehen. Sie tat das alles nur für Rose.

Als es in jener ersten Nacht klopfte, wiederholte Eliza im Stillen ihr Mantra, öffnete die Tür und ließ Nathaniel eintreten.

Er blieb eine Weile im Flur stehen, bis Eliza auf den Kleiderhaken zeigte. Er zog den Mantel aus und lächelte sie beinahe dankbar an. Da begriff sie, dass er ebenso nervös war wie sie.

Er folgte ihr in die Küche, ging zum Tisch, bestrebt, dort einen sicheren Halt zu finden, und setzte sich auf die Kante eines Stuhls.

Eliza stand auf der anderen Seite, wischte sich die sauberen Hände am Rock ab, wusste nicht, was sie sagen, wie es weitergehen sollte. Sicherlich wäre es das Beste, einfach nur zu tun, was notwendig war, es hinter sich zu bringen. Es gab keinen Grund, das Unbehagen noch weiter auszudehnen. Sie hob gerade an, ihre Gedanken auszusprechen, aber Nathaniel kam ihr zuvor.

»Ich dachte, du würdest vielleicht gern einen Blick darauf werfen. Ich arbeite schon seit einem Monat daran.«

Erst da bemerkte sie, dass er eine Ledermappe bei sich hatte.

Er legte sie auf den Tisch und nahm einen Stapel Blätter heraus. Zeichnungen, stellte Eliza fest.

»Ich habe mit der Feenjagd *begonnen.« Er hielt ihr ein Blatt hin, und als sie es entgegennahm, fiel ihr auf, dass seine Hände zitterten.*

Sie betrachtete das Bild: schwarze und weiße Linien, schraffierte Schatten. Eine bleiche, dünne Frau, ausgestreckt auf einem steinernen Lager in einem kalten, dunklen Turm. Das Gesicht der Frau war mit schmalen, langen Linien dargestellt. Sie war schön, zauberhaft, entrückt, so wie sie in Elizas Märchen beschrieben war. Und dennoch lag etwas anderes in Nathaniels Darstellung des Gesichts der gejagten Fee, etwas, das Eliza verblüffte. Die Frau auf dem Bild sah aus wie ihre Mutter. Nicht im wörtlichen Sinn, es lag eher am Schwung ihrer Lippen, den kühlen Mandelaugen, den hohen Wangenknochen. Auf undefinierbare Weise, wie durch ein Wunder, hatte Nathaniel Georgiana erfasst in seiner Darstellung der leblosen Glieder der Fee, ihrer Erschöpfung, der Resignation in ihren Gesichtszügen. Das Seltsamste: Eliza wurde zum ersten Mal klar, dass sie in ihrer Geschichte von der gejagten Fee ihre eigene Mutter beschrieben hatte.

Sie schaute ihn an, musterte seine dunklen Augen, die irgendwie in ihre Seele geschaut hatten. Während ihre Blicke sich begegneten, wurden ihre Gesichter vom warmen Schein des Feuers erleuchtet.

Die Umstände schienen alles zu verstärken: ihre Stimmen waren zu laut, ihre Bewegungen zu abrupt, die Luft zu kühl. Der Akt selbst war gar nicht so grässlich, wie sie befürchtet hatte, und auch nicht gewöhnlich. Und es lag etwas Unerwartetes in seiner Durchführung, das sie zu ihrer Verwunderung genoss. Eine Nähe, eine Intimität, die ihr so lange verwehrt gewesen war. Sie fühlte sich als Teil eines Paars.

Natürlich stimmte das nicht, und es wäre ein Verrat an Rose, so etwas auch nur zu denken, und dennoch … Seine Fingerkuppen auf ihrem Rücken, ihren Lenden, ihren Schenkeln. Die Wärme, wo sich ihre nackten Körper berührten. Sein Atem an ihrem Hals …

Irgendwann öffnete sie die Augen und betrachtete sein Gesicht, in dem sie seine Empfindungen lesen konnte wie in einem offenen Buch. Und als er auch die Augen öffnete und sie einander ansahen, fühlte sie sich plötzlich und unerwartet als körperliches Wesen. Geerdet, stabil, real.

Und dann war es vorüber, sie lösten sich voneinander, und das Band der körperlichen Nähe verschwand. Sie zogen sich wieder an, und sie begleitete ihn die Treppe hinunter. An der Haustür plauderten sie über die jüngste Überschwemmung und über die Wahrscheinlichkeit, dass sich in den kommenden Wochen das Wetter verschlechtern würde. Ein höfliches Gespräch, als wäre er nur vorbeigekommen, um sich ein Buch auszuleihen.

Schließlich griff er nach dem Türknauf, und das Schweigen legte sich schwer über sie. Das Gewicht dessen, was sie getan hatten. Er zog die Tür auf und schob sie wieder zu. Drehte sich zu ihr um. »Danke«, sagte er.

Sie nickte.

»Rose möchte … sie braucht …«

Sie nickte noch einmal, und ein Lächeln erschien auf seinen Lippen. Dann öffnete er die Tür und verschwand in der Nacht.

Im Lauf der Woche wurde das Ungewöhnliche zur Normalität, und sie gewöhnten sich daran. Nathaniel erschien jeweils mit seinen neuesten Skizzen, und sie diskutierten über die Geschichten und die Illustrationen. Er brachte sogar seine Bleistifte mit und nahm während der Gespräche Änderungen vor. Wenn die Zeichnungen fertig waren, plauderten sie über andere Dinge.

Auch wenn sie in Elizas schmalem Bett lagen, redeten sie miteinander. Nathaniel erzählte von seinen Eltern, von denen Eliza angenommen hatte, sie seien tot, von den Entbehrungen, unter denen er aufgewachsen war, von seinem Vater, der sich als Hafenarbeiter durchgeschlagen hatte, von den Händen seiner Mutter, die vom Wäschewaschen ganz rissig gewesen waren. Und Eliza sprach über Dinge, die sie bisher nie jemandem anvertraut hatte, geheime Dinge von früher: über ihre Mutter, den Vater, den sie nie gekannt hatte, ihre Träume, ihm aufs Meer hinaus zu folgen. Die eigentümliche und unerwartete Intimität brachte sie sogar dazu, über Sammy zu sprechen.

So verging die Woche, und in der letzten Nacht kam Nathaniel früher als sonst. Es war, als sträubte er sich plötzlich zu tun, was getan werden musste. Sie saßen sich am Tisch gegenüber wie in ihrer ersten Nacht, doch diesmal schwiegen sie. Dann, ganz unvermittelt, langte Nathaniel über den Tisch und hob eine Strähne von Elizas langem Haar an, und durch das Kerzenlicht verwandelte sich das Rot in Gold. Konzentriert betrachtete er die Haarsträhne zwischen seinen Fingern. Dunkles Haar warf einen Schatten auf seine Wangen, und in seinen großen schwarzen Augen lagen unausgesprochene Gedanken. Plötzlich war Eliza ganz beklommen zumute.

»Ich möchte nicht, dass es vorbei ist«, sagte er schließlich leise. »Es ist unvernünftig, ich weiß, aber ich …«

Er unterbrach sich, als Eliza ihm einen Finger auf die Lippen legte. Ihn zum Schweigen brachte.

Ihr Herz pochte wie wild, und sie betete, dass er es nicht merkte. Er durfte diesen Satz nicht zu Ende aussprechen – auch wenn eine verbotene Regung in ihr sich danach sehnte –, denn Worte besitzen Macht, und das wusste Eliza besser als die meisten Menschen. Sie hatten schon zu viele Gefühle zugelassen, und Gefühle waren in ihrem Arrangement nicht vorgesehen.

Sie schüttelte leicht den Kopf, und schließlich nickte er. Starrte vor sich hin auf den Tisch. Und während er schweigend an seinen Skizzen arbeitete, unterdrückte Eliza den überwältigenden Drang, ihm zu sagen, dass sie es sich anders überlegt hatte.

Nachdem er in jener Nacht fortgegangen war, kamen Eliza die Wände des Cottage ungewöhnlich still und leblos vor. Sie fand ein Stückchen Karton, wo Nathaniel gesessen hatte, drehte es um und erblickte ihr eigenes Gesicht. Eine Zeichnung. Und plötzlich störte sie es überhaupt nicht mehr, auf Papier festgehalten zu werden.

Noch ehe ein Monat vergangen war, wusste Eliza, dass sie schwanger war. Ein unerklärliches Gefühl, nicht allein zu sein, selbst wenn niemand zugegen war. Als dann ihre Blutung ausblieb, hatte sie Gewissheit. Mary, die ihr Kind verloren hatte, war vorläufig wieder in Blackhurst eingestellt worden mit dem Auftrag, die Verbindung zwischen Haus und Cottage aufrechtzuerhalten. Als Eliza ihr mitteilte, dass wahrscheinlich ein neues Leben in ihr wuchs, schüttelte Mary seufzend den Kopf, dann machte sie sich auf den Weg, um Tante Adeline die Nachricht zu überbringen.

Eine Mauer wurde um das Cottage herum errichtet, damit niemand sehen konnte, dass Elizas Bauch immer dicker wurde. Im Dorf verbreitete man, Eliza habe Cornwall verlassen, und das Cottage verschwand aus den Augen der Welt. Die simpelsten Lügen sind die überzeugendsten, und diese Lüge wurde von allen akzeptiert. Es war all-

gemein bekannt, dass Eliza schon lange davon träumte, auf Reisen zu gehen. Den Leuten fiel es nicht schwer zu glauben, dass sie ohne ein Wort des Abschieds aufgebrochen war und zurückkehren würde, wenn die Zeit dafür reif war. Mary wurde jeden Abend mit Lebensmitteln zu ihr geschickt, und Dr. Matthews, Tante Adelines Arzt, suchte sie jede zweite Woche im Dunkel der Nacht auf, um sich des positiven Verlaufs der Schwangerschaft zu vergewissern.

Während ihrer neunmonatigen Gefangenschaft bekam Eliza kaum jemand anderen zu Gesicht, und dennoch fühlte sie sich nicht allein. Sie sang dem Kind in ihrem Bauch Lieder vor, erzählte ihm Geschichten, hatte merkwürdige und lebhafte Träume. Das Cottage schien zu einem warmen, alten Mantel um sie herum zu schrumpfen.

Und der Garten, ein Ort, an dem Elizas Herz immer jubiliert hatte, war prächtiger denn je. Die Blumen dufteten süßer, leuchteten bunter, wuchsen schneller. Einmal, als Eliza unter dem Apfelbaum saß und warme Sommerluft sie liebkoste, fiel sie in tiefen Schlaf. Sie träumte so lebendig, als hätte sich ein durchreisender Fremder neben ihr niedergelassen und ihr seine Geschichte ins Ohr geflüstert. Sie handelte von einer jungen Frau, die ihre Ängste überwand und zu einer langen, beschwerlichen Reise aufbrach, um einem geliebten alten Menschen die Wahrheit zu enthüllen.

Eliza erwachte in der Gewissheit, dass der Traum wichtig war und dass sie ihn in ein Märchen einweben musste. Anders als die meisten Trauminspirationen brauchte sie die Geschichte nur wenig zu ändern. Auch das Kind in ihrem Bauch war zentraler Bestandteil der Geschichte. Eliza hätte nicht erklären können, warum, aber sie war sich auf eigenartige Weise ganz sicher, dass das Kind eine wichtige Rolle spielte, ja, dass sie es ihm verdankte, dass sie die Geschichte so klar und vollständig in Erinnerung behalten hatte.

Noch am selben Nachmittag schrieb Eliza die Geschichte auf und gab ihr den Titel: Die Augen des alten Weibleins. *Während der folgenden Wochen fragte sie sich immer wieder, wer die traurige alte Frau sein mochte, der man die Wahrheit geraubt hatte. Auch wenn sie*

Nathaniel seit jener letzten Nacht nicht mehr gesehen hatte, wusste Eliza, dass er immer noch an den Illustrationen zu ihrem Buch arbeitete, und sie sehnte sich danach, die Gestalten zu sehen, zu denen ihr neuestes Märchen ihn inspirieren würde. Eines Abends, als Mary ihr wie gewohnt die Lebensmittel brachte, erkundigte Eliza sich nach ihm. Um einen beiläufigen Ton bemüht, fragte sie Mary, ob sie ihm wohl ausrichten könne, er möge sie demnächst noch einmal besuchen. Doch Mary schüttelte nur den Kopf.

»Mrs Walker wird es nicht zulassen«, sagte sie leise, obwohl sie allein im Cottage waren. »Ich habe gehört, wie sie sich bei der Mistress bitterlich beklagt hat, und dann hat die Mistress gesagt, es gehört sich nicht, dass er durch das Labyrinth zu Ihnen kommt. Erst recht nicht nach allem, was geschehen ist.« Sie betrachtete Elizas dicken Bauch. »Sie findet, man darf die Dinge nicht durcheinanderbringen.«

»Aber das ist doch lächerlich«, erwiderte Eliza. »Nathaniel und ich, wir lieben Rose beide, wir haben doch nur getan, worum sie uns gebeten hat, um ihr ihren sehnlichsten Wunsch zu erfüllen.«

Mary, die nie mit ihrer Meinung hinter dem Berg gehalten hatte über das, was Eliza getan hatte und was sie zu tun beabsichtigte, wenn das Kind erst einmal geboren war, hüllte sich in Schweigen.

Eliza seufzte frustriert. »Ich möchte einfach nur mit ihm über die Illustrationen zu meinen Märchen sprechen.«

»Auch darüber ist Mrs Walker gar nicht erfreut«, sagte Mary. »Ihr gefällt es nicht, dass er für Ihre Geschichten zeichnet.«

»Was kann sie denn dagegen haben?«

»Eifersüchtig, das ist sie, wie verrückt. Sie erträgt es nicht, dass er seine Zeit und Energie opfert, um über Ihre Geschichten nachzudenken.«

Von da an wartete Eliza nicht mehr auf Nathaniel, gab jedoch Mary die handschriftliche Version von Die Augen des alten Weibleins mit, die – gegen jede Vernunft, wie sie sagte – versprach, sie ihm zu übergeben. Einige Tage später brachte ein Kurier ein Geschenk, eine Statue für ihren Garten. Es war ein kleiner Junge mit einem en-

gelhaften Gesicht. Auch ohne den Begleitbrief zu lesen wusste Eliza, dass Nathaniel dabei an Sammy gedacht hatte. In dem Brief entschuldigte er sich dafür, dass er sie nicht besuchte, erkundigte sich nach ihrer Gesundheit, dann kam er ohne Umschweife darauf zu sprechen, wie sehr ihm die neue Geschichte gefiel, wie ihre Magie ihn beschäftigte, und dass er an nichts anderes mehr denken könne als an die passenden Illustrationen.

Rose besuchte sie einmal im Monat, aber Eliza empfing ihre Cousine nur noch mit gebührender Vorsicht. Anfangs war die Stimmung immer gut, Rose lächelte freudig, wenn sie Eliza sah, fragte, wie es ihr ging, und betastete Elizas Bauch, um zu fühlen, wie das Kind sich darin bewegte. Aber jedes Mal kam ein Moment, an dem Roses Stimmung ganz abrupt umschlug. Dann saß sie händeringend da, wollte Elizas Bauch nicht mehr berühren, konnte es nicht ertragen, sie anzusehen, und zupfte an ihrem Kleid herum, das mit einem Kissen ausgestopft war, um eine Schwangerschaft vorzutäuschen.

Nach dem sechsten Monat stellte Rose ihre Besuche ganz ein. Vergeblich wartete Eliza an dem vereinbarten Tag auf sie, und fragte sich verwirrt, ob sie sich vielleicht im Datum geirrt hatte. Aber sie hatte es in ihrem Tagebuch eingetragen.

Zuerst fürchtete sie, dass Rose krank geworden war, denn was sonst sollte sie von ihrem Besuch abhalten. Als Mary das nächste Mal mit ihrem Korb voller Lebensmittel kam, konnte Eliza nicht mehr an sich halten.

Mary stellte den Korb ab und setzte einen Kessel Wasser auf. Und schwieg.

»Mary?«, sagte Eliza und krümmte den Rücken, um das Kind zu bewegen, das gegen ihre Lenden drückte. »Du brauchst mich nicht zu schonen. Wenn es Rose nicht gut geht …«

»Das ist es nicht, Miss Eliza.« Mary drehte sich zu ihr um. »Mrs Walker findet es zu bedrückend, Sie zu besuchen.«

»Bedrückend?«

Mary wich Elizas Blick aus. »Sie hat das Gefühl, versagt zu haben, noch mehr als früher. Sie kann nicht schwanger werden, während Sie rumlaufen wie ein reifer Pfirsich. Nach ihren Besuchen bei Ihnen fühlt sie sich tagelang unwohl. Dann will sie Mr Walker nicht sehen, faucht die Mistress an und stochert in ihrem Essen herum.«

»Dann freue ich mich jetzt schon auf die Geburt. Wenn ich das Kind abliefere, wenn Rose endlich Mutter wird, dann wird sie all diese Gefühle vergessen.«

Und auf diese Weise gerieten sie wieder in vertrautes Fahrwasser: Mary schüttelte den Kopf und Eliza rechtfertigte ihre Entscheidung. »Es ist nicht richtig, Miss Eliza. Eine Mutter kann nicht einfach ihr Kind weggeben.«

»Es ist nicht mein Kind, Mary. Es gehört Rose.«

»Vielleicht werden Sie das anders sehen, wenn es so weit ist.«

»Das glaube ich nicht.«

»Sie wissen nicht …«

»Ich werde es nicht anders sehen, weil ich es nicht kann. Ich habe mein Wort gegeben. Wenn ich meine Meinung ändern sollte, würde Rose das niemals ertragen.«

Mary hob die Brauen.

»Ich werde Rose das Kind übergeben, und dann wird sie wieder glücklich sein«, sagte Eliza nachdrücklich. »Wir werden zusammen glücklich sein, so wie wir es früher waren. Verstehst du das denn nicht, Mary? Das Kind, das ich trage, wird mir meine Rose zurückgeben.«

Mary lächelte traurig. »Vielleicht haben Sie recht, Miss Eliza«, sagte sie, aber es klang nicht sehr überzeugt.

Dann, nach Monaten, in denen die Zeit still zu stehen schien, setzten die Wehen ein. Eine Woche eher als erwartet. Schmerzen, nichts als Schmerzen, der Körper wie eine Maschine, die sich in Betrieb setzt, um die Aufgabe zu erfüllen, für die sie vorgesehen ist. Mary, die die Anzeichen der bevorstehenden Geburt erkannt hatte, versicherte Eliza, sie werde zur Stelle sein. Ihre Ma hatte mehrere Kinder zur Welt gebracht, und Mary wusste, was zu tun war.

Die Geburt verlief problemlos, und das Kind war das schönste, das Eliza je gesehen hatte, ein Mädchen, mit winzigen, hübsch anliegenden Ohren und zarten, blassen Fingern, die bei jedem Lufthauch zuckten.

Obwohl Mary den Auftrag hatte, unverzüglich über jedes Anzeichen der bevorstehenden Geburt zu berichten, ließ sie sich mehrere Tage Zeit. Sie sprach nur mit Eliza und beschwor sie, noch einmal darüber nachzudenken, was es bedeutete, diesen schrecklichen Pakt einzuhalten. Denn es sei nicht rechtens, flüsterte Mary immer wieder, dass man von einer Frau verlangte, ihr Kind zu opfern.

Drei Tage und Nächte lang war Eliza mit ihrem Neugeborenen allein. Wie seltsam es war, den kleinen Menschen vor sich zu haben, der in ihrem Körper herangewachsen war. Die winzigen Hände und Füße zu streicheln, die sie gefühlt hatte, als sie von innen gegen ihren Bauch gestrampelt hatten. Die kleinen Lippen zu betrachten, geschürzt, als wollten sie etwas sagen. Ein Ausdruck unendlicher Weisheit, als ob dieser kleine Mensch bereits das Wissen eines ganzen Lebens in sich trug.

Mitten in der dritten Nacht stand Mary vor der Tür und sprach die gefürchteten Worte aus. Am kommenden Abend würde Dr. Matthews Eliza aufsuchen. Dann ergriff Mary Elizas Hände und flüsterte, falls sie doch zu der Überzeugung gelangt sei, das Kind zu behalten, müsse sie sofort aufbrechen. Sie solle ihr Kind nehmen und fliehen.

Aber obwohl der Gedanke an Flucht schon Elizas Herz ergriffen hatte, obwohl er an ihr zerrte und sie zum Handeln drängte, ließ sie ihn schnell wieder fallen. Ohne den fürchterlichen Schmerz in ihrer Brust zu beachten, versicherte sie Mary noch einmal, sie wisse, was sie tue. Sie betrachtete ihr Kind, das perfekte kleine Gesicht, versuchte zu begreifen, dass sie es zur Welt gebracht hatte, dass sie dieses wunderbare Wesen geschaffen hatte, bis der pochende Schmerz in ihrem Kopf, ihrem Herzen, ihrer Seele unerträglich wurde. Und dann, als beob-

achtete sie sich selbst aus weiter Ferne, tat sie, was sie versprochen hatte: legte das winzige Kind in Marys Arme und ließ zu, dass sie es mitnahm. Schloss die Tür hinter ihr und blieb allein im stillen, leblosen Cottage zurück. Und als die Morgendämmerung sich über den Garten legte und die Wände des Cottage wieder zurücktraten, wurde Eliza bewusst, dass sie nie zuvor in ihrem Leben das schwarze Grauen der Einsamkeit gekannt hatte.

Auch wenn sie Linus' Faktotum Mansell verachtete und seinen Namen verflucht hatte, als er Eliza in ihr Leben geholt hatte, konnte Adeline nicht bestreiten, dass der Mann wusste, wie man Leute aufspürte. Erst drei Tage waren vergangen, seit er nach London geschickt worden war, und an diesem Nachmittag, als Adeline im Wintergarten saß und so tat, als wäre sie mit Stickarbeiten beschäftigt, wurde sie ans Telefon gerufen.

Mansell am anderen Ende der Leitung war Gott sei Dank diskret. Man konnte nie wissen, ob nicht an einem anderen Apparat jemand mithörte. »Ich rufe an, Lady Mountrachet, um Ihnen mitzuteilen, dass ich jetzt einige der Waren, die Sie bestellt haben, besorgen konnte.«

Adeline stockte der Atem. So bald schon? Vorfreude, Hoffnung und Nervosität verursachten ihr ein Kribbeln in den Fingerspitzen. Sie schluckte. »Und darf ich fragen, ob es sich um den größeren oder den kleineren Gegenstand handelt, der sich in Ihrem Besitz befindet?«

»Um den größeren.«

Adeline schloss die Augen. Sie bemühte sich, sich weder ihre Erleichterung noch ihre Freude anmerken zu lassen. »Und wann kann ich mit der Lieferung rechnen?«

»Wir verlassen London unverzüglich. Ich werde heute Abend auf Blackhurst eintreffen.«

Und Adeline hatte gewartet. Und immer noch wartete sie. Lief auf dem Orientteppich hin und her, glättete ihren Rock und kommandierte die Dienstboten herum, während sie fieberhaft überlegte, wie sie Eliza aus dem Weg räumen könnte.

Eliza hatte sich einverstanden erklärt, nie wieder in die Nähe des Hauses zu kommen, und das tat sie auch nicht. Aber sie hielt die Augen offen. Und sie spürte, dass sie, obwohl sie genügend Geld gespart hatte, um eine Schiffsreise in ein fernes Land zu buchen, etwas davon abhielt. Es war, als hätte sich mit der Geburt des Kindes der Anker, den Eliza ihr ganzes Leben lang gesucht hatte, in den Boden von Blackhurst versenkt.

Das Kind übte eine magnetische Anziehungskraft aus, und so blieb sie. Dennoch löste sie ihr Versprechen gegenüber Rose ein und hielt sich vom Haus fern. Suchte sich neue Verstecke, von denen aus sie das Haus beobachten konnte. So wie sie es als Mädchen getan hatte, wenn sie auf dem Regal in Mrs Swindells winzigem Zimmer unter dem Dach gelegen hatte. Und beobachtete, wie sich die Welt um sie herum bewegte, während sie selbst sich reglos verhielt, außerhalb des Geschehens.

Denn mit dem Verlust des Kindes war sie mitten in ihr altes Leben zurückgefallen, in ihr früheres Selbst. Sie hatte ihr Geburtsrecht aufgegeben und damit den Sinn ihres Lebens verloren. Sie schrieb kaum noch, lediglich ein Märchen, das sie für würdig erachtete, in die Sammlung aufgenommen zu werden. Die Geschichte über eine junge Frau, die allein in einem dunklen Wald lebte, die aus dem richtigen Grund die falsche Entscheidung traf und so nach und nach ihr Leben zerstörte.

Aus tristen Monaten wurden lange Jahre, dann, eines Sommermorgens im Jahr 1913, traf das fertige Märchenbuch vom Verlag ein. Eliza lief damit ins Haus, riss die Verpackung auf, um den ledergebundenen Schatz freizulegen. Sie setzte sich in ihren Schaukelstuhl, schlug die Titelseite auf und hielt sich das Buch vors Gesicht. Es roch nach frischer Druckerschwärze und nach Leim, genau wie ein richtiges Buch. Und innendrin standen ihre Geschichten, ihr mit Herzblut geschriebenes Werk. Sie blätterte die eng bedruckten, frischen Seiten um, bis sie zu Die Augen des alten Weibleins *kam. Beim Lesen des Märchens fiel ihr wieder der eigenartige, lebhafte Traum im Garten unter dem Apfelbaum ein, der in ihr das alles durchdringende Gefühl hinterlassen hatte, dass das Kind in ihrem Bauch für die Geschichte wichtig war.*

Und plötzlich wusste Eliza, dass das Kind, ihr Kind, das Märchen besitzen musste, dass die beiden irgendwie miteinander verbunden waren. Also wickelte sie das Buch in Packpapier, wartete eine passende Gelegenheit ab, und schließlich tat sie das, was sie versprochen hatte, niemals zu tun: Sie durchschritt das verbotene Tor des Labyrinths und näherte sich dem Haus.

Unzählige Staubpartikel tanzten in einem Streifen Sonnenlicht, der zwischen zwei Fässern hindurchfiel. Das kleine Mädchen lächelte, und die Autorin, die Klippe, das Labyrinth, Mama, all das war mit einem Mal vergessen. Es streckte einen Finger aus, versuchte, ein Staubkorn zu erwischen. Lachte darüber, wie nah die Körnchen dem Finger kamen, bevor sie davonschwebten.

Die Geräusche in der Umgebung änderten sich. Das kleine Mädchen hörte Fußgetrappel, aufgeregtes Stimmengewirr. Es beugte sich in den Lichtschleier vor und legte die Wange an das kühle Holz des Fasses. Spähte mit einem Auge auf das Deck.

Beine und Schuhe und Rocksäume. Bunte Luftschlangen, die im Wind flatterten. Gewitzte Möwen, die das Deck nach Krumen absuchten.

Das riesige Schiff schlingerte, und tief aus seinem Bauch ertönte ein lang gezogenes Stöhnen. Die Deckplanken vibrierten, dass das kleine Mädchen es bis in die Fingerspitzen spürte. Ein kurzer Augenblick der Ungewissheit, das Mädchen hielt den

Atem an, stützte sich mit den Handflächen am Boden ab, dann hob und senkte sich das Schiff und entfernte sich vom Kai. Die Schiffssirene heulte auf, großer Jubel und »Bon Voyage!«-Rufe erklangen, und sie waren unterwegs.

Sie kamen am späten Abend in London an. Die Dunkelheit lag dicht und schwer über dem Straßengewirr, als sie den Weg vom Bahnhof zum Fluss einschlugen. Das kleine Mädchen war müde – Eliza hatte es wecken müssen, als sie die Endstation erreichten –, aber es beschwerte sich nicht. Es hielt Elizas Hand und folgte ihren klappernden Absätzen.

An diesem Abend teilten sie sich in ihrem Zimmer eine Suppe mit Brot. Beide waren müde von der Reise und sprachen kaum, beäugten sich nur neugierig über ihren Löffel hinweg. Das kleine Mädchen fragte nach seiner Mutter und seinem Vater, aber Eliza antwortete nur, dass sie dort, wo sie hinfuhren, auf sie warten würden. Es war die Unwahrheit, aber Eliza war zu dem Schluss gekommen, dass es nicht anders ging: Sie würde Zeit brauchen, um sich zu überlegen, wie sie der Kleinen beibringen würde, dass Rose und Nathaniel nicht mehr lebten.

Nach dem Abendessen fiel Ivory sofort auf dem einzigen Bett im Zimmer in tiefen Schlaf, während Eliza im Sessel am Fenster saß. Sie betrachtete abwechselnd die dunkle Straße, auf der es von Menschen nur so wimmelte, und das schlafende Kind, das sich ab und zu unter dem Laken regte. Mit der Zeit rückte Eliza immer näher an das Kind heran, beobachtete das kleine Gesicht mehr und mehr aus der Nähe, bis sie sich schließlich vorsichtig neben das Bett kniete, so nah, dass sie den Atem der Kleinen in ihrem Haar spüren und die winzigen Sommersprossen auf ihren Wangen zählen konnte. Und was für ein perfektes Gesicht das war, wie prächtig die elfenbeinfarbene Haut und die Rosenknospen-Lippen. Es war dasselbe Gesicht, derselbe weise Ausdruck, den Eliza schon in den ersten Tagen nach der Geburt wahrgenommen hatte. Dasselbe Gesicht, das ihr seitdem so oft in ihren nächtlichen Träumen begegnet war.

Und mit einem Mal überkam sie ein überwältigendes Gefühl, ein Verlangen, das nur Liebe sein konnte, so heftig, dass jede Pore ihres Körpers mit Gewissheit gefüllt war. Es war, als würde ihr Körper dieses Kind erkennen, das sie so selbstverständlich auf die Welt gebracht hatte, so wie sie ihre eigene Hand, ihr eigenes Gesicht im Spiegel und ihre Stimme in der Dunkelheit erkannte. Ganz vorsichtig legte sich Eliza aufs Bett und schmiegte sich an das schlafende Mädchen. Wie sie sich in anderen Zeiten, in einem anderen Zimmer, an den warmen Körper ihres Bruders Sammy geschmiegt hatte.

Endlich war Eliza zu Hause.

An dem Tag, als das Schiff ablegen sollte, waren Eliza und Ivory schon frühzeitig unterwegs, um Einkäufe zu erledigen. Eliza kaufte einige Kleidungsstücke, eine Haarbürste und einen kleinen Koffer, um die Sachen unterzubringen. Ganz unten im Koffer verstaute sie einen Briefumschlag, der einige Banknoten und einen Zettel mit Marys Adresse in Polperro enthielt – für alle Fälle. Der Koffer hatte genau die richtige Größe, dass ein Kind ihn tragen konnte, und Ivory war begeistert. Sie hielt ihn fest umklammert, während Eliza sie durch die Menschenmenge auf dem Dock führte.

Überall herrschte emsiges Treiben und Lärm: pfeifende Lokomotiven, Rauchwolken, Kräne, die Kinderwagen, Fahrräder und Grammofone an Bord hievten. Ivory musste lachen, als sie an einer Herde blökender Ziegen und Schafe vorbeikamen, die in den Schiffsbauch verfrachtet wurden. Sie trug das hübschere der beiden Kleider, die Eliza ihr gekauft hatte, und sah aus wie das typische kleine Mädchen aus wohlhabendem Haus, das seine Tante auf eine lange Schiffsreise verabschiedet. Als sie die Landungsbrücke erreichten, hielt Eliza dem Offizier ihre Bordkarte hin.

»Willkommen an Bord, Madam«, sagte er und nickte, dass seine Uniformmütze hüpfte.

Eliza erwiderte das Nicken. »Es ist mir ein Vergnügen, eine Reise auf Ihrem prächtigen Schiff gebucht zu haben«, sagte sie. »Meine Nichte ist genauso aufgeregt wie ihre Tante. Sehen Sie, sie hat sogar ihr eigenes Köfferchen mitgebracht, so als würde sie selbst auf Reisen gehen.«

»Dir gefallen wohl große Schiffe, was, kleine Miss?«, bemerkte der Offizier.

Ivory nickte und lächelte, sagte aber nichts. Genau wie Eliza es ihr aufgetragen hatte.

»Mein Bruder und meine Schwägerin warten da unten am Kai«, sagte Eliza und winkte in Richtung der anwachsenden Menge. »Sie haben doch bestimmt nichts dagegen, wenn ich meine kleine Nichte mal kurz mit an Deck nehme, um ihr meine Kabine zu zeigen?«

Der Offizier warf einen Blick auf die Schlange der Passagiere, die immer länger wurde.

»Es dauert nicht lange«, sagte Eliza. »Es würde dem Kind eine solche Freude bereiten.«

»Na meinetwegen«, erwiderte er. »Bringen Sie sie nur rechtzeitig wieder zurück.« Er zwinkerte Ivory zu. »Ich fürchte, deine Eltern würden dich vermissen, wenn du ohne sie verreisen würdest.«

Eliza nahm Ivory an der Hand und ging die Landungsbrücke hinauf.

Überall Menschen, laute Stimmen, klatschende Wellen, Nebelhörner. Das Schiffsorchester spielte eine schwungvolle Melodie auf dem Deck, während Zimmermädchen in alle Richtungen eilten, Postjungen Telegramme zustellten und blasierte Pagen mit wichtigtuerischer Miene Schokolade und kleine Präsente für die Passagiere herumtrugen.

Anstatt dem Chefsteward ins Innere des Schiffs zu folgen, führte Eliza Ivory über das Deck zu einem Stapel hölzerner Fässer. Sie bugsierte die Kleine hinter die Fässer und hockte sich vor sie, sodass ihre Röcke sich auf den Deckplanken ausbreiteten. Ivory war völlig fasziniert. Noch nie hatte sie so viele Menschen gesehen und ein so geschäftiges Treiben erlebt und sie blickte aufgeregt in alle Richtungen.

»Du musst hier warten«, sagte Eliza. »Rühr dich nicht von der Stelle. Ich bin bald wieder zurück.« Sie zögerte und warf einen Blick zum Himmel. Über ihnen kreisten die Möwen mit aufmerksamen schwarzen Augen. »Warte hier auf mich, hörst du?«

Ivory nickte.

»Du bist doch gut im Verstecken, oder?«

»Natürlich.«

»Das ist ein Spiel, das wir spielen.« Als Eliza diese Worte aussprach, sah sie Sammy vor ihrem geistigen Auge, und ihr lief ein Schauer über den Rücken.

»Ich spiele gern.«

Eliza schluckte und verscheuchte das Bild. Dieses kleine Mädchen war nicht Sammy. Sie spielten nicht den Ripper. Alles würde gut werden. »Ich komme bald wieder zu dir zurück.«

»Wohin gehst du?«

»Ich muss mich noch von jemandem verabschieden und etwas abholen, bevor das Schiff ablegt.«

»Was denn?«

»Meine Vergangenheit«, sagte sie. »Meine Zukunft.« Sie lächelte kurz. »Meine Familie.«

Während die Kutsche in Richtung Blackhurst holperte, lichtete sich der Nebel in Elizas Kopf. Allmählich kam sie wieder zu sich: Schaukeln, dumpfes Hufgetrappel, muffiger Geruch.

Sie zwang sich, die Augen zu öffnen, blinzelte. Schwarze Schatten lösten sich in staubigen Lichtstrahlen auf. Als sie versuchte, ihren Blick zu fokussieren, wäre sie beinahe wieder ohnmächtig geworden.

Es war jemand bei ihr, ein Mann, der ihr gegenübersaß. Sein Kopf war seitlich gegen den Ledersitz gelehnt, und sein regelmäßiger Atem wurde manchmal von leichtem Schnarchen unterbrochen. Er war klein und rundlich, und auf seinem Nasenrücken klemmte eine bügellose Brille.

Eliza holte tief Luft, sie war wieder zwölf Jahre alt, sie war aus ihrer vertrauten Umgebung herausgerissen worden und fuhr einer ungewissen Zukunft entgegen. Sie war eingesperrt in einer Kutsche mit dem bösen Mann, von dem ihre Mutter ihr immer erzählt hatte. Mansell.

Und dennoch … irgendwie schien es nicht zu stimmen. Irgendetwas wollte ihr nicht einfallen, eine dunkle summende Wolke am Rande ihres Denkens. Irgendetwas Wichtiges, irgendetwas, das sie tun musste.

Sie atmete schwer. Wo war Sammy? Er müsste eigentlich bei ihr sein, sie musste ihn beschützen …

Hufgetrappel draußen. Das Geräusch machte ihr Angst und verursachte ihr Übelkeit, auch wenn sie nicht wusste, warum. Die dunkle Wolke begann zu wirbeln. Sie kam näher.

Elizas Blick fiel auf ihren Rock und die im Schoß gefalteten Hände. Ihre Hände, und doch überhaupt nicht ihre.

Helles Licht bahnte sich den Weg durch ein Loch in der Wolkendecke: Sie war gar nicht mehr zwölf, sie war eine erwachsene Frau …

Aber was war geschehen? Wo war sie? Warum war Mansell bei ihr?

Ein Cottage hoch auf den Klippen, ein Garten, das Meer …

Ihre Atemzüge wurden jetzt lauter, brannten ihr in der Kehle.

Eine Frau, ein Mann, ein Kind …

Panik erfasste sie.

Immer mehr Licht … die Wolke verschwand, löste sich auf …

Worte, Bedeutungsfetzen: Maryborough … ein Schiff … ein Kind, nicht Sammy, ein kleines Mädchen …

Elizas Kehle brannte. Ein Loch öffnete sich in ihr und füllte sich rasch mit schwarzer Angst.

Das kleine Mädchen war ihre Tochter.

Klarheit, die so grell brannte: Ihre Tochter war allein auf einem Schiff, das bald ablegen würde.

Die Panik durchdrang all ihre Poren. Ihr Puls raste und hämmerte gegen ihre Schläfen. Sie musste fliehen, zurück zum Schiff.

Eliza spähte seitlich zur Tür.

Die Kutsche fuhr schnell, aber es war ihr egal. Das Schiff würde heute ablegen, und das kleine Mädchen war an Bord. Das Kind, ihr Kind, ganz allein.

Mit schmerzender Brust und dröhnendem Kopf streckte Eliza die Hand aus.

Mansell regte sich. Seine trüben Augen öffneten sich, erblickten Elizas Arm, die Finger, die den Türgriff umklammerten.

Ein grausames Lächeln zeigte sich auf seinen Lippen.

Sie drückte den Griff herunter: Er wollte sich auf sie stürzen, um sie aufzuhalten, aber Eliza war schneller. Ihre Not war letztendlich größer.

Und sie fiel, die Tür der Kutsche hatte sich geöffnet, und sie fiel, fiel, fiel in Richtung der kalten, dunklen Erde. Die Zeit verschmolz in einen Moment, Vergangenheit war Gegenwart war Zukunft. Eliza schloss die Augen nicht, sie sah die Erde näher kommen, der Geruch nach Schlamm, Gras, Hoffnung – und sie flog mit ausgebreiteten Flügeln über den Boden, immer höher, ließ sich vom Wind tragen, das Gesicht kühl, der Kopf ganz klar. Und Eliza wusste, wohin es ging. Sie flog zu ihrer Tochter, zu Ivory. Zu dem Menschen, den sie ihr ganzes Leben gesucht hatte, ihrer anderen Hälfte. Endlich war sie wieder ganz und auf dem Weg nach Hause.

49 *Cliff Cottage* *Cornwall, 2005*

Endlich war sie wieder im Garten. Über dem Unwetter, Rubys Besuch und dem Gespräch mit Clara waren Tage vergangen, bis Cassandra wieder eine Gelegenheit gefunden hatte, unter der Mauer hindurchzuschlüpfen. Eine seltsame Ruhelosigkeit hatte sie gequält, die sich erst jetzt langsam legte. Es war schon merkwürdig, dachte sie, während sie einen Gummihandschuh über ihre rechte Hand zog: Sie hatte nie viel Interesse am Gärtnern gehabt, aber an diesem Ort war das etwas anderes. Sie hatte einen unwiderstehlichen Drang verspürt, hierherzukommen, mit den Händen in der Erde zu wühlen und den Garten wieder zum Leben zu erwecken. Als sie die Finger des anderen Handschuhs glatt zog, fiel ihr Blick erneut auf den schmalen Streifen weißer Haut um ihren Ringfinger.

Sie fuhr mit dem Daumen über diesen weißen Hautstreifen. Er war glatter und weicher als die Haut, die ihn umgab. Dieser weiße Streifen war der jüngste Teil von ihr, zwölf Jahre jünger als der Rest. Verborgen seit dem Tag, als Nick den Ring über ihren Finger gestreift hatte, der einzige Teil an ihr, der sich nicht geändert hatte, der nicht gealtert war. Bis jetzt.

»Ist es kalt genug für Sie?« Christian, der nach ihr unter der Mauer hindurchgekrochen war, schob die Hände tief in seine Hosentaschen.

Cassandra zog den Handschuh über und lächelte ihn an. »Ich habe nicht damit gerechnet, dass es in Cornwall kalt werden könnte. In allen Prospekten war die Rede von einem gemäßigten Klima.«

»Gemäßigt verglichen mit Yorkshire«, sagte er mit einem schiefen Lächeln. »Man spürt schon den bevorstehenden Winter. Aber bis der kommt, sind Sie ja längst wieder zu Hause.«

Schweigen breitete sich zwischen ihnen aus. Während Christian sich umdrehte, um das Loch zu inspizieren, das er die Woche zuvor angefangen hatte zu graben, tat Cassandra so, als müsste sie Unkraut aus ihrer Forke entfernen. Ihre Rückkehr nach Australien war ein Punkt, den sie bisher gemieden hatten. Wenn das Gespräch in den vergangenen Tagen auch nur in die Nähe des Themas geraten war, hatte immer einer von beiden es in eine andere Richtung gelenkt.

»Ich habe noch mal über den Brief von Harriet Swindell nachgedacht«, sagte Christian.

»Und?« Cassandra schob die unangenehmen Gedanken an Vergangenheit und Zukunft beiseite.

»Was auch immer sich in dem Tonkrug befand, den Eliza aus dem Kamin hervorgezogen hat, es muss wichtig gewesen sein. Nell war bereits auf dem Schiff, und das bedeutet, dass Eliza ein sehr hohes Risiko eingegangen ist, als sie noch mal losging, um ihn zu holen.«

Darüber hatten sie schon am Vortag in einer warmen Nische im Pub gesprochen. Während in der Ecke das Kaminfeuer prasselte und auf der anderen Seite des Tresens eine Band aus dem Ort spielte, waren sie immer wieder alle ihnen bis jetzt bekannten Details durchgegangen, auf der Suche nach des Rätsels Lösung, von der sie beide das Gefühl hatten, dass sie eigentlich greifbar nahe sein musste.

»Wahrscheinlich hat sie nicht damit gerechnet, dass sie entführt werden sollte, wer auch immer der Entführer war.« Cassandra stieß ihre Harke in das Gartenbeet. »Ich wünschte, Harriet Swindell hätte uns seinen Namen genannt.«

»Er muss von Roses Familie geschickt worden sein.«

»Wieso?«

»Wer sonst sollte so wild darauf gewesen sein, die beiden zurückzuholen?«

»Eliza zurückzuholen.«

»Hä?«

Cassandra schaute ihn über die Schulter hinweg an. »Nell haben sie nicht zurückgeholt. Nur Eliza.«

Christian hielt beim Graben inne.

»Ja, das ist seltsam. Ich nehme an, sie hat ihnen nicht verraten, wo Nell steckte.«

Dieser Teil ergab für Cassandra keinen Sinn. Sie hatte die halbe Nacht wach gelegen und gegrübelt, war jedoch immer wieder zur selben Schlussfolgerung gelangt. Eliza würde nicht gewollt haben, dass Nell auf Blackhurst blieb, aber ganz sicher würde sie mit allen Mitteln versucht haben, das Schiff aufzuhalten, als sie festgestellt hatte, dass es ohne sie losgefahren war. Sie war immerhin Nells Mutter, das Kind musste ihr alles bedeutet haben. Hätte sie nicht alles unternommen, um Alarm zu schlagen und die Schifffahrtsgesellschaft darüber zu informieren, dass Nell sich allein auf dem Schiff befand? Sie hätte nicht tatenlos zugelassen, dass ein vierjähriges Mädchen ganz allein nach Australien reiste. Cassandras Harke traf auf einen besonders hartnäckigen Wurzelstock. »Ich glaube, sie konnte nichts mehr sagen.«

»Wie meinen Sie das?«

»Ich meine, wenn sie etwas hätte sagen können, hätte sie es getan. Oder etwa nicht?«

Christian nickte langsam und hob die Brauen, als ihm die Implikationen dieses Gedankens bewusst wurden. Dann stieß er die Schaufel in das Loch.

Der Wurzelstock war so dick, dass Cassandra erst das Unkraut daneben wegräumen musste, um ihn weiter freilegen zu können. Sie lächelte in sich hinein. Die Pflanze mochte verwildert sein und kaum noch Blätter haben, aber Cassandra erkannte sie, denn in Nells Garten in Brisbane hatte sie ähnliche Arten gesehen. Es war ein zäher alter Rosenstock, und er wuchs hier schon seit Jahrzehnten, wenn nicht sogar länger. Der Stamm der Pflanze war so dick wie ihr Unterarm, mit Ranken voller Dornen. Aber er lebte noch, und bei einiger Pflege würde er wieder anfangen zu blühen.

»Oh Gott.«

Cassandra blickte von ihrer Rose auf. Christian kniete auf allen vieren und beugte sich in das Loch hinunter. »Was ist?«, fragte sie.

»Ich habe was entdeckt.« Sein Tonfall war irgendwie merkwürdig, schwer zu deuten.

Cassandra war wie elektrisiert. »Was Beängstigendes oder was Aufregendes?«

»Ich glaube eher, was Aufregendes.«

Sie kniete sich neben ihn und spähte in das Loch. Ihr Blick folgte der Richtung seines Zeigefingers.

Mitten im feuchten Erdreich ragte etwas aus dem Boden. Ein kleiner Gegenstand, braun und glatt.

Christian legte den Gegenstand mit den Händen frei und zog einen Tonkrug hervor, die Art, in der man früher Senf und anderes Eingemachtes aufbewahrte. Er wischte die Erde von dem Krug und reichte ihn Cassandra. »Ich glaube, der Garten hat soeben sein Geheimnis gelüftet.«

Der Ton fühlte sich kühl an ihren Fingern an, und der Krug war erstaunlich schwer. Cassandra schlug das Herz bis zum Hals.

»Sie muss ihn hier vergraben haben«, sagte Christian. »Der Mann, der sie in London entführt hat, muss sie zurück nach Blackhurst gebracht haben.«

Aber warum hätte Eliza den Tonkrug vergraben sollen, nachdem sie ein solches Risiko eingegangen war, ihn sich zu beschaffen? Warum hätte sie riskieren sollen, ihn erneut zu verlieren? Und wenn sie Zeit hatte, den Krug zu vergraben, warum hatte sie dann nicht Kontakt mit dem Schiff aufgenommen? Und die kleine Ivory geholt?

Die Erkenntnis kam plötzlich. Etwas, das die ganze Zeit vor ihnen gelegen hatte, wurde deutlich. Cassandra atmete heftig ein.

»Was ist?«

»Ich glaube nicht, dass sie den Krug vergraben hat«, flüsterte Cassandra.

»Aber wer soll es dann getan haben?«

»Niemand, glaube ich, ich vermute eher, dass der Krug mit ihr zusammen vergraben wurde.« Und jetzt lag sie hier seit neunzig Jahren und wartete darauf, dass jemand sie fand. Dass Cassandra sie fand und ihr Geheimnis aufdeckte.

Christian starrte mit weit aufgerissenen Augen in das Loch. Er nickte langsam. »Das würde auch erklären, warum sie nicht zu Ivory, zu Nell zurückgegangen ist.«

»Sie konnte es nicht, denn sie war bereits hier.«

»Aber wer hat sie hier vergraben? Ihr Entführer? Ihre Tante oder ihr Onkel?«

Cassandra schüttelte den Kopf. »Ich weiß es nicht. Nur eins ist sicher: Wer auch immer es getan hat, wollte nicht, dass es jemand erfährt. Es gibt keinen Grabstein, nichts, um die Stelle zu markieren. Eliza sollte verschwinden, und die Wahrheit über ihren Tod für immer verborgen bleiben. Vergessen, genau wie ihr Garten.«

50 *Blackhurst Manor* *Cornwall, 1913*

Adeline wandte sich vom Kamin ab und sog so heftig die Luft ein, dass ihre Taille noch schmaler wurde. »Was soll das heißen, es ist nicht alles nach Plan verlaufen?«

Es war inzwischen dunkel, und die Wälder am Rand des Anwesens waren näher gerückt. Kalte Schatten, die dem Kerzenlicht widerstanden, lagen in den Ecken des Zimmers.

Mr Mansell rückte seinen Kneifer zurecht. »Es hat einen Sturz gegeben. Sie hat sich aus der Kutsche geworfen. Die Pferde sind außer Kontrolle geraten.«

»Ein Arzt«, rief Linus aus. »Wir müssen einen Arzt rufen.«

»Ein Arzt kann ihr nicht mehr helfen«, sagte Mr Mansell ungerührt. »Sie ist bereits tot.«

Adeline schnappte nach Luft. »Was?«

»Tot«, wiederholte er. »Die Frau, Ihre Nichte, ist tot.«

Adeline schloss die Augen, ihre Knie gaben nach. Die Welt um sie herum drehte sich, sie fühlte sich plötzlich ganz leicht, ohne Schmerzen, frei. Wie war es möglich, dass eine solche Last so unerwartet von ihr genommen wurde? Dass ein tödlicher Sturz sie von ihrem ärgsten und ältesten Widersacher befreien konnte, Georgianas Erbe?

Adeline trauerte nicht. Ihre Gebete waren erhört worden, die Welt hatte sich aus eigener Kraft ins Lot gebracht. Das Mädchen war tot. Fort. Das war das Einzige, was zählte. Zum ersten Mal seit Roses Tod konnte sie wieder frei atmen. Ein warmer Schauer des Glücks strömte in ihre Adern. »Wo?«, fragte sie. »Wo ist sie?«

»In der Kutsche …«

»Sie haben sie hergebracht?«

»Viel mehr konnte ich nicht tun.«

»Das Kind …«, ließ sich Linus aus seinem Sessel vernehmen. Sein Atem ging kurz und flach. »Wo ist das kleine rothaarige Mädchen?«

»Die Frau hat ein paar Worte gemurmelt, ehe sie sich aus der Kutsche gestürzt hat. Sie war benommen, und ich konnte sie kaum verstehen, aber sie hat etwas von einem Schiff gesagt. Sie war aufgeregt, wollte unbedingt rechtzeitig am Hafen sein, ehe es ablegte.«

»Gehen Sie«, befahl Adeline. »Warten Sie an der Kutsche. Ich werde die notwendigen Vorkehrungen treffen, dann werde ich Sie rufen lassen.«

Mansell nickte knapp und machte dann auf dem Absatz kehrt.

Nahm das letzte bisschen Wärme mit, als er das Zimmer verließ.

»Was ist mit dem Kind?«, stieß Linus hervor.

Adeline, die bereits krampfhaft nach einer Lösung suchte, beachtete ihn nicht. Natürlich durfte niemand vom Dienstpersonal etwas erfahren. Aber die Bediensteten glaubten sowieso alle, dass Eliza Cornwall verlassen hatte, nachdem sie erfahren hatte, dass Rose und Nathaniel planten, nach New York überzusiedeln. Es war ein Segen, dass Eliza so oft von ihrem Wunsch gesprochen hatte, eine große Reise zu unternehmen.

»Was ist mit dem Kind?«, fragte Linus noch einmal. Mit zitternden Fingern fummelte er an seinem Kragen herum. »Mansell muss die Kleine finden, das Schiff ausfindig machen. Wir müssen sie wiederbekommen, sie muss gefunden werden.«

Adeline schluckte ihren Abscheu herunter, als sie seine schlaffe Gestalt betrachtete. »Warum?«, fragte sie kühl. »Warum muss sie gefunden werden? Was bedeutet sie uns schon?« Dann beugte sie sich vor und flüsterte: »Begreifst du denn nicht? Wir sind frei.«

»Sie ist unsere Enkelin.«

»Aber sie ist nicht von unserem Blut.«

»Sie ist von meinem Blut.«

Adeline überhörte seine Antwort. Sie hatte keine Zeit, sich mit solchen Sentimentalitäten abzugeben. Nicht jetzt, wo sie endlich in Sicherheit waren. Sie wandte sich ab und begann, im Zimmer auf und ab zu gehen. »Wir werden den Leuten erzählen, dass das Kind an Scharlach erkrankt war, als wir es endlich hier auf dem Anwesen gefunden haben. Das wird kein Misstrauen erregen, denn wir hatten ja schon verlauten lassen, dass sie krank im Bett liegt. Wir werden dem Dienstpersonal erklären, dass nur ich allein sie pflege, dass Rose es so gewollt hätte. Und nach einer Weile, wenn alle Welt glaubt, dass wir alles darangesetzt haben, die Krankheit zu bekämpfen, wird es eine feierliche Bestattung geben.«

Ja, Ivory würde ein Begräbnis bekommen, wie es sich für eine geliebte Enkelin geziemte, aber Adeline würde dafür sorgen, dass Eliza schnell und unbemerkt beseitigt wurde. Auf keinen Fall würde sie auf dem Familienfriedhof beigesetzt werden, so viel stand fest. Der gesegnete Boden, in dem Rose ihre letzte Ruhe gefunden hatte, würde nicht besudelt werden. Sie musste irgendwo begraben werden, wo sie niemand finden konnte. Wo niemand jemals nach ihr suchen würde.

Am nächsten Morgen ließ Adeline sich von Davies durch das Labyrinth führen. Ein grässlicher, feuchter Ort. Der Geruch nach modrigem Unterholz, das nie einen Sonnenstrahl abbekam, war überwältigend. Der Saum ihres schwarzen Trauerkleids schleifte über den Boden, und abgefallene Blätter blieben wie Kletten daran hängen. Sie sah aus wie ein riesiger schwarzer Vogel, der seine Federn aufplusterte, um den kalten Winter zu überstehen, der sich seit Roses Tod über sie gelegt hatte.

Als sie den ummauerten Garten erreichten, schob Adeline Davies beiseite und ging mit schnellen Schritten über den schmalen Gartenpfad. Kleine Vögel flogen auf und zwitscherten wütend in ihren neu gefundenen Verstecken. Sie ging so schnell, wie die Etikette es gerade noch erlaubte, bestrebt, sich nur so lange wie unbedingt nötig an diesem verfluchten Ort aufzuhalten, dessen Geruch nach dampfender Fruchtbarkeit ihr die Sinne betäubte.

Am hinteren Ende des Gartens blieb Adeline stehen.

Ihre Lippen verzogen sich zu einem schmalen Lächeln. Sie hatte gefunden, wonach sie gesucht hatte.

Ein Schauder überlief sie, dann drehte sie sich um. »Ich habe genug gesehen«, sagte sie. »Meine Enkelin ist schwer krank, und ich muss wieder zurück an ihr Bett.«

Als Davies sie einen Moment zu lange anschaute, machte sich

plötzlich ein Gefühl der Beklommenheit in ihrer Brust breit. Entschlossen schob sie es beiseite. Was konnte er schon von ihren Plänen wissen? »Führen Sie mich zurück zum Haus.«

Auf dem Rückweg durchs Labyrinth hielt Adeline sich einige Schritte hinter dem grobschlächtigen Mann. Alle paar Meter zog sie die Hand aus ihrer Rocktasche und ließ ein paar glitzernde Steinchen aus Ivorys Sammlung fallen, die sie im Kinderzimmer gefunden hatte.

Der Nachmittag wollte einfach nicht vergehen, die Abendstunden zogen sich in die Länge, aber dann war es endlich Mitternacht. Adeline erhob sich von ihrem Bett, zog ihr Kleid und ihre Schnürstiefel an. Schlich auf Zehenspitzen die Treppe hinunter, durch den Korridor und in die Nacht hinaus.

Es war Vollmond, und sie hielt sich im Schatten der Bäume und Sträucher, als sie den Rasen überquerte. Das Tor zum Labyrinth war geschlossen, aber es bereitete Adeline keine Mühe, das Schloss zu öffnen. Sie betrat das Labyrinth und lächelte, als sie die ersten Steinchen auf dem Weg entdeckte, die im Mondlicht silbrig schimmerten.

Sie folgte den Steinchen, bis sie das hintere Tor erreichte, hinter dem der geheime Garten lag.

Innerhalb der hohen Mauern schien der ganze Garten zu summen. Das Mondlicht hatte das Laub mit einem silbernen Film überzogen, und in der leichten Brise schienen die Blätter leise zu klimpern, als wären sie aus Metall. Wie Harfenmusik.

Adeline hatte das merkwürdige Gefühl, heimlich beobachtet zu werden. Sie sah sich in dem mondbeschienenen Garten um, erschrak, als sie in einer Astgabel zwei große Augen erblickte. Dann erkannte sie die Federn der Eule, ihren runden Körper, den scharfen Schnabel.

Doch sie fühlte sich kaum erleichtert. Etwas Seltsames lag im

Blick des Vogels. Ein Ausdruck des Wissens um die irdischen Dinge. Diese großen, wachsamen, urteilenden Augen.

Sie wandte sich ab. Von so einem Vogel würde sie sich nicht ins Bockshorn jagen lassen.

Dann ein Geräusch. Aus dem Cottage. Adeline duckte sich hinter die Gartenbank. Sah, wie zwei dunkle Gestalten aus dem Haus kamen. Mansell, dachte sie. Aber wen hatte er bei sich?

Die Gestalten bewegten sich langsam, sie schienen etwas Schweres zu tragen. Sie legten ihre Last hinter der Mauer ab, dann trat eine der Gestalten über die Grube in den geheimen Garten.

Ein Zischen, als Mansell ein Streichholz anriss, dann das Aufblitzen eines warmen Lichts: ein orangefarbenes Herz, umgeben von einem bläulichen Kranz. Er hielt das brennende Streichholz an den Docht der Lampe und drehte an der Einstellschraube, um die Flamme größer und heller werden zu lassen.

Adeline erhob sich und ging auf Mansell zu.

»Guten Abend, Lady Mountrachet«, sagte er.

Sie zeigte auf den zweiten Mann und erwiderte kühl: »Wer ist das?«

»Slocombe«, sagte Mansell. »Mein Kutscher.«

»Was hat er hier zu suchen?«

»Die Klippe ist steil und das Paket schwer.« Das Licht der Laterne spiegelte sich in seinem Kneifer. »Er kann schweigen.« Er hielt die Lampe so, dass Adeline die untere Hälfte von Slocombes Gesicht sehen konnte. Der Unterkiefer des Mannes war grauenhaft entstellt, wo Lippen hätten sein sollen, befanden sich nur knotige Narben.

Während die Männer die Grube vergrößerten, die die Arbeiter angefangen hatten, betrachtete Adeline das dunkle Leichentuch unter dem Apfelbaum. Endlich würde das Mädchen der Erde übergeben werden. Sie würde verschwinden und vergessen werden, es würde sein, als hätte sie nie existiert. Und mit der Zeit würden die Leute vergessen, dass es sie je gegeben hatte.

Adeline schloss die Augen, bemühte sich, weder auf die vermaledeiten Vögel, die leise zu zwitschern begonnen hatten, noch auf das Rascheln des Laubs zu hören. Konzentrierte sich auf das Geräusch der weichen Erde, die auf das Leichentuch fiel. Ein kühler Luftzug streifte ihr Gesicht. Adeline riss die Augen auf.

Eine dunkle Gestalt kam auf sie zu, direkt in Augenhöhe.

Ein Vogel? Eine Fledermaus?

Dunkle Schwingen vor dem nächtlichen Himmel.

Adeline wich zurück.

Ein Stich, und ihr gefror das Blut in den Adern. Kochte. Wurde wieder kalt.

Als die Eule über die Mauer davonflog, spürte Adeline ein Pochen in der Handfläche.

Sie musste einen Schrei ausgestoßen haben, denn Mansell legte seine Schaufel nieder und leuchtete mit der Laterne in ihre Richtung. In dem flackernden gelben Licht entdeckte Adeline einen langen Zweig einer Kletterrose, der sich aus dem Spalier gelöst und in ihrem Kleid verfangen hatte. Ein dicker Dorn steckte in ihrer Hand.

Mit Daumen und Zeigefinger der anderen Hand zog sie ihn heraus. Ein Blutstropfen quoll aus der Stichwunde, rund und glänzend wie eine Perle.

Adeline zog ein Taschentuch aus dem Ärmel. Drückte es auf die Wunde und beobachtete, wie es sich langsam rot färbte.

Sie hatte sich nur an einer Rose gestochen. Dass ihr Blut sich anfühlte wie Eis in ihren Adern, lag an dem Schrecken. Die Wunde würde verheilen, und alles würde gut werden.

Aber diese Kletterrose würde als Erste dran glauben, wenn Adeline den Garten dem Erdboden gleichmachen ließ.

Was hatte eine Rose in den Gartenanlagen von Blackhurst zu suchen?

51 *Tregenna* *Cornwall, 2005*

Während Cassandra in das tiefe Loch schaute, in Elizas Grab, überkam sie eine seltsame Ruhe. Es war, als hätte der Garten bei ihrer Entdeckung einen tiefen Seufzer der Erleichterung ausgestoßen: Die Vögel waren stiller geworden, das Laub hatte aufgehört zu rascheln, die seltsame Rastlosigkeit hatte sich gelegt. Das lange vergessene Geheimnis, das der Garten zu hüten gezwungen gewesen war, war nun ans Tageslicht gekommen.

Christians sanfte Stimme, wie aus weiter Ferne: »Nun, wollen Sie ihn denn nicht öffnen?«

Der kleine Tonkrug, schwer in ihren Händen. Cassandra fuhr mit dem Finger über das Wachs, mit dem der Deckel versiegelt war. Sie schaute Christian an, der ihr aufmunternd zunickte, dann drückte und drehte sie an dem Deckel, bis das Wachs brach.

In dem Tonkrug befanden sich drei Gegenstände: ein ledernes Beutelchen, eine rotblonde Haarsträhne und eine Brosche.

Das lederne Beutelchen enthielt ein paar alte Münzen, angelaufene Kupfernickel mit dem Porträt einer Frau mit Schleier, Königin Viktoria. Mit Daten zwischen 1897 und 1900.

Die Haarsträhne wurde von einem Zwirnfaden zusammengehalten und war wie ein Schneckenhaus zusammengedreht, damit sie in eine winzige Schachtel passte. Da sie über all die Jahre in dem verschlossenen Behälter aufbewahrt gewesen war, hatte die Strähne nichts von ihrer Weichheit und ihrem Glanz verloren. Cassandra fragte sich, von wem das Haar stammen mochte, dann erinnerte sie sich an einen Eintrag in einem der ersten von Roses Tagebüchern aus der Zeit, als Eliza nach Blackhurst gekommen war. Lauter Klagen über dieses Mädchen, das Rose als »kaum besser als eine Wilde« bezeichnete. Das Mädchen, das sein Haar so kurz geschnitten trug wie ein Junge.

Zum Schluss nahm Cassandra sich die Brosche vor. Sie war rund und passte genau in ihre Handfläche. Um den Rand herum war sie mit Edelsteinen besetzt, während die Mitte aussah wie ein winziger Gobelin. Aber das war keine Stickerei. Cassandra hatte lange genug mit Antiquitäten zu tun gehabt, um zu erkennen, um was für eine Art Brosche es sich handelte. Sie drehte sie um und fuhr mit dem Finger über die Gravur auf der Rückseite. *Für Georgiana Mountrachet*, stand da in winzigen Buchstaben, *zum sechzehnten Geburtstag. Vergangenheit. Zukunft. Familie.*

Das war die Erklärung. Das war der Schatz, dessentwegen Eliza noch einmal zu den Swindells gegangen war, wo ihr der Fremde aufgelauert und ihre Flucht nach Australien vereitelt hatte. Der Tonkrug war der Grund, warum Eliza und Ivory getrennt wurden, der Grund für alles, was danach geschehen war, der Grund, warum Ivory zu Nell geworden war.

»Was ist das?«

Cassandra schaute Christian an. »Eine Trauerbrosche.«

Er runzelte die Stirn.

»Die Viktorianer ließen sie aus dem Haar ihrer Familienmitglieder herstellen. Diese hier hat Georgiana Mountrachet gehört, Elizas Mutter.«

Christian nickte bedächtig. »Das erklärt, warum sie Eliza so wichtig war. Warum sie noch mal zurückgegangen ist, um sie zu holen.«

»Und warum sie es nicht wieder zurück aufs Schiff geschafft hat.« Cassandra betrachtete Elizas Schätze in ihrem Schoß. »Ich wünschte, Nell hätte das hier sehen können. Sie hat sich immer so verlassen gefühlt, nie erfahren, dass Eliza ihre Mutter war, dass sie geliebt worden war. Sie hat sich immer so sehr danach gesehnt zu erfahren, wer sie war.«

»Aber sie wusste doch, wer sie war«, entgegnete Christian. »Sie war Nell, deren Enkelin Cassandra sie so sehr geliebt hat, dass sie bereit war, ans andere Ende der Welt zu reisen, um ihr Geheimnis zu lüften.«

»Aber sie weiß doch gar nicht, dass ich hierhergekommen bin.«

»Woher wollen Sie wissen, dass sie es nicht weiß? Vielleicht sieht sie ja die ganze Zeit von oben zu.« Er hob die Brauen. »Und natürlich hat sie gewusst, dass Sie eines Tages herkommen würden. Warum sonst hätte sie Ihnen das Cottage vermachen sollen? Was stand noch mal in dem Brief bei ihrem Testament?«

Wie seltsam ihr der Brief vorgekommen war, wie wenig sie begriffen hatte, als Ben ihn ihr überreichte. »*Für Cassandra. Sie wird verstehen, warum.*«

»Und? Verstehen Sie es?«

Natürlich verstand sie. Nell, die ein so tiefes Bedürfnis gehabt hatte, ihre Vergangenheit zu erforschen, um sich von ihr befreien zu können, hatte in Cassandra eine verwandte Seele gesehen. Eine Frau, die ebenso wie sie zum Opfer der Umstände geworden war. »Ja, sie wusste, dass ich herkommen würde.«

Christian nickte. »Sie wusste, wie sehr Sie sie liebten, und dass Sie zu Ende führen würden, was sie begonnen hatte. Es ist wie in dem Märchen *Die Augen des alten Weibleins*, wo das Reh zu der Prinzessin sagt, dass das alte Weiblein seine Augen am Ende nicht mehr brauchte, weil es durch die Liebe der Prinzessin erfahren hatte, wer es war.«

Cassandras Augen brannten. »Sehr weise gesprochen von dem Reh.«

»Außerdem war es schön und mutig.«

Sie musste lächeln. »Jetzt wissen wir es also. Wir wissen, wer Nells Mutter war, warum Nell allein auf dem Schiff war, was mit Eliza passiert ist.« Und sie wusste auch, warum der Garten ihr so wichtig war, warum sie das Gefühl hatte, hier Wurzeln geschlagen zu haben, die mit jeder Minute, die sie innerhalb der Gartenmauern verbrachte, tiefer in diesen Boden eindrangen. In dem

Garten fühlte sie sich zu Hause, denn sie spürte, dass auch Nell hier war. Und Eliza. Und sie, Cassandra, war die Hüterin der Geheimnisse der beiden Frauen.

Christian schien ihre Gedanken zu lesen. »Und?«, fragte er. »Wollen Sie es immer noch verkaufen?«

Cassandra sah, wie der Wind einen Schauer gelber Blätter niederrieseln ließ. »Ich habe mir überlegt, dass ich eigentlich noch ein bisschen länger hierbleiben könnte.«

»Im Hotel?«

»Nein, hier im Cottage.«

»Werden Sie sich nicht einsam fühlen?«

Es war etwas, das sie fast nie tat, aber diesmal öffnete Cassandra den Mund und sprach ohne nachzudenken oder zu zögern genau das aus, was sie in dem Moment empfand: »Ich glaube nicht, dass ich allein sein werde. Jedenfalls nicht immer.« Sie spürte, wie sie zu erröten begann, und fügte hastig hinzu: »Ich möchte zu Ende bringen, was wir angefangen haben.«

Er hob die Brauen.

Inzwischen war sie puterrot. »Hier im Garten, meine ich.«

»Ich weiß, was du meinst.« Er schaute ihr in die Augen, dann ganz kurz auf ihren Mund. Während Cassandras Herz wie verrückt zu pochen begann, ließ er seine Schaufel fallen und nahm ihr Kinn in beide Hände. Er beugte sich zu ihr hinunter, und sie schloss die Augen. Und dann küsste er sie, und sie war überwältigt von seiner Nähe, seiner Kraft, seinem Geruch nach Erde und Sonne.

Als Cassandra die Augen wieder öffnete, wurde ihr bewusst, dass sie weinte. Aber sie war nicht traurig, es waren Tränen der Freude darüber, dass jemand sie begehrte und dass sie endlich wieder ein Zuhause gefunden hatte. Sie schloss ihre Hand um die Brosche. *Vergangenheit. Zukunft. Familie.* Ihre Vergangenheit war gefüllt mit schönen, kostbaren, traurigen Erinnerungen. Zehn Jahre lang hatte sie mit diesen Erinnerungen gelebt, sie mit in den Schlaf genommen, sie bei der Arbeit um sich gehabt. Aber etwas hatte sich verändert – sie hatte sich verändert. Sie war nach Cornwall gekommen, um Nells Vergangenheit zu erforschen, ihre Familie zu finden, und am Ende hatte sie ihre eigene Zukunft gefunden. Hier in diesem wunderbaren Garten, den Eliza angelegt, den Nell in Besitz genommen und den sie, Cassandra, für sich entdeckt hatte.

Christian streichelte ihr übers Haar und schaute sie mit einer Gewissheit an, die sie erschauern ließ. »Ich habe auf dich gewartet«, sagte er schließlich.

Cassandra nahm seine Hand. Sie hatte auch auf ihn gewartet.

Epilog *Greenslopes Hospital* *Brisbane, 2005*

Etwas Kühles auf ihren Lidern, ein Gefühl, als würden Ameisen darauf herumkrabbeln.

Eine vertraute Stimme. »Ich hole eine Schwester …«

»Nein!« Nell streckte eine Hand aus, konnte nichts sehen, griff blind nach irgendetwas, woran sie sich festhalten konnte. »Lass mich nicht allein.« Ihr Gesicht war schweißnass und kühl von der Luft.

»*Es ist alles in Ordnung*, Grandma. Ich hole nur Hilfe. Ich bin gleich wieder da. Versprochen.«

Grandma. Ja, jetzt erinnerte sie sich, das war sie. Sie hatte viele Namen gehabt in ihrem Leben, so viele, dass sie einige davon vergessen hatte, aber erst als sie den letzten bekam, Grandma, hatte sie gewusst, wer sie war.

Eine zweite Chance, ein Segen, eine Retterin. Ihre Enkelin.

Und jetzt holte Cassandra Hilfe.

Nells Augen schlossen sich. Sie war wieder auf dem Schiff. Spürte das Wasser unter sich, spürte die sanften Bewegungen des Decks. Fässer, Sonnenlicht, Staub. Lachen, fernes Lachen.

Die Geräusche wurden leiser. Die Lichter gingen aus. Wie das Licht im Plaza-Kino, ehe der Hauptfilm anfing. Zuschauer, die auf ihren Plätzen herumrutschten, flüsterten, warteten …

Schwärze.

Stille.

Dann war sie plötzlich irgendwo anders. An einem kalten,

dunklen Ort. Allein. Spitze Zweige überall um sie herum. Das Gefühl, als würden Mauern, hoch und dunkel, von allen Seiten näher rücken. Jetzt war wieder etwas Licht da, nicht viel, aber genug, dass sie den fernen Himmel sehen konnte, wenn sie den Hals reckte.

Ihre Beine bewegten sich. Sie ging mit seitlich ausgestreckten Armen, ihre Hände berührten das Laub an den Zweigen.

Eine Ecke. Sie bog ab. Dichte Hecken. Ein Geruch nach feuchter Erde.

Plötzlich war es wieder da. Das Wort, ein altes, vertrautes Wort. Labyrinth. Sie befand sich in einem Labyrinth.

Und dann wusste sie mit tiefer Gewissheit: Am Ende des Labyrinths lag ein herrlicher Ort. Ein Ort, wo sie in Sicherheit sein und Ruhe und Frieden finden würde.

Sie kam an eine Weggabelung.

Bog ab.

Sie kannte den Weg. Sie erinnerte sich. Hier war sie schon einmal gewesen.

Sie ging immer schneller. Etwas in ihr trieb sie voran. Sie musste ans andere Ende gelangen.

Licht am Ende des Wegs. Sie war fast am Ziel.

Nur noch ein paar Schritte.

Dann trat eine Gestalt aus dem Schatten ins Licht. Die Autorin. Sie streckte ihr die Hand entgegen. Sagte mit silberheller Stimme: »Ich habe auf dich gewartet.«

Als die Autorin zur Seite trat, sah Nell, dass sie das Tor erreicht hatte.

Das andere Ende des Labyrinths.

»Wo bin ich?«

»Du bist zu Hause.«

Nell holte tief Luft und folgte der Autorin über die Schwelle in den schönsten Garten, den sie je gesehen hatte.

Und endlich wurde der Fluch der bösen Königin gebrochen, und die Prinzessin, die durch ihre Grausamkeit im Körper eines Vogels gefangen war, wurde aus ihrem Käfig befreit. Die Tür des Käfigs öffnete sich, und der Kuckuck fiel und fiel und fiel, bis seine Flügel sich endlich ausbreiteten und die Prinzessin feststellte, dass sie fliegen konnte. Sie ließ sich vom Wind emportragen, flog über den Rand der Klippe und über das Meer. In ein Land der Hoffnung, der Freiheit und des Lebens. Zu ihrer anderen Hälfte. Nach Hause.

Aus Der Flug des Kuckucks *von Eliza Makepeace*

Danksagung

Ich möchte allen danken, die mir dabei geholfen haben, *Der verborgene Garten* ins Leben zu rufen:

Meiner Nana Connelly, deren Geschichte mich zu dem Buch inspiriert hat; Selwa Anthony für ihre Klugheit und Sorgfalt; Kim Wilkins, Julia Morton und Diane Morton, die die ersten Entwürfe gelesen haben; Kate Eady, die vertrackte historische Fakten aufgestöbert hat; Danny Kretschmer, der mir rechtzeitig Fotos zur Verfügung gestellt hat; und Julias Kolleginnen, die mir Fragen zu umgangssprachlichen Eigenheiten beantworten konnten. Für Rechercheunterstützung – bei archäologischen, entomologischen und medizinischen Fragen – möchte ich mich bedanken bei Dr. Walter Wood, Dr. Natalie Franklin, Katharine Parkes und besonders bei Dr. Sally Wilde; und für die Hilfe bei spezifischen Details bei Nicole Ruckels, Elaine Wilkins und Joyce Morton.

Ich habe das Glück, dass meine Bücher weltweit von außergewöhnlichen Menschen verlegt werden, und bin jedem dankbar, der dabei geholfen hat, meine Geschichten in Bücher zu verwandeln. Für ihre einfühlsame und unermüdliche redaktionelle Unterstützung bei *Der verborgene Garten* verdienen besondere Erwähnung: Catherine Milne, Clara Finley und die wundervolle Annette Barlow bei Allen & Unwin, Australien, sowie Maria Rejt und Liz Cowen bei Pan Macmillan, England. Besten Dank an Julia Stiles und Lesley Levene für ihre Sorgfalt in Bezug auf Details.

Mein Dank gebührt ebenfalls den Autoren von Kinderbüchern. Schon früh zu erkennen, dass hinter schwarzen Zeichen auf weißen Seiten Welten unvergleichlichen Schreckens, aber auch der Freude und Aufregung lauern, ist eins der größten Geschenke des Lebens. Ich bin all jenen Autoren unendlich dankbar, deren Arbeiten während meiner Kindheit meine Fantasie beflügelt und in mir die Liebe zu Büchern und zum Lesen geweckt haben, die seitdem meine treue Begleiterin ist. *Der verborgene Garten* ist, zumindest teilweise, eine Hommage an sie.

Und nicht zuletzt bin ich wie immer meinem Mann David Patterson und meinen beiden Söhnen Oliver und Louis, denen diese Geschichte gewidmet ist, zu unendlichem Dank verpflichtet.